JN043889

大学入学**共通テスト**

公共、倫理

の点数が面白いほどとれる本

駿台予備学校講師
村中和之

＊この本は、小社より 2020 年に刊行された『大学入学共通テスト　倫理の点数が面白いほどとれる本』などを底本とし、最新の学習指導要領と出題傾向に準じた加筆・修正を施すことにより、令和 7 年度以降の大学入学共通テストに対応させた改訂版です。

＊この本には「赤色チェックシート」がついています。

はじめに

　本書を手に取っているのは、2025年から大学入学共通テストで実施される新科目「公共、倫理」を選択する予定の受験生（および教育関係者）であろう。

　諸君はたいへん貴重な存在である。というのも、選択科目「倫理」を深く学んで新課程入試に臨むのは諸君だけだからである。旧課程入試では、「倫理」選択者だけでなく「倫理、政治・経済」選択者も、この「倫理」という科目を深く学んでいた。しかし残念ながら、新課程入試では「倫理」を深く学ぶ受験生は大きく減ることが見込まれる。つくづく残念なことである。

　声を大にして言いたいのだが、**「倫理」という科目はとても楽しい科目である**。もともと受験生の中で「倫理」学習者はマイノリティであったが、私の20年ほどの受験指導の経験でも、彼ら彼女らはほとんど異口同音に、「倫理」は楽しかったと述べていた。「倫理」だけは勉強と思わずに勉強することができた、と述べていた受験生も一人や二人ではない。

「倫理」という科目では、古今東西の思想の歴史が取り扱われる。世界と日本の哲学や宗教を学ぶのだ。そこで扱われるのは、「善とは何か」「真理とは何か」「人はどう生きるべきか」「社会はどうあるべきか」といった、誰もが関心を抱き、知的好奇心をくすぐられるテーマばかりなのだ。こうしたテーマに対してありったけの知恵を絞った先人たちの思索が面白くないはずがない。

　なのに多くの受験生がこの科目を学ばないのは、本当にもったいない。彼ら彼女らが気の毒でならない。

　しかしとにかく、諸君は幸いにも、この科目を学ぶことができる。じつに幸運なことだ。私からも心から祝福したい。そしてやるからには、存分に学んでほしい。そして楽しんでもらいたい。これほどまでに学ぶことの愉悦を覚える科目は、ないだろう。

　「公共、倫理」は言うまでもなく、「公共」と「倫理」から構成される。**必修科目「公共」**は、基本的に旧課程の「現代社会」を踏襲し、これ

に新しい要素を加えた科目と言える。選択科目としての「倫理」と「政治・経済」の導入という性格をもち、**教科書**では「倫理」的な要素が３分の１ほど、「政治・経済」的な要素が３分の２ほどとなっている。

　2024年時点で「公共、倫理」には過去問が存在しないため、実際の試験問題がどのようなものになるのかを予想するのは困難だが、2022年に公表された新課程入試**「試作問題」**が唯一の手がかりとなる。試作問題では「公共」部分が25点、「倫理」部分が75点であったので、2025年以降の本番でも同様になる可能性がきわめて高い。また、「試作問題」における「公共」部分の問題は、「倫理」の知識が必要な設問が２題、「政経」の知識が必要な設問が２題、思考力のみで解答可能な設問が４題という構成であった。ここからわかることは、**「公共、倫理」は事実上「倫理」のみの学習でほぼ対応できる**ということである。もちろん「政経」的な要素はあるので、本書は意欲ある受験生のため、そうした要素についても十分な解説を用意している。

　本書は第１部「公共編」と第２部「倫理編」の２部構成であるが、内容上の重複を避けるため、「公共」分野で出題される「倫理」的な内容はすべて第２部「倫理編」の記述に委ねることとし、第１部「公共編」は「倫理」で扱われない事項だけを掲載することとした。ページ数のバランスとしては、第１部が40％ほど、第２部が60％ほどとなったが、先述のとおり、あくまで**学習上の重心は「倫理編」の方に置いてもらいたい。**「倫理編」の方から学習を進めるのもいいだろう。

　本書は、10年以上にわたり好評を博し続け、重版と増刷を繰り返してきた『現代社会の点数が面白いほどとれる本』『倫理の点数が面白いほどとれる本』をベースに、加筆・再構成し、さらにブラッシュアップしたものである。『公共、倫理』で高得点を狙う受験生にとっては最強の味方となることを約束したい。

2024年　村中和之

もくじ

第2部　倫理編

第1章　青年期の課題 ...206

第2章　源流思想 ...222

第 3 章　西洋近現代思想 ...306

本文イラスト：けーしん・中口　美保
本文デザイン：長谷川有香（ムシカゴグラフィクス）

＊本書がもとづいているデータは、2024年7月現在の情報が最新です。
＊条約・法律については、採択年を表示しています。

この本の特長と使い方

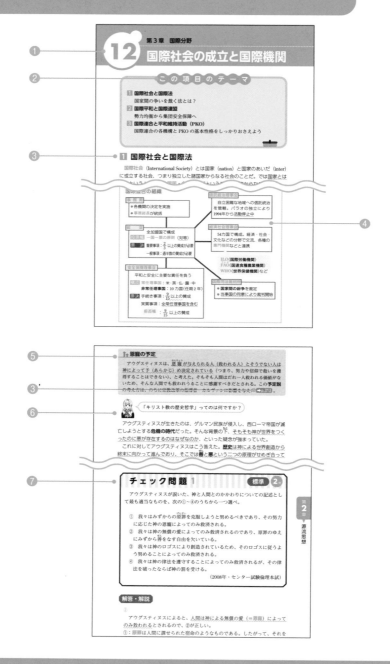

① **第3章 国際分野**
12 国際社会の成立と国際機関

② **この項目のテーマ**

1 国際社会と国際法
国家間の争いを裁く法とは？
2 国際平和と国際連合
勢力均衡から集団安全保障へ
3 国際連合と平和維持活動（PKO）
国際連合の各機構とPKOの基本性格をしっかりおさえよう

③ **1 国際社会と国際法**

国際社会（International Society）とは国家（nation）と国家のあいだ（inter）に成立する社会、つまり独立した諸国家からなる社会のことだ。では国家とは

④ **国際連合の組織**

総 会
● 各機関の決定を実施
● 事務総長が統括

総 会
全加盟国で構成
一国一票の原則（対等）
重要事項：⅔以上の賛成が必要
一般事項：過半数が必要

安全保障理事会
平和と安全に主要な責任を負う
常任理事国：米・英・仏・露・中
非常任理事国：10カ国（任期2年）
手続事項：⅗以上の賛成
実質事項：全常任理事国を含む
拒否権：⅗以上の賛成

信託統治理事会
自立困難な地域への信託統治を管轄。パラオの独立により1994年から活動停止中

経済社会理事会
54カ国で構成。経済・社会・文化などの分野で交流、各種の専門機関などと連携

ILO（国際労働機関）
FAO（国連食糧農業機関）
WHO（世界保健機関）など

国際司法裁判所
● 国家間の紛争を裁定
● 当事国の同意により裁判開始

⑤ **恩寵の予定**
アウグスティヌスは、**恩寵**が与えられる人（救われる人）とそうでない人は神によって予（あらかじ）め決定されている（つまり、努力や信仰で償いを獲得することはできない）、と考えた。そもそも人間はだれ一人救われる価値がないため、そんな人間でも救われることに感謝すべきだとされる。この**予定説**の考えは、のちに宗教改革の指導者、カルヴァンに影響を与え……

⑥ 「キリスト教の歴史哲学」ってのは何ですか？

アウグスティヌスが生きたのは、ゲルマン民族が侵入し、西ローマ帝国が滅亡しようとする**危機の時代**だった。そんな背景の下、そもそも神が世界をつくったのに悪が存在するのはなぜなのか、といった疑念が強まっていた。
これに対してアウグスティヌスはこう答えた。**歴史**は神による世界創造から終末に向かって進んでおり、そこでは**善**と**悪**という二つの原理がせめぎ合って

⑦ **チェック問題 1**   標準 **2**

アウグスティヌスが説いた、神と人間とのかかわりについての記述として最も適当なものを、次の①～④のうちから一つ選べ。

① 我々はみずからの原罪を克服しようと努めるべきであり、その努力に応じた神の恩寵によってのみ救済される。
② 我々は神の無償の愛によってのみ救済されるのであり、原罪のゆえにみずから善をなす自由を欠いている。
③ 我々は神のロゴスにより創造されているため、そのロゴスに従うよう努めることによってのみ救済される。
④ 我々は神の律法を遵守することによってのみ救済されるが、その律法を破ったならば神の罰を受ける。

（2008年・センター試験倫理本試）

解答・解説

②
アウグスティヌスによると、人間は神による無償の愛（＝恩寵）によってのみ救われるとされるので、②が正しい。
①：原罪は人間に課せられた宿命のようなものである。したがって、それを

第2章 源流思想

■**この本の対象読者**

　この本は、共通テスト「公共、倫理」の対策書です。基礎からていねいに説明しているので、学校の授業で「公共、倫理」を習っていない人でも、**予備知識ゼロの段階から読めます**。また、発展的な内容も盛り込まれているので、「公共・倫理」をある程度得意とし**8割以上の高得点をねらう人**にとっても有用です。

　さらには、共通テスト受験生のみならず、高1・高2生が学校の**授業の予習・復習や定期テスト対策**に使用することも可能です。すなわち、**すべての「公共、倫理」学習者が納得＆満足できる本**に仕上がっています。

■**この本の構成要素**　　＊左ページの説明と対応しています。

❶　「項目」：共通テスト「公共、倫理」の全範囲を、「公共編」15回、「倫理編」27回に分類しています。

❷　「この項目のテーマ」：その回に出てくる内容における学習上のポイントを示しています。**以降の学習事項を先に見通すのに便利です。**

❸　本文：村中先生による、「**政治**」「**経済**」「**国際**」「**社会**」「**倫理**」の〝**根本原理**〟をあぶり出すとともに出題の勘どころをおさえた、わかりやすくていねいな説明が展開されています。赤字・**太字**は重要な用語を、下線部は理解すべき内容をそれぞれ表します。また、随所に張りめぐらされているリンク（❸′）を活用すれば、ひとつの用語を複眼的に理解することが可能となります。

❹　板書：言葉による説明だけではわかりにくい箇所を、図表や箇条書きスタイルで取り上げています。

❺　発展事項：やや**高度ながら、共通テストで出題される可能性がある内容**を扱います。高得点をねらう学習者ならすべて完璧に理解してください。

❻　生徒キャラによる合いの手：**学習者が疑問に思うポイントを代弁**し、村中先生に質問してくれます。

❼　「チェック問題」：共通テスト、センター本試験、追試験の過去問のうち、出題年度の新しさより学習効果を優先した**極上の良問**を掲載しています。**難易度**（易／標準／やや難／難）と**解答目標時間**（分単位）も示されていますので、演習時の参考にしてください。

公共編

さあ、いよいよ始まるよ。
「公共編」は旧課程の「政治・経済」や「現代社会」に近い内容だよ。情報量は多いけれど、細かい知識を暗記することよりも広い視野で物事を捉えることを意識していこう！

第1章　政治分野

民主政治の基本原理

1 近代民主政治の原理
　民主主義と多数決は同じじゃない！
2 人権保障の展開
　人権保障の歴史的な流れをおさえよう
3 各国の政治制度
　アメリカ型とイギリス型の政治制度のちがいとは？

1 近代民主政治の原理

　僕たちは民主社会に生きている。でも社会が民主的であるというためには、基本的人権の保障、法の支配、国民主権、権力分立といった条件が必要だ。そして、これらのなかでは基本的人権の保障こそが最も大事な要素だと言える。

　国民主権より人権保障のほうが大事なの？

　多数派の意見がつねに正しいとは限らないよね。そして多数派は多数決によって少数派の人権を侵害してしまうことがあるんだ（少数民族への迫害など）。だから、そういう問題が起こらないように、人権保障の理念は多数派の意思に優越する。これが近代民主国家の決まりなんだ。
　言うまでもなく国民主権は民主社会においてとても重要なものだけれども、万能というわけではない。法の支配や権力分立も同様で、これらは人々の人権を保障するという究極目的のための手段なんだ。
　いま挙げた四つの要素のうち**人権保障**についてはあとで詳しく見るので、それ以外の要素から順に見ていこう。まずは法の支配から。
　法の支配とは為政者の身勝手な政治（**人の支配**）を否定するための概念で、歴史的には17世紀の**イギリス**で確立したものだ。これは平たく言って、国王であれ、だれであれ決められたルールを守るべきという考え方だ。

ルール重視ってことは法治主義（ほうち）と同じ？

　いや、**法の支配**と**法治主義**ははっきりと区別される。

　法治主義とは、法律にもとづいて政治が行われるべきという考え方なんだけど、これは法律という**形式**や**手続き**が重視され、その内容を問わない。つまり「悪法も法なり（あくほう）」とされかねない。

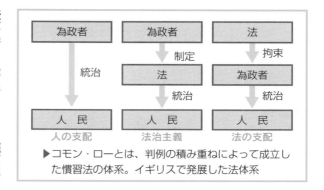

為政者		為政者		法	
↓統治		↓制定		↓拘束	
		法		為政者	
		↓統治		↓統治	
人　民		人　民		人　民	
人の支配		法治主義		法の支配	

▶コモン・ローとは、判例の積み重ねによって成立した慣習法の体系。イギリスで発展した法体系

　これに対して、法の支配は為政者を法で拘束するというもので、法の**内容**が重視される。法治主義も「人の支配」よりは近代的だけど、それだけでは為政者の横暴を防ぎきれないよね。

 次の原理は国民主権ですね。

　国民主権とは国政についての最終意思決定権が国民にあるという考え方で、**君主主権**などを否定するものだ。ただし必ずしも君主制そのものを否定するものではない（イギリスや日本には世襲（せしゅう）の君主がいるけど民主国家だよね）。逆に君主がいないけれども非民主的な国もある（どことは言わないけど）。ちなみに君主のいない体制のことを**共和制**と言うよ。

　さて、主権が国民にあると言っても、ふつうは国政上の決定をするのに国民みんなで会議をやるわけにはいかないので、国民は選挙で代表者を選び、彼らを介して意思決定をする。こうしたやり方を間接民主制（**代表民主制、議会制民主主義**）と言う。でも、これだと議会が暴走する危険性もあるので、多くの国は、間接民主制を補完するため、国民による直接的な意思決定のしくみ（直接民主制）も部分的に採用している ➡p.77 。

権力分立はなぜ必要なの？

　権力が１カ所に集中すると濫用されてしまう危険性が高いからだ。だから権力機構をバラバラにして、相互に監視して牽制(けんせい)し合うよう**抑制と均衡**（チェック・アンド・バランス）のしくみが求められたんだ。

　権力分立の考え方を提唱した思想家としては、何と言っても18世紀フランスの**モンテスキュー**（1689〜1755）が代表的だ。彼以前にも**ロック** →p.334 がすでに権力分立論を提唱していたんだけど、これは国王のもつ**執行権**と**同盟権**（外交権）よりも議会の**立法権**のほうが優越するというもので、いまから見れば不十分なものだった（司法の独立がない）。これに対してモンテスキューは『**法の精神**』のなかで、ロックの議論を下敷きにしつつ**立法・行政・司法**という近代的な**三権分立**論をはじめて提唱したんだ。

ポイント　近代民主政治の基本原理とは？

　近代民主政治において最重要なのは各人の**人権の保障**であり、それを実現するために**法の支配**、**国民主権**、**権力分立**といった手段がある。

　ここまで**法の支配・国民主権・権力分立**は**人権の保障**を目的とする、ということを見てきた。でもなぜ人間に普遍的な権利があると言えるのだろうか？この問いに答えるのが**自然権思想**と、それを発展させた**社会契約説**だ。

　社会契約説とは、国家の起源を人民の契約に求める考え方のことだ。つまり国家は自由で独立した諸個人が自分たちの生来の権利（**自然権**）を実現するために契約を結んで人為的に設立したものだと考えるんだ。

そんな契約、ホントにあったの？

　これが**歴史的事実**であるかどうかというのはたいした問題ではない。そうした契約があったかのように考えることに重要な意味があるんだ。たとえば日本国憲法の前文を読むと、その主語はほとんど「日本国民は」か「われらは」となっている。つまり、日本国民がみんなで各々の国家をつくることに合意し、それを内外に宣言する、という体裁をとっているんだ。というわけで、今日の憲法の多くは社会契約説に立脚しているんだよ。

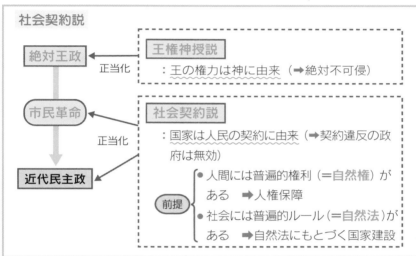

社会契約説

王権神授説
：王の権力は神に由来（➡絶対不可侵）

絶対王政 ← 正当化

社会契約説
：国家は人民の契約に由来（➡契約違反の政府は無効）

市民革命 ← 正当化

近代民主政

前提
- 人間には普遍的権利（＝**自然権**）がある　➡人権保障
- 社会には普遍的ルール（＝**自然法**）がある　➡自然法にもとづく国家建設

どんな人が社会契約説を提唱したの？

　社会契約説の代表的論者は、ホッブズ、ロック、ルソーの三人だ。彼らの思想については後半の倫理分野の箇所 ➡p.332〜336 で改めて詳しく説明するので、ここでは名前と概略だけ示しておこう。

	ホッブズ	ロック	ルソー
自然状態	戦争状態	基本的に平和	平和
契約	自然権の譲渡・放棄	自然権の一部を信託	一般意志に服従
理想の国家	強力な国家（絶対王政）	間接民主制	直接民主制

② 人権保障の展開

ここまでは民主主義のさまざまな原理を見てきたけど、こうした原理はいずれも歴史のなかで人々が勝ち取ってきたものだ。この節では民主主義と**人権保障**の歴史的展開過程を見ていこう。まずは主要な人権宣言から。

人権宣言の歴史

`イギリス` ：**法の支配**の確立（13C、17C）

- **マグナ・カルタ（大憲章）**（1215年）…封建貴族による王権の制限
- **権利章典**（1689年）…法の支配と議会主権の確立、**自由権**の保障
  ▶ 自然権の発想はなし

`アメリカ` ：**自然権思想**、成文憲法（18C）

- **バージニア権利章典**（1776年6月）…はじめて自然権思想を明記
- **アメリカ独立宣言**（1776年7月）…自然権思想、**抵抗権**

`フランス`

- **フランス人権宣言**（1789年）…人権の不可侵性、抵抗権、**財産権**、
  権力分立制

以上のように、古典的な人権宣言文書はイギリス ➡ アメリカ ➡ フランスの順に成立した。

イギリスでは何が実現したんですか？

結論から言うと、法の支配だ。イギリスでは13世紀に**マグナ・カルタ（大憲章）**が成立したが、これは人間の普遍的な権利を主張するものではなく、封建貴族がその特権を国王に認めさせたものだ。とはいえ国王から譲歩を勝ち取ったという意味で、**法の支配**への流れをつくるものだった。

その後、17世紀になると絶対王政への反発が市民革命につながり、権利章典が制定された（1689年）。これも**自然権**は認めていないんだけど、法の支配に加えて**議会主権**を確立した文書として、**成文憲法**をもたないイギリスでは、今日でも国家の最も重要な憲法的文書と認められている。

次にアメリカ。イギリスの植民地だったアメリカは、18世紀後半に独立革命を敢行し、その過程で二つの文書が出された。1776年6月のバージニア権利章典は、**自然権思想**を盛り込んだ世界初の文書として名高い。翌7月に出されたのがアメリカ独立宣言で、**抵抗権**が明記されている点が重要だね。

最後がフランス。**フランス革命**で出されたのが フランス人権宣言 （1789年）だ。人間が生まれながらに自由・平等であることを宣言するとともに、**財産権**や**権力分立制**などを明記した。とくに権力分立制がフランス人権宣言で規定されたことは超重要だよ！

> ### ポイント ▶ イギリス、アメリカ、フランスの人権宣言
> **イギリス**では**法の支配**、**アメリカ**では**自然権思想**、**フランス**では**財産権**と**権力分立制**が確立した。

人権には大きく分けて3種類のものがあり、それぞれ時代状況に応じて主張されるようになってきた。その大きな流れを見てみよう。

人権の歴史的展開

自由権：介入・干渉を拒否する「**国家からの自由**」（18世紀的権利）

- 人身の自由
- 信教の自由 ➡ **自由放任主義・夜警国家**（消極国家）
- 経済的自由

参政権：**無産階級**による**普通選挙権**の要求「**国家への自由**」
 ▶ チャーチスト運動：19C前半にイギリスで起こった男子普通選挙権の要求

社会権：人間的生活を要求する「**国家による自由**」（20世紀的権利）

- 生存権
- 教育を受ける権利 ➡ **福祉国家**（**積極国家**）
- 労働基本権　　など

 ▶ ワイマール憲法（1919年）：社会権をはじめて規定。
「人たるに値する生活」（生存権）を保障し所有権を制限（⬅ 公共の福祉）

まず最も古典的な人権は、自由権（自由権的基本権）だ。ここで言う「自由」とは、国家からの介入や干渉がないことだ。つまり、理由も告げられずに警察に身柄を拘束されたり、特定の信仰を押しつけられたり、不条理な税をとりたてられたりといったことを拒否する権利を意味する。これらの権利獲得に動いたのは、主として当時経済力をつけつつあった**ブルジョワジー**（市民階級）だ。それまでの社会体制では人間が土地や身分などでしばられていたため、自由な経済活動がままならなかった。こうした背景のもと自由を求めて**市民革命**が起こされたんだ ➡p.19 。

国家がないほうが権利が守られるということ？

　そう。これらの権利は**国家から個人を守ること**を目的にするものであったため、「**国家からの自由**」と言われる。また、その多くは18世紀の人権宣言で保障されたことから「18世紀的権利」とも言われる。なお、この権利が重視されてきた結果、19世紀の国家は自由放任主義の「夜警国家」であった。

　▶夜警国家とは、治安維持や国防だけに専念する国家のあり方を示す言葉で、19世紀ドイツの社会主義者ラッサールが批判的に表現した。

　自由権の次の段階で登場するのが参政権だ。初期の議会政治では、議会に代表者を送り込むことができたのは特権的な貴族たちと経済力のあるブルジョワジーだけだった。このように身分や財産で制約された**制限選挙**に対し、19世紀に入るとしだいに力をつけ始めた**プロレタリアート**（労働者階級）が普通選挙を要求するチャーチスト運動を展開する。このように、19世紀には参政権の要求が広がった。

- 世界初の男子普通選挙制
  ➡ 1848年：フランス
- 世界初の**男女**普通選挙制
  ➡ 1919年：ワイマール憲法
- 日本初の男子普通選挙制
  ➡ 1925年（男女普選は1945年）

　最後が社会権（社会権的基本権）。**資本主義の発達**は生産力を向上させたが、大きな貧富の格差を生んでしまった。そこで人々が人間的生活を営めるように、国家が生活保護や就業支援などを行うよう要求する権利が社会権だ。この権利は国家による施策があってはじめて実現できる権利であることから「**国家による自由**」とも呼ばれ、ドイツのワイマール憲法（1919年）ではじめて盛り込まれた。このように市民生活に積極的に介入する国家のことを福祉国家と言う。

　さて、20世紀に二つの世界大戦をへた国際社会では、もはや人権は国際的に保障されなくては実効性がないと考えられるようになった。

 なんで？

　他国の人権侵害を批判すると、「内政干渉」だと言われかねない。それを防ぐためには、あらかじめ万国共通の人権保障のルールをつくるしかない。つまり、いわば人権の世界標準（グローバル・スタンダード）を決めてしまえば、ユダヤ人虐殺みたいなものの歯止めになる、というわけだ。

人権の国際化

拘束力なし！

・**世界人権宣言**（1948年）

条約化

　　・・・国連総会で採択。自然権の保障を宣言

・**国際人権規約**（1966年）

　　・・・拘束力あり。日本は1979年に一部を留保して批准

　最初につくられたのが、1948年に第3回国連総会で採択された**世界人権宣言**だ。これは万国共通の普遍的な権利（＝自然権）をうたったものだったけど、いかんせん拘束力のない宣言にすぎなかった。そこで、それを拘束力のある条約としたのが**国際人権規約**（1966年）だ。日本も批准しているよ。

　そのほか、個別のテーマごとの人権条約としては、以下のようなものがある。

難民の地位に関する条約［難民条約］（1951年）

- 人種的・宗教的・政治的理由から自国の保護を受けられない者を保護し、国外追放や強制送還を禁止　▶経済難民、環境難民は含まれず
- 日本は、**難民認定**の基準が厳しく受け入れに消極的

人種差別撤廃条約（1965年）

- 人種・皮膚（ひふ）の色などによるあらゆる差別の撤廃を目指す
- 日本は1995年に批准 ➡ **アイヌ文化振興法**の制定

女性差別撤廃条約（1979年）

- 女性差別の撤廃と女性の社会参加、性別役割分業の見直しを求める
- 日本は1985年に批准 ➡ **男女雇用機会均等法**の制定

子どもの権利条約（1989年）　▶日本は1994年に批准

- **18歳**未満の子どもに**権利行使の主体**として**意見表明権**などを認める

障害者権利条約（2006年）

- 日本は2014年に批准 ➡ **障害者差別解消法**の制定

　上に挙げたなかでは、**子どもの権利条約**がとくに重要だね。

　「子どもは弱者だから守ってあげよう」というように、子どもを単に「保護対象」としてとらえるのではなく、自分の意見と意思をもった存在として、「**権利行使の主体**」としてとらえようというのがポイントだよ。

　世界を見わたすと、最低限の生活すらままならず、また政府による人権侵害に苦しむ人々が大勢いる。そうした人々の生命と諸権利を守ることを**人間の安**

全保障と言う。これは**持続可能な開発目標**（SDGs）→p.191、503とも通じる考え方で、グローバル化の時代における人権を考えるうえで、重要な視点だ。

チェック問題 1 標準 2分

国際的な人権保障の動きに関する説明として適当でないものを、次の①〜④のうちから一つ選べ。

① 世界人権宣言は、自由権だけでなく、社会権や参政権についても規定を設けている。
② 国際人権規約は、世界人権宣言を具体化したもので、世界人権宣言と同様に法的拘束力をもたないものである。
③ 女子差別撤廃条約は、男女平等は人類の発展と平和の前提条件であるという考え方をとっている。
④ 国際連合は、人間の福祉や基本的人権の享受のために環境が重要であるとする「人間環境宣言」を採択している。

（1997年・センター試験現社本試）

解答・解説

②

　国際人権規約は**法的拘束力**をもつ。世界人権宣言の弱点を克服するためにつくられたのが国際人権規約だったよね →p.23 。
　①・③・④：正しい。④の**人間環境宣言**は1972年の国連人間環境会議で発表されたもの。ほかの選択肢について迷ったとしても、②は自信をもって選べるはずだよね。

スキルアップ1 法の種類と近代私法の原則

近代民主政治においては**法の支配**がきわめて重要だが、ひと言で「法」と言っても、次のようにさまざまな種類がある。

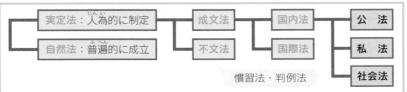

公法は国家と私人（一般市民や民間企業など）の関係や、国家機関同士の関係を規律するものであり、**私法**は私人間の関係を規律するものだ。

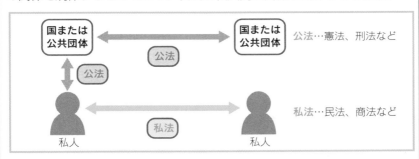

近代社会では国家が私人間の関係には介入しないというのが基本となっており、これは次のように整理されている（**近代私法の原則**）。

- **権利能力平等の原則**…人はだれも差別されてはならない
- **所有権絶対の原則**…物の持ち主はそれを自由に扱うことができる
- **私的自治の原則**…だれもが自己責任で自由意志にもとづき行為できる

とくに重要なのが「私的自治の原則」で、ここから**契約自由の原則**（私人同士はいかなる契約を結んでもよい）や、**過失責任の原則**（損害を与えた者であっても、過失がなければ責任を問えない）などが導かれる。

ただ、これらの原則にも例外がある。たとえば「殺人」の契約のようなものは、当事者間で合意があっても「**公序良俗**」に反することから無効とされる。そのほか、労働契約などでは労働者が不利になりがちなことから、賃金などの労働条件で最低基準が設けられている ➡p.142 。このように、労働関係法や社会保障関係法など、実質的な平等を実現するために私法の原則を修正するものを、**社会法**と言う。

3 各国の政治制度

　各国の政治制度については、まず、議院内閣制と大統領制という二つの政治制度を整理しよう。

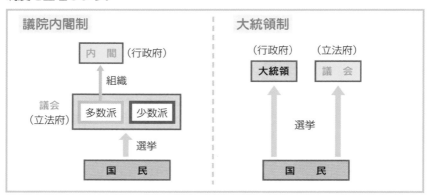

　立法府である**議会**を国民が直接選出するという点は変わらないが、議院内閣制と大統領制とでは**行政府**の選出の仕方がちがう。議院内閣制の場合、国民は行政権をもつ内閣を直接選ぶことはできず、選挙された議会の多数党派が**内閣**を組織（**組閣**）することになる。大統領制の場合は、大統領と議会の両方を国民が選挙する。これはわかりやすいよね。国民の代表が二つあるという意味で、これを**二元代表制**と言うことがあるよ（議院内閣制は**一元代表制**）。

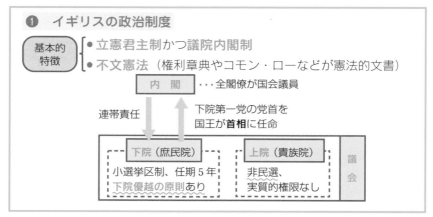

　イギリスは立憲君主制かつ議院内閣制の国なので、日本の国制と近い。**立憲君主制**ということは、世襲の国王はいるけれども絶対王政ではなく、憲法にもとづく政治が行われているということだ。ただし、ここで言う「憲法」とは日本国憲法のような**成文憲法**ではなく、権利章典 ➡p.20 などの重要文書や、判

例が蓄積されて体系化された**コモン・ロー**などを包括した憲法体系のことを指す。ここからイギリスは<u>不文憲法</u>の国と言われる。議会について言うと、**上院**は非民選の貴族院で、実質的権限はもたない（**下院優越の原則**）。

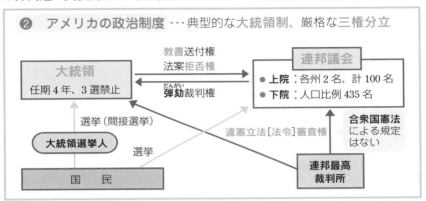

❷　**アメリカの政治制度** ‥‥典型的な<u>大統領制</u>、厳格な<u>三権分立</u>

大統領
任期4年、3選禁止

教書送付権
法案拒否権
<u>弾劾</u>裁判権

連邦議会
● **上院**：各州2名、計100名
● **下院**：人口比例435名

選挙（間接選挙）

大統領選挙人

選挙

国　民

違憲立法［法令］審査権

合衆国憲法
による規定
はない

連邦最高
裁判所

アメリカは言うまでもなく<u>大統領制</u>の国だ。大統領は、議会ではなく国民から選出されるので、議会から**不信任**されることはなく、当選すれば原則として任期の4年間はその職務を続けることになる（3選は禁止されている）。

またモンテスキュー的な厳格な<u>三権分立</u>が敷かれており →p.18 、行政府と立法府は峻別されている。たとえば大統領や各省長官は連邦議会議員と兼任できない。また、大統領は連邦議会に法案を提出することもできず、審議に参加することもできない。ただし議会に<u>教書</u>（message）を送付して立法の要請・勧告を行うことはできるし、議会の法案への<u>拒否権</u>ももっている。

❸　**フランス・ドイツの政治制度** ‥‥**大統領**と**首相**が併存

フランス：**大統領**に実権（首相は大統領が任命）
ドイツ：**首相**に実権（大統領は連邦議会や州議会の代表者が選出）

フランスとドイツの政治体制については2点だけおさえておけば大丈夫だ。

第一に、この二つの国では**大統領**と**首相**が併存している。つまり大統領制的な性格と議院内閣制的な性格を併せもっているんだ。こうしたタイプの国は意外に多いんだけど、大統領の権限が強い国と弱い国とに大別することができる。**一般に、国民による直接投票**で大統領が選ばれる国では、大統領の権限が強い。フランスがその典型だ。

そこで第二のポイントは、フランスでは大統領が強大な権限をもち、ドイツでは首相に権限が集中している。

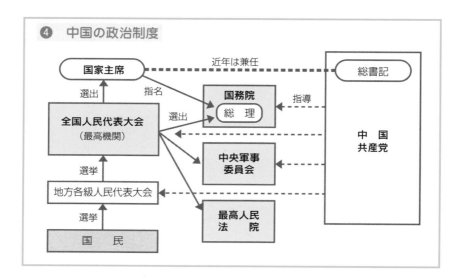

❹　中国の政治制度

最後に中国。一番のポイントは、**権力分立**がタテマエ上も存在しないということだ。社会主義国では、労働者階級に権力を集中させることが必要だと考えられてきた。だから中国の場合は全国人民代表大会（**全人代**）にあらゆる権力が集中している。

それから中国では憲法上、共産党が国家の指導的役割を果たすとされていることもおさえておこう。

中国は権力集中の国。日本や欧米諸国とは大きくちがうね。

チェック問題 2

標準 2分

各国の政治制度に関する記述として最も適当なものを、次の①〜④のうちから一つ選べ。

① ドイツでは、大統領が国民による直接選挙によって選ばれ、一元的に行政権を掌握（しょうあく）している。

② イギリスでは、議会で制定された法律の合憲性を審査する権限が裁判所に与えられている。

③ 中国では、国家の最高権力機関である国務院は、間接選挙によって選ばれた国民の代表から構成されているが、国家主席の指名権をもたない。

④ アメリカでは、大統領は連邦議会の解散権をもっておらず、連邦議会も大統領の不信任決議権をもたない。

（2000年・センター試験現社追試）

解答・解説

④

正しい。アメリカでは厳格な権力分立体制が敷かれている。

①：**ドイツの大統領**は国民による直接選挙ではなく、連邦議会や州議会の代表者による連邦会議によって選出される（間接選挙）。したがって、ドイツでは大統領に政治的実権はなく、首相に強い権限が認められている。

②：イギリスは議会の権限がきわめて強い一方で、伝統的に司法府の独立性は低かった。したがって、イギリスの裁判所には違憲立法審査権は認められていない。

③：中国の最高権力機関は**国務院**ではなく全国人民代表大会（全人代）であり、また全人代は国家主席を選出する。国務院は全人代に責任を負う行政機関であり、その長である**国務院総理**（首相）は国家主席の指名にもとづいて全人代によって任命される。

② 日本国憲法と平和主義

この項目のテーマ

1 明治憲法と日本国憲法
　明治憲法と日本国憲法はどうちがうのか？
2 日本国憲法の平和原則
　二つの自衛権のちがいと日本の防衛原則をおさえよう
3 冷戦終結後の日本の安全保障
　冷戦の終結後、日本の安全保障環境はどう変わった？

1 明治憲法と日本国憲法

　明治維新によって成立した新政府は多くの課題に直面したが、それらの課題は「**近代化**」の一語に要約できる。国内からは**自由民権運動**による藩閥政治批判、つまり前近代的なボス政治への批判が強まり、対外的には諸外国と対等な関係を築くために近代国家としての体裁を整える必要があった。

　こうした背景のもと1889年に発布されたのが、**大日本帝国憲法**（明治憲法）だ。

　明治憲法の最大の特徴は、**天皇主権**、つまり天皇があらゆる権威と権力の頂点に位置づけられた点にある。**国家元首**である天皇は**神聖不可侵**（第3条）な存在であり、**統治権を総攬**（第4条）するとされた。「総攬」というのはすべてを掌握しているという意味で、つまり行政権・立法権・司法権の三権すべてを天皇が握っていたということだ。

　え、内閣とか国会とかはなかったわけ？

　内閣と議会（帝国議会）、それに裁判所はちゃんとあった。だから天皇が絶対君主のように何もかもを実際に行ったわけではない。でもタテマエ上は三権すべてを天皇がもち、各機関はそのお手伝いをするということになっていたんだ（次ページの図の輔弼というのは「助ける」といった意味だ）。

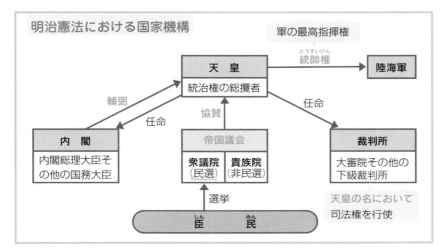

国民の権利はまったくなかったの？

そんなことはないよ。仮にも近代憲法なのだから。

ただし、国民の権利は人間だれもがもつ「**基本的人権（＝自然権）**」ではなく、天皇から恩恵的に与えられた「**臣民の権利**」でしかなかった（「臣民」というのは家来という意味だ）。だから、いずれの権利も法律によって制約できるものとされていた（**法律の留保**）し、現に**治安維持法**などの弾圧立法によって国民の権利は大きく制限されてしまった。このため明治憲法下の立憲主義は「**外見的立憲主義**」だと表現される。

権利の制約が大きかったんだね。
具体的にどんな権利があったの？

明治憲法で「臣民の権利」として認められていたのは、**表現の自由**や**信教の自由**、それに**経済的自由**などだ。自由権が多いね。ただし**内心の自由**や**学問の自由**は認められていなかったし、**社会権**もいっさい保障されていなかった。

それから、**地方自治**についての規定がまったくなかったことも覚えておこう。現実の制度としても、府県知事が天皇によって任命される（民選でない）など、地方自治はほぼ存在しなかった。明治政府は中央集権化を進めることで強力な近代化が可能になると考えたんだ。

日本国憲法はどんなふうに制定されたんですか？

日本国憲法の制定過程

❶ ポツダム宣言の受諾（1945年8月）➡ 連合国軍総司令部（GHQ）による占領

❷ GHQ がマッカーサー草案を日本政府に提示（1946年2月）

　　　　　　　　　男女普通選挙による衆議院議員総選挙（1946年4月）

❸ 政府案を第90回帝国議会で審議（1946年5月～）

➡ 日本国憲法の成立 1946年11月3日：公布／1947年5月3日：施行

　日本政府が1945年8月にポツダム宣言を受諾すると、連合国軍総司令部（GHQ）は憲法改正を指示してきた。これを受けて日本政府は、翌1946年2月に憲法改正案を GHQ に提出する。でもその内容は、天皇主権をはじめ、明治憲法を微妙に手直しした程度のものだった。そこで GHQ はこれを拒否し、戦争放棄や国民主権を中心的内容とするマッカーサー草案を提示した。

　はじめ日本政府はこれに抵抗したんだけど、結局マッカーサー草案をもとにした政府案をつくらざるをえなかった。この政府案を審議したのが第90回帝国議会だ。つまり、形のうえではまだ生きていた明治憲法のしくみにもとづいて憲法改正案が審議され、そうして一部修正の末に誕生したのが日本国憲法なんだ。

　このとき審議に参加した衆議院議員が4月に実施された**史上初の男女普通選挙**によって選出された議員たちだということも重要だよ。しばしば日本国憲法は GHQ による「**押しつけ憲法**」だと批判されるけど、国民の代表者たちが制定に参加したという事実を忘れてはならない。

次に、日本国憲法の内容について見ていこう。日本国憲法の基本原理は、ご存じのとおり、**国民主権**、**基本的人権の保障**、**平和主義**という三つだ。

基本的人権と平和主義についてはのちに詳しく見ていくので、ここでは国民主権の原理についてだけもう少し見ていこう。

国民主権と象徴天皇制

| 国民が主権者であるとは？ | ➡ | ● **天皇の地位**は主権者たる**国民の総意**に立脚 |

- 国民の代表者が権力行使（➡ 公務員の選定・罷免権）
- 憲法の制定・改正は国民が行う（**民定憲法**）

象徴天皇制　…天皇は「日本国の象徴」「日本国民統合の象徴」（第1条）

➡ 天皇は**国事行為**のみを行う（「**国政に関する権能**」なし）

- 内閣総理大臣・最高裁判所長官の任命（第6条）
- 国会の召集、衆議院の解散、法律・条約の公布など（第7条）
  ▶ いずれも**内閣の助言と承認**にもとづく

国民主権を掲げる日本国憲法では、天皇には「象徴」というあいまいな地位が与えられた。天皇は政治的権力をいっさい行使できず（天皇には選挙権もない）、一定の**国事行為**を儀礼的に行うだけの存在となった。しかもその国事行為すら内閣の「**助言と承認**」にもとづかなければならない。

さてその国事行為だけど、まず公職の任命という点では、**内閣総理大臣**と**最高裁判所長官**のみが天皇による任命を要するということを絶対におさえること。

- **内閣総理大臣** …国会
- **最高裁判所長官** …内閣
　　　　が指名 ➡ 天皇が任命

もちろんこれも天皇が好みの人物を選んだりすることは許されず、首相の場合は国会が、最高裁長官の場合は内閣が指名した人物を任命しなければならない。

その他、おもな国事行為は右に挙げたとおりだよ。**国会の召集**や**衆議院の解散**などについては、その決定権をもっているのは内閣だが実際に行うのは天皇だよ。ここは間違えやすいので要注意。

おもな国事行為
- 憲法改正、法律などの**公布**
- 国会の**召集**
- 衆議院の**解散**

国民主権ということは、国民が自分たちで何もかも決めるの？

日本国憲法の前文は「日本国民は、正当に選挙された国会における代表者を通じて行動し、……」という言葉から始まっているのだから、憲法上、間違いなく原則は間接民主制だ。でも間接民主制を補完する手段として、日本国憲法にも直接民主制の種類 →p.18 が次のように三つ用意されている。

- 最高裁判所裁判官についての国民審査（第79条）→p.70
- 地方自治特別法の住民投票（第95条）→p.77
- 憲法改正の国民投票（第96条）→p.35

　18ページの分類で言い表せば、国民審査は**リコール**、住民投票と国民投票は**レファレンダム**ということになる。詳しい内容についてはそれぞれの節で確認してね。

ポイント　天皇の地位

- 天皇は国政上の権能をいっさいもたない。国事行為には内閣の「助言と承認」が必要。
- 天皇が任命する公職は内閣総理大臣（首相）と最高裁判所長官のみ。

日本国憲法は最高法規ということだそうですが。

そもそも憲法と法律のちがいってわかるかな？

　憲法は法律の親玉みたいなものだと思っている人がいるけど、それは正しくない。法律は国民が守らなければいけないルールで、これを制定するのはもちろん国会だよね。ところが憲法はそもそも国民が為政者を拘束するためのもので、国民が制定・改正するものなんだ。

　憲法は**「侵すことのできない永久の権利」**（第11、97条）としての基本的人権を確実に保障するために国民がつくったものだから、政府の法律・規則・命令・処分などはすべてこれに従わなければならない（第98条）。これが憲法の**最高法規性**だ。だから、もしこの原則に反する法令ができてしまったならば、裁判所が違憲審査権 →p.71 にもとづいて無効

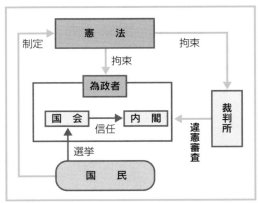

を宣言することになっている。

　以上の理屈がわかれば、憲法を守らなくちゃいけないのが、国民ではなく為政者であるというのも納得だよね。日本国憲法でも、第99条で天皇・国務大臣・国会議員・裁判官そのほかの公務員に**憲法尊重擁護義務**が課されている。

> じゃあ**憲法改正**が難しいのも為政者の勝手を防ぐためなんだね。

　そういうこと。憲法改正が法律の制定・改廃よりはるかに難しい憲法のことを**硬性憲法**と言う。

　日本国憲法では、憲法改正の手続きは次のように定められている。

憲法改正の手続き（第96条）

発　議	→	国民投票	→	公　布
両議院の総議員の**3分の2以上**の賛成		過半数の賛成		国民の名でただちに公布

　日本国憲法を改正するには以上の手続きが必要だ。国会はあくまで改正について**発議**（＝提案）できるだけで、最終決定権をもつのは主権者たる国民だ。なお発議の条件の「総議員」のところを「出席議員」として受験生を引っかけようという問題が多いので注意してね。

　なお、2007年に成立した**国民投票法**のおもな内容は次のとおり。

国民投票法（2007年）
- 投票対象となる案件は憲法改正のみ
- 投票権者は**18歳**以上
- **有効投票総数**の過半数の賛成で成立

　とくに、投票権が**18歳**以上の国民に与えられるということと、**有効投票総数**の過半数の賛成があれば憲法改正が成立となる（投票に行かなかった人や無効票は母数に入れない）という点は大事だよ。

ポイント　憲法の性格と憲法改正の条件

- 憲法は国民が為政者を拘束するためのもの。
- 憲法改正の発議には**両議院**で**総議員**の**3分の2以上**の賛成が必要。

2 日本国憲法の平和原則

日本国憲法は悲惨な戦争の反省から、**平和主義**を基本原則に掲げている。まずは有名な第9条を確認しよう。声に出して読んでみるといいよ。

第9条：戦争の放棄、戦力の不保持及び交戦権の否認

❶ 日本国民は、正義と秩序を基調とする国際平和を誠実に希 求 し、**国権の発動たる戦争**と、**武力による威嚇**又は**武力の行使**は、国際紛争を解決する手段としては、永久にこれを放棄する。

❷ 前項の目的を達するため、陸海空軍その他の**戦力**は、これを保持しない。国の**交戦権**は、これを認めない。

確認すると、第9条で宣言している平和主義の原則は、①**戦争の放棄**、②**戦力の不保持**、③**交戦権の否認**という3点だ。なかでも他国の憲法に類例がないのが②と③なのだが、まさにこれらの解釈こそが問題になっているんだ。

 たしかに**自衛隊**がありますもんね。あれって戦力じゃないの？

政府見解によれば、自衛隊は「戦力」じゃない。

もともと、日本を占領した米国は、軍国主義を一掃するため日本を丸裸にする方針だった。でもその後冷戦 ➡p.166 が本格化すると方針転換し、むしろ西側軍事同盟の一翼として日本に再軍備を求めるようになったんだ。

そして**朝鮮戦争**が始まった1950年に米国の指示のもとにつくられたのが**警察予備隊**であり、保安隊への改組を経て、1954年に発足したのが**自衛隊**だ。こうして憲法の理想と現実

1950年	朝鮮戦争の勃発
	➡ 警察予備隊の発足
1952年	**保安隊への改組**
1954年	自衛隊への改組

は摩擦を起こすようになってしまった。そこで**政府見解**は、第9条が禁じる「戦力」とは「自衛のための最低限度を超える実力」と定義されるべきであって、自衛隊は「最低限度の**実力**」ではあるが「**戦力**」ではない、としているんだ。

 裁判所はなんて言っているの？

自衛隊については何度か司法の場で争われた。なかでも重要なのは**長沼ナイキ基地訴訟**で、一審判決ではなんと自衛隊は**違憲**だと判断された。しかし最高裁は自衛隊の憲法適合性についての判断を回避した（**統治行為論**）。つまり違

憲か合憲かについて「判断しない」という判断をしたんだ。その後の裁判でも、最高裁は自衛隊について一度も憲法判断を行っていない。

 日本には**米軍**もいるよね。

日本の安全保障政策は、自衛隊と、**日米安全保障条約**（安保条約）にもとづいて駐留する**在日米軍**との二本柱によって担われてきた。

> **日米安全保障条約**
>
> | 1951年 | 日米安全保障条約を締結 ➡ 米軍駐留の継続 |
> | 1960年 | 日米安保条約の改定（新安保条約）➡ 共同防衛義務 |

大戦後に占領されていた日本は、1951年に**サンフランシスコ平和条約**を結んで**主権を回復**する ➡p.172 が、憲法で戦力の保有が禁じられているし、すぐそばでは社会主義国であるソ連や中国がにらみをきかせている。そこでアメリカは占領終了後も軍の駐留を続けることを決意し、このために結んだのが**日米安全保障条約**だったんだ。

ただ、旧安保条約では、日本有事にさいして米軍が対日防衛の義務を負うという点がはっきりと明記されていなかった。この共同防衛義務を明確化したのが新安保条約の最大のポイントだ。もっとも、これはあくまで日本への攻撃があったときにアメリカが負う義務であって、アメリカが攻撃されたからといって日本が手助けする必要はない。

 日本がまた軍事大国になるおそれはないのかな？

すでに日本の**防衛費**は世界的にトップクラスの水準にあるけど、軍事大国化を防ぐ歯止めとして次のような原則が設けられている。

> **日本の防衛原則**
> - **専守防衛**…防衛目的でも先制攻撃は禁止
> - **文民統制**（**シビリアン・コントロール**）　防衛大臣も！
>   …自衛隊は文民が統制する／国務大臣はすべて文民（＝非軍人）
> - **非核三原則**…「核をつくらず、持たず、持ち込ませず」
>   ▶1967年に佐藤内閣が表明 ➡ 国会決議に（法制化はされていない）

❸ 冷戦終結後の日本の安全保障

　冷戦が終結すると、日本の安全保障をめぐる環境も大きく変わっていった。とくに大きな転機となったのが、1991年の湾岸戦争だ。日本は専守防衛の原則により自衛隊を海外に派遣することができなかったので、米軍などの多国籍軍に資金を提供し、終戦後にはペル

> **日本の PKO 参加五原則**
> ❶ 紛争当事者の停戦合意
> ❷ 紛争当事国の受け入れ同意
> ❸ 中立性の確保
> ❹ 上記 3 条件が崩れれば撤収
> ❺ 武器使用は最小限の護身用のみ

シャ湾に浮かぶ機雷を除去するための掃海艇を派遣した。ところが、日本の国際貢献は不十分だと批判されてしまったんだ。こうして1992年につくられたのが国連平和維持活動（PKO）協力法だ ➡p.162 。PKO 参加五原則による制約はあるものの、ともかく PKO 協力法により自衛隊はようやく公然と海外での活動をすることが可能になった。

 　自衛隊は実際に海外に派遣されたわけ？

　1992年に国連カンボジア暫定統治機構（UNTAC）に派遣されたのを皮切りに、**モザンビーク**（1993年）、**ルワンダ**（1994年）、**ゴラン高原**（1996年）、**東ティモール**（2002年）、**南スーダン**（2011年）など、各地の PKO に派遣されている。

　じつは自衛隊の海外派遣は PKO だけではない。次のようなものもあるよ。

> **自衛隊の海外派遣**
> ● **アメリカ同時多発テロ事件**（2001）
> 　➡テロ対策特別措置法➡インド洋で米軍などへの給油活動
> ● **イラク戦争**（2003）➡イラク復興特別措置法➡イラクで復興支援活動

　2001年 9 月に起こった同時多発テロ事件（**9.11事件**）の首謀者は**アル・カーイダ**というテロ組織で、このグループは**アフガニスタン**のタリバンというイスラーム原理主義政権がかくまっていたとされる。だからアメリカはこのタリバン政権に猛攻撃を仕掛けたんだ。もちろんこれは戦争だ。だから停戦を前提とした PKO が出動するわけにはいかず、PKO への協力という形で自衛隊が出動するわけにもいかなかった。そこで新たにつくられたのがテロ対策特別措置法（テロ特措法）だ。もちろん自衛隊が直接戦闘に参加するわけにはいかない

ので、**インド洋**に艦船を派遣し、多国籍軍などへの**給油活動**などを行った。

> **イラク戦争**ってのは？

イラク戦争とは、大量破壊兵器を開発・保有している疑いのかけられたイラクに対して**アメリカ**などが行った戦争だ。戦争はすぐに終わったが、イラク国内は極度の混乱状態に陥ってしまった。そこで復興支援活動を行うために自衛隊を派遣することにしたのが**イラク復興支援特別措置法**（イラク特措法）だ。

> 近年、安全保障をめぐる政策を大きく転換したんですよね。

そうだね。ここで**自衛権についての政府の立場**を説明しよう。

主権国家には当然に**自衛権**が認められている、というのが**政府の立場**だ。

ただし自衛権には2種類あって、これらを区別しなくちゃいけない。まず他国から攻撃を受けた（❶）ときに、単独で反撃をするのが個別的自衛権（❷）だ。これに対して、自国は直接攻撃を受けていないが、他国からの同盟国への攻撃を自国への攻撃とみなして反撃を加えるのが集団的自衛権（❸）だ。

日本政府は、❷❸いずれも主権国家固有の権利だとしつつ、集団的自衛権に

関しては憲法の制約により、行使できないと解釈してきた。

ところが2014年になって、自民党の安倍政権は従来の政府見解を閣議決定で変更し、「国の存立が脅かされ、

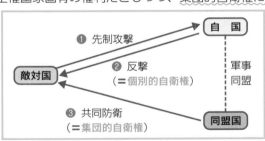

国民の生命、自由及び幸福追求の権利が根底から 覆 される明白な危険がある」場合（**存立危機事態**）には、**集団的自衛権**の行使も可能であると、解釈を変更したんだ。

集団的自衛権の行使容認という点は、2015年につくられた一連の平和安全法制でも確認され、武力攻撃事態法などに盛りこまれた。

自衛隊と自衛権についての政府見解

- **自衛隊**は最低限度の**実力**にすぎず、憲法の禁じる**戦力**ではない。
- **個別的自衛権**は国際法上の権利であり、憲法上も認められる。
- **集団的自衛権**については憲法上行使できないと解釈されてきたが、2014年に解釈が改められて限定容認された。

 冷戦後に安保条約はどうなったの？

　1960年に成立した新安保条約の条文自体は一度も改定されていない。しかし仮想敵国であったソ連が1991年に崩壊したことを受けて、1978年につくられていた「**日米防衛協力のための指針**」（ガイドライン）が1997年に見直され、**周辺有事**での米軍の活動に自衛隊が**後方支援**を行うとする**新ガイドライン**がつくられた。日本の外で起こる有事に対して自衛隊が行動することが初めて決められたんだ。これは1999年の**周辺事態法**で具体化された。

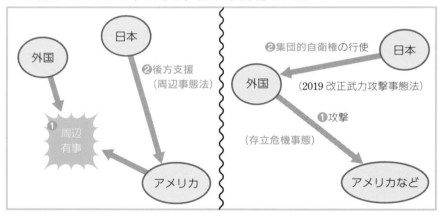

　なお、2015年の**平和安全法制**により、周辺事態法は**重要影響事態法**へと改正され、それまで「我が国周辺」に限られていた米軍への後方支援活動の地理的限定が撤廃された。
　そもそも日本は1978年から在日米軍の駐留経費の一部（2000億円前後）を「**思いやり予算**」として負担してきた。日米安保体制は、好むと好まざるとにかかわらずアメリカの世界戦略の一翼を担うものとなっているというのが現実だ。

ポイント 平和安全法制（2015年）

- 武力攻撃事態法の改正 ➡ 集団的自衛権の行使が可能に
- 周辺時態法の改正 ➡ 後方支援の地理的制限の撤廃

チェック問題　　　　　標準 2分

　冷戦後の国際政治情勢の変化を受けて、日本で制定または改正された法律・条約に関する記述として最も適当なものを、次の①～④のうちから一つ選べ。

① 冷戦終結後に起こった湾岸戦争を機に、国際貢献をめぐる議論が巻き起こり、その後、PKO協力法が成立した。
② 湾岸戦争後、安全保障の重要性が強く認識されるようになり、日米安全保障条約が改正された。
③ 防衛力のさらなる充実が必要との声を受けてイラク戦争以前に防衛省設置法が成立していたため、この戦争での日本政府の対応はきわめて迅速であった。
④ イラク復興支援特別措置法の成立によって、自衛隊がはじめて国外に派遣されることとなった。

（2008年・センター試験現社本試）

解答・解説

①

　正しい。自衛隊を海外に派遣するときの根拠となる法律で1992年に成立。

②：安保条約が改定されたのは1960年。

③：防衛庁が防衛省になったのは2007年で、イラク戦争勃発（2003年）のあと。

④：イラク特措法成立（2003年）の前に、自衛隊は各地でのPKO活動やインド洋での米軍などへの給油活動を行っている。

3 基本的人権の保障

この項目のテーマ

1 人権保障の原理と平等権
基本的人権は永久不可侵！　でも制約はある！

2 自由権
自由権は精神的自由、人身の自由、経済的自由の3種類！

3 社会権、参政権、請求権、新しい人権
生存権におけるプログラム規定説とは？

1 人権保障の原理と平等権

いよいよ日本国憲法の三大原理の最後、基本的人権の保障に入ろう。ところで人権保障の「人」って何のことだと思う？

そりゃもう、「人間」に決まってるじゃないですか。

その答えでも半分は合っている。でも十分ではない。日本国憲法が権利を保障する対象は、第一義的には国民、つまり日本国籍をもつ者なんだ。もちろん外国人にも多くの権利が保障されるよ。たとえば人身の自由などは完全に保障される。外国人だからといって乱暴に生命が奪われたりしていいはずがないからね。でも選挙権をはじめ、外国人には保障されない権利も少なくない →p.56 。

それから企業・学校などの法人だ。権利は生身の人間だけに保障されているわけではないんだ。たとえば経済活動の自由は企業にとって、表現の自由はメディアにとって不可欠の権利だよね。

人権保障の基本原理

● 永久不可侵性（第11、97条）➡「法律の留保」はナシ
● 個人の尊重（第13条）➡ 全体のために個人を犠牲にしてはならない

日本国憲法の保障する基本的人権は、人間が生まれながらにもつ「侵すことのできない永久の権利」（第11、97条）と位置づけられている。

じゃあ、人権はまったく無制限なの？

　そんなことはない。基本的人権は永久不可侵のものだけど、それでも公共の福祉による制約を受ける。公共の福祉とは、簡単に言って「みんなの幸せ」といった意味だよ。そもそも人権を保障するのはみんなを幸せにするためだよね。だから、みんなを幸せにするために、ある権利を制約しなければならない局面というのは、たしかにあるんだ。

　第一に、**他者の権利**を侵害することは許されない。たとえば表現の自由はとても大切な権利だけど、事実に反して他人の名誉を傷つける発言を行うようなことは、正当化できないよね。

　第二に、**実質的平等**を実現するために、経済的自由が制約されることがある。貧富の差が大きくなりすぎることには問題があるよね。そこで企業の活動に一定の規制をかけたり、累進課税制度 ➡p.116 などによって財産権に制約を加えたりして、その是正が図られるんだ。

　もちろん、公共の福祉の名の下に人権が過剰に制約されてはならないので、人権を制約する際には慎重さが求められる。

```
┌─────────────┐
│   公共の     │
│   福 祉      │
│      ↓ 制約   │
│   基本的     │
│   人 権      │
│     ＝       │
│  永久不可侵   │
└─────────────┘
```

日本国憲法が保障する基本的人権の分類

- 平等権：法の下の平等、両性の平等、選挙の平等
- 自由権：精神的自由、人身の自由、経済的自由
- 社会権：生存権、教育を受ける権利、勤労権、労働三権
- 参政権 ⎫
- 請求権 ⎭ **権利を実現するための権利**

　あと、日本国憲法で国民の義務として規定されているのは、子女に普通**教育を受けさせる義務**（第26条）、**勤労の義務**（第27条）、**納税の義務**（第30条）の三つだ。ちなみに、明治憲法の義務規定は**納税の義務**と**兵役の義務**の二つだよ。このあたりは軽く覚えておく程度で十分。

日本国憲法で保障された基本的人権についての説明として最も適当なものを、次の①〜④のうちから一つ選べ。

① 基本的人権は公共の福祉を理由に制限されることがあるが、不当な制限を防ぐためにも、公共の福祉の解釈・運用は慎重でなければならない。
② 基本的人権は国の政策上の指針を示したものであり、実際に効力をもつためには、法律によってより具体的に規定されなければならない。
③ 基本的人権は、国家権力による侵害から個人の権利や自由を守るために保障されたものであり、私企業による人権侵害にはまったく適用されない。
④ 基本的人権は、憲法第3章の表題が「国民の権利及び義務」となっていることから、外国人には保障されない。

(2002年・センター試験現社本試)

解答・解説

①

正しい。基本的人権は公共の福祉によって制約を受けるが、そのさいには権利が侵害されないよう慎重であらねばならない。

②：プログラム規定説 →p.54 についての記述になっている。判例上は第25条の生存権が国の指針であるとされているが、憲法上の人権すべてがそのような性質をもつわけではない。

③：人権が「国家からの自由」としての性格を強くもつことは間違いないが、今日では一般に私企業による人権侵害や個人による人権侵害も重大な問題となっており、こうしたものにも憲法上の権利はおよぶものと考えられている。なお判例上は、私企業による精神的自由の侵害を憲法違反と認めなかったケースがある →p.49 。

④：たしかに参政権のように外国人には認められていない権利もあるが、人身の自由をはじめ自然権に由来する権利は外国人にも保障される。

では、ここから具体的な人権を見ていこう。まずは平等権だ。近代憲法は、すべての個人が権利・義務において**平等**であることを前提としている。それを確認するのが、「**法の下の平等**」だ。

> **第14条1項：法の下の平等**
>
> すべて国民は、法の下に平等であつて、**人種**、**信条**、**性別**、**社会的身分**又は**門地**により、政治的、経済的又は社会的関係において、差別されない。

この条文は、**不合理な差別**を禁じているにすぎず、合理的な区別は認められている。たとえば選挙権の有無を国籍や年齢で差別したり、所得の多寡によって税率を変える累進課税制度 ➡p.116 などは憲法違反ではない。

 でも何が「合理的」かを判断するのって難しくないですか？

まさにそのとおり。だからその点をめぐってこれまでさまざまな訴訟で争われてきたんだ。これまでに法律の規定について**最高裁が違憲の判断を下した例**を見ていこう。これらはいずれも超重要事項だよ！

> **平等権に関する最高裁の違憲判断**
>
> ❶尊属殺重罰規定（1973年）
> ➡ 刑法の**尊属殺人罪**は通常殺人罪に比べて重すぎる
> ❷衆議院議員定数配分規定（1976、85年）
> ➡ 公職選挙法にもとづく「**一票の格差**」が大きすぎる
> ❸婚外子国籍差別規定（2008年）
> ➡ **国籍法**の婚外子（非嫡出子）への国籍差別は不合理だ
> ❹婚外子相続差別規定（2013年）
> ➡ 婚外子の法定相続額を婚内子の2分の1とする**民法**の規定は不合理だ
> ❺再婚禁止期間規定（2015年）
> ➡ 女性だけに180日の再婚禁止期間を設ける**民法**の規定は不合理だ

まず❶について。**尊属**というのは目上の親族という意味だよ（たとえば父母、祖父母）。当時の刑法では、通常の殺人罪では死刑または3年以上の懲役刑となっていたが、**尊属殺人罪**は死刑または無期懲役刑となっていた（つまり最低

でも無期懲役刑！）。これはあまりに不均衡で、憲法の定める法の下の平等に反するとされたんだ。これが最高裁によって下された初の法令違憲判決だ。

❷は定数不均衡（一票の格差）問題だ。この問題についてはあとで改めて説明する ➡p.83 ので、ここでは衆議院に関して2回の違憲判決が出ていることをおさえておこう。ただし、選挙自体は有効と判断されたことも大切だ。最高裁は、一票の格差問題について**選挙無効**の判決を出したことはない。

婚外子についての違憲判決が二つあるようですね。

うん、❸は国籍法の規定が問題になった。日本の国籍法では、両親のいずれかが日本人であれば自動的に日本国籍が取得できる。だから母親が日本人であれば、何も問題はない。でも外国人である母親と日本人である父親の間に生まれ、両親に婚姻関係がない場合、この子は日本国籍が認められなかったんだ。**つまり婚内子と婚外子に差別があり**、これが違憲とされた。

それから❹は民法の相続規定が問題になった。民法では婚外子の法定相続分は婚内子の2分の1と定められていて、従来は法律婚を保護する観点からこれが合理的だとされていたけど、時代が変わり、不合理な差別だと認められることになったんだ。

ところで憲法第24条では「夫婦が同等の権利を有する」ことが確認され、「両性の本質的平等」が説かれている。でも実情としては、とくに経済面で男性にとって有利な社会構造が残っている。こうした現状を是正するための取り組みと課題として、以下のようなものがある。

女性差別の解消に向けて ▶両性の本質的平等（第24条）

● 女性差別撤廃条約 ➡p.23 の批准 （1985年）

→ ● **国籍法の改正**（1984年）、**男女雇用機会均等法**の制定（1985年）
　 ● **男女共同参画社会基本法**の制定（1999年）

● セクシャル・ハラスメント…男女雇用機会均等法に防止義務

● **DV防止法**…配偶者からの暴力を防止（2001年制定）

● 婚姻可能年齢…男性18歳・女性16歳だったが、2022年から18歳に統一

● **夫婦別姓問題**…現行民法では、婚姻時にいずれかの姓に統一する義務
　 ▶現状では夫の姓に統一する夫婦が約95％（2022年）

↑↑ その他の差別問題

● アイヌ問題

　北海道の先住民族アイヌに対して、日本は長年にわたり**北海道旧土人保護法**（1899～1997年）によって差別的扱いと同化政策を強いてきた。しかし人種差別撤廃条約 ➡p.23 の批准を機に、独自の文化として尊重することをうたう**アイヌ文化振興法**（1997年）がつくられた。また2008年にはアイヌを先住民族として認めるよう政府に求める国会決議が採択され、2019年にはアイヌを先住民族として認める法律が成立した（**アイヌ民族支援法**）。

● ハンセン病

　皮膚の感染症であるハンセン病患者は外見から差別されることが多かった。日本でも**らい予防法**により患者は隔離施設に収容され、1941年に特効薬が開発された後も1996年の同法廃止まで隔離政策を続けた。2001年には熊本地裁が国の責任を全面的に認めて賠償を命じる判決を出した。

● 指紋押捺問題

　外国人登録法では在留する外国人に指紋押捺義務が課せられていたが、差別的だとの批判が高まり1999年に全面的に廃止。なお、16歳以上の外国人が日本に入国するさいには指紋採取および顔写真の撮影を義務づけられている。

● 強制不妊手術

　1948年制定の**優生保護法**では、「不良な子孫の出生を防止する」目的から、知的障害者などに対して本人の同意なしに不妊手術が実施されてきた。これが障害者差別にあたるとの批判が高まり同法は母体保護法へと改められ（1996年）、訴訟でも国への賠償命令が相次いでいる。

● ヘイトスピーチ対策（解消）法

　特定の人種や民族への差別をあおる**ヘイトスピーチ**（憎悪表現）の抑止・解消を目的とした法律。2016年制定。ただし禁止規定や罰則規定はなく、「不当な差別的言動」の線引きが難しいといった問題も指摘される。

2 自由権

すでに見たように ➡p.21、自由権は人権保障のなかでももっとも古典的な権利だ。**精神的自由**、**人身の自由**、**経済的自由**という三つに大別できるよ。

① 精神的自由

自由権のうち精神的自由は、以下の4種類に分かれる。

> **日本国憲法の精神的自由**
> ❶ 思想・良心の自由（第19条）
> ❷ 信教の自由（第20条）
> ❸ 表現の自由（第21条）
> ❹ 学問の自由（第23条）

❶は「**内心の自由**」とも言い換えられる。心のなかでは何を考えるのも自由だということ。何らかの形で外に表現しないかぎり、これが他者に害を与えることはありえないから、国家による制約は一切認められない。ただしあとに示す**三菱樹脂事件**の判例のように、**私人間**では制約されることもある。

❷の**信教の自由**には**政教分離**の原則が含まれていて、国家が特定の宗教を迫害あるいは援助することが禁じられている。政教分離原則をめぐっては、裁判で争われることが多いよ。

❸の**表現の自由**には、集会の自由や結社の自由も含まれる。考えてみると、非民主的な国ではだいたい言論の自由が奪われているよね。だから表現の自由は民主社会の根幹をなしており、これを制約するさいには経済的自由と比べてより慎重さが求められる。でも実際にはさまざまな形で規制も行われていて、これが訴訟に発展するケースも多い。

❹の**学問の自由**は戦前の学問弾圧の反省から条文化された。学問研究などの自由だけでなく、**大学の自治**の保障も含まれている。

精神的自由をめぐる重要裁判

● 三菱樹脂事件

学生運動歴を隠して入社した原告が、試用期間後に本採用を拒否されたのは思想・良心の自由への侵害だとして提訴。最高裁は、人権規定は私人間には直接適用されないと判断。原告敗訴。

● チャタレー事件

文芸作品の翻訳と出版が猥褻文書頒布罪に該当するとして起訴された事件。最高裁は、性的秩序と性道徳を守るための規制として刑法の規定を合憲とした。

● 津地鎮祭訴訟

三重県津市が体育館建設にあたり地鎮祭に公金を支出したところ、これが**政教分離**原則に違反するかが争われた。最高裁は、地鎮祭は世俗行事であるとして、特定宗教への援助にもあたらないとした。

● 愛媛玉ぐし料訴訟

愛媛県が靖国神社に玉ぐし料の名目で公金を支出した事例について、最高裁は**政教分離**原則に反するとして、違憲の判断を示した。

● 空知太神社訴訟と孔子廟訴訟

北海道の空知太市と沖縄県の那覇市が、市有地をそれぞれ神社と孔子廟に無償貸与してきたことについて、最高裁はいずれも政教分離に反するとして違憲の判断を示した。

● 東大ポポロ事件

政府に批判的な劇団の活動を私服警察官が監視したことが問題となった。最高裁は、一般的に**大学の自治**が保障されることを認めつつ、劇団の活動を自治権の範囲外だとして、警察官に暴行を加えた学生を有罪とした。

② 人身の自由

もしきみが身に覚えのない容疑で逮捕されたり、恣意的に処罰されたりしたら、たまったものじゃないよね。そして戦前にはそうしたことがとても多かった。だからそうしたことを防ぐため、日本国憲法では人身の自由（身体の自由）について詳細に定められている。まずは以下の二つが基本原則だ。

> - **奴隷的拘束および苦役からの自由**（第18条）
>   奴隷的拘束は絶対禁止。意に反する苦役も禁止（犯罪による処罰を除く）。
> - **法定手続きの保障**（第31条）
>   刑罰であっても、法律の定める手続きにのっとらなくてはならない。

　とくに**法定手続きの保障**は重要で、これは何が犯罪でどういった刑罰を科すかはあらかじめ決めておかなければならないという近代の罪刑法定主義の原則を継承するものだ。犯罪捜査と裁判はあくまで法にもとづいて慎重に行い、有罪が確定するその瞬間までは被疑者・被告人を無罪であると推定することが必要なんだ（**無罪推定の原則**）。

 ずいぶんとワルモノに甘い憲法ですね。

　いまだに、無実の罪で犯罪者扱いされてしまう冤罪事件が数多く起こっている。僕らは自分の身を守るためにも、国家権力が暴走する事態が起こらないよう警戒し、権力行使の手続きには十分なしばりをかけておくべきなんだ。

> ### その他の人身の自由の原理
> - **令状主義**（第33、35条）…逮捕・捜索・押収には裁判官の発する令状が必要　▶**現行犯逮捕**を除く
> - **拷問及び残虐な刑罰の禁止**（第36条）
> - **遡及処罰の禁止**（第39条）…事後法による処罰の禁止
> - **一事不再理**（第39条）…同一事件についての再審理は禁止

　とくに重要なのは第39条の二つの原則だ。**遡及処罰**というのは、右の図のように実行時に適法であった行為について、事後法をつくって処罰することだ。これを認めてしまったら罪刑法定主義は何の意味もなくなってしまうよね。

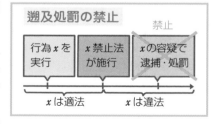

　一事不再理はというと、いったん無罪あるいは何らかの刑が確定した者に対してふたたび裁判を行って処罰することを禁止するものだ。もっとも、有罪確定者が裁判のやり直しを求める**再審**は例

外的に認められているけれども、無罪確定者を有罪にするため**検察官** ➡p.69 が再審請求することは決してできない。

> 被疑者・被告人の権利
> ● **公平で迅速な裁判を受ける権利**（第37条1項）
> ● **弁護人依頼権**（第34・37条3項）
> 　自費で依頼できない被告人には、国費で**国選弁護人**がつけられる。
> ● **黙秘権・自白の証拠能力の制限**（第38条）
> 　自白の強要はいっさい許されない。また強要による自白は証拠として認められず、自白が唯一の証拠の場合には有罪にできない。

ドラマではよく怖い刑事が犯人を脅したりしていますが。

　完璧に憲法違反だね。憲法上は、**拷問**は言うまでもなく、自白の強要も決して認められない。実際には何日間もぶっ通しでの取り調べに根負けして、やってもいない犯行について「自白」してしまうケースがあとを絶たないんだけどね。こうした冤罪を防ぐため、取り調べの様子を録音・録画する取り調べの可視化を求める声が高まり、裁判員裁判 ➡p.72 の対象事件などについて、2019年から義務化されている。

❸ 経済的自由

　西洋で自由権獲得のために運動したのはおもにブルジョワジーだった ➡p.21 ので、彼らの求めた経済的自由は近代憲法で神聖なものと位置づけられていた。しかし20世紀以降には各国で福祉国家政策がとられるようになり、**公共の福祉**によって経済的自由は強く制約されるようになった。日本国憲法もそうした性格をもっている。

> 経済的自由
> ● **居住・移転及び**職業選択の自由（第22条）◀-- 制約 ┐
> ● **財産権**の保障（第29条）◀------------------┘ 公共の福祉

　日本国憲法の保障する経済的自由は上の二つだ。職業選択の自由には「**営業の自由**」が含まれていると解釈されており、公共の福祉に反しないかぎりはいかなる経済活動を営んでもよいということになる。財産権の保障とは、私有財産を政府が理由もなく没収したりすることは認めないというものだ。ただし、

やはり公共の福祉の観点から、たとえば空港建設のために土地を強制的に買い上げることなどはありうる。もちろんそのさいには「**正当な補償**」（第29条3項）が支払われる必要があるけどね。

　経済的自由に関する重要判例は、次の二つだ。

❶薬事法事件
　薬事法では、薬局開設にあたり距離制限を認める規定が設けられていたが、これが**営業の自由**を侵害するとの訴えが起こされ、最高裁は違憲であると認めた。

❷森林法事件
　森林法では、森林の細分化を防ぐため共有林の持分価額のうち2分の1以下しかもたない者は分割請求できないとの規定を置いていたが、この分割制限規定が財産権を侵害するとの訴えが起こされ、最高裁は違憲であると認めた。

チェック問題2

標準 **2分**

　日本国憲法の保障する人身の自由に関する記述として最も適当なものを、次の①〜④のうちから一つ選べ。

① 免責特権は、捜査機関による人権侵害を防止するため、不利益な自白を強要された場合、刑事責任を免除される権利である。

② 請願権は、刑罰を軽くすることや逮捕者を釈放することなどを国家権力に対して求める権利であり、人身の自由の一つに位置づけられる。

③ 憲法は残虐な刑罰を禁止しており、最高裁判所は、死刑制度がこれにあたる疑いが強いと判断したため、死刑執行の一時停止を命じている。

④ 憲法は奴隷的拘束を禁止しているが、これには国家権力による行為だけでなく、私人による人身売買や強制労働の場合も含まれる。

（2008年・センター試験現社本試）

解答・解説

④

　正しい。人身の自由は私人間にも完全に適用される。

①：「免責特権」を「黙秘権」にすれば正しくなる。**免責特権**については ➡p.61 。

②：**請願権**は自由権ではなく請求権 ➡p.57 に位置づけられる。

③：最高裁は、**死刑**が「残虐な刑罰」にはあたらないと判断している。

「請願権」は「請求権」の一部。字面が似ているから、間違えやすいよ。気をつけて！

3 社会権、参政権、請求権、新しい人権

❶ 社会権

社会権とは**人間的生活**と**実質的平等**を実現するための施策を国家に求める権利のことだったね →p.21 。その柱となるのが生存権だ。

第25条：生存権

❶ すべて国民は、健康で文化的な最低限度の生活を営む権利を有する。

❷ 国は、すべての生活部面について、**社会福祉**、**社会保障**及び**公衆衛生**の向上及び増進に努めなければならない。

第1項で国民の権利が、第2項で国の義務がはっきりと明記されている。でも「最低限度の生活」とはどのような生活なのか？　またこの権利にもとづき、国民は何を要求できるのか？　こうした点には多くの争いがある。これについて最高裁がとっているのは、**プログラム規定説**と言われる立場だ。

それによると、第25条の規定は個々の国民の**具体的権利**（たとえば「月額最低10万円を請求できる」のように）を意味せず、国の果たすべき道義的・政治的な責任を指針として示しているにすぎない。だから実際の社会保障制度は**国会や内閣の広い裁量**に委ねられるということになる。

こうした生存権規定の意味が問われたのが、次の二つの訴訟だ。

---

❶朝日訴訟

厚生大臣によって定められた**生活保護**の水準が低すぎるとの訴え。最高裁はプログラム規定説にもとづき、行政府の広い裁量を認め、訴えを退けた。

❷堀木訴訟

障害福祉年金と児童扶養手当の**併給禁止規定**が第14条の平等原則と第25条の生存権保障に違反するとの訴え。最高裁はプログラム規定説に近い理屈で立法府の裁量権を広く認め、原告は敗訴した。

そのほかの社会権は次の三つだ。

そのほかの社会権

- **教育を受ける権利**（第26条）…**義務教育**の無償化も規定
- **勤労権**（第27条）…勤労の権利と義務を規定
- **労働三権**（第28条）…**団結権＋団体交渉権＋団体行動権** ➡p.140

教育を受ける権利については、**義務教育**が無償とすると定められているほか、近年では**高校・大学も無償化**や授業料の減免措置がとられ始めているよ。

チェック問題3　標準 1.5分

日本国憲法が保障する社会権について説明した次の記述 A ～ C のうち、正しいものはどれか。あてはまる記述をすべて選び、その組合せとして最も適当なものを、下の①～⑦のうちから一つ選べ。

A　プログラム規定説によれば、憲法第25条の生存権は国民が国家に対して積極的な施策を請求することができる具体的権利である。
B　憲法第26条は、ひとしく教育を受ける権利を保障する教育の機会均等を定めている。
C　憲法第28条に定められている団結権は、労働基準法の各条文で詳細に保障されている。

①A ②B ③C ④AとB ⑤AとC ⑥BとC ⑦AとBとC

（2020年・センター試験政経追試）

解答・解説

②

A：誤り。**プログラム規定説**は、憲法第25条の生存権が国民による具体的な請求権を意味するのではなく、国の政治的な方針を定めるものにすぎないとする。
B：正しい。憲法第26条1項は、「すべて国民は、法律の定めるところにより、その能力に応じて、ひとしく**教育を受ける権利**を有する」と定める。
C：誤り。たしかに憲法第28条では**団結権**を保障しているが、その詳細を定めているのは**労働基準法**ではなく**労働組合法**である ➡p.140、141 。

❷ 参政権・請求権

参政権は国民が政治参加することのできる権利で、「**国家への自由**」と呼ばれるものだったね ➡p.21 。これに関して日本国憲法は、まず第15条１項で**公務員の選定・罷免権**を「国民固有の権利」と位置づけ、第３項で「**成年者**による普通選挙」を保障している。

 「成年者」ってのは 20 歳以上ってこと？

憲法は「成年者」を定義していない。だから公職選挙法を改正すれば選挙権の年齢も変えることができる。じっさい、選挙権は1945年以来20歳以上の国民に与えられていたけれど、2015年の公職選挙法改正によって、満18歳以上へと改められた（**18歳選挙権**）。なお、「成年」の定義は民法で20歳とされてきたが、2018年の民法改正で、2022年から18歳に引き下げられた ➡p.135 。

参政権に関する重要な訴訟には、すでに見た**定数不均衡訴訟** ➡p.46 のほか、次のようなものがある。

> ❶**外国人地方選挙権訴訟**（1995年）
> **永住外国人**に地方選挙権が認められていないことの是非が争われた。最高裁は原告の訴えをしりぞけつつ、立法により外国人に地方参政権を与えることは違憲でないという結論を示した。
>
> ❷**在外邦人選挙権訴訟**（2005年）
> 国外に居住する日本人の選挙権は、**比例代表選挙**に限って認められていた。この点が選挙の平等に反するとされ、最高裁は公職選挙法の規定が違憲であるとした。➡ 法改正により、比例代表・**選挙区**のいずれでも可能に
>
> ❸**在外邦人国民審査権訴訟**（2022年）
> **最高裁判所裁判官の国民審査** ➡p.70 について、それまで国外に居住する日本人は投票できなかったが、最高裁はこれを違憲と判断した。

❶は国政選挙ではなく地方選挙の話題だよ。結論として、公職選挙法にもとづき、**外国人**にはいっさい選挙権が認められていない。ただし、地方選挙については法改正によって永住外国人に権利を認めてもよいという判断が示された。

❷と❸は❶と逆で、**外国における日本国民の権利**についての訴訟だ。いずれも、それまで権利を制限していた法規定が違憲であるとの結論が示されたよ。

ポイント 参政権

- 外国人には国・地方ともに参政権が認められていない。
- 外国在住の日本人は、国政選挙で比例・選挙区ともに投票できる。

請求権
- 請願権（第16条）
  - …損害の救済や法律の制定・改廃などを要求できる権利
- 裁判を受ける権利（第32条）
  - …裁判抜きの処罰を禁じ、人権侵害からの救済を請求できる権利
- 国家賠償請求権（第17条）
  - …公務員の不法行為に対する損害賠償請求権利
- 刑事補償請求権（第40条）
  - …刑事被告人が無罪判決を受けた場合に、国にその補償を請求できる権利

　請求権とは**人権を確保するための権利**であり、もともと自由権を補完するものとして登場してきたものだ。

　国家賠償請求権と刑事補償請求権は混同しやすいから注意してね。刑事補償請求権は、逮捕され裁判にかけられていた人が、無罪判決を受けた場合に行使できる権利で、国家賠償請求権のほうは、それ以外の何らかの損害を政府から受けた場合に行使できるものだよ。

「請求権」は似た用語が多くてまぎらわしいね……だからこそ、よく注意してね！

❸ 新しい人権

新しい人権とは、憲法に明文規定がないけれども新たに主張されている権利のことだ。憲法制定当初には想定されなかった社会状況の変化といったものを背景にして、さまざまな権利が主張されている。

だったら憲法を改正すればいいのに。

それも一理あるけど、憲法は国のあり方を定めた最高法規だから、安易にコロコロと変えるべきではない。それにじつは憲法の具体的な人権規定は「例示」にすぎない。憲法第13条の幸福追求権を根拠にすれば、公共の福祉に反する以外のあらゆる権利を主張することが可能になるんだ。もっとも、権利として実際に認められるかどうかは裁判にかかってくるけどね。

新しい人権には次のようなものがあるよ。

新しい人権の具体例

| 環境権 | 良好な環境を享受できる権利。**幸福追求権**や**生存権**が根拠。「景観権」「日照権」などを含む。 ※環境基本法（1993年）➡p.137 に「環境権」は明記されず |

プライバシーの権利

従来の意味：**私生活をみだりに公開されない権利**（『宴のあと』事件で認定）

➡ 現代的な意味：**自己情報コントロール権**（➡ 個人情報保護法 2003年）

| 知る権利 | 国民が政府のもつ情報を入手できる権利。国民主権や参政権、表現の自由などが根拠 ※情報公開法（1999年）に「知る権利」は明記されず |

プライバシーの権利は裁判で認められたんだね。

うん、三島由紀夫の小説『宴のあと』が政治家のプライバシーを侵したとして問題となり、この訴訟ではじめてプライバシー権が認定された（1964年）。また柳美里の小説『石に泳ぐ魚』事件でもプライバシー侵害が問題となり、こちらでは**出版差止め**の命令が出ている（2002年）。いずれも表現の自由とプライバシー権が衝突し、プライバシー権の主張が認められたわけだ。

自己情報コントロール権ってのは？

　たとえば君の名前や住所や携帯電話番号などがネットで晒されたら嫌だよね。場合によっては犯罪に使われてしまうかもしれない。**情報化** ➡p.508 が進む今日では、こうした個人情報の保護がとても重要になっているんだ。

　そのために制定されたのが個人情報保護法だ。これによって、民間企業であっても、個人情報の保有者は、本人の意に反する利用ができないことになった。

⇈ 特定秘密保護法

　国防・外交・スパイ・テロ活動に関連する機密情報を漏らした公務員に重罰を科す特定秘密保護法が、2013年に制定された。保護すべき「特定秘密」を行政機関が選別できることから、情報公開の流れを妨げ、知る権利を侵害するとの批判もある。

ポイント 新しい人権

- 新しい人権とは、憲法に明記されていない権利のこと。
- 知る権利や環境権は法律上の規定がない。

第1章　政治分野

4 日本の統治機構

この項目のテーマ

1 国会の地位と権限
国会とは何か？　国会って何をしているの？

2 内閣制度と議院内閣制
国会と内閣は仲良し？

3 裁判所の地位と種類、司法権の独立
三審制と裁判の種類、裁判官の任命についてしっかり整理しよう

4 司法制度改革
裁判員制度を中心に、知識の漏れがないか要チェック！

1 国会の地位と権限

　日本国憲法は、国会が「**国権の最高機関**」であり「**国の唯一の立法機関**」であると定めている（第41条）。「最高機関」であるというのは、主権者である国民から直接選出される唯一の機関だからだ。

　また「唯一の立法機関」なので法律を制定できるのは国会だけだ。でも、法律以外の法令は国会以外が制定することもできる（内閣による**政令**や地方自治体による**条例**、それに最高裁判所の**規則**など）。

 国会議員にはどういう人がなるの？

　衆議院議員は満**25**歳以上、参議院議員は満**30**歳以上の日本国民に**被選挙権**が認められている（「被選挙権」とは選挙に立候補する権利のこと。「**選挙権**」はいずれも18歳以上。混同しないように！）。それから、国民の代表者としての活動を保障するため、憲法上、国会議員には次の三つの特権が認められている。

> **国会議員の特権**
> ● 歳費特権（第49条）
> 　… 国会議員への所得保障。行政府からの圧力を防ぐためのもの。
> ● 不逮捕特権（第50条）
> 　… 国会会期中は逮捕されず、議院の要求があれば釈放される。
> 　▶ **現行犯や議院の許諾**があった場合には会期中でも逮捕される。
> ● 免責特権（第51条）
> 　… **院内**活動（発言や表決など）について**院外**で責任を問われない。
> 　▶ 院内での懲罰はありうる。

　出題されやすいのは**不逮捕特権**と**免責特権**だ。

　国会議員が逮捕されないのは**任期中**でなく**会期中**であることに注意！ また**現行犯**なら会期中でも逮捕される。

　免責特権とは国会議員が行う演説や表決などの**院内活動**の自由を保障するためのもので、たとえば議場での発言を名誉毀損として訴えたりすることは原則としてできないということだ。もっとも、院内で懲罰にかけられることはありうる。たとえば最近では、一度も登院しなかった「暴露系 YouTuber」の議員が除名された。

 ところで、国会は**二院制**をとっているんだよね。

　そう。明治憲法では**衆議院**と**貴族院**からなる二院制だった ➡p.31 けれど、日本国憲法では貴族院の代わりに民選（国民から選挙される）の**参議院**が新設された。

　二院制の意義としては、**審議を慎重にできるとか、多様な民意を反映できる**といったことが挙げられる。そして参議院は貴族院の流

	衆議院	参議院
定　　数	465	248
被選挙権	25歳以上	30歳以上
任　　期	4 年	6 年
解　　散	あり	なし

れを汲む側面があるので、民意を政治に反映させる機能だけでなく、見識のある議員が大局的観点からじっくりと議論する「**良識の府**」としての役割も期待されている。**被選挙権の年齢**が高く、衆議院より**任期**が長いうえに解散もないというのはそうした理由からなんだ。

　ただ、迅速な決定を困難にするという難点もあり、とくに衆議院と参議院で多数党派の異なる「**ねじれ国会**」ではその問題が深刻になる。

　次に**国会の種類**について見てみよう。

> **国会の種類**
>
> ● 通常国会
>   ・・・毎年1回、1月に召集。翌年度**予算**の審議が中心。会期150日間。
> ● 臨時国会
>   ・・・内閣が必要と認めたとき、いずれかの議院の4分の1の議員の
>   要求のあったときなどに召集。会期不定。
> ● 特別国会
>   ・・・衆議院の**解散総選挙**後**30**日以内に召集。首相を指名。会期不定。

　国会は年中開いているわけではない。通常国会、臨時国会、特別国会の三つの種類の国会があり、それぞれ決まった**会期**のあいだだけ審議が行われている。不逮捕特権のところで出てきた「会期」という言葉はここにかかわってくるんだ。なお、いずれも召集するのは天皇だよ ➡p.33 。

　またこの三つのほか、衆議院の解散中に緊急事態が起こったときには参議院の**緊急集会**が開かれる（決議内容については、衆議院での事後的な同意が必要）。

国会ではどんなふうに審議が進められているの？

　いちばん大きな特徴は**委員会中心主義**だ。両院ともに、常設の**常任委員会**や臨時に置かれる**特別委員会**で実質的な審議が行われている（議長などを除いて原則として国会議員はいずれかの常任委員会に所属する）。そして委員会で可決された案件が各院の**本会議**で採決されることになるんだ。なお委員会では、学識経験者などから意見をきく**公聴会**を開くこともできる（予算審議では必ず公聴会を開かなければいけない）。

　もう一つ、**公開の原則**（第57条）も大事で、本会議は自由に傍聴できる。ただし出席議員の3分の2以上の賛成があれば**秘密会**を開くこともできる。実例はないけどね。

> ## ポイント ▶ 国会の地位
> ● 国会は「**国権の最高機関**」であり、衆議院と参議院の**二院制**をとる。
> ● 国会議員には**不逮捕特権**や**免責特権**などが認められている。

ここからは**国会の権限**について見ていこう。まず、そもそも国会って何をするところだと思う？

> いやだなあ、法律をつくるところに決まってるじゃないですか。

その答えだと50点くらいかな。もちろん国会は**立法府**なんだから**法律議決権**（立法権）をもっている。でもそれだけじゃない。権力分立の必要性により、国会には行政府や司法府を監督する権限なども与えられているんだ。とくに内閣総理大臣を選出する権限は重要だね。

国会の権限　　内閣が作成　　内閣が締結

- **法律議決権**
- **行政監督権**… **予算**議決権＋**条約**承認権＋内閣総理大臣の指名権
- **司法監督権**… 弾劾裁判所設置権
- 憲法改正の発議権
　　　　　　　　　　　　　　　　}両院対等

以上の国会の権限のほか、衆議院と参議院が独自に行使できる権限として、**規則制定権**や**議員懲罰権**、それに国政調査権などがあり、さらに衆議院だけがもっている権限として内閣不信任決議権と**予算先議権**がある。

↑↑ 国政調査権（第62条）

　国政全般に関して調査する権限のことで、両院が独自に行使できる。具体的な方法としてとくに強力なのが証人喚問で、出頭拒否や偽証は刑罰の対象となる。過去には、**ロッキード事件**や**リクルート事件**などで、汚職の疑惑がある有力政治家などが証人喚問され、政局を大きく動かした。

> 法律議決権と行政監督権は両院対等でないの？

原則として国会の議決は両院が一致してはじめて成立する。でも両院が一致しないときに「何も決まりませんでした」ではすませられない重要事項もあるよね。だから、特別な事項に関してはどちらかの議決を優先する必要がある。

　その点で、衆議院のほうが**任期**が短く、**解散**もあるでしょ。つまり衆議院は参議院よりも民意を反映していると考えられる。そこで衆議院の優越を認めることにしたんだ。次の図をよく見てほしい。

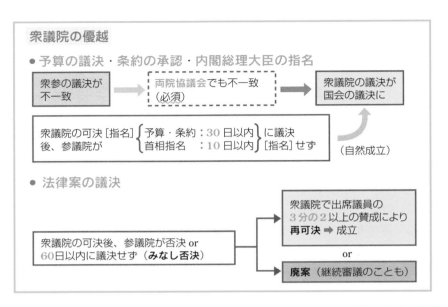

　このように、憲法上、衆議院の優越が認められているのは予算の議決・条約の承認・内閣総理大臣の指名・法律案の議決の四つだ。

　行政監督権にあたる予算・条約・首相指名に関しては衆議院による**再可決**が不要だ。議決が不一致となった場合には両院協議会での話し合いが必要だけど、妥協的な成案ができる可能性はきわめて低いので、ほとんどセレモニー的なものに近い。

　これに対して法律案の場合には、参議院で否決された場合には衆議院で出席議員の3分の2以上の多数によって**再可決**する必要があるから、非常にハードルが高い。

🔼 近年の国会改革

　1999年に国会審議活性化法が制定され、❶国務大臣に代わって官僚が答弁する政府委員制度が廃止された。❷衆参両院の国家基本政策委員会で行う党首討論（「日本版クエスチョン・タイム」）が導入された。❸地位のあいまいだった**政務次官**を廃止し、新たに**副大臣**と**大臣政務官**を各省に設置した。

チェック問題 1 　標準 2分

両院の権能に関する日本国憲法の規定についての記述として最も適当なものを、次の①〜④のうちから一つ選べ。

① 衆議院は、みずから可決した予算案を、参議院が否決した場合、出席議員の3分の2以上の多数で再可決し、国会の議決とすることができる。
② 衆議院は、内閣総理大臣の指名について、参議院が異なる議決をした場合、両院議員総会の開催を求めることができる。
③ 参議院は、衆議院が裁判官の罷免の訴追をした場合、その裁判官の弾劾裁判を行い、出席議員の3分の2以上の多数で罷免することができる。
④ 参議院は、衆議院が解散された場合、国に緊急の必要があるとき、内閣の求めにより緊急集会を開催し、国会の権能を代行することができる。

(2008年・センター試験現社追試)

解答・解説

④

正しい。衆議院の解散中には衆議院議員が存在しないので、内閣の求めによって、参議院だけで緊急集会を開催することができる ➡p.62 。

①：予算に関しては、衆議院による再可決は不要である。「予算案」を「法律案」にすれば正しい記述となる。

②：内閣総理大臣の指名で衆参の議決が異なる場合には、必ず両院協議会が開催される。衆議院が任意で両院協議会の開催を求めることができるのは、法律案について衆参が不一致となったときである。

③：弾劾裁判権は衆参対等の権限である。まず衆参それぞれ10名（計20名）の国会議員からなる裁判官訴追委員会が訴追し、衆参それぞれ7名（計14名）の国会議員からなる裁判官弾劾裁判所が弾劾裁判を行う。

みんなにとっては、こんな問題は楽勝だよね！

2 内閣制度と議院内閣制

　国政において行政権を担っているのが<u>内閣</u>だ。内閣は<u>内閣総理大臣</u>およびそのほかの<u>国務大臣</u>から構成され、国会のつくった法律を誠実に執行し、全行政機関（政府）を管理監督する責任を負っている。

　そして右図のとおり、内閣総理大臣は国会が<u>指名</u>して天皇が<u>任命</u>する。国務大臣は内閣総理大臣が<u>任命</u>する。

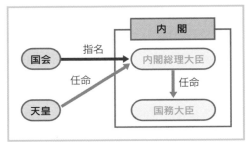

 指名と任命ってちがうんですか？

　まったくちがう。<u>内閣総理大臣を国会が指名する</u>というのは、内閣総理大臣は国会が選ぶということだ。でも選んだだけではダメで、実際に内閣総理大臣に就任するよう命令する（＝任命する）権限は天皇にあるんだ。天皇による任命はあくまで形式的なものだけどね。

 内閣総理大臣や国務大臣になるための資格とかはあるの？

　内閣総理大臣は**国会議員**であることが条件（第67条）で、国務大臣はその**過半数が国会議員**であればよい（第68条）。日本国憲法下での内閣総理大臣はこれまですべて衆議院議員だったけど、憲法上は参議院議員でもいいんだよ。

　また、内閣のメンバーはすべて<u>文民</u>でなければならない（「すべて」ということは防衛大臣も当然含まれるからね！）。

　また内閣の意思決定は<u>閣議</u>によって行われる。内閣は「**国会に対し連帯して責任を負ふ**」（第66条３項）義務があるので、閣議決定は**全員一致**で行われる。

ポイント　内閣総理大臣の地位・権限

　内閣総理大臣は「**内閣の首長**」であり、明治憲法とちがい、ほかの国務大臣の任免権をもつ。

次に**内閣と国会の関係**について確認しよう。日本は議院内閣制 ➡p.26 をとっているので、内閣は国会の信任に支えられている。では、国会からの信任が失われてしまったら？　素直に総辞職するというのが一つの手だ。でも、逆に不信任をつきつけた衆議院を解散することもできる。衆議院の解散・総選挙を、しばしば「国民の信を問う」と言うよ。

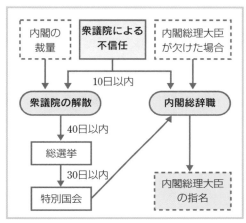

衆議院が解散されるパターンには二つある。一つは衆議院が**内閣不信任**を決議したときで、そのときには対抗措置として内閣が衆議院を解散できる（憲法69条にもとづくことから俗に「69条解散」と言われる）。

もう一つが**内閣の裁量**による解散だ。そもそも衆議院の解散は天皇の国事行為となっており（第7条）、天皇の国事行為がすべて「**内閣の助言と承認**」を必要とする以上、結局は内閣の望むときにいつでも衆議院を解散できると考えられているんだ（いわゆる「7条解散」）。

もともと多数党が内閣を構成しているんだから、内閣不信任が成立するのは与党が分裂するといったまれなケースしかありえない（実例は4回だけ）。だから戦後の総選挙のほとんどは内閣の裁量による解散にもとづいている。ちなみに、衆議院が**任期満了**を迎えたのも1回だけ（1976年）だ。

なお、「内閣総理大臣が欠けた場合」というのは、内閣総理大臣が死亡したり、失格して議席を失ったり、自発的に辞職するケースなどを指す。

ポイント　衆議院の解散と内閣総辞職のパターン

● **衆議院の解散**
　❶　内閣の裁量（7条解散）
　❷　内閣不信任への対抗措置（69条解散）
● **内閣総辞職**
　❶　内閣不信任決議を受けて10日以内に衆議院を解散しないとき
　❷　内閣総理大臣が欠けたとき
　❸　総選挙後初の国会が召集されたとき

④　日本の統治機構　　67

3 裁判所の地位と種類、司法権の独立

　司法権を担っているのは最高裁判所とその他の下級裁判所だ。下級裁判所には高等裁判所、地方裁判所、家庭裁判所、簡易裁判所の4種類があり、同一事件について原則として3回まで裁判を受けることができる（三審制）。

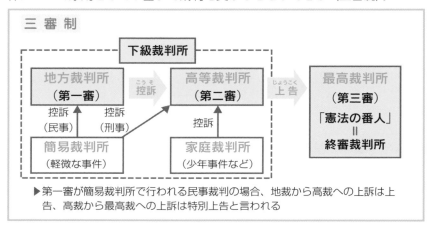

　日本国憲法では特別裁判所が禁止され（第76条2項）、あらゆる訴訟事件が最高裁判所を終審裁判所とする裁判制度でカバーされている。

⬆️⬆️裁判公開の原則（第82条）

　公正な裁判を実現するため、裁判は原則として公開で行われなければならない。裁判官の判断で対審（両当事者が法廷で対決すること）は非公開にもできるが、判決は必ず公開しなければならない。

 裁判にはどんな種類があるの？

だれがだれを訴える？

裁判の種類	裁判の対象	訴訟当事者	補　足
刑事裁判	犯罪行為（＝公益の侵害）	国 ➡ 私人	刑罰アリ
民事裁判	私人間の利害対立	私人 ➡ 私人	刑罰ナシ
行政裁判	行政機関による不法行為	私人 ➡ 行政機関	（賠償アリ）

　裁判の種類については左下の表のとおり。

　殺人や脱税など、法律に定められた**犯罪行為**は刑事裁判（刑事訴訟）の対象となり、有罪が確定すれば国から**刑罰**が科せられる。この場合に訴訟を起こすのは犯罪被害者ではなく国を代表する検察官だ。刑事裁判ではあくまで公の秩序が乱されたことが問題とされている。

　これに対してお金の貸し借りや契約違反など、私人どうしの紛争を対象とするのが民事裁判（民事訴訟）だ。民事事件で問題となっているのはあくまで利害対立であって犯罪ではないので、刑罰が科せられることはありえず、**損害賠償**などの命令が出されるのみである。なお民事裁判では当事者間で**和解**が成立すれば裁判は終了する（刑事裁判に和解はない）。

　刑事裁判と民事裁判の性格のちがいをよく理解してね。

　私人が国や地方自治体の不法行為を訴える行政裁判（行政訴訟）は、明治憲法では**行政裁判所**で扱われていたが、日本国憲法では特別裁判所が禁止されたので、民事裁判に準じる形で取り扱われている。

> ### ポイント　裁判の種類
>
> - 日本の裁判では三審制がとられており、原則として地方裁判所、高等裁判所、最高裁判所での審理を受けることができる。
> - 法律に規定される犯罪行為を裁くのが刑事裁判、私人間の利害対立を裁くのが民事裁判。

> なるほど。ところで裁判官ってだれが務めているわけ？

　ここは重要なところなので、よく覚えておいてほしい。

　最高裁判所の長官は、内閣が指名して天皇が任命する。最高裁判所長官以外の裁判官はすべて内閣が任命する。

司法権の独立

裁判所の独立：ほかの国権からの介入を排除　▶**大津**事件が契機

- 特別裁判所の禁止
- 最高裁の規則制定権（第77条）

裁判官の独立：ほかの裁判官からの干渉を排除

- 職権の独立：裁判は裁判官個人の良心に従って行う
- 裁判官の身分保障
  ：行政による懲戒や報酬減額は禁止。**罷免**は❶ 心身の故障、
  ❷ **弾劾裁判**、❸ **国民審査**のみ　▶定年はアリ

　最高裁判所を頂点とする司法府が国民の人権を守り「**憲法の番人**」としての役割を果たすためには、高い独立性が保障されなくてはならない。そこで憲法は、ほかの国家機関からの裁判所の独立と個々の裁判官の独立を保障することで司法権の独立をはかっている。

　裁判所の独立は大津事件をきっかけに明治憲法下である程度確立していたけれども、日本国憲法では**裁判官の独立**が大幅に強化されたんだ。

⬆⬆大津事件

　1891年に滋賀県大津市で、当時来日中のロシア皇太子が警備の日本人巡査から斬りつけられた事件。政府は外交問題への発展をおそれ、巡査を死刑にするよう**大審院**（当時の最高裁判所）に圧力をかけたが、大審院長の児島惟謙はこれに抵抗し、当時の刑法の規定どおりに裁判を進めさせた。近代日本において司法の独立を確立した事例と評されている。

 裁判官は公務員なのに、個人プレーに走っちゃっていいの？

　日本国憲法第76条3項には次のようにある。「すべて裁判官は、その良心に従ひ独立してその職権を行ひ、この憲法及び法律にのみ拘束される」。

　つまり裁判官は国民の人権を守る砦だから、政府から独立した特別な地位が与えられているんだ。

　裁判官にも法律で定められた**定年**があるけれども、裁判所によって心身の故障が認定された場合を除くと、裁判官は国会による**弾劾裁判** →p.63 あるいは最高裁裁判官への**国民審査**を経ないかぎり**罷免**できない。

　なお国民審査は最高裁判所の裁判官だけを対象にしたもので、衆議院議員総

選挙のさいに同時に実施され、罷免を可とする票が過半数を超えれば罷免となる。もっとも、これまで国民審査による罷免例は一度もない。

これに対して弾劾裁判は違法な行為などを働いた裁判官を国会が裁くもので、こちらは罷免が成立したケースがあるよ（2024年までに 8 例）。ちなみに弾劾の理由は児童買春とかストーカー行為など、みっともないものが目立つ。

裁判所は**違憲審査権**をもっているんだよね。

そう。すべての裁判所（最高裁だけでなく）は法令や処分などについて、憲法に合致しているかどうかを審査する権利をもっている（第81条）。

日本の違憲審査の大きな特徴は、アメリカと同様に、具体的事件の解決に必要なかぎりで裁判所が行使するということだ（**付随的違憲審査制**）。だから、たとえば自衛隊が憲法違反だと思っても、自衛隊法の違憲性だけを審査してもらうことはできない。自衛隊機の騒音で眠れないなどの具体的な被害を訴え、そのついでに自衛隊法の違憲性を審査してもらうことができるだけなんだ。

ドイツなどでは、具体的な事件がなくても**憲法裁判所**に法律の違憲性の判断を求めることができる（**抽象的違憲審査制**）けれど、日本では特別裁判所が禁止されているので、こうした憲法裁判所を設置することはできない。

最高裁が違憲の判断をすることは多いの？

少ないね。なかでも高度に政治的な国家行為については、司法審査の対象としないという立場（統治行為論）がとられている ➡p.36。裁判所は**法律問題**について判断する機関なのだから、**政治問題**は政府や国会、そして最終的には国民が判断すべき、というわけだ。この理屈にも一理あるけど、「憲法の番人」であるはずの最高裁が憲法判断を回避する「**司法消極主義**」には批判もある。

4 司法制度改革

司法制度のあり方に対しては、かねてから**裁判期間の長さ**などさまざまな問題が指摘されてきた。そんなわけでさまざまな司法制度改革が始まった。

まず、なんと言っても裁判員制度が大事だ。2009年に始まったこの制度は、市民の司法参加を定めたもので、戦後の司法制度における最大の改革だ。

> 日本の裁判員制度（2009年〜）
>
> 目的：市民的感覚を裁判に反映させ、司法への信頼を高めること
>
> 対象：重大刑事事件の**第一審**（地方裁判所で審理）
>
> 形式：裁判員6名＋職業裁判官3名が共同で審理（両者は基本的に対等）
> ➡ 事実認定＋量刑
>
> ▶アメリカの陪審制：陪審員が**評決** ➡ 裁判官が**量刑**

 陪審制と裁判員制度はどうちがうの？

抽選された一般の市民が裁判に参加するという点では同じだね。ただアメリカ型の陪審制では、市民から選ばれた陪審員は有罪か無罪かという事実認定のみを行い、職業的な裁判官が懲役何年といった量刑を行う。つまり市民とプロの裁判官には役割分担があるんだ。

これに対して日本で導入された**裁判員制度**では、有権者のなかから無作為に選ばれた裁判員が職業裁判官と基本的に対等な立場で審理に参加し、話し合ったうえで事実認定と量刑をともに行う。

対象となる裁判が殺人など重大な刑事事件に限定されていることや、担当する裁判が第一審（つまり地方裁判所での審理）のみだという点も大事だ。なお裁判員は事件に関して一生にわたって**守秘義務**を負う。

 裁判員制度のほかに市民の司法参加はないの？

検察審査会制度があるよ。検察官は刑事裁判で公益を代表して被告人の有罪を立証する役割を担っている ➡p.69 が、軽微な事件や悪質性が低いと判断されたりするケースでは**不起訴**あるいは**起訴猶予**とされることがある。つまり検察官には事件を裁判に持ち込むかどうかを判断する権限があるんだ（**起訴便宜主義**）。

　でもそうすると、政治家による汚職事件などで、はっきりとした理由もなく起訴が見送られることも起こりうる。そこで検察官による不起訴の判断が妥当かどうかを審査するのが検察審査会というわけだ。

　検察審査会を構成するのは、無作為に選出された一般の有権者だよ。従来は検察審査会の議決には拘束力がなかったんだけど、検察審査会法の2004年改正により、検察審査会が二度続けて起訴すべきと議決した場合には、裁判所に指定された弁護士によって強制起訴がなされることになった。

↑↑ その他の司法制度改革

・法曹人口の拡大

　日本は欧米諸国と比べて法曹（弁護士・裁判官・検察官）人口が格段に少なく、これからの訴訟社会に対応できないのではないかと指摘されてきた。そこで、2004年には法曹養成に特化した教育を行う法科大学院（ロースクール）がつくられた。

・知的財産高等裁判所

　特許権、著作権、意匠権などの知的財産権（知的所有権）をめぐる紛争が増え、またその保護が経済的にきわめて重要となったことから、東京高等裁判所の「特別の支部」として2005年に設置されたもの。特別裁判所ではない。

・法テラス（**日本司法支援センター**）

　2004年の総合法律支援法にもとづいて全国に設立されたもので、法的紛争に関する必要な情報を提供する総合的窓口の役割が目指されている。無料の法律相談や弁護士費用の立て替えなどの民事法律扶助も行っている。

・司法取引

　被告や容疑者が、共犯者の逮捕など捜査に協力する代わりに、罪を軽減してもらう制度。日本では2018年から導入された。捜査の進展が期待されるとともに、虚偽の自白による冤罪が起こることへの懸念もある。

日本国憲法における違憲審査権について、裁判所はこれを積極的に行使し、違憲判断をためらうべきではないとする見解と、その行使には慎重さが求められ、やむをえない場合のほかは違憲判断を避けるべきであるとする見解とが存在する。前者の見解の根拠となる考え方として最も適当なものを、次の①～④のうちから一つ選べ。

① 法律制定の背景となる社会や経済の問題は複雑であるから、国政調査権をもち、多くの情報を得ることができる機関の判断を尊重するべきである。

② 選挙によって構成員が選出される機関では、国民の多数派の考えが通りやすいので、多数派の考えに反してでも少数者の権利を確保するべきである。

③ 外交など高度な政治的判断が必要とされる事項や、国政の重要事項についての決定は、国民に対して政治的な責任を負う機関が行うべきである。

④ 日本国憲法は民主主義を原則としているので、国民の代表者によって構成される機関の判断を、できる限り尊重するべきである。

（2020年・センター試験政経本試）

解答・解説

②

　適当である。「選挙によって構成員が選出される機関」とは国会のことであり、国民多数派の考えを反映する国会の意見に対して少数派の権利確保を主張するということは、裁判所による違憲審査に積極的な立場である。

①・④：**国会**の判断を尊重すべきということなので、裁判所が違憲審査権を行使することに慎重な考え方である。

③：統治行為論の説明になっているので、違憲審査に慎重な考え方である →p.71 。

スキルアップ2 犯罪被害者保護

　従来の日本の司法制度は加害者への人権侵害を防ぐという点に過度に重きが置かれ、犯罪被害者を保護する視点が希薄だったという批判がしばしばなされてきた。こうした批判を背景に、近年いくつかの点で改革が進められている。

- ● 犯罪被害者保護法（2000年）

　2000年に成立した犯罪被害者保護法により、❶犯罪被害者の**優先傍聴（ぼうちょう）権**、❷法廷での**意見陳述（ちんじゅつ）権**、❸公判**記録の閲覧（えつらん）・コピー**が認められるようになった。

- ● 犯罪被害者等基本法（2004年）

「すべての犯罪被害者は個人の尊厳にふさわしい処遇を保障される権利をもつ」として、犯罪被害者救済の基本理念や国の責務を定めている。

- ● 被害者参加制度（2008年～）

　2007年に刑事訴訟法が改正され、一定の重大犯罪については、犯罪被害者やその遺族の申し出により、被害者が公判に検察官と同席し、被告人に質問や求刑などを行うことが認められるようになった。

　刑事裁判は被告人と検察官が当事者となるものであり、それまで犯罪被害者は当事者ではなく「傍聴人」という立場でしかなかったので、被害者が訴訟当事者となるこの制度に対しては、弁護士会などから批判もなされている。

- ● 公訴時効制度の改革（2010年）

　公訴時効とは、犯罪のあと一定期間が経過すれば起訴できなくなるしくみのこと。このしくみに対しては犯罪被害者らから見直しを求める要望が強かったことから、刑法および刑事訴訟法が2010年に改正された。この結果、殺人などの重罪の公訴時効は廃止され、その他の犯罪行為について時効期間が従来の倍に延長された。

5 地方自治と日本政治の諸問題

この項目のテーマ

1 地方自治と地方分権化
地方自治の理念と課題とは？

2 選　挙
さまざまな選挙制度の長所と短所を整理しよう

3 政党政治
55年体制とその後の政党政治はどうちがう？

4 行政の民主化
行政は必ず肥大化する！　いったいどうすれば……？

1 地方自治と地方分権化

　地方自治とは、一定地域の住民が、地域の問題を自主的に解決する政治のしくみのことだ。

　なぜこのようなしくみが必要かというと、第一に、地域の実情に合わせた政治が行われるべきだからだ。**国家への権力集中を防ぐ役割**も地方自治には期待されている。第二に、地方自治制度には**民主主義の精神を育む役割**も期待されている。民主主義とは、自分たちのことは自分たちで決めるということだよね。そこで、身近な地域の問題について自分たちで決定するようにすれば、おのずと民主主義的な考え方が身についていくだろうというわけだ。この点について

イギリスの政治学者**ブライス**（1838～1922）は、「地方自治は民主主義の学校である」と述べている。

　以上の2点はだいたい**団体自治**と**住民自治**という「地方自治の本旨」（第92条）に対応している。

- 団体自治 …国から地方自治体が独立
  ➡ **条例制定権**など
- 住民自治 …住民の意思にもとづく政治
  ➡ 首長・地方議会の公選制、**直接請求権**

地方自治体はどんなふうに運営されているの？

　地方自治体（地方公共団体）において行政事務を執行するのが首長（都道府県知事および市区町村長）で、住民からの直接選挙で選出される。

　これに対して**条例**の制定・改廃や**予算**の審議などを行うのが議会で、議員はやはり住民からの直接選挙で選出される。つまり地方自治では住民の代表機関が二つある二元代表制がとられている。

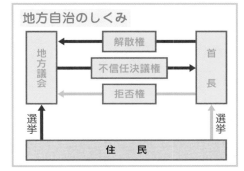

地方自治のしくみ

	解散権	
地方議会	不信任決議権	首長
	拒否権	

選挙　　　　　　　　　　　　選挙

住　民

　首長は議会の議決について再議に付すことができる（拒否権）。他方で地方議会には首長への不信任決議権が認められており、また首長が地方議会の解散をもって応じることもできる。

地方自治体の住民にはどんな権利があるの？

　地方自治体の住民には、首長・議員に対する**選挙権**（第93条2項）のほか、特定の自治体だけに適用される法律（**地方特別法**）の可否を問う住民投票権（第95条）が憲法で保障されている。

　そのほか地方自治法では次ページのような直接請求権が認められている。議会や首長を介さずに住民の意思を政治に反映させるという意味で**直接民主制**の一種と言える。

直接請求制度

請求内容	必要署名数	請求先	その後
条例の制定・改廃	有権者の $\frac{1}{50}$ 以上	首　長	議会にかけ、結果を報告
監　査		監査委員	監査を実施し、結果を報告
議会の解散	原則として 有権者の $\frac{1}{3}$ 以上	選挙管理委員会	住民投票にかけ、過半数の 同意があれば解散 or 解職
首長・議員の解職			

　ちなみに住民投票には、**住民投票条例**にもとづく住民投票というのもあるよ。この住民投票の結果は政府機関を法的に拘束するものではない。でも、民意を示す政治的メッセージとしての重要性が1990年代後半以降に認められるようになり、各地で急速に広がったんだ。

 いっそうの地方分権を求める声が強まっているんだよね。

　地方自治は憲法で定められた制度だけれども、現実には戦前からの**中央集権的な構造**が根強く残っている。それを象徴的に表す言葉が「**三割自治**」だ。次の図を見てほしい。

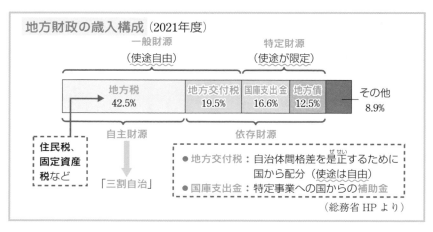

地方自治体がみずから徴収した自主財源は4割ほどしかないのがわかるよね。以前はこれが約3割しかなく、この**財政基盤の弱さ**ゆえに「三割自治」と言われたんだ。だから、必要経費に足りない分は国に頼るか借金するしかない。地方交付税と国庫支出金はいずれも国から給付されるものだが、使途が限定されているかどうかがちがう。

🔼🔼 三位一体の改革

小泉（こいずみ）内閣の下（もと）で2004年から実施されたもので、具体的には❶補助金の削減、❷国から地方への税源移譲（いじょう）、❸地方交付税の見直し（削減）の三つを指す。地方分権と国の財政再建を一体に進めるという意図であったが、結果として地方財政のいっそうの悪化をもたらしただけだと批判する声もある。

> 地方の財政は厳しいんですね。

じつは、これまで地方自治体が実際にやっていた仕事はかなりの部分が国から押しつけられた仕事（**委任事務**）だった。そこで1999年に**地方分権一括法**が制定され、国と地方の関係は従来の「上下・主従関係」から「対等・協力関係」に改められ、機関委任事務が廃止された。機関委任事務というのは、国から地方自治体の機関（**首長**や**行政委員会**など）に委任された事務のことで、「委任」と言えば聞こえはいいけど実態は強制だった。だから、これに代わって新たに法定受託事務がつくられたんだ。

🔼🔼 ふるさと納税

居住地以外の自治体に寄付すると、寄付額に近い額の所得税と住民税が控除されるしくみ。地方の活性化が期待される反面、寄付を受けた自治体による「返礼品」が高価なものとなり、自治体間で「税の奪い合い」が起こっているとも言われる。

2 選　　挙

　日本国憲法の前文は、「日本国民は、正当に選挙された国会における代表者を通じて行動し、……」との言葉から始まる。でも**代表民主制**がきちんと機能するためには、民主的で「正当」な選挙が行われなければならない。そうした民主的な選挙の条件が次の四つだ。

- 普通選挙：年齢以外で選挙資格を差別してはならない（⟵**制限選挙**）
- 平等選挙：一票の価値を平等に（⟵**不平等選挙**）
- 直接選挙：有権者が直接に投票。代理投票は禁止（⟵**間接選挙**）
- 秘密選挙：有権者が無記名で投票（⟵**記名選挙**）

普通選挙は日本国憲法ができてから実現したんだよね。

　ちがう。納税額による制限が撤廃されて**普通選挙制**が導入されたのは1925年（大正14年）だ。もっとも、このときも有権者はまだ男子だけで、**男女普通選挙制**が導入されたのは1945年（実施は翌1946年の総選挙）になる。新憲法の制定で普通選挙が確立したんじゃなく、普通選挙で選ばれた議員たちによって新憲法がつくられたんだ ➡p.32 。ここはとても大事なところだよ！

選挙制度にはそれぞれ長所と短所があるんでしょ。

　そうだね。まず**小選挙区制**から見てみよう。

選挙制度の比較

小選挙区制	一選挙区から一人が当選（各選挙区とも定数１）
●長所：大政党に有利 ➡ 二大政党制 ➡ 政局が安定しやすい	
●短所：死票が多く、少数意見が反映されにくい	

大選挙区制	比例代表制
一選挙区から複数が当選 （各選挙区とも定数２以上）	政党に投票し、得票数に応じて議席を各党に配分
●長所：死票が少なく、少数意見が反映されやすい	
●短所：小党分立 ➡ 政局が不安定化しやすい	

　小選挙区制は一選挙区で一人だけが当選できる制度だから大政党に有利であり、二大政党制になりやすい。つまり小党の乱立が避けられるので、政局も安定しやすい。ただし、これは裏を返せば少数意見を切り捨てるということでもあり、落選者に投じられた票（死票）の割合が多くなってしまうんだ。

　これに対して、大選挙区制や比例代表制では少数派の代表者も当選できる可能性が高まるため、少数意見が反映されやすくなる。でも、その分だけ議会多数派の意見が通りにくくなったり、政局が不安定になる危険性もある。

日本の国会はどんな選挙制度になっているの？

衆議院（小選挙区比例代表並立制）	参　議　院
●小選挙区：289名(289選挙区、定数１) ●比例区　：176名(全国11ブロック) 　▶拘束名簿式、重複立候補も可	●選挙区：148名(45選挙区、定数１〜６) ●比例区：100名(全国１区) 　▶非拘束名簿式、重複立候補は不可

　まず衆議院だけど、長いあいだ各選挙区の定数が３〜５の中選挙区制が採用されていたが、これは1994年に廃止され、1996年の総選挙以降は小選挙区比例代表並立制が採用されている ➡p.85 。小選挙区選挙と比例代表選挙は独立して行われるが、その両方に立候補する重複立候補も可能で、小選挙区で落選しても比例区で復活当選する可能性が残される。

参議院の選挙制度は？

　衆議院は小選挙区制だけれど、参議院の選挙区は原則として都道府県が単位

となっているので、人口に応じて定数がちがう。それから、比例代表選挙では、

政党名だけでなく候補者名にも投票できる**非拘束名簿式**が採用されている。このしくみでは個人名での得票数によって当選者が確定するので、こ

非拘束名簿式比例代表制

❶ 有権者は政党名 or 候補者名に投票
　　➡ 合計により政党の**議席数**が確定
❷ 個人票の多い順に**当選者**が確定

れなら当選者に有権者の意思を反映させられることになる。

↑↑ ドント方式による議席配分

比例代表選挙における議席配分方式の一つ。

得票数を議席数に換算する方式として日本で採用されている**ドント方式**では、各党の総得票数を整数（1、2、3……）で順に割っていき、その商の大きい順に各党の議席を定数まで割り振っていく。

	A党	B党	C党	D党
得票数	1200	900	600	300
÷1	❶1200	❷900	❸600	300
÷2	❹600	❺450	300	150
÷3	❻400	300	200	100
÷4	300	225	150	75

定数6なら……A党3議席、B党2議席、C党1議席

ポイント 衆議院と参議院の選挙制度

- 衆議院は**重複立候補**が可、比例名簿は政党が順位を決定。
- 参議院は**重複立候補**が不可、比例の当選順位は個人得票により決定。

選挙運動は自由にやっていいの？

日本では**公職選挙法**でそのルールが決まっているんだけど、とにかく規制が厳しい。金品や飲食物の供与が禁じられているというのは当然としても、**事前運動**や**戸別訪問**が禁止されているのは先進国では日本くらいのものだ。

そのほか、日本の選挙の問題点は？

最大の問題は**一票の格差**（議員定数不均衡）➡p.46だろうね。日本では高度経済成長期に農村から都市への人口移動が進んだにもかかわらず、議員定数の是正が進まなかったため、**一票の価値**（議員一人あたりの有権者数）に著しい格差が生じてしまった。農村地域出身の議員の抵抗があったからだ。

定数是正は何度か行われてきたが、いまでも解消されない。

また近年の選挙制度改革として次のような試みがある。

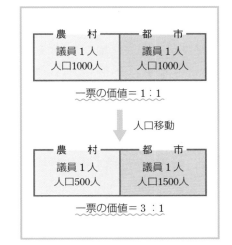

近年の選挙制度改革

- **連座制の拡大**（拡大連座制）（1994年）

  候補者本人以外の選挙違反でも当選が無効に

  ▶適用範囲を秘書などに拡大し、5年間の立候補が禁止に

- **ネットを使った選挙運動の解禁**（2013年）

- **18歳選挙権**の実現（2016年）

一般に、**大衆社会化**が進むと**政治的無関心**が広がり、投票率は低下していく。そのため投票時間の延長などの対策がとられてきたが、なかなか歯止めはかからず、衆議院・参議院ともに投票率は50％前後にまで下がっている。その根本には根強い**政治不信**があり、特定政党を支持しない**無党派層**が増える一方であることとも関連していると考えられる。

その点で、ネットを利用した選挙運動が解禁されたことや、選挙権年齢が引き下げられたことなどは大きな変化だ。

3 政党政治

　指導者の個人的力量に依存する政治というのはもろいものだ。指導者が優れているときはうまくいくけど、指導者が交代したとたんにガタガタになったりするからね。だから、イギリスなど議会制の発達した国々では、しだいに政党が政治の中心となる政治（政党政治）が形成されてきた。

　政党とは、特定の政治的理念にもとづき、政権の獲得と政策の実現を目指す政治集団のことだ。政党には人々の多様な利害を集約して具体的な**政策**へとまとめ上げることが期待され、こうした政策本位の政治が政党政治の基本だ。

政党システムの類型

● 二大政党制（イギリス・アメリカなど）
　長所：政局が安定、政権交代が容易、争点が明確
　短所：有権者の選択肢が少ない、民意が反映されにくい

● 多党制（日本・ドイツ・フランス・イタリアなど）
　長所：多様な民意を反映しやすい
　短所：政局が不安定になりやすい

　以上二つの政党システムは選挙制度と密接に関係している。つまり、小選挙区制は二大政党制を生みやすいので、この二つは、長所と短所もほぼ共通している。大選挙区制または比例代表制と多党制に関しても同じことが言える。

　　　圧力団体ってのは、政党とどうちがうんですか？

　圧力団体（利益団体）とは、政府や政党に圧力をかけて**特殊利益**の実現を目指す集団のことだ。政党が基本的に**国民的利益**の実現を目指すものであるのに対し、圧力団体は、経営者団体であれば企業の利益を、農家の団体であれば農家の利益を、などというように、特殊利益を主張する性格をもつ。また、政権獲得を目指さない点でも政党と本質的に性格が異なる。

↑↑ NPO（非営利組織）

　圧力団体と似た役割を担うものとして NPO（非営利組織）がある。NPO は消費者運動・環境保護・介護などさまざまな非営利活動に従事する民間団体の総称で、1998年に**特定非営利活動促進法（NPO 法）**が制定されて法人格の取得が容易になった。営利活動はしないが、有給の専従スタッフを置くことはできる。

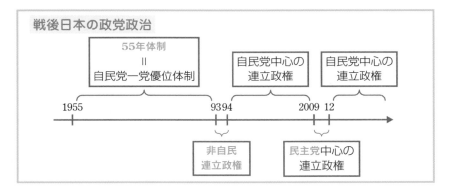

戦後しばらくは多くの政党の乱立する多党制の時代が続いたけど、1955年に保守の<u>自由民主党</u>（自民党）と革新の<u>日本社会党</u>（社会党）が衆議院の大半を占める対決構図が確立した。これを**55年体制**と言うよ。ただしこれは政権交代の可能性をもつ**二大政党制**ではなかった。自民党を1とすると社会党は2分の1程度の力関係であったので、実質的には自民党中心の**一党優位体制**だったと言われる。これがじつに38年間も続いた。

　自民党が1955年に結党されてからはじめて政権を失ったのは1993年のことだ。**リクルート事件**などの汚職事件が続いたことへの政治不信が背景にある。ただしこのときに成立したのは8党派が束になった<u>連立政権</u>であり、自民党はまだ第一党だった。**政治改革関連法**などの重要な成果を残したものの、1年もたたずにこの政権は崩壊した。

政治改革

　非自民連立政権として発足した細川（ほそかわ）連立内閣は、1994年に次のような大改革を行った。

- 選挙制度改革：衆議院で**中選挙区制**を廃止、**小選挙区比例代表並立制**を導入。
- 政党助成法：一定の要件を満たした政党に国費から**政党助成金**を交付。
  - ▶共産党は受け取りを拒否。
- 政治資金規正法の改正：政治家個人への企業・団体献金を禁止。
  - ▶政治家が代表を務める**資金管理団体**への企業・団体献金は1999年に禁止。政党への企業・団体献金は可。

政権交代はもう一度あったんだね。

　そう。2009年に衆議院の総選挙で圧勝したのが**民主党**だ。このときに獲得した308議席は、日本の議会政治史における最多記録だ。でもこれもすぐに国民の失望を買い、3年後にはまた自民党中心の連立政権に戻った。こうして見ると、自民党は戦後のほとんどの時期に政権を担当していることがわかるね。こうした状況を指して、日本では政権交代の可能性が乏しく、政治に緊張感が足りないと言われることがある。

 最後に、日本の政党政治の課題についてお願いします。

　いちばん大事なのは、**政策本位の政治**を実現することだろうね。有力国会議員の多くは**世襲議員**で、彼らは自身が所属する党内の**派閥**と強力な個人後援会の支援を受けつつ、地元や支援母体に利益誘導を行うことで当選を重ねた。選挙には地盤（組織）・看板（知名度）・カバン（資金力）の「三バン」が必要だと言われるが、これらをそろえているのは世襲議員だけだったんだ。しかも、彼らの多くは特定の官庁や圧力団体 ➡p.84 との太いパイプをもつ**族議員**（道路族、厚生族など）でもある。

　そんなわけで、日本の政治は政治理念や政策を同じくする政党が中心となるのではなく、特定地域や個別の業界に特殊利益をもたらす有力議員たちによって動かされてきたんだ。これを改めていくには、有権者にも政治を厳しく見つめることが求められてくるだろうね。

⬆⬆党議拘束

　政党が所属議員の行動（とくに法案の採決）を拘束すること。政党政治にとって当然のことだが、これが強すぎると国会審議が形骸化するなどの弊害が起こる。日本の政党は一般に党議拘束が強いと言われる。

チェック問題

日本の政党政治に関する記述として最も適当なものを、次の①〜④のうちから一つ選べ。

① 政党助成法では、政党に対する交付金の支出は禁止されている。

② 55年体制と呼ばれる状況では、国会の議席数の割合は、革新政党優位で推移した。

③ 支持する政党をもたない有権者層は、無党派層と呼ばれる。

④ 政党が選挙にあたりマニフェストを作成し公表することは、法律上義務づけられている。

(2020年・センター試験現社本試)

解答・解説

③

正しい。かつては特定政党を支持する有権者が多かったが、1990年代頃から、特定の支持政党をもたない**無党派層**が増加している ➡p.83 。

①：1994年に政治改革の一環で制定された**政党助成法** ➡p.85 により、一定の要件を満たした政党に、政党交付金が支出されている。

②：**55年体制**は、**保守**の自由民主党が多数を握り続ける一党優位政党制であった ➡p.85 。

④：**マニフェスト**は「政権公約」などと呼ばれ、選挙にさいして有権者に訴える詳細な政策集である。2003年の公職選挙法改正によって配布が解禁されたが、作成・公表する義務はない。

4 行政の民主化

20世紀に入ると、それまでの**夜警国家**が**福祉国家**に変容し **➡p.22** 、各国で行政府の役割が飛躍的に増加していった。このように、行政権の肥大化した国家のことを**行政国家**と言う。

日本の場合、どんな点で行政権が肥大化しているの？

一つは、**内閣提出法案**の多さだ。法律の制定は立法府の役割のはずなのに、官僚が作成した内閣提出法案のほうが議員提出法案（**議員立法**）よりもはるかに多く、成立率も高い。

それから、**委任立法**の増加。委任立法とは、骨格だけ法律で決めておいて、細部の運用については**政令**（内閣の命令）や**省令**（各省の命令）など、行政機関に委ねるというものだ。

また、とくに日本に特徴的なものとして、**許認可行政**と**行政指導**が挙げられる。各行政機関は民間企業のさまざまな活動に対して大きな許認可権限をもっており、さらに法的な根拠のない指導・勧告・助言（＝行政指導）といったものが行われてきた。

こうしたことは社会の複雑化への対応としてやむをえない面もあるけれど、国会とちがって、国民のコントロールのおよばない行政府に裁量権限が集中するのは、国民主権の原理から見て問題があると言わなければならない。

なるほど。何か対策は？

まずは行政機関の手続きを透明化し、明確化することだね。透明化という点では1999年に**情報公開法** **➡p.58** が制定され、明確化という点では1993年に**行政手続法**が制定されている。

それから、行政機構を監視し、国民からの苦情や告発を受けて改善勧告を行う**オンブズマン**（行政監察官）の導入も有力な手段と考えられる。これはスウェーデンで始まった制度で、日本でも地方自治体では導入しているところがあるが、国レベルでは存在しない。

そのほか、行政機構をスリム化したり、あるいは**独立行政法人化・民営化**するということも方向性として考えられる。2001年にはそれまでの１府22省庁が**１府12省庁体制**に再編された。

　独立行政法人というのは、国が直接執行にあたる必要のない事務を効率的に行うために省庁から独立させられた機関のことだ。

⬆ 行政の民営化

- 三公社の民営化

　1980年代には、日本専売公社、日本電信電話公社、日本国有鉄道の三つの公社（国営企業）が民営化された。

- 郵政民営化

　かつての郵政事業庁は2003年に日本郵政公社へ移行し、さらに2005年に小泉政権下で成立した郵政民営化法にもとづき、2007年に分割・民営化された。

あの、「天下り」という言葉をよく聞きますけど。

　天下りとは、高級官僚が退職後に関連企業や特殊法人などに再就職することだ。

　天下りが可能であるということは、業界団体と深く癒着して行政がゆがめられている可能性があるということを意味する。だから、**国家公務員法**では、離職後2年間は関連業種への再就職を原則として禁止しているが、さまざまな抜け道がある。

ポイント▶ 行政の肥大化とその対策

- 日本でも**行政の肥大化**が進み、非効率性や官民の癒着などが問題になってきた。
- **行政の民主化**を進めるため、行政手続法の制定や省庁再編などが行われてきた。

6 現代の市場経済

この項目のテーマ

1 市場メカニズム
経済はほったらかしがいちばん!?

2 資本主義と社会主義
資本主義の問題点とその対策とは？

3 現代経済と企業
企業はいったいだれのもの？　また何のためにある？

1 市場メカニズム

　ここから「経済分野」に入っていくよ。まずは経済学の核心中の核心である**市場メカニズム**について見ていこう。

　市場とは売り手と買い手の出会う場所のことだ。**売り手**は財やサービスを市場に**供給**し、**買い手**はそれを**需要**する（求める）。そして価格は低いほど買い手は増えるはず（需要量が増える）であり、価格が高いほど売り手が増えるはず（供給量が増える）。

　というわけで、**需要曲線**は右下がりとなり、**供給曲線**は右上がりとなる。

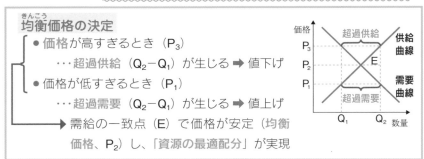

均衡価格の決定

- 価格が高すぎるとき（P_3）
  - ・・・超過供給（$Q_2 - Q_1$）が生じる ➡ 値下げ
- 価格が低すぎるとき（P_1）
  - ・・・超過需要（$Q_2 - Q_1$）が生じる ➡ 値上げ
- ➡ 需給の一致点（E）で価格が安定（均衡価格、P_2）し、「資源の最適配分」が実現

　さて、この場合に価格はどうやって決まるのだろうか？

　まず、値段が高すぎる場合には、**売れ残り**が出るので値下がりが起こる（P_3 ➡ P_2）。閉店間際のスーパーではお弁当が安くなったりするよね。その逆に、

人気商品などは**品不足**になるので値上がりが起こる（**P₁ ➡ P₂**）。たとえば人気歌手のコンサートのチケット代は高いよね。こうしたやりとりを通じて、最終的には需要曲線と供給曲線の一致点で**均衡価格**が実現するわけだ。

> なるほど。でも消費者にとっては安いほうがありがたいんで、政府が安く値段を固定してくれるとうれしいんですけど。

気持ちはわかるけど、そのやり方だとうまくいかないんだ。

均衡価格よりも無理やり安くすると、採算のとれない売り手は市場から退出するから、供給量が減ってしまう。だから、品不足（**超過需要**）が起こり、買いたくても買えない消費者が生まれてしまう。また、政府が売り手に配慮して値段を高めに設定すれば、反対のことが起こる。つまり、値段が高すぎるために売れ残り（**超過供給**）が起こり、売り上げは最大化されない。

結局のところ、モノの値段を市場に任せることで、資源の最適配分が実現するんだ。このことを最初に発見したのが「経済学の父」と呼ばれる**アダム・スミス**（1723〜90）で、彼はこれを「（神の）見えざる手」と呼んでいる。

ところで、需要曲線と供給曲線は、事情が変わると左右にシフト（平行移動）することがある。まずは**需要曲線のシフト**から。

需要曲線のシフト
：一定価格の下（もと）で需要量が増減すること

{ 需要曲線が右にシフトすれば、均衡価格が上昇（**P₁ ➡ P₂**）し、取引量も増加（**Q₁ ➡ Q₂**）する。
　例 選好（せんこう）の増大、所得の増大 }

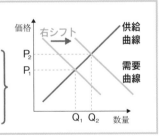

注意してほしいのは、これが価格変化にともなう取引量の変化とはまったくちがうということだ。たとえば、白菜の値段が上がってその需要量が減ったというようなケースでは、同じ需要曲線の線上で価格と需要量の組み合わせを示す点が動いているにすぎない。これに対して、需要曲線のシフトとは、ある財・サービスの値段が変わらないにもかかわらず需要量が増減する現象のことだ。たとえば、白菜が美容によいといった情報が広がると、価格と無関係に需要が増えるはずだ。結果として均衡価格は上昇する。

需要曲線が右にシフトするケースとしては、**選好の増大**、**所得の増大**、**所得税や消費税の減税**などが挙げられる。もちろん、それぞれ逆のことが起こると

きには需要曲線が左にシフトするよ。

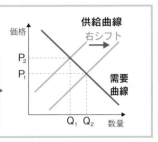

供給曲線のシフト
：一定価格のもとで供給量が増減すること

供給曲線が右にシフトすれば、均衡価格が下落し（P₂ ➡ P₁）、取引量は増加（Q₁ ➡ Q₂）する。

例 生産性の上昇、資源価格の下落、間接税の減税

供給曲線のシフトについても考え方は同じだ。たとえば、**生産性が上昇**すれば、一単位の財を生産するのに必要なコストは低下するので、価格は低下し、供給量は増加する。**物価の下落や間接税の引き下げ**などでも同様のことが起こる。それぞれ逆の動きが起こったときには供給曲線が左にシフトする。

どんなことが起こったときに**どちらの曲線がシフトするのか**、そして**左右どちらにシフトするのか**をよく理解してほしい。

なるほど。市場メカニズムってスゴいんですね。
そうすると、政府なんかいらないんじゃないですか？

たしかに政府の役割を極力限定すべきだという「小さな政府」を説く論者も少なくない ➡p.97 。とはいえ、ほとんどの経済学者は、市場メカニズムはうまく機能しないことがある（**市場の失敗**）ので、それに対して政府の介入が必要だと考えている。

市場の失敗
❶ 公共財…需要はあるが民間企業が提供しない

例 道路・水道、警察・消防

❷ 外部効果…売り手と買い手の経済的取引が第三者に影響を与える

● **外部経済**：第三者への**よい影響** 例 近所にスーパーが出店して便利に
● **外部不経済**：第三者への**悪い影響** 例 近所に工場が進出して大気が汚染

❸ 独占・寡占…一社あるいは数社で市場を独占

➡ 価格が変動しにくい

❶の**公共財**とは、道路や水道のような**社会資本**や警察・消防といった**公共サービス**のことを指す。これらは国民生活に不可欠のものだから明らかに需要が

あるけれども、それによって民間企業が利益を上げるのが難しい。だから、政府が責任をもって供給しているんだ。社会保障サービスなどもその一例だね。

⬆ 公共財の性質

公共財には以下二つの性質がある。
- 非競合性

  ある財を複数の人が同時に利用できること。たとえば弁当や自転車などの私的財は、だれかが使えばその分だけ減るが、警察が提供する治安などは、多くの人が同時に享受できる。
- 非排除性

  料金を払わない人を排除できないこと。たとえば電車やバスなどは、料金を払う人だけが利用できるが、一般の道路や公園などは、利用者から料金を徴収するのが難しい。

❷の**外部効果**について。売り手と買い手による経済的取引は、本来ならば当事者だけで完結するはずだけれども、現実には当事者以外の第三者に影響を与えることがある。これにはよい影響を与える**外部経済**（正の外部効果）と悪い影響を与える**外部不経済**（負の外部効果）の２種類がある。たとえば、化学メーカーが工場排水をたれ流しているとしたら、この企業は本来なら製品価格に上乗せすべき排水浄化の費用を周辺住民の犠牲によってゼロにしてしまったことになる。これが典型的な外部不経済。

❸の**独占**と**寡占**については、重要なところなのでもう少しくわしく見てみよう。なお、**一社で市場を支配**するのが厳密な意味での**独占**で、**少数の会社で市場を支配**する**寡占**と区別される。

寡占市場の形成と特徴

```
自由競争
  ↓
企業の淘汰（とうた）
  ↓
巨大企業による市場支配
```

- **管理価格**の形成

  有力企業が価格先導者（プライス・リーダー）となって価格を設定。超過供給があっても価格が下がりにくい（**価格の下方硬直性**）。

- 非価格競争の激化

  広告・宣伝・デザイン・アフターサービスなど、価格面以外で**製品の差別化**をはかる。

企業にとって、値下げ競争は利益を圧縮するものだから、避けられるものなら避けたいというのが本音だ。その点で寡占市場では競争相手が少ないため、価格競争を回避しやすい。有力企業がプライス・リーダーとなって価格を決定すると、そのほかの企業が「あうんの呼吸」で横並びの価格設定をするんだ（新聞や週刊誌の値段はだいたい同じだよね）。こうなると、超過供給があっても価格は下がりにくい（価格の下方硬直性）。このように、需給関係ではなく市場支配力によって決定される価格を管理価格と言う。

 とは言え、企業間競争がなくなるわけではないんでしょ？

　もちろん。寡占市場では価格以外の面での競争（非価格競争）が激しくなる。具体的には広告や宣伝、デザイン、アフターサービス、それにブランド・イメージなどだ。たとえば繁盛している喫茶店は、必ずしも地域最安値ではないよね。要するに、消費者にとって価格は重要な要素だけど、それだけで商品を選んでいるわけではないということだ。

 独占や寡占は規制されていないの？

　独占や寡占は健全な市場メカニズムを阻害してしまうので、日本では独占禁止法（1947年）で厳しく規制されている。とくに同業種の企業が協定を結んで価格を吊り上げたりするカルテルのようなことが起こっていないかどうか、公正取引委員会が監視の目を光らせているんだ。
　なお、1997年に持株会社が解禁されたことはおさえておきたい。
　持株会社とは、独自の事業を行わず、株式所有などにより子会社を支配する会社のことだ。これを認めると、企業統合が進んで、競争が妨げられかねないことから、1946年の財閥解体により禁止されていた。けれども、国際的な競争が本格化すると、大企業の体力を増強することが重視され、1997年に独占禁止法が改正され、持株会社は解禁された。「○○ホールディングス」といった名称の会社は、持株会社だよ。

チェック問題

　競争的な市場における「需要曲線の移動（シフト）による均衡価格の変化」に該当する例として最も適当なものを、次の①〜④のうちから一つ選べ。

① 天候不順のため野菜が不作となり、野菜の価格が値上がりした。
② 間接税である酒税の増税によって、ビールの価格が値上がりした。
③ 年末の帰省客の増加によって、高速バスのチケット価格が値上がりした。
④ 産油国の減産による原油価格高騰のため、ガソリン価格が値上がりした。

(2019年・センター試験現社追試)

解答・解説

③

　高速バスの利用者が増えるならば、高速バスの**需要曲線**が右にシフトする。その結果、均衡点は右上に移動し、均衡価格は上昇する。

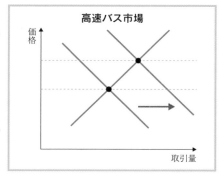

①：誤り。野菜が不作となれば、野菜の**供給曲線**が左にシフトする。その場合にも値上がりが起こるが、需要曲線が移動するわけではない。
②：誤り。①と同様で、**間接税**である酒税の増税があればビールの供給曲線が左にシフトする。
④：誤り。①と同様で、原油価格が高騰すれば、原油を原料とするガソリンの供給曲線が左にシフトする。

2 資本主義と社会主義

　経済の効率性を高めるという点で、市場メカニズムはとても有効なしくみだ。でも、このしくみは本当に永遠の繁栄を約束するものなのだろうか？

　産業革命が一段落した19世紀のイギリスなどでは、急速な産業化によって都市労働者は悲惨な状況に追いやられていた。どうしても自由競争は**貧富の差**を拡大してしまいがちなんだ。それにこのころには、**恐慌**が定期的に発生するようになっていた。こうしたことから、資本主義に根本的な矛盾があるとして、社会主義へと転換すべきだと説いたのが、ドイツ出身の革命家マルクス（1818～83）だ。

 でも、社会主義はうまくいかなかったのでは？

　たしかに社会主義の旗を掲げたソ連と東欧諸国は崩壊した →p.167 し、中国などの現存する社会主義諸国も、市場メカニズムを採用することに活路を見いだしているようだ（**社会主義市場経済**）。

　ただ、資本主義がときどき「暴走」を起こしてしまうことは否定できない。その点で、資本主義の克服ではなく、資本主義の改良・修正で問題を乗り切ることを主張したのがケインズ（1883～1946）だ（**修正資本主義**）。

> ケインズ主義
> 基本性格：自由放任主義の限界を指摘
> 目　　標：**完全雇用**の実現（**非自発的失業者**をゼロに）
> 手　　段：**公共投資**などにより**有効需要**を創出

　ケインズは1930年代の世界恐慌に直面し、もはや**自由放任主義**では問題を解決できないと考えた。彼が提案した解決策は、政府が**有効需要**を創出すべきだというものだ。

 有効需要って？

　有効需要とは購買力に裏づけられた需要のことだよ。

　不況 →p.107 のときには企業は投資を減らすし、家計も消費を控える。だれもお金を使わないから、ますます景気が悪化してしまう。そこでケインズは、そういうときには政府が赤字覚悟で積極的に**公共事業**などを行うべきだと言う

んだ。そうすれば金回りがよくなって景気が回復するというわけ。

　今日では一般的になっているこうした不況対策は、ケインズがはじめて提案したものなんだ。アメリカで**ローズヴェルト**政権が1930年代に実施した**ニューディール政策**は、その典型だ。

> ケインズ主義は、いまでも有効なの？

　意見の分かれるところだ。第二次世界大戦後しばらくのあいだは、どの資本主義国でも事実上ケインズ主義が採用されていた。でも、1970年代には積極的な財政出動が各国でインフレを引き起こし、財政赤字を悪化させてしまった。そこで、そのころからはケインズを批判して「**小さな政府**」を説く**フリードマン**らの経済学説（**新自由主義**）の影響力が強まっている。1980年代にイギリスの**サッチャー**政権、アメリカの**レーガン**政権、日本の**中曽根**政権で大規模な民営化などが進められたのも、こうしたことを背景にしている。

> ## ポイント　ケインズ主義とその評価
>
> - ケインズは、不況時には政府が景気刺激策として公共事業を行い、**有効需要**を創出すべきだと主張した。
> - 1970年代以降にはケインズ政策への批判が高まり、「**小さな政府**」へと転換する動きが強まった。

3 現代経済と企業

現代経済では、企業・家計・政府という三つの経済主体が財・サービスをやり取りしている。それぞれの基本性格は下の図のとおりだ。

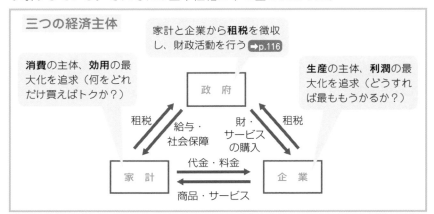

三つの経済主体

家計と企業から**租税**を徴収し、財政活動を行う ➡p.116

消費の主体、**効用**の最大化を追求（何をどれだけ買えばトクか？）

生産の主体、**利潤**の最大化を追求（どうすれば最ももうかるか？）

政府

租税　給与・社会保障　財・サービスの購入　租税

家計　代金・料金　企業

商品・サービス

ここから先は、現代経済で中心的な役割を果たしている企業について詳しく見ていくとしよう。現行の**会社法**（2005年制定）で規定されている会社企業は、以下の4種類だ。

出資者が
有限責任 —— 株式会社、合同会社
合資会社　**有限責任**社員と**無限責任**社員が1名以上ずつ
無限責任 —— 合名会社　1名以上の**無限責任**社員

会社企業は出資者（＝社員）の地位に応じて分類される。

いま、仮に3人が100万円ずつ持ち寄って会社を起こしたけど、不幸にして3000万円の負債を抱えて倒産してしまったとしよう。本来ならば出資者それぞれが1000万円ずつの債務を負うはずだよね。このような社員のことを無限責任社員という。でも、それではリスクが大きいので出資する人がなかなか増えず、経済も活性化しない。

そこで登場したのが、出資額の範囲内で責任を負うという有限責任の概念で、先ほどの例だと出資者はそれぞれが出資した100万円を諦めるだけですむ。もちろん、会社がもうかって利益を上げた場合には配当金がもらえる。

もちろん、この有限責任のしくみを維持するためには、会社が出資者や取引相手に対して信頼性や透明性を確保することが欠かせない。そのため、株式会

社は法律によって**企業統治（コーポレート・ガバナンス）**の厳格なルールに従うことが求められている。

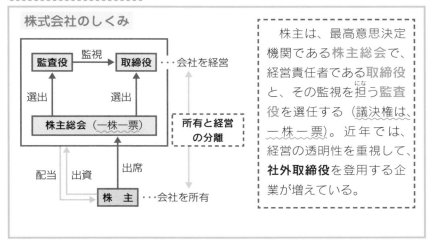

株式会社のしくみ

株主は、最高意思決定機関である株主総会で、経営責任者である取締役と、その監視を担う監査役を選任する（議決権は、一株一票）。近年では、経営の透明性を重視して、**社外取締役**を登用する企業が増えている。

会社法（2005年制定、2006年施行）

　それまで「商法」の一部であった会社についてのルールが独立し、内容でも大きな変更がされた。そのおもなポイントは、❶**有限会社**の新設禁止、❷**合同会社**の新設、❸株式会社の**最低資本金制度**の廃止である。

　近年の企業の動向として注目できるのは、グローバル化への対応策だ。大企業のほとんどは国境を越えた**多国籍企業**となっているし、国境を越えた競争が激化するなか、他企業の**合併・買収（M&A）**を積極的に進め、経営を多角化する**コングロマリット**（複合企業）が増えている。また経営を効率化するため、事業の一部を他社に外注（**アウトソーシング**）する動きも急速に強まっている。

　このほか、企業をめぐって近年重視されているのは**企業の社会的責任（CSR）**という概念だ。もともと、企業は**利潤の最大化**こそが最大の目的と考えられてきた。でも、その結果として環境を破壊したり人々の生活を脅かしたりするようなことがあってはマズイよね。そこで、現代の企業では、**コンプライアンス（法令遵守）**の徹底などが大きな課題となっているんだ。

　法令を遵守するって、フツーじゃないんですか？

　まあ、そうであるべきだけど、現実には**粉飾決算**や**食品表示の偽装**、**リコール隠し**、**労働基準法違反**など、企業の法令違反はたくさんあるよね。

そのほかの CSR としては、以下のようなものが挙げられる。

- フィランソロピー…企業による社会貢献活動や慈善活動
  - 例 寄付、従業員のボランティア休暇制度
- メセナ…企業による芸術・文化活動への支援
  - 例 美術館、音楽ホールの建設、各種イベントへの協賛金
- ゼロ・エミッション…生産過程における廃棄物ゼロを目指すこと
- ISO14000シリーズ…国際標準化機構（ISO）が定めた環境管理システムの統一規格。この認証を受ければ、環境に配慮しているとアピールできる

　最近では、企業活動でも社会貢献が重要視されており、貧困など社会問題を解決するために設立された社会的企業が注目を集めている。この代表として知られるのは、バングラデシュで貧困層向けの低利融資（**マイクロクレジット**）を行う**グラミン銀行**で、その創始者**ムハマド・ユヌス**（1940～）は2006年にノーベル平和賞を受賞しているよ。

スキルアップ3 バランスシート（貸借対照表）

　どうすれば企業経営の健全さを知ることができるだろうか。**売上**の大きさだろうか。いや、いくら売上が大きくても、それ以上に経費が大きければ赤字になってしまう。その点で、売上から経費を引いた**利益**を見れば、企業経営の善し悪しがよりよくわかる。だが、利益が多い企業といえども、じつは銀行から多くの借金をしているかもしれない。その場合には、いずれ利子負担に苦しむことになるだろう。どうすれば、企業の財政状況を知ることができるだろうか。

　そこで登場したのがバランスシート（貸借対照表）だ。これは、企業がどのように資金を集め、どのように運用しているかを客観的に示すためのものである。たとえば次の表を見てほしい。

資産の部		負債の部	
現預金 有価証券 土地・建物	3億円 3億円 4億円	銀行借入れ	6億円
		純資産の部	
		資本金	4億円
資産合計	10億円	**負債・純資産合計**	10億円

　この企業は、株主から4億円を出資してもらい（**純資産**）、銀行から6億円を借り入れている（**負債**）。このように企業の資金源がバランスシートの右側に示されている。そしてこれらの資金がどのように運用されているかということを示しているのが、バランスシートの左側に示されている「**資産**」である。バランスシートにおいては、左側の資産と右側の負債・純資産の合計は必ず一致する（**資産＝負債＋純資産**）。

　そして右側の負債と純資産の合計（総資本と言う）のうち純資産の割合が**自己資本比率**である（この企業は40％）。自己資本比率の高さからは、企業の借入れ依存度を知ることができ、これが低ければ、堅実な経営を行っていると判断することができる。また左側の資産の内訳を見れば、緊急時にすぐに使える現預金の比率などを知ることもできる。

　このように、バランスシートを分析することで、多角的に企業経営の健全さを知ることができるのである。

7 国民所得と経済成長

この項目のテーマ

1 国の豊かさの指標
国富と国民所得、GNP と GDP のちがいとは？

2 経済成長と景気循環
名目成長率と実質成長率の関係とは？

1 国の豊かさの指標

　豊かな国とはどのような国のことなのだろうか。そもそも豊かさとはいったい何だろうか。経済学の世界では、国の豊かさは大きく分けて二つの角度から客観的に測ることができると考えられている。それが**国民所得**と**国富**だ。

- 国民所得‥‥一定期間に国民が生み出した**付加価値**の合計
  - ▶**フロー**のモノサシで測った豊かさ
- 国　　富‥‥ある時点で国民が保有する**資産**の合計
  - ▶**ストック**のモノサシで測った豊かさ

　これは個人や家計における収入と預金の関係に近い。

　たとえばサラリーマンの太郎くんは年収が400万円で預金がゼロ円だとしよう。これに対して太郎くんのおじいさんはすでに退職していて、年収は年金の200万円しかないけど預金が2000万円あるとする。この場合、**フロー**（流れ。一定期間に動くお金の量）の視点で比較すると、給料をもらっている太郎くんのほうがリッチだけど、**ストック**（資産。ある一時点における財貨の蓄積量）の視点で比較すると、預金の多いおじいさんのほうがはるかにリッチだ。

　このように、豊かさを測るときにはつねに二つの視点が必要になる。

　なるほど。国民所得と国富ではどちらが重要なの？

国民所得のほうがずっと重要だ。国民所得とは国民が一定期間（普通は1年間）に生み出した**付加価値**を合計したものだ。つまり自動車メーカーや農家、予備校などが生み出したすべての付加価値の合計ということだね。

注意しなきゃいけないのは、付加価値を求めるためには二重計算がないようにする必要があるということだ。たとえば、自動車メーカーの売り上げとタイヤメーカーの売り上げを単純に合計してはいけない。自動車の完成品の価値には、タイヤの価値も含まれているはずだからね。仮に自動車が200万円でタイヤが10万円だとするならば、自動車の付加価値を求めるときには自動車の価格からタイヤの価格を差し引く必要がある（200－10＝190万円）。もちろんタイヤだけじゃなく、あらゆる**中間生産物**の価額を差し引かなければならない。そうやって求めたのが国民総生産（GNP；Gross National Product）だ。

しかしこれでもかなり大雑把だ（Gross というのは「粗い」という意味だ）。厳密な付加価値を求めるためには、生産の過程で機械などの価値がすり減ってしまう分（固定資本減耗）を差し引く必要がある。さらに、商品価格に含まれている間接税分を差し引き、逆に政府補助金によって価格が安くなっている分を加える。こうしてはじめて厳密な国民所得（NI）を求められるんだ。

国民総生産（GNP）＝総生産額－中間生産物の価額
国民純生産（NNP）＝ GNP －減価償却費（固定資本減耗）
国民所得（NI）＝ NNP －間接税＋補助金

なお、GNP や NI は付加価値を生産面から見たものだけど、これらの付加価値は必ずだれかによって消費や投資といった形で支出されたものであり、また最後には必ずだれかに分配される。このように付加価値は生産・分配・支出のいずれの面から見ても一致する。これを**三面等価の原則**という。国民総所得（GNI）というのは GNP を分配面から見たものだよ。

ニュースとかで「国民総生産」なんて聞きませんけど。

そうだね。いま国民所得の代表的な指標となっているのは、国内総生産（GDP；Gross Domestic Product）だ。GNP と GDP の区別はとっても大事なところだよ。まずは両者の定義を見よう。

- **GNP**（国民総生産）… 1 年間に国民が得た付加価値の合計

  海外の日本人・日本企業を含む

- **GDP**（国内総生産）… 1 年間に国内で生み出された付加価値の合計

  国内の外国人・外国企業を含む

GNP は国民が生み出した総付加価値だったよね。つまり、それをだれが生み出したのかという点に着目する概念だ。これに対して、GDP は国内で生み出された付加価値のことで、それがどこで生み出されたのかという点に着目する概念だ。

 結局、GDP の大きい国が豊かな国というわけですね。

そうともかぎらない。たとえば2023年現在で、インドとイギリスの GDP はほぼ同じ程度だけど、より豊かなのは明らかにイギリスだ。だって、イギリスの人口はインドの20分の 1 しかいないからね。つまり**一人あたり GDP** を考える必要がある。

ちなみに日本の GDP は、2010年に中国に抜かれたが、その後も10年以上世界第 3 位の地位を保ってきた（ 1 位はもちろんアメリカ）。でも一人あたり GDP では20位から30位くらいだ。

また、一人あたり GDP も国の豊かさを十分に測れる指標とは言い切れない。たとえば病人が増えると医療費が膨らむ。医療費は GDP に含まれるので、病人が増えると GDP は増え、豊かになったとみなされてしまうんだ。公害対策費なども同様だ。GDP には限界があるんだ。

そんなわけで、より豊かさを正しく反映させるために国民純福祉（**NNW**；Net National Welfare）という概念が考案された。これは家事労働やボランティアのように社会に**プラスの活動**は金銭換算したうえで加算し、逆に公害対策費のような**マイナスの項目**を差し引くことで求められる。同様に、環境への悪影響を計算に入れる**グリーン GDP** といった概念も考案されている。

チェック問題

GDP（国内総生産）などの経済指標とその計算に関する記述として最も適当なものを、次の①〜④のうちから一つ選べ。

① 物価の変動を考慮することなく示される GDP の変化率が、実質経済成長率である。
② 福祉の水準をより適切に測る目的で、家事労働時間などについても算入した指標が、NNP（国民純生産）である。
③ GDP から海外純所得を差し引いたものは、GNI（国民総所得）である。
④ GDP はフロー、国富はストックについての指標である。

（2016年・センター試験現社本試）

解答・解説

④

正しい。**GDP（国内総生産）**は一定期間に生み出された付加価値を表す**フロー**の指標であり、**国富**はある一時点における国の資産の総量を測る**ストック**の指標である。

①：**名目経済成長率**についての説明になっている。**実質経済成長率**は、物価の変動を考慮した GDP の変化率である。

②：**NNW（国民純福祉）**の説明である。**NNP（国民純生産）**は、国民総生産（GNP）から固定資本減耗を引いて求められる。

③：**GNI（国民総所得）**は **GNP（国民総生産）** と同じで、GDP に海外純所得を加えることで求められる。

2 経済成長と景気循環

　ここまで国の豊かさを測る指標について学んできたけど、もちろん国の豊かさは一定ではなく、長期的にはほとんどの国が経済成長している。この経済成長の度合いを測定する指標、もっと具体的には、一年間の GDP の伸び率が**経済成長率**だ。

$$● 経済成長率 = \frac{今年の GDP - 昨年の GDP}{昨年の GDP} \times 100 \, (\%)$$

　たとえば、昨年の GDP が500兆円で、今年の GDP が550兆円なら、経済成長率は（550-500）÷500×100 で10％となる。

 物価の変動を考慮しなくていいの？

　いいところに気づいたね。給料が昨年よりも10％上がったとしても、物価も10％上昇したのでは、買えるものは増えない。つまり実質的な給料はまったく変わらないよね。そこで名目的な金額だけを見る**名目経済成長率**のほかに、物価変動を考慮に入れる**実質経済成長率**が重要になってくるんだ。

- 物価が上昇　　➡　名目成長率＞実質成長率
- 物価変動なし　➡　名目成長率＝実質成長率
- 物価が下落　　➡　名目成長率＜実質成長率

　わかるかな？　実質成長率を求めるときには名目成長率から物価変動率を差し引くことになるので、物価変動がなければ両者はイコールになるし、物価がマイナスだったときにはマイナスからマイナスを引くから名目成長率より大きい値になる。

GDP は上がる一方じゃないよね？

もちろんそうだ。景気には波というものがあって、成長率の伸びる時期と落ち込む時期が繰り返されるんだ。これを景気循環と言う。景気は好況➡後退➡不況➡回復という四つの局面を繰り返しつつ、長期的には成長に向かう。

ただし、次のことには注意しておいてね。成長率が下落しても、マイナス成長にならないかぎりは、GDP そのものは増加するよ。

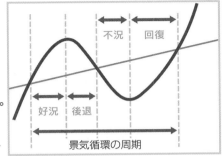

景気循環の周期

なお、恐慌と言われるものは、このうち不況のきわめて急激かつ深刻なものを指す。1929年の世界恐慌が典型だね →p.184 。

また景気循環は**周期の長さ**によって分類することもできる。右の四つが代表的なものだ。

	周　期	原　因
キチンの波	約40カ月	在庫投資
ジュグラーの波	約10年	設備投資
クズネッツの波	約20年	建設投資
コンドラチェフの波	約50年	技術革新

ポイント 経済成長と景気循環

- 経済成長率とは一定期間の国民所得の伸び率のこと。
- 物価を考慮に入れた指標が実質経済成長率。
- 景気は好況・後退・不況・回復の4局面をたどって循環する。

みんなの成績は「不況」知らずだよね！

第2章 経済分野

8 金融と財政

この項目のテーマ

1 通貨と物価
お金にはなぜ価値があるのか？

2 金融政策と金融行政
不況時に日銀は何をする？

3 財政の機能と財政政策
景気が悪いときに政府は何をする？

4 日本の財政構造
直接税と間接税の基本的性格、国債発行のルールをおさえよう

1 通貨と物価

　世のなかには、お金が足りなくて困っている人もいれば、すぐに使う必要のないお金を持っている人もいる。もし余っているお金を必要な人に回すことができ、そしてお金を借りた人が借り賃を提供するしくみができれば、みんなハッピーになれるよね。このように資金を融通するしくみのことを金融と言う。そのやり方は、大きく以下の二つに分けられる。

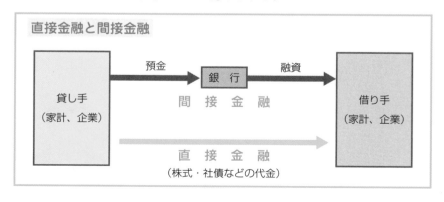

直接金融と間接金融

預金 → 銀行 → 融資

貸し手（家計、企業） 間接金融 借り手（家計、企業）

直接金融
（株式・社債などの代金）

ところで、お金にもいろいろな種類があるのでは？

そうだね。社会で広く流通している貨幣を**通貨**と言うのだけど、通貨には次のような種類がある。

通貨 {
  現金通貨 {
    日本銀行券（紙幣。日本銀行が発行）
    補助貨幣（硬貨。政府が発行）
  }
  預金通貨 {
    普通預金（おもに家計が利用。利子がつく）
    当座預金（おもに企業が利用。利子はつかない）
  }
}

お金といえば現金を思い浮かべる人が多いかもしれないけど、じつは通貨の大半は預金通貨だ。社会に流通している貨幣の量のことを**マネーストック**と言うんだけど、マネーストックのうち現金通貨は1割にも満たない。

そんなに少ないんだ！　ってことは、お金って見えないところで動いているんだね。

そうだね。近年は**電子マネー**など、**キャッシュレス化**が急速に進んでいるから、なおさらだね。少し歴史を振り返ると、もともと通貨制度は**金本位制度**から**管理通貨制度**へ移行してきたという経緯があるんだ。

金本位制度	管理通貨制度
金の保有量に応じて通貨（＝**兌換紙幣**）を発行	金保有量と無関係に通貨（＝**不換紙幣**）を発行
長所　物価の安定	長所　柔軟な金融政策を行いやすい
短所　柔軟な金融政策をとりにくい	短所　インフレの危険

（1930年代）

ありがたそうに見える紙幣は、つまるところ紙切れにすぎない。そんな紙切れに確実な価値をもたせるために、紙幣が金と交換できるしくみができた。これが**金本位制度**で、このように、金と交換してもらえる紙幣のことを**兌換紙幣**と言う。

じゃあ、紙幣を日本銀行にもっていけば、金(きん)に換えてくれるの？

残念ながら、いまはできない。

金本位制度は通貨価値を安定させるためには都合がいいけど、通貨の発行量が政府・中央銀行の保有する金の量に制約されてしまい、景気対策が十分に行えない。だから1929年以降の**世界恐慌**をきっかけに、各国は金本位制度をやめて管理通貨制度に移行したんだ。

この制度の下で発行される通貨は**不換紙幣**と言って、金とは交換できないんだ。この制度には、政府が裁量的に通貨を発行できるメリットがあるけど、やりすぎるとインフレーションになってしまうので、各国の中央銀行は慎重にマネーストックをコントロールしているんだよ。

インフレってそんなに怖いの？

インフレーション（インフレ）とは、物価が持続的に上昇する現象だ。貨幣の相対的価値が下がること、と言い換えることもできる。物価が倍になると、同じ金額の貨幣で買えるものが半分になってしまう。つまり、給料や年金や銀行預金の価値が半減するということを意味するんだ。

お金を借りている人（債務者(さいむしゃ)）にとっては、借金が実質的に半減するのだから朗報だけど、貸している人（債権者）は半分しか返してもらえなくなるんだから、大損だ。

資本主義社会はお金で回っている社会だから、貨幣価値が揺らぐというのは、信用秩序を根本から揺るがし、社会そのものを危機に至らしめてしまうんだ。しかも、インフレは一度火がつくとなかなか止まらない。だから、どの国の中央銀行も、インフレが起きないよう神経をとがらせているんだよ。

デフレは物価が下がることだから、ありがたいよね。

とんでもない！　**デフレーション（デフレ）**とは、物価が持続的に下落(げらく)する現象のことだけど、これが起こるということは、モノが売れていないということであり端的(たんてき)に不況のときに起こるのがデフレだ。

デフレ時には通貨価値が上昇するので、給料が変わらなければ**実質賃金**は上がる。でも、不況時には名目賃金が切り下げられてしまうのが普通だし、失業も倒産も増えていく。モノが安く買えるからといって喜ぶわけにはいかないん

だ。

　というわけで、各国の中央銀行は、景気と物価を安定させるために、慎重に
マネーストックをコントロールしているんだよ。

> ## ポイント ▶ 通貨と物価
>
> - 通貨制度は**金本位制度**から**管理通貨制度**へと移行してきた。
> - **インフレ**も**デフレ**も、社会にとっては望ましくない。

> 2024年には20年ぶりに新しいお札が登場したね。
> もっともキャッシュレスが進んでいるから、使う機会は少ないけ
> れど。

2 金融政策と金融行政

　僕らがお金を預けたり、僕らにお金を貸してくれたりする市中銀行に対して、各国の金融制度を支える中心的な銀行を中央銀行と言う。中央銀行は、**紙幣を発行**したり、さまざまな手法で**市中銀行に資金を供給**したりしている。市中銀行にお金を貸すことはあるけど、家計や企業にはお金を貸してくれない。日本の中央銀行は、もちろん日本銀行（日銀）だよ。

> 日銀がマネーストックをコントロールしているんだね。

　そう。それが金融政策。マネーストックを調整して、物価や景気の安定化を図っている。

金融政策の大原則

- 好況時 ➡ マネーストックの抑制（金融引締め政策）

- 不況時 ➡ マネーストックの増加（金融緩和政策）

　不況のときには資金繰りに困っている企業や家計を助けるため、マネーストックを増やす。これが金融緩和だ。好況期には逆のこと、つまり金融引締めが行われる。

> なんでわざわざ景気に水を差すの？

　いい質問だね。それは第一に、インフレを防ぐためだ。好況時にはモノがよく売れるから、物価が上がりがちなんだ。インフレの怖さについてはすでに説明したよね。第二に、急激な景気悪化を和らげるためだ。景気はよくなりすぎる（**景気の過熱**）と必ず反動が起こるというのが歴史の教訓だからね。

　では、いま日銀が行っている具体的な金融政策を見てみよう。

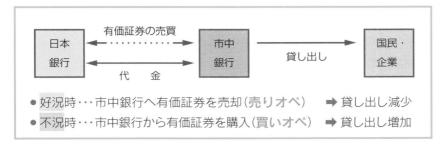

- 好況時…市中銀行へ有価証券を売却（**売りオペ**） ➡ 貸し出し減少
- 不況時…市中銀行から有価証券を購入（**買いオペ**） ➡ 貸し出し増加

　日銀が市中銀行とのあいだで有価証券を売買することを**公開市場操作**と言う。「有価証券」とは国債などのこと。好況時にはマネーストックを抑制すべきなので、日銀は手持ちの国債を市中銀行に売りつけて代金を吸収する（**売りオペレーション**）。不況時はこの逆で、市中銀行から国債を買い取り、市中銀行に資金を供給する（**買いオペレーション**）。

 バブル崩壊後には、新しい手法がとられたんだよね。

　そうだね。長期不況への対策として、2000年前後から次のような手法がとられたよ。

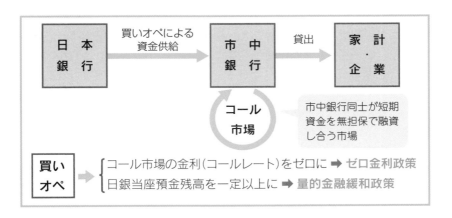

　ゼロ金利政策とは、コールレートを実質ゼロへと誘導すること（**コールレート**とは、市中銀行同士が無担保で融資し合う短期資金の金利のこと）。公定歩合や市中金利をゼロにすることじゃない点に要注意！　その手段は**買いオペ**だ。つまり公開市場操作によって市中銀行に資金供給したんだ。

　量的金融緩和政策も、やることはゼロ金利政策と同じなんだけど、誘導目標

がちがう。つまり、市中銀行（しちゅう）が日銀に預けている当座預金の残高を基準にして、これが一定額以上になるまで買いオペをするというものだ。

いずれも日銀から大量の資金を市中銀行に供給（きょうきゅう）し、これが家計と企業への資金流通を促進することをねらった。

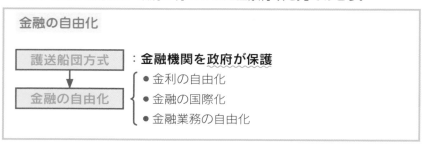

ポイント 日本銀行の金融政策

● 不況時に、中央銀行は市中銀行に資金を供給する。
● 日銀は、1990年代以降、大規模な買いオペを行ってきた。

さて、金融の最後に、政府が行ってきた金融行政を見ておこう。

金融の自由化

護送船団方式 ：**金融機関を政府が保護**

金融の自由化
- 金利の自由化
- 金融の国際化
- 金融業務の自由化

お金は経済の血液と言うべきものだから、「血液循環」を担（にな）う金融機関の役割はきわめて重要だ。そこで日本では、金融機関が過当競争で経営不安に陥らないように、戦後ずっと政府が細かく監督・保護してきたんだ。これが護送船団方式だ。

なんでそれをやめちゃったの？

一つは、**自由競争**という**資本主義の原則**に反するからだ。すぐれた企業が生き残り、そうでない企業は市場から退場することで経済が発展する。ところが、護送船団方式のもとではこの機能が働かないので、サービスも改善しない。そしてもう一つが、**国際的な圧力**だ。経済のグローバル化が進むなか、日本では金利さえ自由に設定できない。そこで、欧米の金融機関が日本に市場開放を強力に迫ったんだ。そうした流れの総仕上げとなったのが1990年代後半の金融ビッグバンだ。金融機関（銀行・証券・保険・**信託**）の**相互参入**などの規制緩和を進めた。

チェック問題 1

易 **1分**

日本銀行がマネーサプライ（通貨供給量）を増加させる手段の例として最も適当なものを、次の①～④のうちから一つ選べ。

① 市中金融機関の保有する国債を購入すること
② 預金準備率を引き上げること
③ 外国為替市場においてドルを売却すること
④ 公定歩合を引き上げること

（2000年・センター試験政経本試）

解答・解説

①

　　正しい。公開市場操作のうち、**買いオペ**についての記述。市中金融機関から国債を買うということは、日銀に眠っていたお金が民間に流れることを意味する。

②・④：民間の金融機関が自由に使えるお金が減ってしまうことを意味する。

③：ドルを売るということは、ふつうは円を買うことを意味する。市場にあった円を買うということは、日本の通貨である円が市場から減るということであり、マネーストック（マネーサプライ）は減少する。

3 財政の機能と財政政策

政府は**三つの経済主体**の一つだったよね →p.98 。この政府が行うあらゆる経済活動を財政と言う。政府は国民から税金を集め、これをさまざまな用途に使うわけだよね。どのようにして集めてどのように使うのか、これが広い意味での**財政問題**（せまい意味で財政問題と言えば、端的に政府のお金がないこと）だ。

財政の機能には次の三つがある。

> **財政の機能**
> ● 資源配分の調整・・・**公共財**（社会資本・公共サービス）の供給
> ● 所得の再分配・・・所得の**格差**を**是正**すること
> ● 経済の安定化・・・景気変動の波を緩和すること

まず資源配分の調整。たとえば道路や警察などは豊かで安全な社会をつくるために不可欠だけど、こうした社会資本や**公共サービス**は市場メカニズムに任せておいてはなかなか供給されない。なぜって、もうからないからね。そこで政府が租税をもとに、これらの公共財を供給するわけだ。

次に所得の再分配。資本主義というのは弱肉強食の競争社会だけれども、社会的弱者にも生存権 →p.54 がある。そこで競争で生じる格差を緩和するしくみ、つまり経済的に余力のある人々からそうでない人々に所得を移転する財政上のしくみがつ

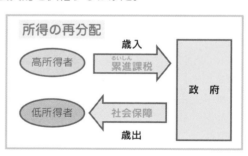

くられたんだ。具体的には累進課税制度や社会保障制度、それから**相続税**などがその手段となる。なお、累進課税というのは高所得者ほど税率が高くなるしくみのことだよ。

最後に経済の安定化。資本主義には景気の波があるけれど、これがあまりに大きすぎると、不況時に深刻な倒産や失業が起こって社会不安を招いてしまう。そこで政府は景気変動の幅が小さくなるように努めているんだ。

 どうやったら景気が安定化するんですか？

それには二つのやり方がある。

第一が**裁量的財政政策（フィスカル・ポリシー）**だ。政府が景気の善し悪しに応じて歳出と歳入を増減させ、有効需要 ⟶p.96 をコントロールする。だから景気の悪いときには、**景気刺激策**として**減税**と**財政支出の拡大**が行われる。とくに公共事業は不況対策の典型だ。歳出拡大によって景気を刺激するという考え方は**ケインズ理論**そのものだよね ⟶p.96 。

好況時の対策は、もちろんすべて逆になるよ。

第二のしくみが**ビルト・イン・スタビライザー（景気の自動安定装置）**だ。

さっきも見たとおり、財政のしくみには**累進課税制度**と**社会保障制度**が組み込まれているんだけど、これらは所得の再分配だけでなく、景気の安定化にも役に立つ。好況時には所得の増える人が多いけど、彼らは累進課税制度によって負担も増える。また失業が減るのに対応して、失業給付や生活保護給付も減る。つまり好況時には有効需要の伸びが抑制されるんだ。逆に不況時には、これらの機能によって有効需要の縮小が緩和されるというわけ。

> **ポイント** **財政政策**
>
> ● 不況時には減税と支出拡大で景気を刺激する。
> ● ビルト・イン・スタビライザーは、自動的に景気変動の波を小さくする。

4 日本の財政構造

ここからは日本の財政構造について見ていこう。まずは租税制度から。

	直 接 税	間 接 税
国　税	所得税、法人税、**相続税**など	消費税、**酒税**など
地方税	住民税、**固定資産税**、事業税など	地方消費税など

直接税と間接税の区別が大事だよ。**納税者**と**担税者**が一致するのが直接税で、一致しないのが間接税だ。消費税などの間接税の場合、僕ら消費者がモノを買うときに税を負担するけれども、実際にその税を税務署に納めるのはお店の人だよね。

> なんで直接税と間接税の２種類があるわけ？

それぞれの長所と短所があるんだ。

直接税の代表である<u>所得税</u>は累進課税なので、所得再分配の機能が強く働き、<u>垂直的公平</u>を実現する。

ただし所得税は自己申告制なので納税もれや脱税が起こりやすい。つまり、同程度の所得なのに納税額のちがう人たちが生まれ、<u>水平的公平</u>が十分に実現できないんだ。その点、同じくらいの所得の人は同じくらいの間接税を負担するはずなので、間接税では<u>水平的公平</u>が実現できる。もちろん消費税にも欠点がある。それが<u>逆進性</u>の問題だ。消費税率はだれに対しても一律なので、低所得者ほど税負担を重く感じてしまう。つまり間接税は垂直的公平を損ないがちなんだ。

日本の財政構造はどうなっているの？

日本の国家予算は大きく分けて、❶通常経費をまかなうための<u>一般会計</u>、❷特定事業で運用される<u>特別会計</u>、❸政府が全額出資する特殊法人のための政府関係機関予算の三つで、中心となるのは一般会計だ。そのほか、正式な予算以外に、生活環境整備や中小企業融通などにあたる**財政投融資**もあるよ。

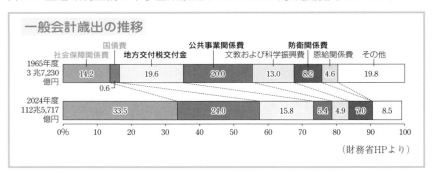

一般会計歳出の推移

まず目につくのは<u>社会保障関係費</u>が伸びていることだよね。高度経済成長によって福祉国家的な政策が可能になり、そして近年では高齢化によってこの動きがさらに加速化しているんだ。

それから<u>国債費</u>。これは国の借金を返すための予算で、過去に多くの借金をしているため、どんどん増えている。歳入に占める国債発行額の割合を<u>国債依存度</u>と言うが、2024年度予算では約31.1％にもなっている。

そんなに無際限に国債を発行してマズくないの？

もちろんマズい。まず❶**将来世代への負担増**が起こる。いま借金をするならば、あとの世代（君たちのことだ）がその代償を負わなければならなくなる。それから❷**財政の硬直化**が起こる。国債費が増えると、本来なら社会保障やら科学振興などに使えたはずのお金を削らなければならなくなるんだ。そんなわけで、国債発行には次の三つのルールがある。

国債発行の原則

- 建設国債…発行可　　▶理由：将来世代も受益するから
- 赤字国債…**財政法**により発行禁止 ➡ 特例法にもとづいて毎年発行
- 市中（しちゅう）消化の原則…新規発行国債を日銀が引き受けることは禁止

　公共事業を目的とした建設国債の発行は認められている。橋やダムなどは長年使い続けられる社会資本で、将来世代の利益にもなるからね。

　これに対して、単なる歳入不足を補うための赤字国債は**財政法**で禁止されている。将来世代から見れば、負担だけを求められることになるからね。でも、そうも言っていられない状況なので、「特例法」をつくって発行している。もっとも、オイル・ショックのあとの1975年度から一時期を除いてずっと毎年発行し続けているんだから、もはや「特例」でも何でもないんだけどね。

　それから市中消化の原則（**日銀引受けの禁止**）だけど、これは政府が新たに発行する国債は市中銀行に買ってもらうという原則だ。日銀が直接政府から買い始めると、通貨が濫発（らんぱつ）されてインフレを引き起こしかねないからだ。

　そんなわけで今日（こんにち）では国債発行残高は約1000兆円と、世界でも断トツにひどい状況になっている。

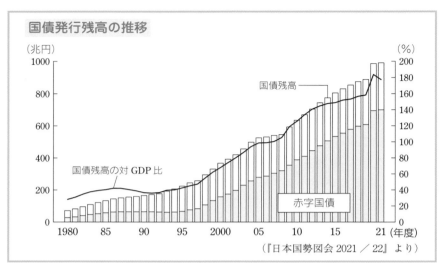

国債発行残高の推移

(兆円) (%)

国債残高

国債残高の対GDP比

赤字国債

1980　85　90　95　2000　05　10　15　21 (年度)

（『日本国勢図会 2021 ／ 22』より）

 この国債残高、いったいどうしたらいいんですか？

　いきなり借金を全部返すことは不可能だから、とりあえず求められるのが**プライマリー・バランス**（**基礎的財政収支**）**の正常化**（黒字化）だ。

● プライマリー・バランス＝（歳入－公債金収入）－（歳出－国債費）

　プライマリー・バランスが黒字化したからといって借金がゼロになるわけではない（過去の借金は残っている）が、少なくとも借金の残高は減っていく。まずはこれを目標にするしかないね。

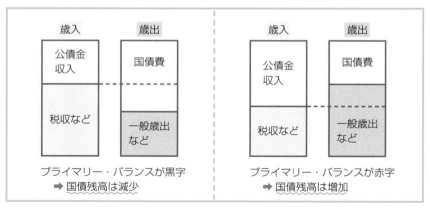

歳入	歳出
公債金収入	国債費
税収など	一般歳出など

プライマリー・バランスが黒字
➡ 国債残高は減少

歳入	歳出
公債金収入	国債費
税収など	一般歳出など

プライマリー・バランスが赤字
➡ 国債残高は増加

チェック問題 2

標準 **2分**

日本の財政に関する記述として最も適当なものを、次の①〜④のうちから一つ選べ。

① 国税において、所得税など直接税が占める割合は、間接税が占める割合に比べて小さい。

② 「第二の予算」と呼ばれることがある財政投融資は、税収や国債以外の財源によって賄われたことはない。

③ 国の予算には、一般会計のほかに、国が行う特定の事業のために特別に設けられる特別会計がある。

④ 一般会計における歳入不足を補う目的で特例国債（赤字国債）を発行することがあるが、それを発行するための特別な法律が制定されたことはない。

（2014年・センター試験現社本試）

解答・解説

③

正しい。公的年金や外国為替市場への介入資金など、特定の事業のために14の**特別会計**が置かれている。

①：消費税の導入（1989年）と引き上げ（1997年、2014年、2019年）によって、国税に占める直接税の割合は低下しつつあるが、まだ直接税が60％程度を占めている。

②：**財政投融資**は税収以外の財源（財投債の発行などによって調達した資金）によってまかなわれるものである。

④：**赤字国債**の発行は財政法によって禁止されているので、その都度**特例法**を制定しなくてはならない。

そろそろ過去問にも慣れてきたかな？ 予算の内訳は頻出だよ！

9 日本経済の発展と課題

こ の 項 目 の テ ー マ

1 戦後日本経済の発展
復興期 ➡ 高度経済成長期 ➡ 安定成長期 ➡ バブル崩壊後
という流れをしっかりおさえよう

2 中小企業問題
中小企業に求められるのは保護か自助努力か？

3 農業問題
戦後の農業政策はどう変化してきたか？

4 消費者問題
さまざまな事件や手口、それに行政の対策を整理しよう

1 戦後日本経済の発展

　これから戦後の日本経済史を段階を追って見ていくよ。まずは1945年の敗戦から高度経済成長が始まるまでの**戦後復興期**だ。

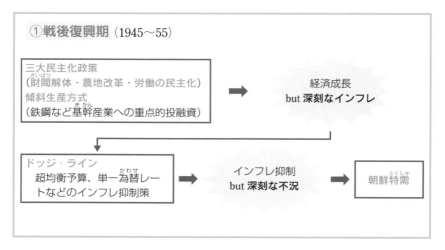

①**戦後復興期**（1945〜55）

三大民主化政策
（財閥解体・農地改革・労働の民主化）
傾斜生産方式
（鉄鋼など基幹産業への重点的投融資）
➡ 経済成長
but **深刻なインフレ**

ドッジ・ライン
超均衡予算、単一為替レートなどのインフレ抑制策
➡ インフレ抑制
but **深刻な不況**
➡ 朝鮮特需

　焼け野原から再出発した日本経済は、占領当局の指示による**三大民主化政策**

や基幹産業の復興を重点とする**傾斜生産方式**などによって順調に経済復興に向かっていった。しかし過剰な資金供 給が行われたことなどにより、**深刻なインフレ**に陥ってしまった。

これに対してアメリカから招かれた経済顧問ドッジの指導による引締め政策（**ドッジ・ライン**）によって、インフレは抑え込まれた。しかし今度は深刻な不況になってしまった。でもこれは**朝鮮戦争**（1950～53）による**特需景気**（朝鮮特需）によって克服されることになる。

隣国で戦争が起こると、どうして景気がよくなるの？

戦争には武器・弾薬その他、じつに多くの物資が必要だよね。アメリカは遠い本国からこれらを全部持ってくるわけにいかないし、修理も必要になるから、こうしたものを日本に発注したんだ。隣国の戦争で日本の復興が可能になったということは、日本人として知っておかなければならないことだろう。

---

②高度経済成長期（1955～73）

● 民間による活発な**投資**と**消費**
● 国民所得倍増計画（1960年）
● 輸出に有利な固定為替相場制

→

● 年平均10％の成長
● 西側第2位のGNP大国へ
※公害問題や消費者問題などの発生

戦後復興が一通り終わると、いよいよ**高度経済成長**が始まる。

高度経済成長というのは、だいたい年平均10％くらいの経済成長を指す。たいしたことないと感じる人もいるかもしれないけど、毎年給料が10％上がると、7年後にはなんと元の倍になるんだよ。日本は実質経済成長率が年平均で約10％という状態を20年近く続けることができ、「東洋の奇跡」と言われたんだ。

どうしてそんなことができたの？

民間企業が積極的に**設備投資**を行い、欧米の進んだ技術を取り入れたことが大きいと言われる。そしてその資金は、国民の**高い貯蓄率**を背景に、銀行から用意に調達できた。また当時はずっと固定為替相場制で、円が割安であったため**輸出に有利** →p.181 であったことも大きいね。

では高度経済成長はなぜ終わっちゃったの？

次の板書を見てほしい。

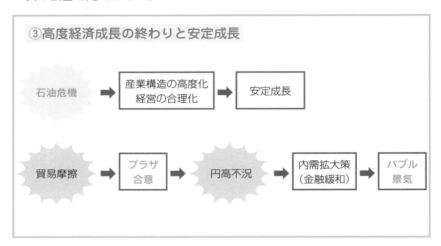

　1970年代に入ると高度成長も息切れし始めた。そこへ第一次石油危機が起こってしまったんだ。産油国がつくる石油輸出国機構（OPEC）が原油価格を大幅に引き上げたため、世界的に景気の後退と深刻なインフレーションが起こってしまったんだ。なお不況とインフレが同時に起こる現象をスタグフレーションと言うよ。この結果、日本は1974年に**戦後初のマイナス成長**を記録し、高度経済成長は完全に終わりを告げてしまった。

　もっとも、日本経済はこの危機にもうまく対応し、**産業構造の高度化**などに成功したことで、4〜5％程度の安定成長を続けることができた。

1980年代の日本経済はどんな感じだったの？

　最初はアメリカなどへの自動車・機械の輸出で好調だった。しかし日本の**貿易黒字**が大きすぎることへのアメリカの反発から、深刻な日米貿易摩擦が起こってしまった。そこで貿易不均衡を解消するため、各国が協調してドル高を是正するプラザ合意が成立したんだ（1985年）。でもこれは、輸出に頼る日本経済にとって大きな打撃で、円高不況（1986〜87年）が起こってしまったんだ。

　そこでとられたのが**内需拡大策**だ。これは輸出に頼るのが難しい以上、国内の需要を喚起するしかないということで、大規模な金融緩和を行ったんだ。この結果、大量に供給された資金が土地や株式の購入に流れていった。これがいわゆるバブル景気だね。1980年代の後半は、日本中で「カネ余り」が起こり、高価な飲食店、高級ホテルなどが繁栄をきわめるうわついた時代だった。

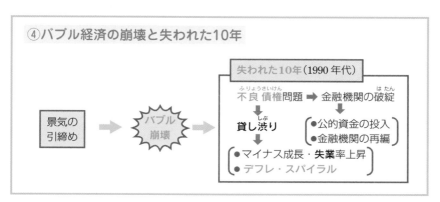

④バブル経済の崩壊と失われた10年

失われた10年（1990年代）

不良 債権問題 ➡ 金融機関の破綻

景気の引締め ➡ バブル崩壊 ➡ 貸し渋り ● 公的資金の投入
● 金融機関の再編

● マイナス成長・失業率上昇
● デフレ・スパイラル

　バブルとは**実体をともなわない好景気**と定義できる。だから、ちょっとしたきっかけで崩壊してしまう。日本の場合は、1990年代に入って景気の引締めが行われると、地価と株価が暴落し、**バブル経済は崩壊**した。

　そのあとに訪れたのが「失われた10年」だ。金融機関はバブル期に融資を過剰に行ったため、いざ不況になると、貸したお金を回収できなくなってしまった。これが不良債権問題だ。こうして、1990年代後半には**金融機関の破綻**が相次ぎ、貸し渋りが起こった。すると当然、一般企業の資金繰りも悪化する。結果として**リストラ**が進んで失業率もハネ上がった（2002年の5.4％が最高）。1997年に**消費税の引き上げ**があったことも景気悪化に拍車をかけてしまった。

　この時期に起こっていたのは、需要減➡物価下落➡企業収益の悪化➡雇用の悪化➡需要減……と続く最悪の悪循環、つまりデフレ・スパイラルだ。2001年には牛丼が1杯280円になり2002年にハンバーガーが1個59円になったけど、これは喜ばしいどころか最悪の経済状況を反映した事態だったんだ。また、1990年代後半には景気対策として公共事業が大規模に展開されたが、その結果として**大量の赤字国債**を発行することになった。

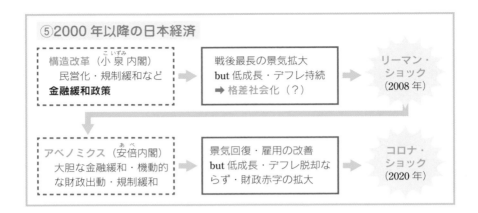

⑤2000年以降の日本経済

構造改革（小泉内閣）
　民営化・規制緩和など
　金融緩和政策
→
戦後最長の景気拡大
but 低成長・デフレ持続
➡ 格差社会化（？）
→
リーマン・
ショック
（2008年）

アベノミクス（安倍内閣）
　大胆な金融緩和・機動的
　な財政出動・規制緩和
→
景気回復・雇用の改善
but 低成長・デフレ脱却な
らず・財政赤字の拡大
→
コロナ・
ショック
（2020年）

　2000年代に入ると、規制緩和や民営化を軸とする「**構造改革**」や、大規模な金融緩和を軸とする「**アベノミクス**」などで長期の景気拡大も見られたが、いずれも成長率はきわめて低く、「**実感なき景気拡大**」などと言われた。実際、この時期には非正規雇用の増加などで**格差社会**化が進んだとも指摘されるほか、デフレ傾向がとまらず、日本経済の地盤沈下が進んでしまった。

チェック問題 1

標準 2分

バブル経済の崩壊に関する記述として最も適当なものを、次の①〜④のうちから一つ選べ。

① 1990年代初めに湾岸戦争が勃発し、その後、日本が国際貢献の財源として消費税を導入したことによって、それまでの過剰な消費ブームが急速に冷め、その結果、バブル景気に終止符が打たれた。

② バブル崩壊後、海外の資金が日本の金融市場からいっせいに逃避したが、政府が金融監督庁を設置し、金融機関をきめ細かに指導する、いわゆる護送船団方式に転じたので、外資の逃避には歯止めが掛かった。

③ バブル崩壊後、企業のリストラ（事業の再構築）が進み、有効求人倍率も低迷し続けたので、日本全体の失業率は悪化した。

④ 2000年代初めになると、バブル崩壊の傷も癒え、たとえば三大都市圏の地価水準は、軒並みバブル崩壊直前の水準に戻った。

（2005年・センター試験現社本試）

解答・解説

③

正しい。

①：日本で消費税が導入されたのは1989年で湾岸戦争勃発は1991年なので時期が合わない。またバブル景気に終止符を打ったのは、公定歩合の引き上げと不動産取引への規制である。

②：アジア通貨危機 ➡p.187 のさいには海外資金がタイなどからいっせいに逃避したが、バブル崩壊後に海外資金が日本から逃避したという事実はない。

④：バブル崩壊直前の地価水準にはいまなお遠い状況である。

2 中小企業問題

「会社」という言葉を聞いて君たちが浮かべるイメージは、都心に本社をかまえる近代的な高層ビルかもしれない。でも現在の日本でそうした**大企業**はほんのひと握りで、ほぼ99%の企業は**中小企業**だ。

中小企業の割合（2019年）

	大企業	中小企業
企業数	0.3%	99.7%
従業者数	31.0%	69.0%
出荷額	54.5%	45.5%

中小企業の定義（中小企業基本法）

業種	資本金	従業員数
製造業	3億円以下	300人以下
卸売業	1億円以下	100人以下
サービス業	5000万円以下	100人以下
小売業		50人以下

上の図を見てもらうと、中小企業は事業所数や従業者数に対して出荷額の割合が低いことがわかるはずだ。これが意味するのは、中小企業は大企業とくらべて生産性が低いということだ。

そうすると、当然ながら、**賃金**も大企業より低くなるし、景気変動の影響も受けやすい。こうした大企業と中小企業のあいだのさまざまな経済格差を**二重構造**と言う。

また、中小企業は家族経営が多く、跡つぎがいなくて**事業継承**の問題に直面することも多い。

中小企業って大変なんですね。何か対策は？

中小企業基本法（1963年）で「**大企業との格差是正**」が掲げられたが、1999年改正でその目標は「**自主的な努力**」の助長へと変更された。また**大規模小売店舗法**（1973年）による**大型店の出店規制**で中小小売店が守られてきたが、これもアメリカの圧力によって廃止された。これに代わる**大規模小売店舗立地法**（1998年）では、大型店の出店はほぼ自由になっている。こうした**規制緩和**の動きのほか、**グローバル化**で海外の部品メーカーとの競争が激しくなるなど、中小企業にとってはなかなか厳しい時代となっている。

中小企業に何か展望はないんですか？

さまざまな工夫によって、生き残りをはかる中小企業も出現しているよ。たとえば、先端技術や研究開発などをもとに大きく飛躍する**ベンチャー・ビジネス**が1990年代から台頭している。とくに IT 産業などでは少ない資本で大成功するケースもあるので、そうしたビジネスを対象に投資を行う**ベンチャー・キャピタル**も注目を集めているね。近年では、大学が研究成果をビジネスにする**大学発ベンチャー**も増えている。

　そのほか、既成の大企業が見落としていた「隙間（ニッチ）」分野に着目して大きな利益を上げる**ニッチ産業**も注目される。アルバイト情報誌や宅配便事業などがその例だ。

　それから、地域の伝統などを活かした**地場産業**も、そのブランド力を IT と連動させることで、大きな成果を挙げている例があるよ。ビジネスの手法で社会問題の解決を図る**社会的企業**にも期待が集まっている。ともかくこれからは、大企業の戦略に組み込まれた**系列**から脱却して独自の道を探ることが、中小企業にとっての課題と言えるだろうね。

> ## ポイント　中小企業の現状
>
> - 企業のうち圧倒的多数は中小企業だが、出荷額では大企業が勝る。
> - 政府の中小企業政策は保護から自助努力へと変わった。

3 農業問題

　戦前の日本では、農業など第一次産業に従事する人が過半数を占めていた。でも、近年ではこれが3～4％になっている。農業の担い手は減る一方だ。また農業従事者の平均年齢は67.9歳となっており（2021年）、**高齢化**が著しい。というわけで、日本の農業は持続できるのかと心配されている。

 政府は何もしてこなかったの？

　そんなことはないよ。次の表を見てほしい。

	ねらい	結　果
農業基本法 （1961年）	**米作**中心からの転換 **大規模農家**の育成	**兼業化**の進行
食料・農業・農村基本法 （1999年）	**自給率**の向上、**企業**の農業経営への参入、**農業の多面的機能**の発揮	?

　まず高度経済成長期の1961年に**農業基本法**がつくられた。同法では、当時広がりつつあった都市部と農村部の所得格差の是正が目指され、それまでの**経営の零細性**と**コメ偏重**の転換が掲げられた。コメ以外の果樹栽培や畜産業への転換はまずまず進んだけど、大規模経営の農家は育たず、むしろ**兼業化**が進んでしまった。現在、個人農家のうち主業農家の割合は20％ほどしかない。

 農業には多くの**規制**があるんだよね。

　そうだね。とくにコメについては、**食糧管理法**によって価格と流通が厳しく規制されていた。でも規制緩和の流れは農業にもおよび、1995年の**食糧法**によってコメの価格と流通は原則自由になった。

　また、**コメの輸入**は全面的に禁止されていたけれど、GATT →p.187 のウルグアイ・ラウンド合意により、1995年から国内消費量の一定割合をミニマム・アクセス（最低輸入量）として輸入することとなった。さらに1999年からは**関税化**が実施された。なお「関税化」というのは関税以外の輸入禁止や輸入数量制限をしないということだから、「輸入自由化」と同じ意味だよ。もっとも関税はかけていいのだから、日本はコメの輸入にきわめて高い関税をかけている。

 日本の**食料自給率**が低いと聞いたけど。

そうだね。日本の食料自給率は先進国でも最低水準だ。外国との**自由貿易協定** ➡p.196 によって農産物の輸入が増えれば、さらにこれが低下するのではないかと心配する声もある。外国の凶作や戦争などで輸入が途絶えた場合に食料が十分に確保できなくなる可能性があるからね。そこで自給率の向上を訴えるのが食料安全保障論だ。

でもグローバル化の流れは変えられないだろう。そこで、むしろ高品質のコメや高級和牛などの**輸出拡大**に農業の活路を見いだすべきだという意見もあるよ。

ただ、農産物の輸出入には莫大なエネルギーが必要だから、**地球温暖化**を加速させかねない。その点で、できるだけ地元でつくったものを地元で消費すべきだという「地産地消」の動きも広がりつつある。

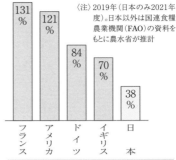

〈注〉2019年（日本のみ2021年度）。日本以外は国連食糧農業機関（FAO）の資料をもとに農水省が推計

フランス 131%
アメリカ 121%
ドイツ 84%
イギリス 70%
日本 38%

おもな先進国の供給熱量自給率

これからの日本の農業と食料について考えるべき課題は？

最初に触れたとおり、日本では農業の担い手不足が進んでいて、後継者がいない**耕作放棄地**が増えている。農家の経営も苦しい。そこで進められている動きの一つが**六次産業化**だ。農産物を生産（第一次産業）するだけでなく、これを商品へと加工し（第二次産業）、さらに販売も手がける（第三次産業）。たとえば野菜を野菜ジュースにしてネット販売するとかね。

そのほか、**農業経営の近代化**も必要だろう。日本の農業は個人経営が中心だったけど、法人化を進めて規模拡大を図ることや、あるいは民間企業が農地を借りて農業経営に乗り出すといったことも推進されている。

それから、**食の安全**も問題になっている。2000年代初頭には国内外で **BSE**（牛海綿状脳症）が見つかり、**食品の成分や産地の偽装**も相次いで発覚した。こうしたことから、牛肉やコメについて、生産から流通までの履歴を追跡できる**トレーサビリティ**のしくみがつくられているよ。

4 消費者問題

　資本主義の発展した現代では、市場で売られている財・サービスがきわめて多様で複雑化しているため、一般の消費者は商品の良し悪しについて判断するのがきわめて難しい（情報の非対称性）。このため、欠陥商品や有害商品によって被害を受ける消費者問題が起こりやすくなっている。

　各種の食品被害や薬害のほか、たとえば以下のような問題が生じている。

現代の悪徳商法

- **マルチ商法**（連鎖販売取引）・・・物品の販売組織に入会させ、新会員を増やして彼らに物品を販売すれば紹介料とマージンが得られるとして次々会員を増やしていくしくみ。違法ではないが厳しく規制されている。
- **キャッチセールス**・・・盛り場などで通行人を呼び止め、言葉巧みに商品の購入契約をさせる手法。
- **特殊詐欺**・・・主として高齢者に対し、息子などを名乗って電話をかけ、さまざまな口実で金融機関にお金を振り込ませたり、代理人に現金を渡させたりする詐欺。「振り込め詐欺」など。

　いろいろな手口があるんだねえ。消費者が痛い目にあわないようにするためには、どうしたらいいんでしょう？

　消費者こそが資源配分や生産のあり方を最終的に決定するんだという消費者主権の考え方を確立することが必要だろうね。

⇧ 消費者の四つの権利

　1962年にアメリカのケネディ大統領が提唱したもので、❶安全を求める権利、❷知らされる権利、❸選択できる権利、❹意見を反映させる権利の四つ。日本の消費者運動や消費者保護行政にも影響を与えた。

　行政による対策はないの？

そんなことないよ。まず1968年に消費者保護基本法がつくられ、消費者保護

の基本方針が定められた。また1970年には消費者からの苦情や相談を受け付け、商品テストなども行う国の機関として国民生活センターが設立された（これと連携する地方の機関が消費生活センター）。そのほか消費者保護行政を一元化するための省庁として消費者庁が2009年に新設されている。

先生、昨日うちにやって来たセールスマンから妙な壺（つぼ）を買わされちゃいました。返品とかできたりする？　いらないし。

クーリング・オフができるよ。特定商取引法や割賦（かっぷ）販売法などに指定されている商品であれば、一定期間内に書面で通知すれば無条件に解約できるんだ。もちろん払った代金も取り返せる。訪問販売やクレジット契約などがその対象となるよ。というか、君はもう少し気をつけたほうがいいね。

便利なしくみがあるんですね。
ほかに消費者を保護してくれる法律はないの？

1994年に制定された製造物責任法（PL法）が超重要だね。これにより、製品の欠陥によって被害を受けた場合には、メーカーの過失がなくても損害賠償を請求できるようになった（無過失責任）。「過失」というのはほぼ不注意のこと。民事裁判では原則として相手に故意（わざと）か過失がないかぎり責任を問えないんだけど、消費者がメーカーの過失を証明するのでは負担が重すぎるので、製品の欠陥だけを証明すればいいことになったんだ。

そのほか、消費者に一方的に不利な契約を無効とし、消費者が誤認にもとづく契約を取り消すことのできる消費者契約法（2000年）などがつくられている。

ところで、1968年につくられた消費者保護基本法は2004年に改正され、消費者基本法となった。これまでのように消費者を「保護」するだけでは不十分だとして、消費者の自立支援が目的とされたんだ。これからは行政に保護してもらうだけでなく、賢い消費者となることが求められてくるんだろうね。

ポイント　消費者問題の基本

- 現代では複雑・多様な消費者被害が起こっている。
- 消費者保護基本法は消費者基本法へ改正された（保護から自立へ）。
- 消費者保護行政の窓口を一本化するため消費者庁がつくられた。

チェック問題 2

　消費者とその保護に関する記述として適当でないものを、次の①〜④のうちから一つ選べ。

① ケネディ大統領が示した「消費者の四つの権利」には、忘れられる権利が含まれる。
②「消費者市民社会」とは、みずからの消費行動が社会や自然環境に与える影響を自覚し、環境に優しい商品への選好を高めるなど、消費者が主体的に社会の改善や発展に参加する社会を意味する。
③ 日本の消費者保護基本法は、消費者の権利の尊重およびその自立の支援を基本理念と定めた法律として、2004年に消費者基本法へと改正された。
④ 日本では、事業者が消費者に誤認を生じさせて契約を結ばせた場合に、2000年に制定された消費者契約法に基づき、一定期間内であれば、消費者が契約を取り消すことができるようになった。

(2020年・センター試験現社追試)

解答・解説

①

　ケネディの示した「消費者の四つの権利」とは、安全を求める権利、知らされる権利、選択できる権利、意見を反映させる権利の四つである ➡p.132 。「忘れられる権利」とは、過去の犯罪歴などが掲載されているウェブサイトや検索ソフトから情報の削除を求める権利のことで、近年注目されているものだが、ケネディが示したものではない。

②：正しい。消費者自身が**グリーン・コンシューマー** ➡p.139 としての自覚をもつことも重要であり、そうした社会を**消費者市民社会**と言う。

③：正しい。**消費者保護基本法**は2004年に**消費者基本法**に改正された。

④：正しい。消費者契約法では、「必ずもうかります」などと消費者に誤解を与える形で契約させた場合には消費者が一方的に取り消すことができることとなった ➡p.133 。

スキルアップ4　成人年齢の引下げ

　2022年4月から**成人年齢**が引き下げられ、法律上、**18歳**になると大人（成年）とみなされることとなった。

　成人年齢について定めているのは**民法**だ。民法では、明治時代の制定以来、140年もの間、成人年齢を**20歳**以上としてきたが、2018年に改正され2022年から施行された。成人年齢の引下げで何が変わるのだろうか。

18歳からできるようになったこと	20歳にならないとできないこと
・親の同意なしに**契約**が結べる 　（携帯電話やクレジットカードなど） ・女性の結婚可能年齢の引上げ 　（男女とも18歳から結婚可能に） ・公認会計士などの国家資格取得	飲酒・喫煙・競馬など
	もともと18歳から可能だったこと
	・選挙権（2016年〜） ・憲法改正の国民投票（2018年〜）

　いちばん大きな変化は、18歳から親の同意なしに**契約**を結べるようになったことだ。

　たとえば小学生が消費者金融で高額の借金をしたり、マンション購入の契約を結ぶようなことが認められるならば、大変なことになってしまう。そのため、未熟な未成年者が不利益を受けないように、親の同意なしに交わした契約は、親が取り消すことができる。つまり保護者に同意権があるんだ。でも、当然ながら大人の場合は自己責任で契約を結ぶことになる。そして2022年からこの「大人」の定義が変わったというわけだ。

　そもそも契約とは、売買、貸借、雇用関係など、法的な効果が生じる約束全般を指し、当事者間の意思表示が合致することで成立する。だから**口頭の意思表示**だけでも成立し、原則として契約書もいらない。民法は**契約自由の原則**をとっており　→p.25,140　、また大人の世界では相手をだまして少しでも自分の利益を大きくしようとする悪質な人や会社がたくさんある。したがって、18歳になったばかりの高校生などはこうした悪質な業者などから被害を受けないように、契約や消費者問題などについての知識を身につけることが大切だ。

　なお、**選挙権**や**憲法改正の国民投票**は、民法改正に先立って18歳から資格が与えられているので、混同しないように。それから、**飲酒**や**喫煙**、それに**競馬**などの公営ギャンブルは従来どおり20歳からだよ。

10 公害問題と資源リサイクル

この項目のテーマ

1 日本の公害・環境問題
日本の公害対策立法とその考え方を確認しよう

2 資源リサイクル
関連法規がたくさんあるのでじっくり確認していこう

1 日本の公害・環境問題

　まず**公害と環境問題の関係**について。

　公害とは、企業などの事業活動によって引き起こされる社会的災害のことだ。公害は経済活動が急速に活発化する時期に起こるので、どの国を見ても産業革命期に問題が浮上している。日本では、明治中期に「公害の原点」と言われる足尾銅山鉱毒事件が起こった。より大規模な公害ということでは戦後の高度経済成長期に起こった四大公害が重要だね。

　四大公害訴訟はいずれも1960年代の後半に住民から提訴され、いずれも原告勝訴となり、被告企業は賠償責任を負った。ただし補償を受けるための**公害認定**を受けていない患者は今日でも多く、とくに水俣病では、いまでも公害認定をめぐって訴訟が続いている。2013年には、最高裁が、国は患者認定基準を緩和すべきであるという判断を示した判決をはじめて出した。このように、1956年に発生が確認された水俣病は、まだ終わっていないんだ。

日本の公害対策はどんなふうに進められたの？

日本の公害対策行政は次のような具合に展開された。

```
日本の公害対策
公害対策基本法（1967年） ━━━━▶ 環境基本法（1993年）
  ┗━━●環境庁の設置（1971年）       ：公害対策基本法を廃止・強化
  ┈┈┈┈┈┈┈▶環境省（2001年）       ▶環境アセスメント法（1997年）
                                    ：開発の事前に影響を評価
```

　公害に対する関心と問題意識が高まるなかで、最初につくられたのが公害対策基本法だ。また、1971年には環境庁が設置された。

　公害対策基本法は、1993年にはより包括的な環境基本法へと拡充された。環境アセスメント法（環境影響評価法）は、大規模な開発事業を行うさいに事業者にその影響を事前に調査する義務を課すものだ。いったん破壊されてしまった環境は修復がきわめて困難だから、事後的な補償などではなく事前調査が重要だというわけだね。

なるほど。ほかに公害規制の原則は何かあるの？

　まず汚染者負担の原則（PPP）だ。PPPとは、公害対策のための費用は汚染者（Polluter）が負担する（Pays）べきだという原則（Principle）のこと。具体的には、公害認定患者は公害健康被害補償法（1973年）にもとづいて補償を受けるが、そのための費用を公害原因企業が負担することになる。

　それから無過失責任制度 ➡p.133 だ。一般に、損害賠償を請求するためには被害者自身が加害者の過失を立証しなければならない。しかし、市民が大企業相手にこれを行うのはきわめて困難なので、民法の原則を修正する形で、被害を受けたことだけを立証すればよいという無過失責任制度が大気汚染防止法や水質汚濁防止法で導入されたんだ。

　最後に総量規制について触れておこう。従来の公害規制は濃度規制によって行われてきた。しかし、これだと個々の企業が汚染物質の濃度を薄めることで無制限に排出できることになってしまう。そこで、より実効性のある措置として、特定の地域や工場ごとに汚染物質の排出総量を規制するという手法がとられ始めているんだ。

2 資源リサイクル

　江戸時代の日本は徹底したリサイクル社会だった。古着、建築廃材、使用済みの樽や桶、ロウソクなど、使い回せるものは何でも再生して商品化されていたんだよ。稲もコメとして食用にするだけでなく、精米時にできた糠を糠味噌にし、籾殻は枕の中身にし、稲の茎は藁として俵や草鞋にしていた。ところが戦後は、**大量生産・大量消費・大量廃棄**が行われ、ごみ処分場がパンク寸前になっている。そこでかつてのよき伝統を再興しようというわけだ。

　具体的には、**循環型社会形成推進基本法**（2000年）がリサイクル法制の中核となっている。

```
循環型社会形成
推進基本法（2000年） ┄┄{
    ● 3Ｒについて法制化
    ● 拡大生産者責任について明記
    ● 循環型社会形成推進基本計画の策定を明記

    ● 容器包装リサイクル法（1995年）      びん・ペットボトル・紙・
    ● 家電リサイクル法（1998年）          プラスチックが対象
 ▶  ● 食品リサイクル法（2000年）
    ● 自動車リサイクル法（2002年）        冷蔵庫・洗濯機・エアコン・
    ● グリーン購入法（2000年）            テレビの廃棄時に、消費者
                                          がリサイクル費用を負担
```

　3Ｒとは循環型社会の基本理念で**リデュース・リユース・リサイクル**の三つを指す。この三つは優先順位の高い順になっているよ。

　まず、廃棄物の**発生を抑制**（リデュース）する。必要もないのに新しいものを買ったり、使い捨ての製品を買ったりすることはできるだけ減らそうという考え方だ。次に、不要になったものは捨てるのではなく**再利用**（リユース）する。牛乳びんやビールびんを回収して再利用するのはリユースだね。昔は自動販売機でもびんのジュースが結構あったんだけど、すっかり缶に置き換わってしまっている。リユースの視点から見れば逆行だね。そして最後に、どうしても使えなくなってしまったものは**再生利用**（リサイクル）する。たとえば古紙をトイレットペーパーや段ボールなどに作り変えることなどだ。

　それから**拡大生産者責任**というのは、メーカー（生産者）が製品の製造・使用の段階だけでなく、廃棄もしくはリサイクルの段階にまで責任を負うべきだという考え方のこと。OECDが提唱した考え方で、循環型社会形成推進基本法などに取り入れられた。

個別のリサイクル関連法もたくさんありますね。

　とくに**容器包装リサイクル法**は重要だ。家庭ごみのうち約6割が容器や包装だという。これを削減するためにつくられたのが同法で、その対象は、**びん・ペットボトル・紙・プラスチック**だ。これらについて**消費者**は分別排出の義務を負い、**自治体**が回収し、**事業者**が再商品化の義務を負う。近年では**廃棄プラスチック**による海洋汚染が世界的な問題となっており、日本でも2020年から**レジ袋**が有料化されることになった。

　また、最近だと**携帯電話**などの小型家電製品に注目が集まっている。というのも、これらには金や銅などの希少金属（レアメタル）が大量に含まれており、金の含有量は普通の金鉱山と比較にならないほど多いからだ（「都市鉱山」などと言われる）。

　そこで2012年には**小型家電リサイクル法**が制定され、市町村が携帯電話やデジタルカメラ、掃除機などの小型家電製品を回収し、認定事業者リサイクルを行うしくみがつくられた。ただし家電リサイクル法とはちがい、これは任意参加の制度となっている。

⬆ リサイクルに関するその他のキーワード

- **デポジット制**：商品の代金に容器の料金を預り金として上乗せしておき、容器が返却されたら返金するしくみ。空き缶・空きびんの容器回収を促進する効果が期待されている。
- **グリーン・コンシューマー**：できるだけ環境に負荷をかけない生活を心がける消費者のこと。**エコマーク**のついた商品を意識的に選択したり、企業にそうした商品をつくるよう要求する。

11 第2章 経済分野
労働・社会保障問題

この項目のテーマ

1 労働問題と労働三法
なぜ労働者は保護されなくてはならないのか？　労働三法とは？

2 現代の労働・雇用問題
日本的雇用慣行はどうなった？

3 社会保障の歴史と制度
公的扶助と社会保険のしくみのちがいを理解しよう

4 社会保障の現状と課題
高齢化と少子化の現状と対策をチェック！

---

1 労働問題と労働三法

　近代社会には「**契約自由の原則**」というものがあって、契約の当事者である売り手と買い手は原則として好きなように契約を結ぶことができる。

　でも、**労働市場**においては、労働者と使用者（≒会社）を考えると、労働時間や賃金の面で労働者に不利な条件が押しつけられてしまう可能性が高い。そこで、20世紀に入ると各国で労働者の基本的権利（**労働基本権**）が保障されるようになっていった。

　日本でも、**団結権・団体交渉権・団体行動権**の労働三権を保障する日本国憲法の制定と前後して、労働三法が相次いで成立したよ。

　　では、労働三法について具体的に教えてください。

では、まずは労働組合法から見ていこう。

> **労働組合法**（1945年）
> ● 労働組合と使用者の間で結ぶ労働協約についてルール化
> ● 正当な争議行為についての**免責**
> ● 不当労働行為（組合活動への妨害）の禁止

個々の労働者は使用者と個別に**労働契約**を結ぶけど、その立場は弱い。そこで労働組合というまとまりで、みんなの労働条件の最低基準について使用者と協議して、契約する。これが労働協約だ。こうしてつくられた労働協約よりも悪い条件の労働契約を結ぶことは許されないんだ。

免責ってのは？

　たとえば組合員がみんなで拳を振り上げて賃上げを要求するならば、これは言わば集団的な「脅し」だから、刑法上の威力業務妨害罪にあたりそうだね。でも団体行動権は憲法で保障されているから、原則として刑罰が科されない。また、ストライキってのは企業に経済的損失を与えるものだけど、同じ理由から、損害賠償責任を負わなくていいんだ。

　また不当労働行為というのは会社側が組合活動を妨害することだ。たとえば組合活動を理由に解雇するとか、降格するといったことだね。

労働関係調整法（1946年）

　労働争議が自主解決できない場合

➡ **労働委員会**（公益委員、労働者委員、使用者委員で構成）が斡旋・調停・仲裁といった手段で調整

　労働争議は労働組合と使用者の両当事者が自主的に解決するのが基本なんだけど、おたがいが譲れないときには、都道府県および中央に置かれている行政委員会である労働委員会の調整手続きに委ねることができる。この手順を定めるのが、労働関係調整法だ。

⬆ 労働審判制度

　労働委員会による調整はあくまで労働組合と使用者との争議を解決するための手段なので、労働者個人が賃金の不払いや解雇などについて会社と争いたいときには、これまでは都道府県の労働局による斡旋か裁判しか手段がなかった。だが前者には強制力がないし、後者は時間的にも費用的にも個人には負担が重すぎる。
　そこで労働紛争を迅速に解決する新たなしくみとして、2006年から**労働審判制度**がスタートした。原則として3回以内の審理で解決案が示されるもので、今日の実情に対応した制度と言える。組合のない企業も多い今日では、個別的な労働問題解決のための制度として大きな役割が期待されている。

では、最後に労働基準法の解説をお願いします。

　労働者が非人間的な労働条件を押しつけられることを防ぐためには、**労働組合の権利**を保障するだけでなく、**労働条件の最低基準**を設定する必要がある。憲法はこの点について、勤労条件は別途法律で定めるとしており（第27条2項）、まさにこれを具体化したものが労働基準法だ。

労働基準法（1947年）

- ● 基本原則 ：労使対等、均等待遇（差別の禁止）、**男女同一賃金**など
- ● 賃金支払 ：通貨払い、直接払い、月1回以上の定期支払いなど
- ● 法定労働時間 ：1日**8時間**、週**40時間**以内
  ※労使協定があれば時間外労働も可（割増賃金は必要）
  ※**裁量労働制**などの例外もあり

　とくに重要なのは法定労働時間だ。1日**8時間**、週**40時間**というのが法律上の上限で、これよりも長く働かせることは原則としてできない。ただし重要な**例外**があって、労働組合と会社が**労使協定**を結んで合意している場合には法定労働時間を超えてもいいことになっている。大半の企業はこのやり方をとっているよ。もっとも、その場合には所定の**割増賃金**を支払う必要がある。割増賃金がなかったり、ましてや残業代のつかないサービス残業は労働基準法違反だ。実際にはこれが横行しているけど、これはアルバイトにもあてはまることだから、覚えておくといいよ。

 裁量労働制ってのは？

　実働時間と無関係に、労働の成果で賃金を支払うしくみだ。
　たとえばある作業を8時間分とする取り決めをすれば、実際の作業が6時間で片づけばさっさと帰ってしまっても8時間分の給料がもらえるし、逆に10時間かかったとしても残業代はもらえない。いわゆる**成果主義**の考え方にもとづくしくみだね。
　2019年には一定以上の高所得者については労働時間規定を適用しない**高度プロフェッショナル制度**も導入されたが、これについては残業代をゼロにして労働強化を促すという批判もある。

労働基準法が守られているかどうかはだれがチェックするの？

　現場で実際に労働基準法が遵守されているかどうかは、各地の**労働基準監督署**が事業所を監督している。そのほか賃金の最低基準に関しては労働基準法ではなく最低賃金法（1959年）に規定されているから、注意してね（最低賃金は地域別・産業別に決められている）。

チェック問題1　　

　労働基準法に関する記述として正しいものを、次の①～④のうちから一つ選べ。

① 労働基準法は、労働組合のある企業には適用されない。
② 労働基準法の遵守を確保するために、労働委員会がある。
③ 労働基準法は、労働条件の最低基準について定めている。
④ 労働基準法の違反は、不当労働行為として処罰される。

（1990年・センター試験現社追試）

解答・解説

③

　　正しい。**労働基準法**は労働条件の最低基準を定めている。
①：労働基準法は日本国内のあらゆる労働現場に適用される法規であり、労働組合があってももちろん適用されるし、不法就労の外国人に対しても適用される。
②：労働基準法の遵守を確保するための機関は**労働基準監督署**である。**労働委員会**は労働組合と使用者との労使紛争を調整するための機関。
④：**不当労働行為**とは組合活動に対する使用者の妨害を指し、**労働組合法**で規定されている。

2 現代の労働・雇用問題

　日本の労働者をめぐる状況は大きく変わりつつある。まずは戦後に形成された**日本的雇用慣行**（日本的経営）と呼ばれるものについて見てみよう。

- **終身雇用制**　　：新卒で就職し、定年まで解雇も転職もなし
- **年功序列型賃金**：勤続年数に応じて昇給
- **企業別労働組合**：企業ごとに正社員で組合を組織

　これらの慣行は日本の高度成長を支えたとも言われるが、次第に崩れつつある。

　1990年代以降は**バブル崩壊**と**グローバル化**によって企業の環境が大きく変わってきたんだ。厳しい企業間競争に生き残るためには**リストラ**や**中途採用**を増やさざるをえず、また**年俸制**などの能力給を導入する動きも目立ってきた。

　もっとも、企業別労働組合は、いまでも日本の労働組合の大きな特徴であり続けている。また多くの企業別組合は正社員だけで構成され、パートやアルバイトなどの**非正規雇用従業員**を対象としてこなかったこともあり、**労働組合の組織率**は低下の一途をたどってきた（2023年現在では約16％）。

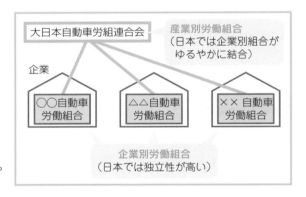

　人々の働き方はずいぶん変わっているんですよね。

　そうだね。2000年代前半の規制緩和の流れのなかで**雇用形態の多様化**が急速に進み、それを象徴的に示しているのが**派遣労働**だ。これは労働者が派遣元企業に雇用され、別の企業で働くというしくみだ。そのほか、ICT（情報通信技術）の発達や、コロナ禍の影響もあり、自宅などで勤務する**テレワーク**なども急速に進んだ。

働き方の多様化は世界共通の流れだけど、労働環境をめぐっては日本独自の課題も多いね。

> 日本の労働環境の課題
> ● **長時間労働**による過労死・過労自殺
> ● **劣悪な職場環境**（**パワハラ**、**サービス残業**など）
> ➡ 働き方改革が必要！　※**労働契約法**（2008年）による労働者の保護

　日本人の労働時間は全体として短くなってきている。でもこれは短時間労働の非正規雇用が増えているからという面も大きく、ヨーロッパの国々などと比べるとまだ長い。統計に現れないサービス残業（要はタダ働き）も多い。その結果、過労死や過労自殺という悲劇も絶えないんだ。

　それから、**劣悪な職場環境**も大きな問題だ。上司が部下をどなったり、**有給休暇**の取得（労働者の権利だ！）を拒否されたり、およそ不可能な目標を無理強いするといった**パワハラ**（パワーハラスメント）で心を病んでしまう労働者も多く生まれている。女性労働者の妊娠を批判する**マタハラ**（マタニティーハラスメント）もある。

> 友達はバイト先が「**ブラック企業**」だと愚痴（ぐち）っていました。

　不慣れなバイトが一人だけで飲食店を回す「ワンオペ（ワンオペレーション）」を強いられることなどが問題視されているね。企業が人件費を削りすぎて労働者の負担が増えてしまっているんだ。そもそも労働力人口の減少で、社会全体が**人手不足**になっているという問題もある。

　ではどうすればいいのか。そもそも労働が苦役（くえき）であるというのはおかしいわけで、だれもが労働に喜びを感じられる環境を整備していかなければならない。そこでワーク・ライフ・バランス（仕事と生活の調和）と**ディーセント・ワーク**（人間らしい働き方）を実現すること、これが近年の働き方改革の課題だ。2018年に成立した**働き方改革関連法**では、**時間外労働の上限規制**（残業時間を法的に規制）や**同一労働同一賃金**（非正規を賃金面で差別しない）を目指すことなどが定められたよ。また労働契約法（2008年）では、一方的な労働契約の変更を禁じ、労働者の解雇の要件が厳格化された。

> 労働時間を短くしたら、ますます人手不足になりませんか？

長時間労働に頼るやり方はもう限界だ。だから、これまで働いていなかった人が少しずつ労働現場を支えるようにすればいいね。具体的には、**女性、高齢者、障がい者**、そして**外国人**だ。もちろんそのためには、こうした人たちが働きやすい環境を整備しなければならない。

新しい労働の担（にな）い手に関する環境整備

女性 ➡ 男女雇用機会均等法（1997年改正で**セクハラ（セクシャルハラスメント）防止義務**を導入）

育児介護休業法（男女を問わず、育児休業の取得を保障）

高齢者 ➡ 高齢者雇用安定法（65歳までの雇用確保義務）

障がい者 ➡ 障害者雇用促進法（民間企業に一定割合の障がい者雇用義務）

外国人 ➡ 出入国管理法（新たな在留資格を設けて受け入れ拡大）

　とくに**女性の社会進出**を促進することは大切だ。じつはすでに日本の労働力のうち40%以上は女性になっている。でも女性は非正規雇用の割合がきわめて高く、労働現場で「補助」的な役割を担うケースが多い。結婚・出産を機に離職する女性が多いしね。このため賃金水準も男性より低い。これを改めることは、女性の地位向上につながるのみならず、会社の業績をも向上させるのではないかと期待されている。実際、近年では障がい者や外国人を含めた多様な人材が職場を担う**ダイバーシティ経営**が重要だとされているんだよ（ダイバーシティ＝多様性）。

チェック問題 2

標準 2分

日本の労働市場に関する記述として最も適当なものを、次の①〜④のうちから一つ選べ。

① 男女雇用機会均等法の改正により、募集・採用における男女差別が禁止された結果、現在では、平均賃金の男女格差は解消している。
② 日本の労働組合は、終身雇用制が背景となって、企業別に組織されるのが一般的である。
③ バブル崩壊後の不況によって、就業者数が減少したために、非正規労働者の数は1990年代全体を通じて減少した。
④ 労働者派遣法の改正により、対象業務の範囲が見直され、あらゆる業務に対して労働者派遣を行うことが可能になった。

(2010年・センター試験現社本試改)

解答・解説

②

　正しい。欧米の労働組合が**産業別**に組織されることが多いのに対し、日本では**企業別労働組合**が主流である。

①：**男女雇用機会均等法**は1985年に制定され、1997年の改正によって募集・採用などの面で男女差別が禁じられた（改正以前は**努力義務**）。しかし女性は非正規従業員であることが多いなどの理由で、平均賃金では依然として男女間で大きな差がある。

③：企業は人件費の節減をねらい、正社員の採用を控えて非正規労働者に切り替える傾向がある。このため、1990年代から2000年代にかけて非正規労働者数が急増した。

④：1985年に制定された**労働者派遣法**は1999年と2003年の改正で規制緩和が進められているが、あらゆる業務に派遣労働を解禁したわけではない。

労働者派遣法では、建設・警備・港湾の業務への派遣が禁止されているよ。

3 社会保障の歴史と制度

日本も含めた現代の**福祉国家** ➡p.22 では国民の**生存権** ➡p.54 が保障されており、政府が国民の最低限の生活（**ナショナル・ミニマム**）を保障するしくみがつくられている。これが**社会保障制度**だ。

まずはその歴史的流れを見てみよう。

---

❶ **エリザベス救貧法**（イギリス・1601年）…世界初の公的扶助（無償）、困窮者の保護（働ける者は強制労働）

❷ **社会保険制度**（ドイツ・1880年代）…保険料と公費が財源（拠出制）
…ビスマルク首相主導の疾病保険法（1883年）が世界初の社会保険
　　　▶他方で社会主義運動を弾圧（「アメとムチ」政策）

❸ **社会保障制度**…公的扶助＋社会保険
- **社会保障法**（アメリカ・1935年）：「社会保障」という語の起源
- **ベバリッジ報告**（イギリス・1942年）：ナショナル・ミニマムの保障を掲げた報告書で、戦後イギリスの社会保障制度の基礎

家族や地域社会で助け合う社会のしくみが生きていた時代には、そもそも社会保障なんて必要なかった。でも、しだいにそうした共同体が崩壊してくると、都市で路上生活者などが出現し、治安の面でも**社会不安**が生じてくる。その対策として最初に登場したのが**エリザベス救貧法**（1601年）だ。これは**公費**による**救貧制度**（＝公的扶助）として世界初のものと言われる。

19世紀末のドイツでは初の**社会保険**が登場する。社会保険というのは病気や事故などによって突然生活ができなくなってしまうようなことがないようにするための**防貧制度**だ。

社会保険ってどんなしくみなんですか。

被保険者は決められた**保険料**を定期的に保険者に支払い、何らかの保険事故にあったときに**保険給付**（保険金）を受ける。これが保険の基本的しくみだ。こうした保険サービスは民間の保険会社によっても提供されているけれども、国や地方自治体などが運営するのが**社会保険**（公的保険）ということになる。被保険者が多ければ多いほど安い保険料ですむから、多くの国は医療や年金などの保険を強制加入にして割のいい保険サービスを公的に提供しているんだ。

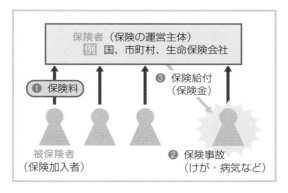

保険者（保険の運営主体）
例　国、市町村、生命保険会社

① 保険料

③ 保険給付
（保険金）

被保険者
（保険加入者）

② 保険事故
（けが・病気など）

今日「社会保障」という言葉を使うときには、公的扶助と社会保険を組み合わせた総合的なシステムのことを指す。「社会保障（Social Security）」という言葉がはじめて登場したのはアメリカで、本格的に展開されるのはイギリスだ。ベバリッジ報告は重要なので、必ずおさえておいてね。

現在の社会保障の類型
英・北欧型：公費負担中心 ➡ 給付水準が均一だが高負担
大　陸　型：保険料中心　➡ 制度が安定的だが給付に格差
▶日本は折衷型・アメリカは自助中心。

各国の社会保障制度は大きく分けて上の2種類になる。

イギリスや北欧諸国では、全国民が単一の制度のもとで基本的に同水準の給付を受けられる。おもに**公費**でサービスが運営されるので、財源としては**租税**が中心となる。「**ゆりかごから墓場まで**」というかつてのイギリスのスローガンに示されるように、福祉水準は高くなるけれども税負担は重くなりがちだ。

これに対してフランスやドイツなどの大陸諸国では、**社会保険**が制度の中心となっている。階層や職種によって保険制度が異なるので、給付水準の格差が大きくなってしまう。なお、日本は北欧型と大陸型の折衷と言われる。

なるほど、**税金**か**社会保険料**を払わないと社会保障は支えられないんだね。

そう。国民所得のうち租税の占める割合を租税負担率、社会保険料などの占める割合を社会保障負担率と言い、これらを合わせて国民負担率と言う。

見てもらえればわかるとおり、日本の国民負担率はアメリカよりは高いが、ヨーロッパ諸国よりは低い。これからますます高齢化が加速していく ➡p.154 なかで、北欧諸国のような**高負担**が求められてくるかもしれない。

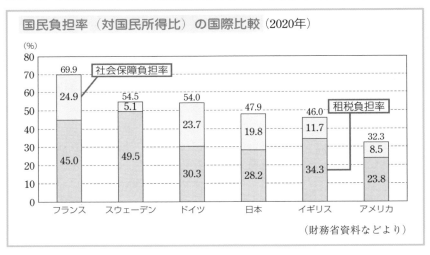

国民負担率（対国民所得比）の国際比較（2020年）

（財務省資料などより）

⬆⬆ アメリカの社会保障

アメリカでは全国民をカバーする公的医療保険制度が存在せず、個人が民間の保険会社と契約を結ぶのが一般的であった。しかし、このしくみでは貧困層は保険に加入することをあきらめ、結果として医療サービスを受けられないケースが多かった。そこで、オバマ政権は2010年に医療改革を行い、貧困層に保険加入への助成金を与えるしくみをつくった（**オバマ・ケア**）。

日本は低福祉・低負担。もちろん理想は、高福祉・低負担だけど、人口が多い日本でそれをやってしまうと、財政が崩壊してしまうよね……。

次に、日本の社会保障制度について見てみよう。

日本の社会保障制度

社会保険	保険料を元手に一定確率で生じるリスクに対処するしくみ

- **医療保険**：医療費
- **年金保険**：老齢・障害・遺族
- **雇用保険**：失業・育児休業給付など
- **労災保険**：業務上の傷病など
- **介護保険**：高齢者介護など

公的扶助	生活困窮者への生活保障。全額公費負担。**生活保護法**で運営
社会福祉	社会的弱者に施設やサービスを提供
公衆衛生	疾病予防などで国民の健康増進などを図る。**保健所**が中心

　まずは上の社会保障の四つの柱をしっかり頭に入れてほしい。なかでも圧倒的に重要なのは社会保険で、これが日本の社会保障給付費の大半を占めているよ。さらに社会保険のなかでも医療保険と年金保険はウェイトが大きく、この二つだけで社会保障給付費の7割以上を占めている。

> 年金ってのは高齢者がもらえるお金のこと？

　そうだね。**遺族年金**や**障害年金**もあるけど、公的年金の大半は65歳以上の高齢者が受給する**老齢年金**だ。
　民間の保険会社などが運営している私的年金もあるけど、保険料負担の問題などから、加入できる人は限られる。そうすると多くの人は高齢者になって働けなくなった場合に生活できなくなってしまう。そこで**20歳**から**60歳**までの全国民が加入する公的年金のしくみ（**国民皆年金**）が整えられたんだ（1961年）。加入者が多いから、保険料は比較的安くなるし、年金には税金も投入されている。
　なお、面倒な話だけど、公的年金は全国民が加入する国民年金と、民間雇用者および公務員だけが加入する厚生年金に分けられ、「二階建て年金制度」と言われているよ。

年金財源の調達方式

積立方式：被保険者本人の積立保険料を年金の原資に

移行中

{ 長所：世代間の不公平がない
  短所：インフレによる積立金の目減り

賦課方式：現役世代の保険料をそのまま受給世代に給付

{ 長所：給付が安定的（インフレの心配が不要）
  短所：世代間の不公平（将来世代にツケ）

　年金の財源調達方式には2種類がある。

　積立方式は自分の払った保険料を将来にもらうというふつうのやり方だが、インフレに弱いと言われている。物価が上昇すると、過去に納めた保険料の積立金が目減りしちゃうからね。そこでインフレのひどかった1973年には**物価スライド制**（物価上昇とあわせて支給額を増額するしくみ）が導入された。でも、そうすると、過去の保険料だけでは給付が追いつかないので、現役世代の保険料を「流用」する以外に手がない。このような世代間の「仕送り」と言えるのが賦課方式だ。

　日本の年金制度はなし崩し的に積立方式から賦課方式へと移行してきた。でも、このやり方の場合、高齢化と少子化が進むと、若い世代はどんどん負担が多くなってしまう（**世代間の不公平**）。

　なお、**厚生年金の支給開始年齢**は、従来60歳だったが、高齢化の進行と年金財政の悪化により、段階的に65歳まで引き上げているところだ。

介護には重度のものと軽度なものがある。後者については、入院ではなく、在宅介護で手当しようという流れになっているよ。

チェック問題 3

標準 2分

日本の社会保障制度についての記述として最も適当なものを、次の①〜④のうちから一つ選べ。

① 雇用保険による給付のなかには、育児休業時の収入を補うための給付だけでなく、介護休業時の収入を補うための給付も存在する。

② 介護保険制度は、介護が必要になった高齢者をサポートするための制度であり、在宅福祉から施設福祉への転換をはかることを主たる目的としている。

③ 労働者が生活できないほどの低賃金で働かされることがないように、日本では全国一律の最低賃金額が定められている。

④ 国民の生活を安定させるために、日本国憲法において国民皆年金・皆保険とすることが定められている。

(2008年・センター試験現社本試)

解答・解説

①

正しい。

②：「在宅福祉から施設福祉へ」が逆。福祉施設の充実も重要だが、住み慣れた家での介護がなおさら重要だと位置づけられている。

③：最低賃金法では、最低賃金が地域ごと・職種ごとに定められている。
→p.143

④：憲法にこのような規定はない。すべての国民が年金保険・医療保険に加入する国民皆年金・国民皆保険は1961年に達成された。

4 社会保障の現状と課題

　社会保障の現状と課題という点でもっとも重要なのは、<u>少子高齢化</u>の進行だ。これが年金財政や医療財政を圧迫し、社会保障制度の持続可能性の危機を生んでいる。

　まずは<u>高齢化</u>について。総人口のうち65歳以上の人口の割合を**高齢化率**（老年人口比率）と言うが、日本はいま約29％。主要国では世界一の**超高齢社会**だ。ちなみに高度経済成長が始まったころは約5％だったから、お年寄りは20人に1人くらいだったのに、世界に例を見ない速度で高齢化が進み、いまでは4人に1人以上だ。2060年ころ（みんなが55歳になるころだね）には、高齢化率は40％に迫ると推測されている。

主要国の高齢化率（2023年）

日本	29.1%
イタリア	24.5%
ドイツ	22.7%
フランス	22.0%
カナダ	19.5%
イギリス	19.5%
韓国	18.4%
アメリカ	17.6%
中国	14.3%
インド	7.1%

総務省統計局 web ページより

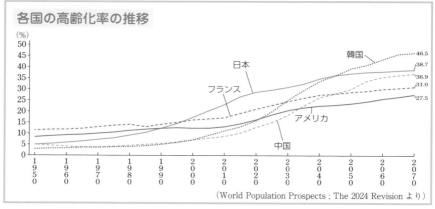

各国の高齢化率の推移

（World Population Prospects ; The 2024 Revision より）

　そんなに高齢化が進んでいるの!?　いったいなぜ?

　一つは、**平均寿命**が伸びているからだ。これはいいことだよね。でももう一つは、<u>少子化</u>が進んでいるから（子どもが減れば、お年寄りの割合は上昇する）で、これが大問題だ。一人の女性が生涯に産む平均的な子どもの数を<u>合計特殊出生率</u>と言うんだけど、いまでは1.20だ（2023年）。この数字は少なくとも2を上回らないと人口が減ってしまう。途中で亡くなってしまう人もいるから、日本では人口を維持するには2.07必要だと言われている。

ぜんぜん足りてないじゃないですか。

　そうだね。政府は**児童手当**を拡充したり**少子化対策基本法**を制定するなど対策を講じてきたけれど、少子化に歯止めをかけるのは難しい。

　少子化が止まらずに現役世代が減り続けるならば、高齢者の医療や年金を支え続けるのは難しくなってしまう。そこで以下のような対策がとられてきているのだけど、社会保障財政は悪化し続けている。これをどうすればいいのか、全国民的な議論が急務だろう。

高齢者向け給付の抑制と負担の拡大

- 医療費の自己負担引き上げ

　　1 割（1984年）➡ **2 割**（1997年）➡ **3 割**（2003年）

- マクロ経済スライド（2004年〜）

　　経済情勢や現役世代の減少などに応じて、**年金給付**を自動的に抑制するしくみ。

- 後期高齢者医療制度（2008年〜）

　　75歳以上の「後期高齢者」医療を現役世代の医療保険から独立させ、高齢者本人から保険料を徴収し、給付と負担の関係を明確化する。

第 3 章　国際分野

12 国際社会の成立と国際機関

この項目のテーマ

1 国際社会と国際法
国家間の争いを裁く法とは？

2 国際平和と国際連盟
勢力均衡から集団安全保障へ

3 国際連合と平和維持活動（PKO）
国際連合の各機構と PKO の基本性格をしっかりおさえよう

1 国際社会と国際法

　国際社会（International Society）とは国家（nation）と国家のあいだ（inter）に成立する社会、つまり独立した諸国家からなる社会のことだ。では国家とは何かというと、それは国民・主権・領域という三つの要素からなるものだ。

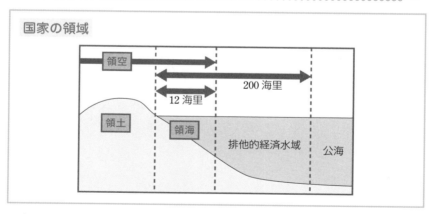

国家の領域

領空
200 海里
12 海里
領土　領海　排他的経済水域　公海

　上の図のように、領域には領土以外に領空と領海が含まれている。問題になることが多いのは領海だが、**国連海洋法条約**（1982年採択）では、領海基線（≒海岸）から12海里の沖合までの海域と定められている。ただし、それより遠い海域についても、基線から200海里までは排他的経済水域として、水産資源や海底資源についての経済的権利を主張できる。

でも、そもそも領域内で排他的に主権を行使できる**主権国家**という概念自体が歴史的につくられたものだ。もちろん国家そのものは何千年もの歴史をもつが、他国からのいっさいの干渉を排除できる主権国家という概念が明確化されたのは、ウェストファリア条約（1648年）においてであった。

なんですか、それ？

ウェストファリア条約はヨーロッパ全土を荒廃させた三十年戦争（1618〜48年）の講和条約だ。この条約でヨーロッパ各国には他国から独立した主権が認められたので、主権国家を基礎単位とする国際社会はウェストファリア条約とともにスタートしたと言えるんだ。

また、三十年戦争はこの条約以外にもう一つの果実を生んだ。すなわち「**国際法の父**」とも呼ばれるグロティウス（1583〜1645）の『**戦争と平和の法**』だ。

突然だけど、法律を破った人は、ふつうどうなる？

逮捕され、裁かれちゃいます。

そうだよね。主権国家の内部では、国家が強制力のある法を執行できる。ところが国家自体が無法な行為を働いた場合には、逮捕することも裁くこともできない。そもそも超国家的な立法機関がない以上、「無法」の基準があいまいなんだ。

そこでグロティウスは、**実定法**がないところでも普遍的な法（＝自然法）が存在するとして、これを国際社会にあてはめた。つまり国際社会にも守られるべきルール、すなわち自然法としての国際法があることを主張したんだ。

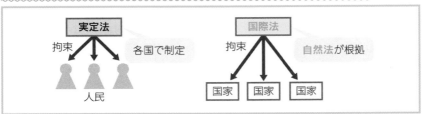

今日広く認められている国際法には大きく2種類がある。成文化された国家間の合意である条約と、国際社会での慣行が定着してルールと認められるに至った国際慣習法の二つだ。

2 国際平和と国際連盟

さて、グロティウスによって国際法の枠組みが誕生した。でも、いくらルールができても、**ルール破りに対処する方法**を確立しないことには国際平和は実現しないよね。この点について、かつて支配的だったのが**勢力均衡政策**だ。

これは**軍事力の均衡**によって平和を保つしかないという、身もふたもないほど現実的な考え方だ。

各国は、自国の安全を実現するため、いざというときに一緒に戦ってくれる国と**軍事同盟**の関係を結んでおく。そうすると、両陣営の力が均衡

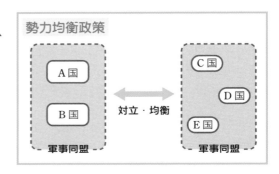

しているかぎり、平和は保たれるだろう。でも、そもそもここでは両陣営間の敵対的関係が前提とされているので、ともに相手に負けじと**軍拡競争**を進めてしまう。だから、いざ小競り合いが起こってしまうと悲惨な大戦に発展してしまいかねない。まさに、これが現実化したのが**第一次世界大戦**（1914〜18）だ。

そんなわけで、これではダメだと第一次世界大戦の反省から生まれた新しいやり方が**集団安全保障**なんだ。

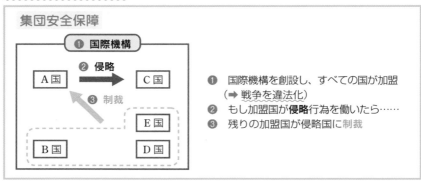

この方式は、すべての国を単一の国際機構に加盟させ、もし侵略行為が起こった場合には集団的に制裁を加えようというものだ。その前提として、加盟国には独断で武力による問題解決をはかることが許されない。つまり、原則として戦争そのものが違法化される。

　事実、初の集団安全保障体制として1920年に成立した<u>国際連盟</u>では、その規約において加盟国が「戦争に訴えない義務」を負うものとされたし、1928年には国際連盟不参加のアメリカも参加する**不戦条約**が結ばれた。したがって、この方式の主眼は、軍事力をはじめとした<u>国家の主権を制限</u>するという点にあると言ってもいい。

> でも、国際連盟って崩壊しちゃったんでしょ。

　うん。そもそも集団安全保障のしくみがうまく機能するためには、次のような条件が必要なはずなんだけど、国際連盟ではいずれもダメだった。

集団安全保障が成功する条件	現実の国際連盟
❶ 国際機関にすべての国が**参加**すること （少なくともすべての大国が参加）	▶ 大国が不参加 or 脱退 （米・ソ・独・日・伊）
❷ 制裁についての迅速な**意思決定**	▶ 全会一致制
❸ 有効な**制裁手段**をもっていること	▶ 経済制裁のみ （武力制裁なし）

ポイント｜国際連盟と大国

- アメリカは国際連盟に加盟することができなかった。
- 日本は当初常任理事国だったが、のちに脱退した。
- ドイツやソ連はのちに加盟したが、ほどなく脱退 or 除名された。

> 国際連盟は、その理想はよかった。でも、アメリカは不参加、日本、ドイツなどが最終的に脱退と、やがて空中分解してしまうんだね……。

3 国際連合と平和維持活動（PKO）

　第二次世界大戦が終わると、二度の大戦を防げなかった反省のうえに国際連合（国連）がつくられた（1945年10月発足）。その目的は、❶国際の平和と安全を維持し、❷各国の友好関係を発展させ、❸経済的、社会的、文化的または人道的な国際問題を解決させることだ。

　原加盟国は51カ国で、すべて第二次世界大戦の戦勝国だ。それもそのはず、もともと国際連合（United Nations）とは大戦における連合国（United Nations）が結成した国際機関だったからだ。もっとも、敗戦国の日本も**ソ連との国交回復**により1956年に加盟し、東西両ドイツも1973年に加盟した。今日では世界で独立国家と認められている国のほとんどが加盟している（2022年現在で193カ国）。

　国連の機構では、まず六つの主要機関を確実に覚えよう。

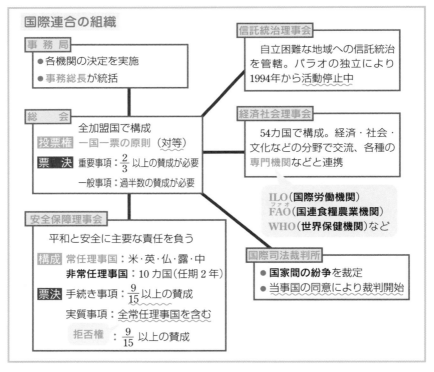

国際連合の組織

事務局
- 各機関の決定を実施
- 事務総長が統括

総会
全加盟国で構成
投票権 一国一票の原則（対等）
票決 重要事項：$\frac{2}{3}$ 以上の賛成が必要
一般事項：過半数の賛成が必要

安全保障理事会
平和と安全に主要な責任を負う
構成 常任理事国：米・英・仏・露・中
　　　　非常任理事国：10カ国（任期 2 年）
票決 手続き事項：$\frac{9}{15}$ 以上の賛成
　　　　実質事項：全常任理事国を含む
　　　　拒否権 ：$\frac{9}{15}$ 以上の賛成

信託統治理事会
自立困難な地域への信託統治を管轄。パラオの独立により1994年から活動停止中

経済社会理事会
54カ国で構成。経済・社会・文化などの分野で交流、各種の専門機関などと連携

ILO（国際労働機関）
FAO（国連食糧農業機関）
WHO（世界保健機関）など

国際司法裁判所
- 国家間の紛争を裁定
- 当事国の同意により裁判開始

国連総会は全加盟国で構成され、あらゆる問題について審議できる。表決は一国一票で行われるので、国の規模にかかわらずすべての国が対等だ。しかし総会は原則として**勧告**を行う権限をもつだけであり、各国に拘束力をもつ決定はできない。つまり武力制裁のように強制力が働き、各国を拘束する決議はあくまで安全保障理事会で行われるのが基本だ。

 へえ、**安全保障理事会**って強力なんだね。

　そうだね。平和と安全にかかわる問題については、安全保障理事会（安保理）が主要な責任を負っている。安保理を構成しているのは、**アメリカ・イギリス・フランス・ロシア・中国**の5**常任理事国**と、総会で選出される10の**非常任理事国**（任期2年）だ（日本も非常任理事国にはこれまでに何度も選出されているよ）。あらゆる議決に**9**カ国以上の賛成が必要で、実質事項にはすべての常任理事国の賛成が必要となる。これがいわゆる拒否権だ。

 国際司法裁判所ってのは、だれがだれを裁くの？

　国際司法裁判所は1946年に発足した常設の機関で、国籍の異なる15人の国際法の専門家などが裁判官となっている。対象となる事件は国家と国家の紛争で、両当事国が同意することではじめて裁判が始まる。

↑↑ 国際刑事裁判所

　国家間の紛争を対象にする国際司法裁判所に対し、**集団殺害罪、人道に対する罪、戦争に対する罪**について個人の責任を裁く常設の裁判所。2003年に設立され、日本も加盟している。アメリカは自国兵士の訴追などをおそれて加盟していない。なお、2009年にスーダン、2011年にリビアのそれぞれの国家首脳に逮捕状が発行され、注目を集めた。
　個人犯罪を裁く国際法廷としては**ユーゴ国際刑事裁判所**や**ルワンダ国際刑事裁判所**などの例があり、これらが国際刑事裁判所の設立へとつながった。

ポイント　国際連合の議決方法

- **総会**は一国一票の原則（小国の発言権が強い）。
- **安全保障理事会**の実質事項については五大国すべてを含む**9**カ国の賛成が必要（大国に拒否権あり）。

国際連合はどうやって平和を守ろうとしているの？

　国連は集団安全保障体制として出発しているわけだから、いざというときのための強制力（≒軍事力）が必要だ。ところが冷戦によって安保理が十分に機能してこなかったため、国際連合憲章に規定された正式な国連軍は一度も組織されたことがない。

　そこで紛争解決のために国連憲章と無関係に「なし崩し」的につくられてきた実力部隊が、国連平和維持活動（PKO）と多国籍軍だ。両者のちがいは、国連の指揮下にあるかないかという点にある。

		部隊の目的	
		軍事制裁	平和維持
国連憲章	根拠あり	国連軍	
	根拠なし	多国籍軍 （各国が任意に展開＊）	PKO （国連が指揮）

＊安保理が「お墨つき」を与えることも
{ 安保理決議あり→湾岸戦争など
　安保理決議なし→イラク戦争など

PKO について詳しく教えてください。

　PKO（国連平和維持活動）というのは国連決議にもとづいて国連の指揮下で行われる治安維持活動や停戦監視活動の総称で、紛争ごとに組織される。

　PKO の組織は軽武装のPKF（平和維持軍）と非武装の停戦監視団・選挙監視団などからなり、軍人だけでなく警察官や民間人も参加している。紛争当事者が停戦に合意していることが前提で、停戦を確実にし、戦後復興を軌道に乗せること（平和構築）がPKOの目的だ。だからPKFも武器使用は護身用に限られ、国連軍や多国籍軍のように軍事制裁を目的としているわけではない。

国連の姿は70年以上ずっと変わってないの？

　そんなことはないよ。

　安保理の非常任理事国はかつて6カ国だったけれども、国連加盟国の増加を背景に、1965年に10カ国に増やされた。また1995年の国連創立50周年以降、安全保障理事会の常任理事国・非常任理事国の拡大や権限の見直しが活発に論議

されている（**安保理改革**）。日本政府も常任理事国入りを目指すと表明しているが、反対する有力国もあり、実現は難しそうだ。

> ところで平和って、
> 軍事力だけでつくられるものなんでしょうか？

　軍事力抜きの国際平和というのは、なかなか難しいかもしれない。でも、たしかに軍事力だけで平和が実現するわけではないよね。

　その点で、従来は「安全保障」と「国防」がほぼ同一視されてきたが、近年では「**人間の安全保障**」という概念（がいねん）がクローズアップされている。これは**国連開発計画**（**UNDP**）が1994年に「人間開発報告書」のなかで提唱した概念で、国家ではなく世界中の一人ひとりの個人を守ることを目的としている。国家が独立を保っても、そこで生きる個人が戦争や飢餓、環境破壊、人権侵害などで犠牲になっては元（もと）も子もないよね。

> では、**チェック問題**
> に進もう！

チェック問題

　国際平和が脅かされた場合、これに対処する主要な責任は、国連安全保障理事会にありますが、常任理事国の拒否権がしばしば平和の維持・回復を難しくしています。拒否権はなぜ導入されたのか。これを理解するためには、国際連盟と比較してみる必要があります。国際連盟の失敗の要因の一つとして、　ア　ことが挙げられます。これを克服するため、国際連合においては、　イ　と考えられました。

　安全保障制度の構築に加えて、人権の国際的保障、そして国際経済の安定化や開発、また貧困対策を通じて、争いを未然に防ぐ努力も重ねられてきました。国際通貨基金等の国際機構の活動がその例です。雨の朝の自転車置場、その平穏を保つ方法も、さまざまあり得るかもしれません。

　上の文章中の　ア　には次の **a・b** の記述のいずれかが、　イ　には次の **c～f** の記述のいずれかが入る。　ア　・　イ　に当てはまるものの組合せとして最も適当なものを、後の①～④のうちから一つ選べ。

　ア　に入る記述

a　参加しなかったり、脱退したりした大国がいくつかあった

b　軍事（武力）制裁があまりに頻繁に発動された

　イ　に入る記述

c　集団安全保障を実効的なものとするために、大国に特別な権限を与えることで、それらの国の参加を確保・維持する必要がある

d　大国の参加が確保・維持できなくても集団安全保障が機能するように制度を設計する必要がある

e　軍事（武力）制裁の発動がより慎重に決定されるように制度を設計する必要がある

f　集団的措置は、専ら経済制裁に限定すべきである

　　①**ア－a　イ－c**　　　②**ア－a　イ－d**

　　③**ア－b　イ－e**　　　④**ア－b　イ－f**

（2022年・共通テスト現社追試）

① 　文章中の　ア　に入るのは a である。**国際連盟**は史上初の**集団安全保障体制**として発足したが、当時最大の大国であったアメリカは、大統領**ウィルソン**が提唱者であったにもかかわらず、議会の反対で参加できなかった。また常任理事国であった日本やイタリアが途中で脱退するなど、国際連盟は求心力という点で致命的な欠陥があった。国際連盟の制裁手段は**経済制裁**だけだったので、b はあてはまらない。国際法違反に対する制裁手段の不備というのも国際連盟の大きな欠陥として指摘される。

　　 イ　には c が入る。集団安全保障が機能するためには、大国の参加が不可欠である（したがって d は不適切）。そこで、**国際連合**においては、各国に平等な権限を与えるという主権平等の原則を曲げて、大国に特権を与えることとした。具体的には、第二次世界大戦で指導的な役割を果たしたアメリカ、ソ連、イギリス、フランス、中国を安全保障理事会常任理事国とし、これら5カ国に**拒否権**を認めることとした。また**軍事（武力）制裁**ができなかったことが国際連盟の失敗の要因の一つと考えられたので、国際連合では**国連軍**を創設して実効的な制裁手段を整えることとした（もっとも**冷戦**により国連軍は実現しなかった）。したがって e、f は不適切。

13 戦後の国際政治

この項目のテーマ

1 戦後国際政治の展開
冷戦構造の流れを整理しよう

2 軍縮問題
似た条約がたくさんあるので、しっかり整理しよう！

3 日本の戦後外交
ソ連、韓国、中国との国交正常化の動きをおさえよう！

1 戦後国際政治の展開

ここでは第二次世界大戦後の国際政治の歴史について説明していくよ。

戦後の国際政治を特徴づける最大のキーワードは、ずばり「**冷戦**」だ。冷戦（東西冷戦）とは、アメリカを盟主とする**西側**の資本主義陣営と、ソ連を盟主とする**東側**の社会主義陣営との間の政治的、経済的、軍事的な対立のことだよ。西側は

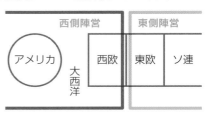

北大西洋条約機構（NATO）、東側はワルシャワ条約機構という**軍事同盟**を結成し、にらみ合った。ただ、直接の軍事衝突（熱戦）は起こらなかったので、「冷たい戦争（冷戦）」と言われたんだ。

東西両陣営の関係はずっと悪いままだったの？

いや、緊張関係の高まる時期もあれば、緊張の緩和した時期もあったよ。もっとも緊張が高まったのは、1950年に朝鮮戦争の勃発したころと、1962年のキューバ危機のころだね。

キューバ危機とはアメリカのすぐそばのキューバにソ連がミサイル基地を建設して生じた危機で、核戦争一歩手前の状態にまでなってしまった。でも最悪の事態は回避され、むしろ米ソ両国は、これに懲りて急速に関係を改善させて

いった。偶発的な核戦争を回避するため**ホットライン**（直通電話回線）を引いたり、協調して**核軍縮**を進めていったんだ。1960年代から1970年代のこの動きを緊張緩和（デタント）と言う。

　米ソ両国が緊張緩和を進めた背景には、軍拡競争で財政的に厳しくなってきたという事情や、東西両陣営のいずれにも加わらない**非同盟主義**を掲げるインドや中国など「**第三世界**」の国々が台頭したという事情もあったようだね。

 冷戦はどうやって終わったのですか？

　1985年に**ゴルバチョフ**がソ連の指導者になってから、一気に冷戦は終わりに向かっていった。じつはその少し前、1979年にはソ連がアフガニスタンに軍事侵攻をしたことで、1980年代前半の米ソ関係はきわめて悪かったんだ（**新冷戦**）。しかしゴルバチョフが西側諸国とも協調する**新思考外交**を掲げると、対米関係は急速に改善していき、1987年には **INF**（**中距離核戦力**）**全廃条約**を締結し、1989年には**マルタ会談**でついに**冷戦の終結**を宣言した。

　これと前後して、ソ連の影響下にあった東欧の社会主義政権は次々と崩壊し、1991年にはとうとうソ連も崩壊し、冷戦は名実ともに終結したんだ。

ポイント　冷戦の展開

- 第二次世界大戦の終結 ➡ 冷戦構造の成立
- キューバ危機（1962年）の解決 ➡ 緊張緩和（デタント）
- ゴルバチョフの**新思考外交** ➡ マルタ会談（冷戦の終結）

 冷戦が終わって、ようやく国際社会に平和が到来したのですね。

　いや、そうはいかなかった。米ソ間の対立がなくなり世界的な全面核戦争の可能性は低くなったけど、世界各地で**内戦**や**地域紛争**はむしろ多発するようになってしまった。米ソの二大超大国の重石によって抑え込まれていた**民族対立**や**宗教対立**などが表面化したんだ。

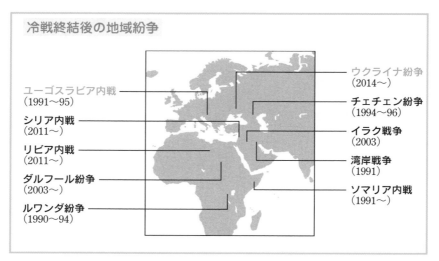

冷戦終結後の地域紛争

ユーゴスラビア内戦
（1991〜95）

シリア内戦
（2011〜）

リビア内戦
（2011〜）

ダルフール紛争
（2003〜）

ルワンダ紛争
（1990〜94）

ウクライナ紛争
（2014〜）

チェチェン紛争
（1994〜96）

イラク戦争
（2003）

湾岸戦争
（1991）

ソマリア内戦
（1991〜）

　また、かつての戦争は基本的に国家間の衝突だったけど、2001年に起こった**アメリカ同時多発テロ事件**は国際テロ組織によるもので、アメリカは「**テロとの戦い**」を宣言した。今日では「国家対テロ組織」という非対称の戦争も起こるようになっているんだ。

　それから、2010年以降に中東・北アフリカの各国で起こった反体制運動「**アラブの春**」は独裁体制の打倒に成功したものもあるが、深刻な内戦に発展してしまったものや独裁体制が復活したものもあり、混乱が増してしまっている。

⬆⬆ウクライナ紛争

　ソ連崩壊後のウクライナでは、**親西欧派**（親 EU 派）と**親ロシア派**との住民対立が長く続いてきた。2014年に親ロシア派の政権が親西欧派住民の抗議デモによって崩壊すると、親ロシア派住民の多いクリミアが住民投票によってロシアへの編入を決め、ロシアはこれを受け入れた。これと併行して、ウクライナ東部地域では親ロシア派住民がウクライナからの独立を宣言し、ロシアの関与が指摘される武装勢力とウクライナ政府軍との衝突が起こった。そうした状況のなか、2022年にはロシアがウクライナに全面的な軍事侵攻を始め、多くの犠牲者の生まれる事態となっている。

地域紛争は冷戦期にもありましたよね。

そうだね。そのなかでも最大規模なのが中東戦争（パレスチナ問題）だ。

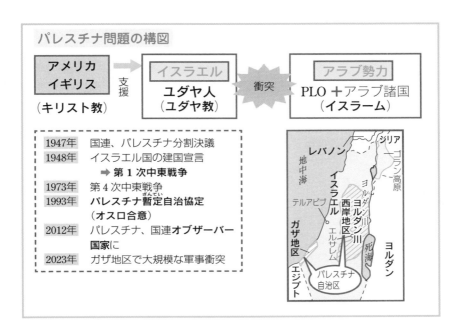

パレスチナ問題の構図

アメリカ イギリス	支援 →	イスラエル ユダヤ人 （ユダヤ教）	衝突	アラブ勢力 PLO＋アラブ諸国 （イスラーム）
（キリスト教）				

1947年	国連、パレスチナ分割決議
1948年	イスラエル国の建国宣言
	➡ 第1次中東戦争
1973年	第4次中東戦争
1993年	パレスチナ暫定自治協定 （オスロ合意）
2012年	パレスチナ、国連オブザーバー 国家に
2023年	ガザ地区で大規模な軍事衝突

そもそも「パレスチナ」って何ですか？

　「パレスチナ」とは、現在のイスラエルのある土地の名前だ。『旧約聖書』によると、ここは**ユダヤ人**が神から授かった土地だとされる ➡p.250 。その後彼らは祖国を失い、世界各地に離散しながら独自の文化を守り続けてきたが、ついに1948年に、イスラエル国が建国された。

　でも、そこにはイスラームのパレスチナ人が暮らしている。イスラエルの建国は彼らに「出て行け」と言うようなものだから、戦争になってしまった。戦ったのはおもにエジプトなどアラブ諸国だ。しかし、何度戦ってもイスラエルには勝てなかった（英米が支援しているため、イスラエルはめちゃめちゃ強い）。

　そこで国連などが仲介した和平案がパレスチナ暫定自治協定（**オスロ合意**）だ。**ヨルダン川西岸地区**と**ガザ地区**にパレスチナ暫定自治政府をつくり、将来的なパレスチナ国家の樹立を目指すという内容をイスラエルものんだ。だが、自治はいっこうに進展せず、これに苛立つパレスチナ人勢力はテロを起こすし、イスラエルは容赦なく反撃する。そんなことがずっと続いているんだ。

　2023年にはガザ地区からイスラエルに対して大規模な攻撃が行われ、これにイスラエルが猛攻撃をして、民間人の多大な犠牲が生まれてしまっている。

2 軍縮問題

　第二次世界大戦後、冷戦を背景に各国は**軍拡競争**を繰り広げた。大量の核兵器を保有しておけば、もし自分たちを攻撃したならば核兵器で徹底的に反撃するぞと外国に警告することができる。このように外国による侵略を防ぐ考え方を核抑止論と言う。またこうして互いに核攻撃されることを警戒して侵略を自重する状態を「**恐怖の均衡**」と言うよ。

　ずいぶんいびつな平和ですね。

　本当にそうだよね。核抑止を確実なものとするため、大国はより多く、より強力でより使いやすい核兵器の開発にいそしんだ。こうして地球を何十回と破壊できる兵器が整備されていき、人類ははじめて存続の危機に直面してしまったんだ。でも、この状況を改めようとする動きも現れた。

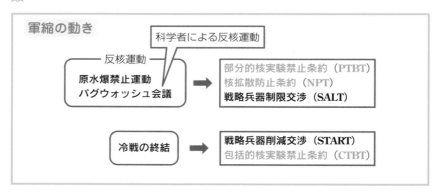

　部分的核実験禁止条約（**PTBT**）は、キューバ危機を収拾した翌1963年に米ソ間で結ばれた。核実験をはじめて規制する条約だよ（ただし地下核実験は例外扱い）。**核拡散防止条約**（**NPT**）は1968年に締結されたもので、この時点で核の非保有国が新たに保有することを禁止した。この条約については、核保有国（米・ソ・英・仏・中の５カ国）による核独占を固定化しようというものであるという批判がある。また条約に参加していない国は拘束できないので、**インド**や**パキスタン**、**イスラエル**、**北朝鮮**の核保有は防げなかった。
　戦略兵器削減交渉（**START**）については**戦略兵器制限交渉**（**SALT**）とのちがいに注意しよう。1970年代に米ソ間で行われた SALT は核保有の上限を設けるための交渉だったが、1990年代の START は、既存の核兵器を「削減」するための交渉だ。また**包括的核実験禁止条約**（**CTBT**）は PTBT とちがって地下

核実験をも禁止するものだ。ただしアメリカや中国などが批准していないため発効していない。

　そのほか新しいものとしては、一般市民の犠牲を防ぐため、**対人地雷禁止条約**（1997）や**クラスター爆弾禁止条約**（2008）といったものもつくられているよ。また2017年には核兵器の使用はもちろん製造も実験も禁止する**核兵器禁止条約**が国連総会で採択された。

　えっ、核兵器は完全に禁止されたのですか？

　うん。ただ、条約に参加していない国を拘束することはできない。わかると思うけど、核保有国はいずれもこの条約に参加していない。またアメリカの「核の傘」に守られている日本も参加していない。

　あと、比較的新しい動きとして、非核地帯条約についても知っておきたい。地域内での核兵器の製造や実験・保有などを禁じるという趣旨だ。見てのとおり、残念ながら東アジアにはまだ存在しない。

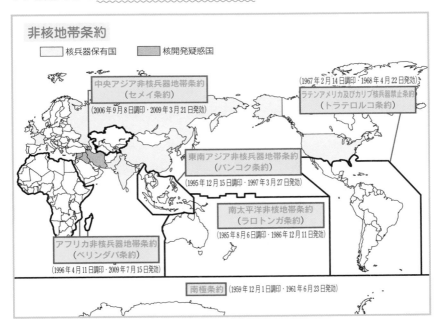

非核地帯条約

☐ 核兵器保有国　　▨ 核開発疑惑国

中央アジア非核兵器地帯条約
（セメイ条約）
（2006年9月8日調印・2009年3月21日発効）

（1967年2月14日調印・1968年4月22日発効）
ラテンアメリカ及びカリブ核兵器禁止条約
（トラテロルコ条約）

東南アジア非核兵器地帯条約
（バンコク条約）
（1995年12月15日調印・1997年3月27日発効）

南太平洋非核地帯条約
（ラロトンガ条約）
（1985年8月6日調印・1986年12月11日発効）

アフリカ非核兵器地帯条約
（ペリンダバ条約）
（1996年4月11日調印・2009年7月15日発効）

南極条約　（1959年12月1日調印・1961年6月23日発効）

3 日本の戦後外交

　第二次世界大戦で負けた日本は、以下の三つの指針のもとで平和国家としての再出発を目指すことになる。

　❶の国連中心主義は、戦前に国際連盟を離脱したことを反省し、新憲法にうたわれている**国際協調主義**を具体化した考え方だ。❸の「アジアの一員」というのも同様

日本外交の三原則 (1957年・外務省)	
❶	国連中心主義
❷	自由主義諸国との協調
❸	アジアの一員としての立場を堅持

だね。ところが❷は少し毛色がちがう。「自由主義」というのは資本主義と同じ意味で、冷戦にさいして西側陣営に味方しますよと言っているのと同じことなんだ。この選択はやむをえないものだったかもしれないけど、戦後の外交史を少し複雑なものにしていくことになる。

日本の国際社会への復帰

1951年	サンフランシスコ平和条約	➡ **主権回復**	同時に日米安全保障条約を結び、西側の一員に
	▶西側諸国との**片面講和**		
1956年	日ソ共同宣言	➡ 国交回復、国連への加盟	
1965年	日韓基本条約		
	➡ 韓国を「朝鮮半島唯一の合法政府」と認定		
1972年	日中共同声明	➡ 日中国交回復、台湾との国交断絶	
1978年	日中平和友好条約		

　日本の国際社会への復帰は、1951年に調印して翌年発効したサンフランシスコ平和条約によって果たされる（**沖縄の返還**は1972年）。これで日本は敗戦国としての占領状態から**主権を回復**できたんだけど、この条約は全対戦国との講和条約ではなく、ソ連や中国などを除いた**片面講和**だった。

　また、同時に米軍の継続駐留を認めた日米安全保障条約を結ぶなど、西側の一員として組み込まれていく大きな一歩でもあったんだ。

　　東側陣営との和解はどう進んだの？

　まず、戦後10年以上たった1956年に日ソ共同宣言が出された。これによって日ソ間の戦争状態の終結が確認され**国交が正常化**するとともに、国際連合への加盟も可能になった。ただし**平和条約**の締結が今後の課題とされたが、国後島

や択捉島など北方領土問題の対立が解けないため、今日に至るまで実現していない。

　日本が植民地支配をした朝鮮半島では、1948年に東西両陣営がそれぞれ支援する二つの政府が誕生してしまい、いずれも朝鮮半島唯一の政府を名乗った（今日までこの事態は変わっていない）。そこで日本政府は苦しい対応を迫られたわけだが、結論としては1965年に大韓民国を唯一の政府と認める日韓基本条約を結んだ。これによって北朝鮮（朝鮮民主主義人民共和国）とのあいだには国交が存在しない状況が固定してしまい、今日の北朝鮮による拉致問題やミサイル問題などでも交渉の手立てが少ないというのが現状だ。

　なお韓国とのあいだでは、韓国が実効支配する竹島（韓国名「独島」）をめぐる領有権で争いがある。

第3章 国際分野

中国との関係はどうなったんですか？

　日本は中国とのあいだで戦争をしていたよね。ところが日本が講和条約を結んだ相手は中国本土を支配する共産党の中華人民共和国ではなく、国民党の台湾政府（中華民国）だった（1952年の日華平和条約）。

　国民党と共産党は中国本土と台湾が一体のものだ（「一つの中国」論）という前提を共有しつつ、おたがいに自分たちが中国を代表する唯一の政府だと主張しているんだ。でも、小さな台湾島の政権が全中国を代表すると考えるのはさすがに無理があるよね。そこで1972年日中共同声明が出され、北京政府（中華人民共和国）こそが唯一の中国政府だと認めて国交正常化した（このシンボルとして中国からパンダが贈られた）。これをさらに具体化したのが1978年の日中平和友好条約。共同声明と平和友好条約を混同しないようにね。

　なお中国とのあいだでは、日本が実効支配する尖閣諸島の領有権問題をめぐって日中両国間で緊張関係が続いている。2012年にはそれまで私有地だった尖閣諸島を日本政府が買い上げて国有化したため、不当支配の強化だとして中国側が猛反発し、中国で大規模な反日デモが起こるなど、日中関係が極度に悪化した。北方領土および竹島とちがい、尖閣諸島は日本が実効支配しているので、そこは気をつけてね。

国際紛争はたくさんあって大変だけど、だれとだれが、何をめぐって争っているのか、しっかり整理しよう。

14 国際経済のしくみ

1 国際分業と貿易
　自由貿易って本当にいいものなの？

2 国際収支
　外国との経済的取引をどう記録する？

3 外国為替
　円高と円安のメリットとデメリットとは？

1 国際分業と貿易

　ここから国際経済分野に入る。この分野は、暗記よりも理論的な理解が大切になってくるよ。

　さて、僕らの社会は**分業**によって成り立っている。たとえば、ある人は野菜をつくり、ある人は工場を営み、ある人は予備校で教えている。こうした分業を国際的な規模に拡大させたのが**国際分業**だ。

　国際分業は、おもに先進国間で行われる**水平分業**と、先進国と途上国のあいだで行われる**垂直分業**とに大別できる。「水平」とは対等な関係という意味だから、日本が自動車を輸出し、アメリカから航空機を輸入するといったものが該当する。これに対して垂直分業は先進国が完成品を、途上国がその原材料や部品を生産するといった上下関係の分業だ。また、近年では部品を海外子会社でつくり、完成品を本国の本社でつくる**企業内分業**も多い。そしてこうした輸出入への規制をできるだけ少なくすることを**自由貿易**と言うんだ。

　どの国も自由貿易を奨励しているの？

　必ずしもそうではない。各国政府は**保護貿易**的な政策をとることがある。**保護貿易**とは政府が輸出を奨励して輸入に制限を加える政策のことだよ。

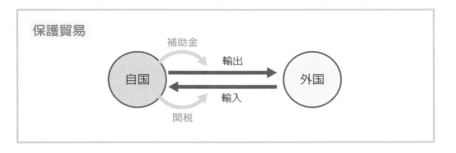

保護貿易

補助金
輸出
自国 → 外国
輸入
関税

保護貿易主義の言い分はわかるかな？　輸出では代金が入ってくるが、輸入では代金が出ていく。したがって自国産業が育っていないときに輸入ばかりが増えると、ますます国内経済が停滞する、というわけだ。これは19世紀ドイツの経済学者**リスト**（1789〜1846）による主張であり、農業分野などでは多くの政府が多少なりとも保護主義的政策をとっている →p.184 。

　でも、今日の経済学者の多くはこの議論に批判的だ。なぜなら、自由貿易による国際分業は貿易当事国のすべてに利益があると考えられるからだ。

ほんとうに？　なんだか生産性の高い国ばかりがトクしそうな気がしますけど……。

　その点を解明したのが、**リカード**（1772〜1823）の説いた**比較生産費説**だ。彼は国際分業と自由貿易の利益を次のような数値例で説明している。

　イギリスとポルトガルが、ワインとラシャを1単位生産するのに必要な労働量がそれぞれ右のようだとする。こ
の場合、ポルトガルはいずれの財に
ついても**生産性**がイギリスより高い
ことがわかる。より少ない人数で同
じものをつくれるんだからね。

	イギリス	ポルトガル
ラシャ1単位の生産に必要な労働量	100人	90人
ワイン1単位の生産に必要な労働量	120人	80人

　にもかかわらず、ポルトガルが両
方自分でつくるのは賢明ではない。なぜか？　ここで、学校の成績はオール5の優等生で、野球をやらせたらメジャーリーグでも活躍できそうなほどの才能をもつ高校生を想像してほしい。もし彼が一流大学に進学し大企業に就職でもすれば、それなりに成功することもできるだろう。でも、野球選手として大成功するチャンスは棒に振ってしまうことになる。

より得意なものに専念したほうがいいってことですか？

　そのとおり！　リカードの例では、ポルトガルはラシャもワインもイギリスより生産性が高いけど、自国のなかでより得意なのは、ワインだ。こんなふうに「より自国にとって得意」なものを比較優位と言う。リカードは、各国は比較優位なものの生産に特化すべきだと言うんだ。

イギリスはどうすればいいの？

　ポルトガルと比べれば、イギリスはどちらをつくるのもうまくない。でも自国のなかではラシャがより得意（まだマシ）だ。だから比較優位のあるラシャに特化すべきなんだ（どんな国でも必ず相対的に得意なものはある！）。
　では、両国が比較優位な財に特化するとどうなるか、見てみよう。
　イギリスの労働者が全部で220人だと仮定すれば、その全員がラシャの生産に回ることで、220/100＝2.2単位のラシャが生産される。またポルトガルの労働者が全部で170人だと仮定すれば、その全員がワインの生産に回ることで、170/80＝2.125単位のワインが生産される。特化前にはラシャもワインも両国の合計で2単位ずつしか生産されなかったのだから、総生産量は増えているよね。

	イギリス	ポルトガル
ラシャの生産	220/100 ＝2.2単位	———
ワインの生産	———	170/80 ＝2.125単位
合　　計	2.2単位	2.125単位

特化前より増加

　これは要するに、みんなが自給自足するよりも分業したほうが効率化するという単純な事実を、理論的に説明しているんだ。もっとも現実には、ラシャしかつくったことのない人がすぐにワインをつくれるかといった問題もあるし、効率性のために自国の伝統産業をダメにしてしまっていいのかといった問題もあり、自由貿易が万能というわけではないけどね。

ポイント
- 各国が**比較優位**な財に特化すれば、総生産量が増える。
- 自給自足よりも国際貿易を行ったほうが双方にとって得。

176

チェック問題 1

次の表は、リカードの比較生産費説を説明するための例を示している。A国では労働量が18人存在し、B国では労働量が27人存在している。各国とも貿易を行う前は、水産加工品を3単位とコメを5単位ずつ生産している。比較生産費説の考え方として最も適当なものを、下の①～④のうちから一つ選べ。

	水産加工品3単位の生産に必要な労働量	コメ5単位の生産に必要な労働量
A 国	8人	10人
B 国	15人	12人

① A国は両財の生産技術に優れているので、A国が両財を生産し、B国はそれを輸入することで、両国全体で両財の生産量を増やせる。

② B国は両財の生産技術に優れているので、B国が両財を生産し、A国はそれを輸入することで、両国全体で両財の生産量を増やせる。

③ A国は水産加工品の生産に特化し、B国はコメの生産に特化して貿易することで、貿易前よりも両国全体で両財の生産量を増やせる。

④ B国は水産加工品の生産に特化し、A国はコメの生産に特化して貿易することで、貿易前よりも両国全体で両財の生産量を増やせる。

(2016年・センター試験現社追試改)

解答・解説

③

A国は、両財についてB国より生産性が高い。しかし比較優位な財は水産加工品なので、A国は水産加工品に特化すべきである。逆にB国は、比較優位があるコメに特化すべきである。

すると、水産加工品はA国が18人で生産するので、18/8×3＝6.75単位が生産される。コメはB国が27人で生産するので、27/12×5＝11.25単位生産される。従来の生産量は、水産加工品は3×2＝6単位、コメは5×2＝10単位だったので、両財ともに生産量が増えている。

2 国際収支

　国際収支とは、ある国の一定期間（通常は1年間）における対外的な経済取引をすべて集計したもののことだ。まずは次の表を見てほしい。

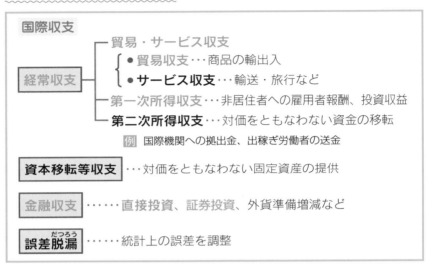

　まず、経常収支は外国との間で行われた財貨やサービスの取引についての収支（収入と支出の差額）を意味している。なかでも典型的なのが貿易収支で、これは輸出と輸入の差額ということになる。なお日本の貿易収支は1960年代後半からほぼ一貫して黒字だったが、2011年以降は赤字となることも多くなっている。

　　あれ、日本は輸出で稼ぐ国じゃないんですか？

　かつては「貿易立国」とか「輸出立国」などとも言われたけど、経済統計のうえでは、あまり根拠のある表現でない。GDPに占める輸出額の割合（**輸出依存度**）は、先進国のなかではむしろ最下位に近い。そのうえ輸出以上に輸入が伸びているため、近年では貿易赤字の年も多くなっているんだ。

　それでも経常収支は黒字であり続けている。なぜかと言うと、第一次所得収支の黒字がとても大きいからだ。第一次所得収支の内訳としては、海外の企業や銀行からの配当や利子などがある。グローバル化が進むなかで日本企業は海外子会社をたくさん抱えているので、子会社の利益の一部が配当などの形で日本に還流している。これが第一次所得収支の黒字を生んでいる。

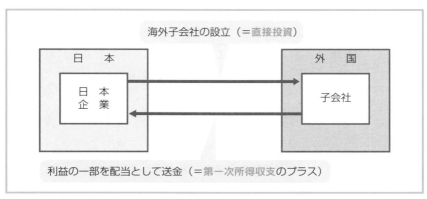

海外子会社の設立（＝直接投資）

日　本	外　国
日　本 企　業	子会社

利益の一部を配当として送金（＝第一次所得収支のプラス）

直接投資ってなんですか？

　直接投資とは企業が経営参加を目的にして行う海外投資のことだ。経営参加を目的にするというのは、たとえば海外に子会社を設立するのが典型だね。それから、すでに存在する海外企業の株式の多く（10％以上）を取得するのも直接投資だ。

　これに対して庶民が海外企業の株などを買っても経営は支配できないので、そうした海外投資は証券投資（間接投資）と呼ばれる。

直接投資：企業が経営参加を目的にして行う海外投資
　　　　例　子会社の設立、海外企業の株式の多数（10％以上）を取得
証券投資（間接投資）：経営参加を目的にしない海外投資
　　　　例　株式の値上がり益や配当金を目的とする投資

ポイント　国際収支の要点

- 日本の貿易収支はかつて黒字だったが、近年は赤字のことも。
- 第一次所得収支が大幅黒字なため、日本の経常収支は黒字が続いている。

3 外国為替

円（日本）、**ドル**（アメリカ）、**ユーロ**（EU）など、世界ではさまざまな通貨が使われている。だから異なる通貨が使われている国どうしで貿易を行うさいにはこれらを交換する必要が出てくる。このように異なる通貨を交換することを<u>外国為替</u>と言い、その比率のことを<u>外国為替相場</u>（為替レート）と言う。

それって毎日のニュースで出てくる
「1ドル＝○○円」ってやつのことだよね？

そのとおり。たとえば1ドル100円というのは、**外国為替市場**で1ドルが100円と交換されること、言い換えると1ドルと100円の価値が等しいということを意味しているんだ。

第二次世界大戦が終わって1970年代に入るまでは<u>固定相場制</u>がとられていた ➡p.185 から、為替相場はずっと一定だったけど、**ニクソン・ショック** ➡p.186 ののち<u>変動相場制</u>になったため、為替相場は日々の外国為替市場における取引によって決定されるようになった。そのメカニズムはふつうの商品と同じで、その通貨の人気と価値が比例する。

円高とか円安ってどういうこと？　意味がわかりません。

では1ドル100円と1ドル200円という二つの為替相場を比較してみよう。

<u>1ドル＝100円から1ドル＝200円になることは、「円安になった」</u>と言う。「円高」の間違いじゃないかと思う人が多いんだけど、そんなことはない。じつは「1ドル＝○○円」というのは円じゃなくてドルの価格を表しているんだ。リンゴ1個が100円から200円になっ

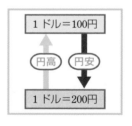

たらリンゴは値上がりしているよね。それと同じで、1ドルが100円から200円になったらドルは高くなっているんだ（ドル高）。そして為替相場というのは通貨どうしの相対的な価格を表しているのだから、ドル高＝円安だ。

逆に1ドルが200円から100円になることはドル安を意味するから、「円高になった」と言える。

なお、円高とか円安というのは、あくまである相場と別の相場を比較したときに成り立つ話だから、必ずしも1ドル100円＝円高というわけではない。1

ドル200円から１ドル100円になることは円高を意味するけど、１ドル80円から
１ドル100円になるなら円安になっているよ。

為替相場が変動するとどんな**影響**があるの？

円高になるケースで考えてみよう。

円高になるということは円の価値が高まるということだから、円で買えるも
のが増えるし、同じ量なら安く買えるようになる。たとえば１ドル＝200円の
ときには１万円で50ドルのものしか買えないけど、１ドル＝100円になれば100
ドルのものが買える。これは円の**購買力**が上昇すると言い換えてもいい。

そうすると何が起こるかというと、たとえば**輸入**や**海外旅行**に有利となる。
だから円高になると輸入が増え、日本からの海外旅行客が増える。また、円高
は**企業の対外投資**をも促進する。現地工場の建設費用などが割安になるからね。

しかしその逆に、円高になると**輸出**には不利になる。輸出というのは日本製
品を外国に買ってもらうということだよね。ということは購買力の低下したド
ルで日本製品を買うことになるので、外国から見ると円高とは日本製品の値上
がりを意味するんだ。たとえば１ドル＝200円のときには日本で１万円の商品
を50ドルで輸出できるけど、１ドル＝100円になると100ドルで輸出することに
なる（手数料などは無視）。こうなると、もちろん日本製品の海外売上は低下
するはずだよね。だから輸出に支えられている日本経済にとって円高は不利に
働くんだ。ちなみに、トヨタ自動車などは１円円高になるだけで400億円もの
利益が吹き飛ぶそうだよ！

もちろん円安のケースはすべて逆に考えればいいよね。

ポイント ▶ **為替相場変動の影響**

- **円高 ➡** 外国への旅行客が増加、対外投資増、輸入に有利、輸出に
  不利。
- **円安 ➡** 外国からの旅行客の増加、外国からの投資増、輸出に有利、
  輸入に不利。

でも、そもそもなんで為替相場が変動するの？

　通貨価値が変動するしくみは基本的にふつうの商品と同じだ。だから円の需要が増えれば円高になるし、円の需要が減れば円安になる。

　では、どんなときに円の需要が増減するのか？　無数の要因があるんだけど、影響の大きいのは以下のものだ。

為替相場の変動要因

❶ **貿易**：輸出が増加　　➡ 円高　／　輸入が増加　　➡ 円安
❷ **金利**：国内金利の上昇 ➡ 円高　／　国内金利の下落 ➡ 円安
❸ **物価**：国内物価の下落 ➡ 円高　／　国内物価の上昇 ➡ 円安

　理屈を説明しよう。

　まず❶の**貿易**について。輸出というのは海外から日本製品を買ってもらうことだよね。そのとき、もし円で支払われるならば、ドルを円に両替する動き、つまりドルを売って円を買う動きが生じるはずだ。仮にドルで支払われたとしても、受け取った日本企業はふつうこれを円に替える（日本でドルをもっていてもあまり役に立たないからね）ので、いずれにせよ日本の輸出が増えるときには円への需要が高まるんだ。輸入増のときにはこの反対のことが起こる。

　次に❷の**金利**について。お金を借りる人にとって金利は低いほうがいいけれども、お金を預ける人や投資する人にとっては高いほうがいい。だから、もし日本の金利が外国の金利より高かったり、従来よりも金利が上昇したりすると、日本の銀行に預けたり、日本株を買う動きが出てくるはずだ。つまり、日本国内に外国から資金が流入してくるわけで、そのさいに円が買われる（つまり円の需要が増加する）。このように、日本国内の金利上昇は円高へと作用する。

　最後に❸の**物価**について。日本の物価が下落すれば日本の土地や商品がお買い得になるわけだから、外国から資金が入ってくる。あとの流れは❷と同じで、日本の物価下落は円高へと作用する。

　もっとも、以上の理屈は純粋に理論的な話であって、ほかの事情をいっさい無視した場合にしか成り立たない。現実ははるかに複雑なので、たとえば日本の金利が下がっても円高になることがある。ただ、入試ではそういう面倒なことは無視して理屈だけが問われるからね。

チェック問題 2

為替相場の変化が与える影響に関する記述として最も適当なものを、次の①〜④のうちから一つ選べ。

① 円高は、日本の輸出品の外貨建ての価格を低下させ、競争力を強くし、輸出を促進する働きをもつ。

② 円安は、輸入原料などの円建て価格を高くし、それを使う日本国内の生産者にとっては、コスト高の要因となる。

③ 円安により、外貨建てで見た日本の賃金が外国の賃金とくらべて上昇すると、外国人労働者の流入を増加させる働きをもつ。

④ 外国債券などの外貨建て資産を購入したあとに、円高が進めば、それらを売却して円建て資産にすることにより、為替差益を得ることができる。

（2008年・センター試験現社本試）

第 **3** 章

国際分野

解答・解説

②

　正しい。円安は円の購買力低下を意味するので、円安になると外国から輸入する原料などが割高になる。したがって輸入品を使う原料や部品としている業者にとっては円安はコスト高要因となる。

①：円高は外国通貨の購買力低下を意味するので、円高になると外国から見て日本製品が割高になる。したがって円高になると日本製品は売れにくくなり、輸出は減少する。

③：円安になると日本の賃金は相対的に低下する。たとえば時給1000円の仕事は、1ドル＝100円のときにはドルに換算すると時給10ドルだが、1ドル＝200円になると時給5ドルになってしまう。だから外国人労働者は減少すると考えられる。

④：外貨建て資産を購入したあとに円高が進めば、資産価値は目減りして為替差損が生じる。たとえば1ドル＝200円のときに200万円をドルに替えるならば1万ドルだが、1ドル＝100円になれば1万ドルは100万円になる。

15 戦後国際経済の諸問題

この項目のテーマ

1 戦後国際通貨制度の形成と展開
なぜ固定相場制が採用され、崩壊したのか？

2 南北問題
途上国への支援にはどんな種類がある？

3 地域的経済統合
主権国家体制のおわり⁉

1 戦後国際通貨制度の形成と展開

　本項目では国際経済の具体的な展開過程を扱う。まずは戦後の経済秩序がどのようにつくられたのか、その背景から見ていこう。

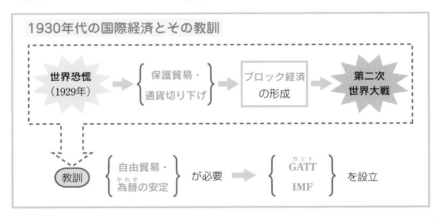

1930年代の国際経済とその教訓

世界恐慌（1929年）　→　保護貿易・通貨切り下げ　→　ブロック経済の形成　→　第二次世界大戦

教訓　自由貿易・為替の安定　が必要　→　GATT　IMF　を設立

　1929年にアメリカで株式の大暴落が起こった。アメリカで25％を超える失業率を記録したこの不況の連鎖はたちまち世界に波及し、世界経済は大混乱に陥った（**世界恐慌**）。

　でも、恐慌そのもの以上にマズかったのが各国の対応だ。まず各国は**保護貿易**に走った。「14　国際経済のしくみ」で説明したとおり、保護貿易は一見すると自国の利益を守るようだけど、長期的にはすべての関係国に損失をもたら

してしまうんだ。

　また各国はそれまでの**金本位制度** →p.109 から離脱して、自国通貨を売る通貨切り下げ策をとった。これは自国の輸出を増やし輸入を減らすことで自国産業を守ろうとしたんだけど、これも国際的な取引を収縮させるものなので、結果的には世界経済全体を悪化させてしまう。つまり恐慌で文字どおりパニックになってしまい、合理的な判断力を失ってしまったんだ。

　こうして各国は自国の権益を守ろうと、ブロック経済を形成していった。

 ブロック経済？

　ブロック経済とは本国とその植民地や同盟国などで形成される排他的な経済圏のことで、域外の国に対しては高関税をかける一方で仲間内では**特恵関税**により結合を強めるものだ。具体例としてはイギリスを盟主とするスターリング・ブロック（ポンド・ブロック）などがある。

　ブロック経済化が進むと、ブロックのなかではうまくいくにせよ、ブロックどうしでは陣地の取り合いが起こる。これが**第二次世界大戦**の一因となってしまったんだ。

　というわけで、世界恐慌とそれへの拙い対応を教訓として、自由貿易と為替の安定が重要だという国際的な合意ができあがった。この二つを実現するためにつくられたのが、それぞれ GATT と IMF というわけだ。

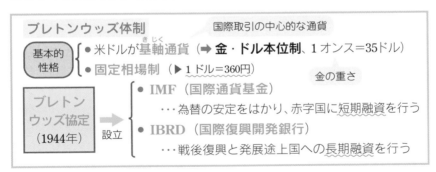

　さて、いよいよ戦後の経済体制だけど、この体制は終戦前の1944年にアメリカで開かれた**ブレトンウッズ会議**で合意されたブレトンウッズ協定にもとづくことから、ブレトンウッズ体制と言う。

　ブレトンウッズ体制の基本的な性格は、「ドルを基軸通貨とする固定相場制」と説明できる。

基軸通貨って何？

　基軸通貨とは、国際取引の決済手段として用いられる国際通貨のうち中心的な通貨のことだ。

　なぜ米ドルが基軸通貨になれたかというと、もちろん圧倒的な国力をもっていたからだ。当時のアメリカはなんと世界の金の4分の3以上を保有していた。だからアメリカはドルと金を一定比率で交換することを保証し、ドルは抜きん出た信用を獲得できたんだ。

　世界の基軸通貨が**ドル**であり、そのドルはアメリカ政府によって**金**と交換してもらえる。この体制を**金・ドル本位制**と言う。

でも、いまは**変動相場制**ですよね。

　うん、戦後採用された固定相場制は、1970年代に崩壊したんだ。

固定相場制の崩壊

ドルへの信認低下 → ドルの流出（ドル危機） → 金ドル交換停止（ニクソン・ショック） → 変動相場制への移行

　1960年代ごろから、ドルに対する国際的信認は次第に低下していった。なぜなら、世界へのドル供給が多くなりすぎたため、ドルの価値がアメリカの金保有とつり合わなくなっていったからだ。各国は信認の低下したドルをアメリカの金と交換するようになり、金の流出が一気に進んでしまった（**ドル危機**）。

　そこでアメリカのニクソン大統領は1971年に金とドルの交換停止を宣言したんだ（**ニクソン・ショック**）。しかし固定相場制はアメリカ政府の金兌換によって保証されていたわけだから、こうなると、もう維持できない。結局、1973年に固定相場制は崩壊し、それ以降は**変動相場制の時代**になるんだ。

⬆ アジア通貨危機

1997年、それまで順調に経済成長してきた**タイの通貨バーツが突如として暴落**した。これはタイ経済だけでなく、日本を含めたアジア各国に深刻な影響を与えた。莫大な投機的資金を運用する**ヘッジファンド**によるバーツ売りがきっかけだったと言われる。危機に陥った**タイ・インドネシア・韓国**は IMF に支援を要請し、過酷な構造改革と引き換えに融資を受け入れることになった。

なお、こうした投機的な資金移動による危機を抑え、貧困問題などの対策にも有効な手段として、国境を越えた金融取引に課税する**トービン税**と言うアイディアが注目を集めている。

ところで戦後国際経済体制は自由貿易の体制だということでしたが。

第二次世界大戦後、IMF とともに GATT（関税と貿易に関する一般協定）がつくられた ➡p.184 。GATT は**関税の引き下げ**や**輸入制限の撤廃**を進めることで自由貿易の実現を目指す枠組みであり、多国間で貿易に関するルールについて話し合う**多角的貿易交渉（ラウンド）**を通して、貿易の自由化を進めてきた。なかでも重要なのは1986年から1994年まで開かれた**ウルグアイ・ラウンド**だ。それまでは工業製品の貿易を対象としていたが、ここでは**サービス**貿易や**知的財産権**、そして**農産物**貿易にまで議論が広げられたんだ。加えて、常設の国際機関としての WTO（世界貿易機関）を設立することも決まった。

それまでの GATT は多国間の暫定協定にすぎなかったけれど、1995年に誕生した WTO は貿易に関する**紛争処理機能**をも備えた強力な国際機関だよ。

WTO に何か課題はないの？

WTO にはかなり大きな問題がある。それは加盟国が増えすぎて意思決定が困難になっていることだ。GATT はもともと23カ国で交渉を始めたんだけど、現在では160を超える国々が参加しており、社会主義国の**中国**や旧社会主義国の**ロシア**も加盟済みだ。したがって、貿易上のルールについて話し合っても、一向にまとまらない。

でも各国は自由貿易を進めたいので、WTO の交渉になかば見切りをつける形で、二国間や複数国間での FTA や EPA ➡p.194~196 を締結する方向にシフトしつつあるんだ。

② 南北問題

　第二次世界大戦後の世界情勢において最も重要な要素は**東西冷戦**だった。しかし1960年代に入るころには米ソ関係の「雪解け」が進み、いまや東西のイデオロギー対立よりも**南北間の経済格差**（＝**南北問題**）のほうが重要な問題ではないかという声が出てきた。

　これを「南北問題」と言うのは、**先進国**のほとんどが北半球にあるのに対して、南半球には比較的貧しい**発展途上国**（開発途上国）が多いからだよ。

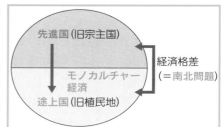

なんでそんな格差が生まれちゃったの？

　原因をたどると、数百年来の**植民地支配**にまで行き着く。ヨーロッパ列強は中南米やアジア・アフリカ地域を植民地にし、**資源の供給地**として利益を吸い上げてきた。そして、それらの地域が20世紀に独立を果たすころには、**単一の一次産品に依存する経済構造**（＝**モノカルチャー経済**）ができ上がっていたんだ（スリランカの茶など）。一次産品は利益率が低く相場も不安定だから、これらに依存する発展途上国は経済的自立が難しい。こうして工業製品をつくる先進国との格差がどんどん広がってしまったんだ。

なるほど。**格差是正の対策**はなされていないんですか？

　国際機関からの支援という意味では、1945年設立の**国際復興開発銀行**（**IBRD**）による融資のしくみ →p.185 がある。でも、これだけでは不十分だ。そこで1960年前後に第三世界の諸国が一挙に独立して大きな発言権を得たことを背景に、次のようなものがつくられていった。

> ### 開発援助委員会（DAC）<ruby>ダック</ruby> （1961年）
> 経済協力開発機構（OECD）の下部機関。途上国支援について先進国間で調整
>
> ### 国連貿易開発会議（UNCTAD）<ruby>アンクタッド</ruby> （1964年）
> 発展途上国の主導で開催（以後、常設機関に）。一次産品の価格安定、途上国への一般特恵関税の適用、対GNP比1％の経済援助などを先進国に要求（プレビッシュ報告）
>
> ### 国連開発計画（UNDP） （1966年）
> 途上国の開発支援のための技術・資金援助や、それについての調査やプロジェクトなどを実施。「**人間の安全保障**」 ➡p.163 を掲げて『**人間開発報告書**』を作成し、識字率や平均寿命などを加味した**人間開発指数**（HDI）などを発表している

　経済協力開発機構（OECD）は現在38の国が加盟している国際機関で、その下部機関である**開発援助委員会**（DAC）を通して途上国支援の促進について協議や調整を行っている。OECDは通称「先進国クラブ」だった（近年では一部の途上国も加盟している）ので、DACのポイントはあくまで先進国による支援という点にある。

　これに対して**国連貿易開発会議**（UNCTAD）は途上国主導のものであり、先進国に支援を要求するという性格をもっている。またその名に「貿易」の文字が入っているとおり、UNCTADは先進国に対して**資金援助**を要求するだけではなく、**貿易の促進**を要求している。

　▶ただし自由貿易だけでは一次産品が安く買い<ruby>叩</ruby>かれてしまうおそれがあるので、近年では適正な価格で取引を行うことで途上国の人々の自立をはかる**フェアトレード**がしだいに広がりつつある。

　とくに重要なのが**国連開発計画**（UNDP）だ。「開発」というと山を切り開いてダムをつくるといったイメージかもしれない。でも、UNDPの目指す開発（development）とは、広い意味で途上国が「発展」することを意味していて、とくに最低限の医療や教育を実現する**人間の安全保障**を実現していくことが大きな目的となっている。

　なるほど、1960年代に状況が変わったんだね。では70年代は？

1970年代には、途上国の発言力がさらに高まる。きっかけは**第一次石油危機**（1973年）だ。このとき、**石油輸出国機構（OPEC）**が原油価格を大幅に引き上げたところ、先進諸国の経済は大混乱に陥った。これによって多くの資源を抱える途上国は自信を深め、翌1974年の**国連資源特別総会**で**新国際経済秩序（NIEO）**樹立宣言を採択する。その内容は**天然資源についての恒久主権**、**多国籍企業の活動の規制**などだ。このように、自国の保有資源を武器に先進国に経済的要求を通そうという動きを**資源ナショナリズム**と言う。

途上国も強くなってきたんだね。
でも、ひとくちに途上国と言ってもいろいろあるのでは？

　まさにそのとおり。1970年代以降にはしだいに**途上国間の格差（＝南南問題）**が目立ってきたんだ。この時期には産油国などの**資源保有国**に加えて、一部の**新興国**が急速な経済成長を始めた。とくに2000年代以降は、多くの**人口**と**資源**を抱えている**BRICS**が急速に工業化を進めており、なかでも目覚

急成長する諸国
● アジア NIEs（1980年代〜） 　韓国・台湾・香港・シンガポール ● ASEAN（1990年代〜） 　タイ・マレーシア・インドネシアなど ● BRICS（2000年代〜） 　ブラジル・ロシア・インド・中国・ 　南アフリカ共和国

ましい成長を続けている中国は「世界の工場」であると同時に「世界の市場」となり、世界経済の中心と言える地位を確立しつつある（2010年に GDP で日本を抜いて世界第2位となった）。

　　▶ただし中国の人口一人あたり GDP は小さいので、まだ発展途上国として位置づけられている。

　こうした新興諸国が台頭する一方で、サハラ以南のアフリカ諸国やカンボジア、アフガニスタンなどのように経済発展から取り残された**後発発展途上国**（**LDC**、**LLDC**）では生きるうえで最低限必要な生活基盤（ベーシック・ヒューマン・ニーズ、**BHN**）さえも欠如している**絶対的貧困層**に苦しむ人々が多く残されており、貧困対策はまったなしだ。

⬆⬆ 累積債務問題

　債務が返済不能な状態に陥ってしまうこと。工業化のために先進国から資金を借り入れた**中南米**などの途上国で、1980年代以降に表面化した。債務国が債務不履行（**デフォルト**）を宣言すると、債務国のみならず債権国（＝先進国）も大きな打撃を受けるので、こうしたときには返済猶予（**モラトリアム**）や債務繰延べ（**リスケジューリング**）、場合によっては債権放棄などの策がとられる。

⬆⬆ 持続可能な開発目標（SDGs）

　貧困対策をはじめ、全人類が取り組むべき課題として、2015年に国連で採択されたもの。「貧困をなくそう」「飢餓をゼロに」など、2030年までに達成すべき目標が17にまとめられている。2000年に採択された**ミレニアム開発目標（MDGs）**を継承するが、途上国への支援という性格の強かった MDGs に対し、SDGs では、経済・社会・環境の広い分野で、先進国にも共通する課題として取り組みが求められている。

政府開発援助（ODA）

定義：政府による経済支援のうち、**贈与もしくは条件のゆるやかな貸し付け**

- 二国間援助
  - 贈与‥‥‥‥**無償資金協力**、技術協力
  - 有償資金協力（**円借款**）
- 多国間援助‥‥国際機関への出資・拠出

　発展途上国を支援するための手段にはさまざまなものがあるが、このうち民間企業による投資などではなく、政府によって行われ、一定の条件を満たすものを政府開発援助（ODA）と言う。

　日本の ODA にはどんな特徴があるの？

　日本は**国際協力機構（JICA）**を通して**青年海外協力隊**やシニア海外ボランティアを派遣するなどの途上国支援事業を行ってきたが、日本の ODA はしばしば批判も受けてきた。

日本の ODA

- **総額**では最高水準
  - ▶近年は減少傾向　（1990年代は 1 位 ➡ 2007年以降は 4 位or 5 位）
- **対 GNI 比**では DAC（ダック） 加盟国中最低水準
  （DAC 目標0.7％に対し日本は約0.2～0.3％）
- **内容**に問題　例　贈与比率が低い／インフラ整備が中心

　日本の ODA は、**総額**ではまだ最高水準を維持している。しかし、これは日本の経済的地位からすればある意味で当然だ。むしろ、その総額すら減少傾向にあるという点が大事で、1991年から2000年まで世界第 1 位だったのが近年では 4 位か 5 位にまで落ちてきている。

　しかも**国民総所得（GNI）に対する比率**は、DAC 目標に遠くおよばない。多くの国が DAC 目標を達成していないとはいえ、日本はアメリカと並んでDAC 加盟国で最低水準だ。

　さらに、そのささやかな金額すら**内容に問題**があるという批判をしばしば受けている。具体的には、日本の ODA は贈与比率が低い。要するに、利子をつけて返せと言っているわけだ。そのほか日本の ODA は、道路や港湾などのインフラ整備に偏重（へんちょう）しているとか、貧困の深刻なアフリカ向けよりもアジア向けが圧倒的に多いといった批判も受けてきた（近年の ODA ではアフリカ向けも急増している）。

⬆️⬆️ ODA 大綱（たいこう）と開発協力大綱

　ODA についての基本理念は、1992年に閣議決定された政府開発援助大綱（ODA 大綱）で定められ、以下の四原則が打ち出された。
　❶環境と開発の両立、❷軍事的用途や紛争助長への使用を回避、❸軍事支出や武器開発への注意、❹民主化や市場経済化の促進
　しかし2015年には、国際環境の変化などを理由に、ODA 大綱に代わる**開発協力大綱**が閣議決定された。そこでは新たに開発援助における「**国益の重視**」がうたわれ、また非軍事分野について**他国軍への支援**も解禁することが明記されている。

財政が苦しいので、ない袖は
振れないけど、日本の ODA
の現状は、少し寂しい気もす
るね……。

チェック問題 1

国際機関からの途上国への支援に関する記述として最も適当なものを、次の①〜④のうちから一つ選べ。

① UNDP（国連開発計画）は、開発援助の新たな指標として、出生時平均余命や識字率などを加味して算出された HDI（人間開発指数）を導入した。

② UNCTAD（国連貿易開発会議）は、先進国間に存在する経済格差を、貿易を通じて解消することを目的として設立された。

③ IBRD（国際復興開発銀行）は、第二次世界大戦後、加盟国の復興・開発支援を行ったが、日本は加盟後もその支援を受けずに経済発展を遂げた。

④ IMF は、米国がドルと金との交換を停止したニクソン・ショックを契機として、国際収支の赤字国に融資を行うために設立された。

(2010年・センター試験現社本試)

解答・解説

①

正しい →p.189 。

②：「先進国間に存在する経済格差」を「南北問題」にすれば正しくなる。

③：日本の経済復興には IBRD →p.185 からの支援があった。

④：IMF はブレトンウッズ協定 →p.185 をもとに1946年に設立された。ニクソン・ショックは1971年 →p.186 。

次からは、超頻出の「地域的経済統合」のテーマを見ていくよ！

3 地域的経済統合

　今日では急速に各国の**相互依存**が高まり、国家間の垣根（かきね）が低くなっている（**ボーダレス化**の進行）。つまり、世界経済は間違いなくグローバル化に向かっている。ただし地球規模での完全な経済統合にはまだ時間がかかるだろう。今日の世界経済で目立つのは、地域的経済統合の動きだ。ただ、地域的経済統合と言っても段階がある。まずはそれを見てみよう。

地域的経済統合の段階
❶ 自由貿易協定（**FTA**）：モノの移動が自由（関税・貿易制限の撤廃　or軽減）
❷ 関税同盟：域内関税の撤廃と域外共通関税の設定
❸ 市場統合：モノ・カネ・人の移動が自由（労働移動・資本移動も自由）
❹ 通貨統合（**経済通貨同盟**）：**共通通貨**が導入されている単一市場（しじょう）

　自由貿易協定（**FTA**）は簡単に言ってモノの移動を自由化することだ。たとえば愛知県でつくった自動車を東京都で売るときに、東京都が関税をかけるなんてことはないよね。同じようなことを国家間でやろうというわけだ。

 関税同盟ってのがよくわかりません。

　関税同盟とは域内関税を撤廃し、域外関税を共通化するものだ。右の図のようにA国とB国が関税同盟となるならば、一方で両国間の関税が撤廃され、他方でC国などの第三国に対する関税は共通化される。だからAB両国は関税同盟となることで、経済的な関係が深まるんだ。かつての欧州共同体（**EC**）などが関税同盟の代表例だよ。

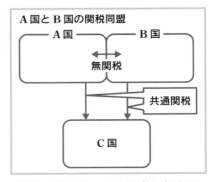

A国とB国の関税同盟
A国　B国
無関税
共通関税
C国

　市場統合（**共同市場**）になると、FTAの段階におけるモノの移動に加えて、カネの移動や人の移動も自由になる。つまり企業の移動（資本移動）や労働力の移動も容易になるんだ。欧州連合（**EU**）はこの段階からスタートしたよ。次の通貨統合は、**共通通貨**が導入され金融政策が一元化された段階のことだ。知っていると思うけど、EUがこの段階まできているよね。

なるほど、EU は地域経済統合のトップランナーなのですね。

　そのとおり。**マーストリヒト条約**によって1993年に発足した EU は、世界最大規模の共同市場として出発し、1999年には**共通通貨ユーロ**を導入し、経済通貨同盟となった。全加盟国がユーロを導入しているわけではないけどね。EU は加盟国を着実に増やしていき、現在では 4 億5000万人もの人口（アメリカの約 1.4 倍）を抱える巨大な経済圏となっている。加盟国は27カ国だ。

たしか**イギリスが離脱**したんですよね。

　そう。EU に加盟すれば、多くの国と経済的な取引ができるようになるから、そのメリットは大きい。でも EU 共通政策に縛られ、自国の主権が制約される面もある。また移民や難民が押し寄せてきて、雇用面や治安面などで不満を覚える人もいる。だから近年では移民排斥などを訴える勢力が各国で伸長しているんだ。そんな背景のもと、**イギリス**は国民投票にもとづいて2020年に EU から離脱した。

　なお移民排斥などの大衆迎合的な政治的主張を行う傾向を**ポピュリズム**と言って、近年ではアメリカ、ヨーロッパ、中南米など世界各国でこれが強まっている。

その他の地域的経済統合（2022 年現在）

❶ ASEAN 自由貿易地域（AFTA）

1993年発足。ASEAN（東南アジア諸国連合）諸国で関税撤廃を目指す。

2015年には **ASEAN 経済共同体（AEC）** に発展。

❷ 北米自由貿易協定（NAFTA）

1994年発効。**アメリカ**、**カナダ**、**メキシコ**の三国間で関税を撤廃（労働移動には制約あり）。2020年に失効し、**アメリカ・メキシコ・カナダ協定（USMCA）** へ ➡ 障壁強化

❸ 南米南部共同市場（MERCOSUR）

1995年発足。南米 5 カ国で構成される関税同盟。

❹ アジア太平洋経済協力会議（APEC）

1989年発足。自由貿易の促進を目指すゆるやかな枠組み。日、米、中、露、ASEAN 諸国など21カ国が参加。

その他の地域で進んでいる経済統合の動きは前ページのような具合だ。それぞれについておさえておきたいのは、**統合の度合い**だ。APEC はアメリカ、中国、ロシアのような大国を含めて参加国が多いが、「自由貿易を促進しましょう」という程度のゆるやかなフォーラムにすぎない。これに対して AFTA と NAFTA はいずれも地域の**自由貿易協定**で、域内での関税が撤廃されている。MERCOSUR は域内関税の撤廃に加えて域外への共通関税をとっている**関税同盟**で、さらに統合の度合いは高い。

　ただし、EU の求心力が低下したのと同じように、他の地域でも協調よりも自国経済を優先する保護主義の動きが起こっている。とくに2017年にアメリカでポピュリズム的傾向の強い**トランプ政権**が誕生すると、NAFTA がアメリカの貿易赤字を拡大していると批判し、自由な貿易を弱めるよう協定を改めさせた（新 NAFTA、USMCA）。トランプ政権は2021年に終わったけど、その後も世界では自由貿易への逆流が強まっているんだ。

 日本は地域的経済統合と無関係なのですか？

　そんなことないよ。ただ、当初は地域的経済統合に積極的でなかった。なぜだかわかるかな？　地域的経済統合には二つの側面があって、一方では経済のグローバル化に向かう動きだと言える。でも他方では、地域がまとまることで、**他の地域に対する排他的な経済圏**になってしまうという面もある。つまり、**ブロック経済 ➡p.185** になってしまう危険もあるんだ。GATT と WTO が「みんなで交渉しましょう」という多角主義の原則をとっていたのも、ブロック経済を防ぐためだ。

 でも、地域的経済統合の動きは加速しているんですよね。

　そうだね。前に見たように WTO はなかば機能不全に陥ってしまっている **➡p.187** ため、各国は FTA などを結ぶ動きを強めてきた。日本は WTO の原則を重んじる立場をとって FTA に慎重だったのだけど、日本だけ取り残されるわけにもいかないと言う。そこで2000年代になると、日本は FTA または EPA（経済連携協定）に積極的な姿勢へと転換した。EPA というのは貿易の自由化に加えて資本移動や労働移動の自由化なども目指すものだよ。

↑↑ TPP （環太平洋パートナーシップ協定）

　シンガポール、ニュージーランド、チリ、ブルネイの４カ国は、FTA の一種として TPP（環太平洋パートナーシップ協定、環太平洋経済連携協定）を結んでいた（2006年発効）。当初はそれほど大きな注目を集めてはいなかったが、原則としてすべての商品の関税がゼロであるうえに、2010年からの拡大交渉では**アメリカ**や**日本**も交渉参加国となったことから、環太平洋諸国における本格的な自由貿易圏として、注目を集めるようになった。

　交渉は2015年に合意に至り、2016年には12カ国で調印された。しかし2017年にアメリカでトランプ政権が誕生すると、アメリカが離脱を表明し、2018年にアメリカを除く11カ国で**TPP11**が発足した。

↑↑ RCEP （地域的な包括的経済連携）

　ASEAN10カ国に加えて日本、中国、韓国、それにオーストラリアとニュージーランドを加えた巨大な EPA。2020年に署名され、2022年に発効した。当初参加を検討していたインドは参加を見送った。多国間協定だが、日本が**中国**とはじめて結んだ EPA となる。

EPA（経済連携協定）やFTA（自由貿易協定）に関する記述として最も適当なものを、次の①～④のうちから一つ選べ。

① NAFTA（北米自由貿易協定）を形成するアメリカ・カナダ・メキシコの3カ国は、共通の通貨を採用している。

② WTO（世界貿易機関）の無差別の原則に反することから、WTOは加盟国がFTAを締結することを認めていない。

③ 日本の推進しているEPAは、投資ルールや知的財産制度の整備が含まれないなど、FTAよりも対象分野が限定されている。

④ アメリカと中国は日本の貿易相手国上位2カ国であるが、日本はいずれの国ともEPA・FTAを結んでいない。

（2010年・センター試験現社本試）

解答・解説

④

　正しい。これまでのところ、日米・日中の二国間FTA・EPAは結ばれていない。

①：**NAFTA**は**自由貿易協定**であって、**通貨統合**は行われていない。

②：たしかに**WTO**では多角交渉が原則とされるが、加盟国がFTAを締結することは例外として認められているし、現に多くのFTAが結ばれている。

③：日本が進めている**EPA**は、FTAに含まれない投資ルールや知的財産制度の整備などを含む、より包括的な協定である。

スキルアップ5　世界金融危機（2008年）

　アメリカの2007年のサブプライム・ローン問題に端を発し、2008年9月に大手証券会社**リーマン・ブラザーズ**の**破綻**をきっかけにして、全世界に波及した金融危機のこと。

　アメリカでは信用力の低い人向けにサブプライム・ローンと言われる住宅ローンが広く販売されていた。これは、融資当初は低金利だが数年後に高金利に跳ね上がるというしくみの金融商品だった。

　もちろん通常であれば、低所得者がこのようなローンを借りれば、金利が上昇するときに返済不能に陥り、ローン会社も貸し倒れになってしまう。ところが2000年代前半のアメリカは不動

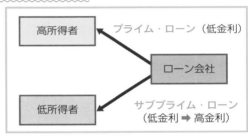

産バブルにわいており、住宅価格が右肩上がりで上昇を続けていた。だから低所得者でもサブプライム・ローンの融資を受けて住宅を購入し、高金利になる前にそれを転売することで大きな利益を上げることができたのだった。

　しかし2007年夏ごろからは住宅価格が下落に転じ、ローン会社とその背後にいる巨大金融機関が連鎖的に危機に陥った（**サブプライム・ローン問題**）。そしてこの結果、2008年9月に大手証券会社リーマン・ブラザーズがついに経営破綻する（リーマン・ショック）。この影響が各国に広がったものが世界金融危機と言われるもので、この「100年に1度」と言われる危機に対応するため、先進国とBRICsなど新興国は、G20金融サミットを開催することになった。

課題追究学習

この項目のテーマ

1 情報収集と調査の方法
　ブレインストーミング、KJ法、標本調査……知っているかな？
2 発表の方法
　どうしてグラフにはいろいろな種類があるのか？

1 情報収集と調査の方法

　この補講では、「課題追究学習」と呼ばれるテーマについて補足しよう。
　課題追究学習とは、生徒が自主的に課題を設定して調査・発表するというもので、「公共」の前身にあたる「現社」では、これにかかわる用語がほぼ毎年必ず1題出題されていた。言葉の意味を知っていれば簡単だけど、意外と失点してしまう人がいるから要チェックだよ。

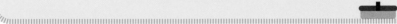

研究テーマの設定

ブレインストーミング：グループで自由にアイディアを出し合うこと

　原則

❶　思いついた意見を自由に出し合う（突飛なアイディアも歓迎）
❷　他人の意見を批判しない（善し悪しの結論は下さない）
❸　質より量（とにかく多くの意見を出し合う）
❹　結合（他人のアイディアに便乗して新たなアイディアを出す）

KJ法：一枚に一つの情報を書いたカードをグループ化することで、
　　　情報の整理や統合を行うこと

ブレインストーミングとKJ法ですか。
両方とも聞いたことないなー。

　両方とも大事な発想法だよ。

<u>ブレインストーミング</u>とはグループで自由にアイディアを出し合うことだ。ふつうの会議では、あらかじめ議題が決まっていて、報告と質疑などが行われる。でもブレインストーミングは、新しい企画などを生み出そうというときに行うものだ。筋書きは決まっていないし、正解もない。

　だから、ブレインストーミングのさいにはとにかくみんなで多くの意見を出し合うことが大事だ。一人で考えてもアイディアには限りがあるけど、ほかの人の思わぬ意見を聞いて、新たなアイディアが生まれることもあるからね。まとまりのない突飛なアイディアでもいい。それから意見への批判は厳禁だ。批判があると萎縮して多様な意見が生まれなくなっちゃうからね。

　ブレインストーミングは会社の会議などで実際によく使われているよ（「ブレスト」などと言う）。

　KJ法の"KJ"って何の略ですか？

　これは文化人類学者の川喜田二郎氏が提唱したことから、その頭文字をとっている。ブレインストーミングなどで多くの断片的なアイディアが生まれたとすると、次にそれを整理する必要がある。**KJ法**とは多様な情報の整理や統合をするための方法で、一枚に一つの情報を書いたカードをグループ化していくというものだ。こうすると断片的な情報が思わぬ形で体系化されたりする。

　テーマが決まったあと、情報はどうやって集めたらいいの？

　下のようなやり方がある。インタビューとアンケートの性格のちがいが繰り返し出題されているよ。

情報収集の方法

インタビュー：ものごとを詳しく知るため、個人やグループから詳しい説明をじかに聴き取る。

アンケート：全体の状況を統計的に知るため、不特定多数の人々に簡潔な質問をする。

全数調査：集団の傾向を知るため、対象となる母集団すべてについて調査すること。　例　国勢調査

標本調査：集団の傾向を知るため、母集団の一部を標本として抜き出して調査し、それをもとに全体の傾向を推測すること。　例　世論調査

---

2 発表の方法

　さて、情報を集めて調査を済ませたら、それを発表する番だ。発表のやり方には次のようなものがある。

発表の方法

レポート：調査の結果わかった事実を文書で報告すること。調査結果についての論理的考察があってもよいが、**事実**と**意見**は厳密に分けること。また文献を引用する場合には**出典**を必ず明記する。

プレゼンテーション：調査結果を口頭（こうとう）で報告すること。報告内容の要点を示した**レジュメ**や関連資料を用意し、時間配分や質疑（しつぎ）まで想定してリハーサルをするとよい。

ディベート：あるテーマについて個人またはグループが異なる立場から討論し、説得力を競うこと。あるテーマについての結論を求めるものではなく、見解を深めることが目的。討論時の立場と個人的な意見は異なっていてもよい。

　レポートのさいに**出典**を明記するというのは基本中の基本だけど、さも自分で考えたことであるかのようにしてインターネット上の文章を引用する大学生などはとても多い。これは「盗作」であって、学問研究の世界では絶対にやってはいけないことだ。インターネット上の無名の人が書いた文章であっても**著作権**はあるからね。

　ディベートについては、ただの討論とはちがうというのが大事だ。ふつうの討論では自説と自説がぶつかり合うけど、ディベートでは自説と異なる立場から討論してもよい。問題についての理解を深めることができるし、何かしらの主張を説得的に論じることの重要性を学ぶことができるんだ。

　なるほど。ところで発表のさいに資料を使いたいのですが、グラフを作成する注意点などはありますか？

　グラフは目的に応じてさまざまな種類があるので、それをうまく使い分けるのが大事だ。グラフの種類についての問題も頻出だね。だいたい次ページのようなものがあることを知っておこう。

グラフの種類

■折れ線グラフ

時間の推移のなかで集計値の変化を示す。

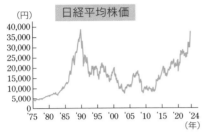

日経平均株価

■棒グラフ

集計値の大小を比較する。

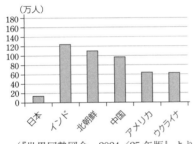

各国の陸上兵力 (2022年)

(『世界国勢図会 2024／25年版』より)

■帯グラフ

集計値の構成比を比較する。
「100％積み上げ棒グラフ」とも言う。

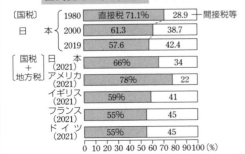

直間比率の国際比較 (会計年度)

(『日本国勢図会 2020／21年版』、財務省HPより)

■円グラフ

一つの項目について、全体のなかの構成比を示す。

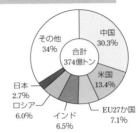

二酸化炭素の排出割合 (2021年)

(『日本国勢図会 2024／25年版』より)

■レーダーチャート

一つの事柄について、全体のなかの構成比を示す。「クモの巣グラフ」とも。

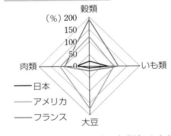

各国の農産物自給率 (2020年)

(『世界国勢図会 2024／25年版』より)

倫理 編

「公共、倫理」の受験生にとっては、ここから始まる「倫理編」が主戦場になるよ。表面的な知識ではなく、深く掘り下げた理解が大事！　確実な理解ができるまで何度もよく読んでみよう！

第1章　青年期の課題

人間性の特質と人間の心理

この項目のテーマ

1 人間性の特質
　人間性をめぐるさまざまな議論を整理しよう
2 人間の心理
　マズローの欲求理論、フロイトの無意識論、さまざまな防衛機制

1 人間性の特質

　さあ、これから一緒に倫理分野に入っていくよ。

　そもそも倫理という科目で何を学ぶのかということなんだけど、これをひと言で言えば、**人間とは何か**というテーマをさまざまな角度から探求するものだ。

　まずは古今東西の思想家たちが人間をどのようにとらえたのか見てみよう。

ポリス的動物	アリストテレス（前4世紀）による定義。**社会的存在**として同胞たちと共同体に生きる点に人間の本質を見いだしている
ホモ・サピエンス（英知人）	植物学者リンネ（1707〜78）による定義。「知恵をもつ人」の意味で、人間の本質を**知性**のうちに見いだしている
ホモ・ファーベル（工作人）	ベルクソン（1859〜1941）による定義。**道具**を作って自然を改変するという能動的性格に人間の本質を見いだしている
ホモ・ルーデンス（遊戯人）	オランダの歴史学者ホイジンガ（1872〜1945）による定義。**遊び**が学問・芸術などの文化を生み出したとする考え方
シンボルを操る動物	ドイツの哲学者カッシーラー（1874〜1945）による定義。**言語**などの象徴（シンボル）を介して世界を抽象的に理解する存在であるとの考え方

　時代とともに見方が変わってきたことがわかるよね。

　まず、古代ギリシアの哲学者アリストテレス →p.238 は、人間を「**ポリス的動物**」と呼んだ。これは人間が単なる個人ではなく**社会的存在**だという意味だよ。「ポリス」とは古代ギリシアの都市国家のことで、アリストテレスは、人間が共同社会のなかで同胞とともに生きる存在だということを言いたかったんだ。個人主義を基調とする西洋近代の人間観 →p.306 とは明らかに異なる点に

注目してほしい。

　次のホモ・サピエンスというのは、人間の生物学的な定義だね。ところで、ヨーロッパで18世紀は「**理性の世紀**」とも言われる ➡p.338 。つまり、人間を**理性的存在**として把握する時代背景の下（もと）に、この言葉がつくられたと言える。

　これに対してホモ・ファーベルは、人間が**道具を用いる存在**であるという点に着目しており、これは観想的（かんそう）➡p.241 な性格よりも能動的な性格に着目しているという点が新しい。

　ホモ・ルーデンスは、「**遊び**」こそが人間の本質とする考え方だ。遊びというのは本質的に利害や打算などとは無縁の、それ自体で楽しい営みだよね。こうした営みこそが創造性を刺激し、文化を構築する。遊びによってヒトは人間になったのだというわけ。

> いろんな見方があるんですね。
> でも、ひと言で人間と言ってもいろいろな人がいますよね。

　もちろん。人間は個性をもった存在だ。言い換えると、**人格（パーソナリティ）**は一人ひとり異なる。

　日常語の「人格」は、「立派な人」、つまり「人格者」という意味で使われることが多い。でも、心理学でいう人格とは「ある人の本質」くら

人格（パーソナリティ）
● 能力…**知能＋**技能
● 気質…**感情**的特性
● 性格…**意志**的特性

いの意味で、**アイデンティティ** ➡p.217 とも近い概念（がいねん）だ。この人格は能力・気質・性格という三つの要素から成り立っている。性格は能力や気質を牽引（けんいん）するものでもあることから、人格のなかでも最も核心（かくしん）的なものであり、人格そのものと同一視されることもあるよ。

⬆↑ 成熟した人格

　アメリカの心理学者オルポート（1897〜1967）は、**成熟した人格**の特性として❶ 自我の拡張、❷ 他人に対する温かい関係、❸ 情緒の安定、❹ 現実認知と技能、❺ 自己客観化、❻ 人生観の確立を挙げている。

> ところで、性格ってどうやってできるの？

性格は**遺伝的要素**と**環境的な要素**の二つがからみ合うことで形成される、というのが現在の定説だ。

　たとえば、音楽的才能などは明らかに遺伝的な要素が大きいし、人間の性格形成には、かつて考えられていたよりもはるかに遺伝的要素が大きいということがわかりつつある。

　もっとも、環境が人間形成に影響するというのも明らかだ。たとえば、音楽家の家系では音楽教育が重視されるだろうから、じつはここにも環境的要素が作用している可能性がある。

 なるほど。ちなみに僕はB型だからズボラなのも仕方ないね。

　血液型と性格とのあいだに関連があるというのは何ら科学的根拠のない話だぞ。とはいえ、たしかに性格にはいくつかの類型を挙げることができる。でも、人間を「○○型」という枠に無理に押し込めてとらえようとするのは**ステレオタイプ** ➡p.508 の危険があるから、話のネタ程度にとどめておいたほうがいい。もっとかけがえのない自分らしさというものを大事にしたいよね。

⬆⬆ 性格の類型

　ドイツの精神医学者**クレッチマー**（1888〜1964）は、古今東西の天才たちの性格を分析するなかで、**体型**と性格とのあいだに関連があると論じた（細身型は分裂気質、肥満型は躁鬱気質、闘士型はてんかん気質）。

　ドイツの哲学者・教育学者**シュプランガー**（1882〜1963）は、人々が**追求する価値**に応じて性格類型を六つに分類できると考えた（理論型、経済型、審美型、宗教型、権力型、社会型）。

 さっそくいろいろな人物が登場したけど、頑張って覚えていこう！

2 人間の心理

　人間はさまざまな欲求（よっきゅう）をもっている（「ご飯を食べたい」「キレイになりたい」「世界を平和にしたい」など）。でも、すべての欲求を実現できるわけではない。そうした欲求と現実との不調和（不適応（ふてきおう））に直面することで、人間は問題を解決するために奮起し、あるいは挫折する。こうした経験を重ねることによって、人格は形成されていくんだ。

　以上の点を順に見ていこう。まずは欲求の分類から。アメリカの心理学者マズロー（1908〜70）は、人間の欲求が下のように**階層構造**をもつと主張した。つまり、欲求は低次のものから順に満たされていき、最後に自己実現の欲求へと向かい、人格が完成されるという。

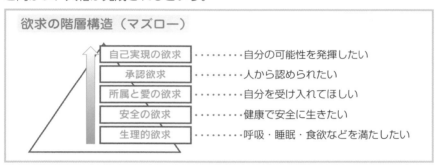

欲求の階層構造（マズロー）

- 自己実現の欲求 ‥‥‥‥自分の可能性を発揮したい
- 承認欲求 ‥‥‥‥人から認められたい
- 所属と愛の欲求 ‥‥‥‥自分を受け入れてほしい
- 安全の欲求 ‥‥‥‥健康で安全に生きたい
- 生理的欲求 ‥‥‥‥呼吸・睡眠・食欲などを満たしたい

　でも、現実には欲求が実現されないことも多いですよね。

　そうだね。そして複数の欲求が衝突してしまうことを葛藤（かっとう）と言う。葛藤は欲求の種類に応じて次の三つに分類されるので、それぞれ具体例と結びつけられるようにしておこう。

葛藤の分類
- 接近－接近型：「A をしたい」、でも「B もしたい」
  - 例　この洋服が買いたい、でもあの服もステキ
- 接近－回避型：「A をしたい」、でも「B はしたくない」
  - 例　遊びに行きたい、でも成績が下がるのはイヤだ
- 回避－回避型：「A をしたくない」、でも「B もしたくない」
  - 例　太りたくない、でもダイエットはゴメンだ

さて、こうした葛藤によって**欲求不満**に陥るとどうなるか。大きく三つの
パターンが考えられる。

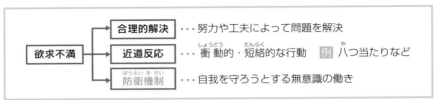

このうち最も重要な防衛機制は、フロイト（1856〜1939）によって理論化さ
れたもので、自我を守るために無意識のうちに現実に適応しようとする心のメ
カニズムを指す。

たとえば、仕事のために連絡をとらなきゃいけない人がいるのに、どうして
もその名前が思い出せない。じつは、この人はかつて自分の恋人を奪った恋
敵であって、失恋の事実を思い出したくないために、**無意識のうちに記憶の
奥底に封じ込めていた**、といった具合だ。

西洋近代哲学では、理性を備えた**自我**（＝「わたし」）があらゆる議論の出
発点になると考えられていた ➡p.323 。ところがフロイトは、人間の心のうち
意識的な領域というのは氷山の一角にすぎず、人間は広大な**無意識の領域**によ
って突き動かされていると考えたんだ。

これは西洋哲学の前提を揺るがす主張であり、大変な反響を呼ぶことになる。
フロイトは精神科医として神経症の患者を診察するうちに、人間が無意識に
よって動かされていると確信するようになり、**精神分析学の祖**となったんだ。

フロイトによると、人間の心は三つの部分に分かれる。まず、心の奥底には
エス（ドイツ語で「それ」を意味する）という謎めいた領域がある。ここには
人間を突き動かす**リビドー**（衝動）が渦巻いており、これが**快楽原則**に従うよ
う自我に働きかける（「掃除なんてサボってしまえ！」など）。

でも、これでは人間はどんどん転落してしまう。そこで、教育やしつけを通
して獲得される「良心」にあたる**超自我**（**スーパーエゴ**）が作動する（「ズ
ルをするのはやめておこう」など）。そして**自我**（**エゴ**）は、こうしたエスや
超自我の働き、それに外界からの刺激などを調整する働きを担っている。

フロイトは、このうち人間を動かすリビドーが性的なものである（つまり、
性的欲望）と主張し、キリスト教道徳の支配的な社会で物議をかもした。

 防衛機制って、超自我の働きなんだね。

そうだね。性欲などの快楽原則を野放しにしては社会生活を営むことができないので、超自我がこれを<u>抑圧</u>しようとするんだ。だから、この働きは欠かすことのできないものなんだけど、抑圧しすぎてもまずい。リビドーが<ruby>突発<rt>とっぱつ</rt></ruby>的に暴発したり、心身のバランスを崩してしまうこともある。フロイトは、ヒステリー患者などはまさにこうした症状に陥っていると判断したんだ。

防衛機制は抑圧以外にもさまざまな種類のものがある。それぞれを具体例と結びつけさせる問題が繰り返し出題されているよ。

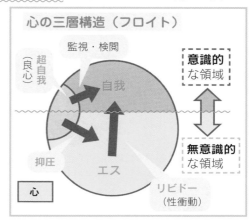

心の三層構造（フロイト）

監視・検閲

超自我（良心）

自我

抑圧

エス

意識的な領域

無意識的な領域

心

リビドー（性衝動）

防衛機制	内　容
抑　　圧	不快な記憶や欲求を意識から排除すること 例　ピアニストの夢を断念して、無意識に音楽から遠ざかる
合理化	欲求の実現に失敗したことを、もっともらしく正当化すること 例　「あんなオトコ、こっちから願い下げだわ」（失恋時に）
反動形成	実際の欲求と反対の行動をとって精神のバランスを保つこと 例　好きな女の子にいやがらせをする
<ruby>投射<rt>とうしゃ</rt></ruby>（<ruby>投影<rt>とうえい</rt></ruby>）	自分の欲求や意識を相手のなかに読み取ること 例　「彼女、オレに気があるにちがいないぞ」
<ruby>退<rt>たい</rt></ruby>　<ruby>行<rt>こう</rt></ruby>	欲求が実現できないときに、前の発達段階に戻ること 例　妹が産まれて母親の愛情を独占できなくなった幼児のワガママ
<ruby>昇<rt>しょう</rt></ruby>　<ruby>華<rt>か</rt></ruby>	社会的に価値の低い欲求から高い欲求へと置き換えること 例　ケンカに明け暮れていた少年がボクシングに目覚める

これらの防衛機制は頻出だよ。具体例とともにおさえよう！

⬆ユング

　フロイトの弟子であった**ユング**（1875~1961）は、当初フロイトと親密な関係であったが、二つの点でフロイトと対立し、離れていった。

　第一に、フロイトは人間を突き動かすリビドーをもっぱら性的なものと考えたが、ユングはもっと多種多様なリビドーを想定した。

　第二に、フロイトは人間の無意識を基本的に個人的経験などに由来するものと考えていたが、ユングは個人的無意識の背後に個人を超えた**集合的無意識**があると考えた。ユングによると、すべての人は集合的無意識のなかに**元型**というものをもち、これが民族を超えて類似する神話などを生み出したという（**太母**〈グレート・マザー〉など）。

チェック問題　　標準 2分

　フロイトが考えた無意識が現れる例として適当でないものを、次の①~④のうちから一つ選べ。

① 複雑な感情を抱いている相手の名前を、言い間違えてしまう。
② もう一度行きたいと思っている場所に、忘れ物をしてしまう。
③ 朝日が昇るのを見ると、だれもが荘厳な感じを抱いてしまう。
④ 気がかりなことがあると、何かに追いかけられる夢を見てしまう。

（2007年・センター試験倫理本試）

解答・解説

③

　フロイトが想定した無意識は**個人的な体験**に由来するものである。この点で「だれもが……」という表現が入っている③は不適当である。**集合的無意識**の存在を説いたユングであれば、こうしたことを言ってもおかしくない。
①・②・④：**個人的無意識**が個人の行動や振る舞いに影響する例であり、フロイトの無意識論に対応した記述となっている。

スキルアップ1 エディプス・コンプレックスと『オイディプス王』

フロイトは、人間がもつリビドーと、それに対する抑圧の働きの典型例として、**エディプス・コンプレックス**という概念を提唱した。

これは、**ソフォクレス**の悲劇『**オイディプス王**』→p.223 で知られるギリシア神話に由来する議論（「エディプス」とは、「オイディプス」のドイツ語読み）で、**父親への殺意に近い憎悪と母親への近親相姦的な独占欲という男児の心理**を意味している。しかし、父親を殺すことも母親と近親相姦することも、もちろん社会的にはけっして許されない。そこで、こうした心理はしだいに無意識のうちに抑圧されることになっていったと言う。

なお、オイディプス王のあらすじは以下のとおり。

◆　　　　◆　　　　◆

テーバイの王ライオスは妻イオカステと暮らしていたが、彼はあるとき次のような不吉な神託を受ける。もし息子をつくるならば、王は息子によって殺され、息子に自分の妻をめとられることになるだろう、と。

しかし、ライオスは結果としてイオカステとのあいだに息子をつくってしまう。これがオイディプスである。王は予言の成就をおそれたが、わが子を殺すにしのびなく、従者に命じて遠方の地に捨てさせた。オイディプスは羊飼いに拾われ、息子をもたないコリントス王に引き渡されることになる。

コリントスの王子として成長したオイディプスは、あるとき驚くべき神託を受ける。——お前は父を殺し、母を妻としてめとるであろう——。自分がコリントス王の実の息子でないことを知らなかったオイディプスは、予言の成就をおそれてコリントスを捨て、放浪の旅に出る。その旅路の途中、オイディプスは一人の男とトラブルを起こし、殺してしまった。この男こそが、ほかならぬ実父ライオスであったのだが、そのとき、オイディプスは真相を知るよしもなかった。

このあとオイディプスは、国王を失い、スフィンクスという怪物に悩まされていたテーバイに入り怪物を退治したため、新王として迎えられる。先王の未亡人を妻として。ここに予言は成就した。

その後、オイディプスは先王殺害の犯人探しを始め、真相を知ってしまう。オイディプスは絶望のあまり目をえぐり、国を去っていった。

2 青年期の特質と課題

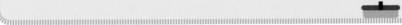

この項目のテーマ

1 青年期の特徴
　青年期を特徴づけるさまざまな用語とその提唱者をおさえよう

2 青年期の課題
　エリクソンのアイデンティティ論をていねいに学ぶこと

3 現代日本の青年
　青年期が近代の産物であることに注意！

1 青年期の特徴

　青年期とは子どもから大人への過渡期のことだ。**身体**レベルではもうほぼ大人だが、**精神**的成熟や**経済**的自立という点では子どもの側面を引きずっている。

このように、もはや純然たる子どもではないが大人にもなりきっていない、という宙ぶらりんな存在であるという点を言いあてたのがドイツ出身の心理学者レヴィン（1890〜1947）で、彼は青年期のことを**マージナル・マン**（**境界人、周辺人**）と呼んだ。

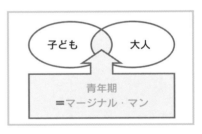

子ども　　大人

青年期
＝マージナル・マン

　過渡期であるがゆえに、青年期はとても心理的に**不安定**な時期だ。身体面での急激な変化（**第二次性徴**）が起こるため、**自分が何者であるのか**という点で不安や疑問を抱き、**自我**を探求し始める。「**本当の私**」を模索するというわけだ。中学生くらいの時期に、日記をつけ始めるなど**内省的傾向**が深まるのも、このためだ。

　　内省すると、どうなるの？

　強い自我意識から、家族や教師など周囲の大人に対する反抗に向かう（**第二反抗期**）ことも多いが、同時に人から認められたいという**渇望**も強まるので、

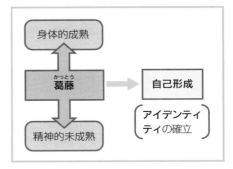

異性を含めた**友人関係**が急速に深まっていく。親密さを求めつつ**孤独感**をも深めるというように、青年期は極端から極端へと揺れ動く、矛盾（むじゅん）に満ちた「**疾風怒濤**（しっぷうどとう）」の時期だとされるんだ。

> 僕、あんまり反抗した覚えがないんだけど。

　まあ、たしかに最近では以前みたいに校内暴力で学校が荒れるケースは多くないし、息子が父親と取っ組み合いのけんかをするなんてことは、むしろ非常に珍しいケースだろう。だから、「危機の時代」としての青年期というのはもうあてはまらないんじゃないかという説もある。でも周囲からの視線を強く意識するようになり、さまざまな**悩み**や**コンプレックス**（劣等感（れっとうかん））に苦しみながら**自己を形成**する独特な時期であるというのはたしかだ。

　そのほか、青年期を表す重要な表現として、以下のようなものがある。とくに「第二の誕生」は頻出だよ。

青年期の特徴を表すその他の表現

● 第二の誕生 … 青年期が性的な存在として自我を自覚する時期であることを示す。フランスの思想家ルソー（1712〜78）による表現。

　　　　　　　「私たちはいわば二度生まれる。一度目はこの世に存在するために。二度目は生きるために。はじめは人の一員として生まれ、次に男性あるいは女性として生まれる」　　　　　　　　　　　　（『エミール』）

● 心理的離乳（りにゅう） … 子どもが精神的に（≠経済的に）親から自立すること（親離れ）。アメリカの心理学者**ホリングワース**（1886〜1939）が命名。

チェック問題 1

やや難 2.5分

　青年期の自己形成に関する記述として最も適当なものを、次の①～④のうちから一つ選べ。

① 　青年は、青年期後期における急激な身体的変化や性的成熟などの第一次性徴の発現を契機として、自己を形成していく。

② 　青年は、友人とのかかわりのなかで、自分を見つめ直し、あるべき自分の姿を思い描きながら、自己を形成していく。

③ 　青年は、プレ成人期において、親や大人から経済的な自立をはかろうとする心理的離乳の過程を通じて、自己を形成していく。

④ 　青年は、二つ以上の相反する心理的欲求の葛藤を合理的に解決する合理化の働きによって、自己を形成していく。

(1998年・センター試験倫理本試)

解答・解説

②

　正しい。青年期は自分の**アイデンティティ** ➡p.217 を探求する時期であり、これは**友人関係**を深めることなどを通じてしだいに達成される。

①：「急激な身体的変化や性的成熟」が起こるのは「青年期後期」ではなく**プレ青年期**であり ➡p.220 、またそれは**第一次性徴**ではなく**第二次性徴**である ➡p.214 。

③：**心理的離乳**は親からの経済的自立ではなく精神的自立をはかろうとすることであり ➡p.215 、またこれは**プレ成人期**（23～30歳）よりは早い時期（おもに**青年前期**）に起こる現象である ➡p.220 。

④：**合理化**は防衛機制の一つであって、**合理的解決**とはまるでちがう ➡p.210 。

2 青年期の課題

　アメリカで活躍した心理学者**エリクソン**（1902〜94）は、一人の人間の生涯のプロセスを、次の八つの**発達段階**に分類し（**ライフサイクル論**）各段階にはそれぞれ達成すべき**発達課題**がある、と論じた。

発達段階	発達課題		
乳児期	信頼感	vs	不信感
幼児前期	自律性	vs	恥・疑惑
幼児後期	積極性	vs	罪悪感
学童期	勤勉性	vs	劣等感
青年期	自我同一性	vs	同一性拡散
成人初期	親密性	vs	孤立
成人期	世代性	vs	停滞
老年期	自我の統合	vs	絶望

成長とともに……

自我が発達

　たとえば**乳児期**には、信頼感と不信感のせめぎ合いの末に母親への**信頼感**が獲得されることで自己を肯定できるようになる。

> 不信感のない子がすくすく育つ、みたいな感じ？

　いや、発達課題の対抗要素は不可欠なものなんだ。少年漫画の主人公がライバルと競うことで成長するように、赤ん坊も不信感を経験することでより強い信頼感を獲得する。ほかの段階でも同様だ。

　さて、エリクソンは人間を産まれてから死ぬまで成長する存在ととらえているんだけど、とくに**青年期**を重視し、この時期に**自我同一性**（**アイデンティティ**）の確立がなされるものと主張した。

　アイデンティティとは、**その人が何者であるかを示す自我の核**と言うべきものだ。人は生まれてから死ぬまで、精神的にも肉体的にも、絶えず変化し続ける。でも10年前の自分と今日の自分はやはり同じ自分だよね。**時間的変化**にかかわらず変わらぬ**自我の核**（＝アイデンティティ）があるからだ。

　それから、その人が何者であるかを示すものは、一つではないよね。学校では「生徒」であり、家庭では「息子」であり、コンビニでは「客」であり、という具合に。でも、多様な**役割**を演じつつ、それらを「わたし」としてまとめる何かがあるはずだ。そして、そのような「わたし」が**他者から社会的に**

承認されていること。これがアイデンティティのもう一つの意味だ。

さらに、こうしたアイデンティティは**主体的**にみずから選び取ったものでなければならない。つまり、与えられたキャラを演じたりしているようでは、そのキャラをアイデンティティと言うわけにはいかないんだ。

> **ポイント　エリクソンの言うアイデンティティとは？**
>
> ● 連続性：時間経過にもかかわらず変わらない自己。
> ● 社会性：さまざまな役割を演じる自己が社会的に承認されていること。
> ● 主体性：自我はみずから選び取らなければならない。

ところでアイデンティティの確立は簡単でない。子ども時代の自分をいったん解体して自分を再構成しなければならないわけだから、その過程では<u>アイデンティティの危機</u>（同一性拡散）に陥ることもある。対人不安に陥ったり、自分の存在意義について深く思い悩んだり、非行行為に走ったり。

でも、これらは「本当の自分」を模索するために不可欠のプロセスなんだ。アイデンティティの確立には試行錯誤の長い時間を要するので、この青年期には大人としての社会的な責任や義務から猶予されている。これを<u>モラトリアム期間</u>と言う。青年期には失敗することも人生勉強として大事なことなんだよ。

⬆️発達課題

　人生の各段階で達成すべき課題のこと。エリクソン以前に<u>ハヴィガースト</u>（1900〜91）がこれを提唱した。彼は、青年期の発達課題として、男女の役割の理解、両親や大人からの情緒的自立、職業選択や家庭生活の準備、市民として必要な知識の獲得、行動の指針となる価値観の獲得、などを挙げている。

⬆️生きがいについて

　自我の形成期である青年期には、何のために生きるのかということでしばしば思い悩む。この点について精神医学者の<u>フランクル</u>は、ユダヤ人として**アウシュヴィッツ強制収容所**から生還した体験をもとに、極限状況にあっても生きる希望を失わず、人間として誠実な態度を保ち続けた者がいたと語っている。彼は、「わたしは人生に何を期待できるか」を問うべきではなく、**自分自身が人生によって問われている**ことを自覚しつつ誠実に生きることが大切だと言う（『夜と霧』）。

　また精神科医の<u>神谷美恵子</u>は、ハンセン病患者へのケアの体験などをもとに、著書『生きがいについて』のなかで、物質的な利益とは異なる精神的な面や内的な心のなかに**生きがい**を見いだすことの重要性を説いた。

チェック問題2 　やや難 2.5分

　エリクソンの言う「アイデンティティ」についての記述として最も適当なものを、次の①～④のうちから一つ選べ。

① 　人間はみずからの在り方を追求するさいに、ある対象の一面、あるいはいくつかの特性、場合によってはその全体を理想として自分に当てはめ、それと似た存在になる。

② 　人間は、日常生活でのさまざまな局面の変化を通じて、変わらない連続性と一貫性を保つ「私」の中核部分をもち、同時にそれが共同体の他者に共有、承認されることを求める。

③ 　人間は、社会生活を送るなかで、みずからの帰属する社会や共同体といった集団の規範に同一化することで、つねに整合的で矛盾のない行動の指針を得ることができる。

④ 　人間は日常生活のなかで、さまざまな役割としての社会的自己にそのつど、その場限りで同一化することで、他者との関係においても安定した態度を取ることができる。

(2004年・センター試験倫理追試)

解答・解説

②

　前半で「**連続性**と一貫性」の契機、後半で他者からの**承認**という契機が挙げられているので、エリクソンの言う**アイデンティティ**の説明として正しい ➡p.217 。

①・③：いずれも何らかの既成の人間像に自己を同一化するということであり、**主体性**という契機が抜け落ちている。エリクソンは、アイデンティティは「**ほかならぬこの私**」という主体的・実存的な性格が不可欠だと考えた。

④：アイデンティティにおける**社会性**の契機は満たしているが、「そのつど、その場限りで」とあるので、連続性が満たされていない。

3 現代日本の青年

ここまでは「青年期」を大まかにとらえてきたけど、右のように、これをもう少し細かく分類することができる。

青年期って
万国共通なの？

青 年 期
● プレ青年期 （10～14歳） ≒第二次性徴期 }思春期
● 青年前期 （14～17歳）
● 青年後期 （17～23歳）
● プレ成人期 （23～30歳）
▶年齢はいずれもおよその目安

そんなことはない。人間の成熟の仕方は国によっても時代によってもちがう。かつては青年期という独自の時期が存在しなかったとも考えられている。それどころか、歴史学者のアリエスによれば、中世には「子ども」の概念すらなく、「小さな大人」とみなされていたという。

ではどうやって大人になるかというと、何らかの通過儀礼（イニシエーション）によって移行期間をへずに子どもが大人になっていたんだ。たとえばバンジージャンプは、南太平洋のある地域で行われていた成人の儀礼が起源だとされる。昔の日本で行われていた元服も大人への通過儀礼だった。

じゃあ、青年期はいつ生まれたのさ？

青年期とは大人への準備期間だから、これが出現したのは、大人に求められるものが複雑化し、教育の重要性が高まった産業革命期のころではないかと考えられている。したがって、社会がいっそう複雑化している今日では、さらに青年期の期間が長期化している。高校進学率が100％に近い水準となり、大学進学率も50％を超えている今日の日本では、少なくとも22～23歳まで、見方によれば30歳くらいまでは青年期が続くと考えられている。大人になるのもなかなか難しい時代だってことだ。

ちなみに今日では、食生活の変化などにより、第二次性徴が低年齢化している。そのため、青年期は終了期が遅れているだけでなく、開始期が早期化しており、二重の意味で青年期は長期化しているんだよ。

ポイント　現代の青年期

- 青年期は近代以前にはほとんどなく、近代化によって生まれた。
- 青年期は社会の複雑化によって長期化し続けている。

現代日本の青年を表すキーワード

● モラトリアム人間

　大人への準備期間として試行錯誤するのではなく、**大人としての責任を負うことを意識的に回避して子どもであり続けようとする人間像**のこと。精神分析学者の小此木啓吾が1970年代以降の日本の青年を指して名づけた。類似語として**ピーターパン・シンドローム**というものもある。

● パラサイト・シングル

　修学期間を終えたあとも親元で暮らす独身者のこと。経済状況の悪化を背景にして、親元で暮らす若者が増えているほか、何らかの事情により**引きこもり**になってしまうケースも増えている。

● フリーターとニート

　フリーターは和製英語「フリー・アルバイター」の略で、1980年代の日本で生み出された用語。当初は、会社に縛られない自由な存在として肯定的な意味で用いられていたが、1990年代からは、正社員になれない非正規雇用労働者というニュアンスを帯びるようになった。

　ニートはイギリスで生まれた概念で、Not in Employment, Education or Training の頭文字をとったもの。**雇用、教育、職業訓練のいずれにも参加していない若者**を指す。フリーターが収入をもつのに対し、ニートは定義上、いっさい働いていない者のみを指す。

3 古代ギリシアの哲学⑴

この項目のテーマ

1 ミュトスからロゴスへ──哲学の誕生
　最初の哲学は自然を対象としていた！
2 ソフィスト
　ソフィストの相対主義的議論の意義と限界
3 ソクラテスの思想
　ソクラテスは「知者」ではなく「愛知者」！

1 ミュトスからロゴスへ──哲学の誕生

　この項目からは古今東西の思想に入るよ。まずは古代ギリシア。古代ギリシ
アは**哲学の生誕地**だと考えられているところだ。

そもそも哲学っていったいなんですか？

　哲学とは何かという問い自体が哲学的な難問なんだけど、さしあたり、**世界
のあり方、世界のとらえ方、人間の生き方などのあらゆる物事を根本から探究
する学問**、と考えたらいいよ。

　たとえば、「あの人はいい人だ」とか「この音楽は美しい」などという場合
の「いい」とか「美しい」というのはそもそもどういう意味なのだろうか。こ
のように、万人に納得できる答えが出そうもない難問にあえて取り組もうとい
うのが哲学だ。

　もちろん、ギリシアでもいきなり体系的な哲学理論が出現したわけではない。
およそ世界で起こる出来事についての体系的な説明は、みな最初は**神話的な形**
をとっている。ギリシアもその例外ではなく、たとえば**ギリシア神話**では、雷
は主神ゼウスが投じる武器として説明された。このようにあらゆる現象を**神々
の意志**から説明するのが神話的世界観だ。なお、ギリシア語で神話のことをミ
ュトスと言うよ（英単語 myth の語源）。「神々」との表現からわかるとおり、
ギリシアでは**一神教** ➡p.249 ではなく、**多神教**が信じられていた。

ギリシア神話

　ギリシアでは神々と英雄たちの物語(**神話**)が口承で伝えられてきたが、しだいに文字化されていった。以下のようなものが代表的である。

韻文で英雄などの物語を伝えるもの

- ホメロス (前8世紀?)
　　…『**イリアス**』『**オデュッセイア**』(いずれも叙事詩)
- ヘシオドス (前8世紀?)
　　…『**神統記**』(神々の系譜を描写)、『仕事と日々』
- ソフォクレス (前5世紀)
　　…『**オイディプス王**』➡**p.213**、『**アンティゴネー**』(いずれも悲劇)

　ギリシア人たちは近代科学の存在しない時代に、自分たちの知識と想像力によって、世界を**混沌**としてではなく、筋道の立った体系的な物語として理解した。とはいえ、神話の内容は恣意的であり、それが正しいかどうかは確かめようがない。そこで、しだいにミュトスによってではなく、**ロゴス**によって世界を合理的に説明しようとする人々が出現したんだ。彼らの立場を**自然哲学**と言う。

　ロゴスは古代ギリシア哲学における最大のキーワードと言っていい。これには「**論理**」「**理性**」「**言葉**」などさまざまな訳語があてられるけど、要するに「宇宙を支配する法則」のことと考えよう。つまり、宇宙は合理的な法則に支配されているのだ、ということ。

　このように、世界のあり方を客観的に探究する人々が現れたことをもって**哲学の誕生**と言う。哲学とは人生観のことだと思っている人が多いけど、最初の哲学は自然(**ピュシス**)を探究するもので、今日の「自然科学」に近いものだった。哲学はもともと「学問」全般を指していて、近代になって個別の学問が枝分かれしていったんだよ。

自然哲学についてもっと具体的に教えてください。

　自然哲学者たちは世界をロゴスによって説明しようとした、と言ったよね。彼らは**世界のあらゆる現象をすべて説明できる単一の原理**、つまり**万物の根源**(**アルケー**)を求めたんだ。

自然哲学者たち

- タレス （前624ごろ〜前546ごろ）
  - 「哲学の祖」、ミレトス学派を形成
  - 「万物の根源（アルケー）は水である」
- ピュタゴラス （前6世紀ごろ）
  - 宇宙と音階のなかに調和と秩序を見いだし、数こそ世界の原理と主張
  - 魂 の不死と輪廻転生 を主張（➡ プラトンに影響 ➡p.234 ）
- ヘラクレイトス （前540ごろ〜？）
  - 万物を生成と運動において把握（「万物は流転する」）し、その背後にロゴスを見いだした
  - 火こそが万物の根源だと主張
- デモクリトス （前460ごろ〜前370ごろ）
  - 世界は、感覚でとらえられない原子と空虚からなると主張
  - 「色」や「甘さ」などの感覚的性質は主観的印象にすぎない

この四人は自然哲学のいわば「四天王」で、超重要人物たちだよ。

タレスは、天文学の知識から日蝕を予言したことなどが伝えられる「**最初の哲学者**」だ。アルケーを水に求めているという点もおさえておこう。

ピュタゴラスは、三平方の定理などでおなじみだよね。この人は**ピュタゴラス教団**というちょっと怪しい宗教結社の創始者で、アルケーを数に求めている。アルケーという概念には、世界の**根源的物質**という意味だけでなく、世界の**究極原理**といった意味があるんだ。

ピュタゴラスは**音楽的な美**が厳密な**数的秩序**によって裏づけられていると考えた。これは今日的に見ても正しい考え方で、たとえばいわゆるハモる音（協和音程）というのは音の周波数どうしが単純な整数比になっているんだよ。そして、ピュタゴラスは音だけではなく、全宇宙も数的な秩序のもとにあると考えた。宇宙のことを**コスモス**（秩序 ⟷ カオス〈混沌〉）と呼んだ最初の哲学者はピュタゴラスなんだよ。

また、ピュタゴラスは、人は死んだあとにその魂が別の人間や動物に宿り、生まれ変わるという**輪廻思想** ➡p.273 を抱いていたことでも知られている。彼は肉体を**魂の牢獄**ととらえ、数学と音楽に触れることで不死の魂を浄化することができると考えていたんだ。

 タレスが水で、**ヘラクレイトス**は火ですか。

そうだね。**ヘラクレイトス**が**火**のなかにアルケーを見いだしたのは、世界が火からできているという意味ではなく、**生成変化**するものの象徴として火を挙げたのではないかと考えられている。たしかに、火はつねに形を変えているよね。彼は、どんなものも生成と変化のうちにあるとして、「**万物は流転する**」と述べたと伝えられる。また、「**同じ川に二度入ることはできない**」という言葉も有名だよ。

では、ヘラクレイトスは世界が混沌だと考えたのですか？

むしろその逆だね。ヘラクレイトスは万物の変化に注目した哲学者だけど、彼は、変化のなかに貫徹する法則的秩序としての**ロゴス**が世界の背後にあると主張している。じつは、「ロゴス」という言葉を使い始めたのはこのヘラクレイトスだと言われている。

デモクリトスは「理科」の時間に習いました。

そうだね。**デモクリトス**は古代ギリシアの哲学者では最も近代科学に近い発想をもっていた人だ。彼は、万物は**アトム**（原子）から成り立っていると考えた。アトムとは、「**これ以上分割できないもの**」という意味だよ。アトムは目に見えない微粒子で、さまざまな種類のアトムが真空（ケノン）のなかを運動していると考えたんだ。

⬆⬆ その他の自然哲学者たち

タレスたちは、世界を単一の素材から説明しようとしたが、単一の素材から複雑な世界が生成されるためには、あるものが別のものに変化しなければならない。こうした生成や変化という現象には根本的な矛盾があり、感覚でとらえられる世界は仮象の世界にすぎないとして、エレア学派の**パルメニデス**（前544ごろ〜前501）はいっさいの**運動**を否定した。彼は「**有るものはあり、有らぬものはあらぬ**」と述べている。知性だけでとらえられる永遠の世界を探究するこの立場は、プラトン ➡p.234 に大きな影響を与えたとされる。

これに対して、**エンペドクレス**（前493ごろ〜前433）は、世界は水・火・空気・土の**4元素**からなるとして、これらが愛と憎しみによって分離・結合の運動をもたらすと主張することで、自然哲学を集大成した。

- 世界を合理的に（ロゴスによって）説明する哲学はギリシアで生まれた。
- 最初の哲学は自然を探求対象としていた（自然哲学）。
- タレスは「水」に、ヘラクレイトスは「火」に、デモクリトスは「原子（げんし）」に万物（ばんぶつ）の根源（こんげん）（アルケー）を見いだした。

チェック問題 1　　易

自然哲学者のタレスに関する記述として最も適当なものを、次の①～④のうちから一つ選べ。

① 世界は生成変化のうちにあり、静止しているものはないと考えた。
② 世界は根本的原理によって説明ができ、それは水であると考えた。
③ 世界は不死なる 魂（たましい）と美しい数的秩序の調和のうちにあると考えた。
④ 世界は土・水・火・空気の離合集散から成り立っていると考えた。

（2006年・センター試験倫理追試）

解答・解説

②

正しい。万物の根源（アルケー）を水に求めたのは、「最初の哲学者」と言われるタレス。

①：世界を生成変化のうちにとらえた自然哲学者は、「万物は流転する」（パンタ・レイ）と述べたヘラクレイトス。

③：世界を不死の魂と数的秩序（コスモス）との調和（ハルモニア）に求めた自然哲学者はピュタゴラス。

④：土・水・火・空気の4元素の離合集散として世界を説明したのはエンペドクレス。

2 ソフィスト

　さて、よく知られているように、ギリシアは**民主政治**の母国だ。とくにギリシア最大の**ポリス**（都市国家）であったアテネでは、民主政治が全面的に開花するようになる（ほとんどの公職をくじ引きで選んでいたほどだった！）。こうした背景から、人々の関心は自然（ピュシス）よりも法や社会制度など（**ノモス**＝人為的なもの）へと向かうようになった。ところで、民主社会で重要なのって何だと思う？

 うーん、みんなを説得する技術ですか？

　そのとおり！　王制などとはちがい、民主社会における指導者にとっては、一般市民からの支持を獲得することが何より大事になる。だから、弁論のテクニック（**弁論術**）が求められたんだ。これは今日の政治でも同じだよね。そこで、弁論術などを教える職業教師というものが登場してきた。これが**ソフィスト**だ。

ピュシスからノモスへ

自然　　　人為的なもの（法律など）　　　弁論術などを教える職業的教師。原義は「知者」

アテネ民主制の発展　→　弁論術へのニーズ　→　ソフィストの登場

 ソフィストにはどんな人がいたんですか？

　絶対におさえてほしいのが**プロタゴラス**（前500ごろ～前430ごろ）だ。彼は講義で謝礼をとった最初の哲学者として伝えられ、「**人間は万物の尺度である**」という言葉が残されている。たとえば、熱さや冷たさは人によって感じ方がちがうよね。このように物事の判断基準を人間の側に求めたのがプロタゴラスだ。

この**人間中心主義**的な発想は、ある意味できわめて民主社会にふさわしいものと言える。なぜなら、民主社会とは、特定の人の意見や宗教的権威などが真理とされるのではなく、各人の意見が平等に価値あるものとして尊重され、そのうえで意思決定しようとする社会だからだ。今日でも絶対的な真理を振りかざす人がいるが、こうした非民主的な主張は警戒したほうがいい。

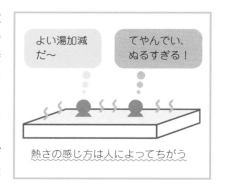

> よい湯加減だ〜

> てやんでい、ぬるすぎる！

熱さの感じ方は人によってちがう

 でも、やっぱり真理はどこかにあるのでは？

これは難しいところだね。たしかに僕らは、譲_{ゆず}れない正義のようなものがあると信じてもいる（たとえば「赤ん坊を殺すことは悪だ」という命題_{めいだい}は、「単なる意見」だろうか？）。

ところが、ソフィストはあくまで真理や正義が人によってちがうという立場（相対主義）をとったことから、しだいに彼らの議論は詭弁_{きべん}めいたものになってしまった。そもそも彼らにとっては**真理の探究**ではなく相手を**説得・論駁**_{ろんばく}することが目的だったのだから、これも当然のことだ。こうして、「ソフィスト」とはもともと「ソフィア（知恵）をもつ者」、つまり「知者」という意味だったのに、「詭弁家」を意味するものとして批判的に語られるようになったんだ。

そしてまさにソフィストの相対主義に異議を唱えた最大の人物が、これから見るソクラテスなんだ。

ポイント ソフィストの登場

- 民主政の発展したギリシアでは、弁論術を教える職業的教師（ソフィスト）が登場した。
- ソフィストは客観的真理を否定する相対主義の見地に立つことが多かった。

3 ソクラテスの思想

いよいよ哲学者の代名詞とでも言うべき超大物<u>ソクラテス</u>（前470〜前399）の登場だ。ソクラテスは一つも著書を残していないので、僕らが知っているソクラテスの思想は、弟子**プラトン**の著作などで伝えられたものでしかない。プラトンの著作はそのほとんどがソクラテスを一方の語り手とする**対話篇**になっているが、プラトンの初期の著作ではソクラテスの思想が比較的忠実に再現されていると考えられているんだ。

ソクラテス

ソクラテスはどんなことを説いたのですか？

ソクラテスの教えのなかで最も重要なものは、おそらく <u>魂</u> への配慮だろう。簡単に言って、出世や蓄財などを人生の目標にするのではなく、人として**立派な生き方**をしなさいという教えだ。

ソクラテスによると、人間にとっての<u>アレテー</u>（徳）とは、**魂を善いものにすること**（＝魂への配慮）だとされる。アレテーは一般に「徳」と訳されるけど、直訳すると「卓越性」「優秀性」などとなる。要するに、**あるものがその本質においてすぐれている**、ということだ。たとえば、馬のアレテーは遠くまで速く走ること、ナイフのアレテーはよく切れること、などというように使われる。人間は魂を磨いて**善く生きる**ことが大事だ、というわけだ。

> 「大切なのは単に生きることではなく、善く生きることである」
> （プラトン『クリトン』）

おお〜、これは名言ですね。
……でも「**善く生きる**」ってどうすれば実現できるの？

ソクラテスによると、善についての**知**を獲得すれば、必ず善い**行為**が実践できるとされる（<u>知行合一</u>）。つまり「わかっちゃいるけど、ついついやっちゃう」はありえない。ソクラテスに言わせれば、悪をなす者は本当の意味で善を理解していなかったということになるわけだ。このように、魂を善いものにする（徳を身につける）ことは知によって可能になる。これが<u>知徳合一</u>だ。ソクラテスは徳ある人となることのうちに幸福があると考えたんだ（**福徳一致**）。

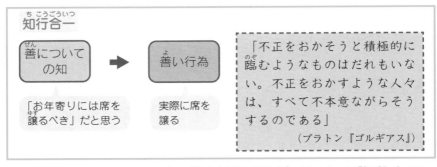

知行合一（ちこうごういつ）

善についての知
「お年寄りには席を譲るべき」だと思う

→

善い行為
実際に席を譲る

「不正をおかそうと積極的に臨（のぞ）むようなものはだれもいない。不正をおかすような人々は、すべて不本意ながらそうするのである」

（プラトン『ゴルギアス』）

このように、ソクラテスは知の働きを重んじたが、けっして「**知者（ソフィスト）**」は名乗らなかった。彼はあくまで知の探究者（**愛知者**）であろうとしたんだ。「哲学」のことを英語で philosophy と言うよね。これはもともと**知恵**（sophia）を**愛する**（philein）ことを意味するギリシア語で、「知への愛」というソクラテスの立場に由来する言葉なんだよ。彼にとって大事なのは、**自分の無知をわきまえつつ知を追い求めること**だったんだ。

 あっ、それって**無知の知**ってやつですよね。

そうだね。有名なエピソードがある。

あるとき、ソクラテスの友人がデルフォイのアポロン神殿（しんでん）で、「**ソクラテスにまさる知者はいない**」との神託（しんたく）（神のお告げ）を受けた。これを伝え聞いたソクラテスは不審に思い、その真偽を確かめるために賢者（けんじゃ）と称される者と片っ端から対話をしてみた。すると、彼らはみなもっともらしいことを言うけれども、肝心なことについては知ったかぶりをしているにすぎないことがわかった。これでソクラテスは、自分も彼らと同様に**善美の事柄**（ぜんび）（ことがら）（究極の知）については無知だが、無知である事実を自覚しているだけまさっている（**無知の知**）ということに気づいた、というわけだ。

で、ソクラテスはこれ以降、アポロン神殿にかかげられていた「**汝（なんじ）自身を知れ**」を自身のモットーとして、アテネで多くの人と対話を重ねて真理の探究を行うことになる。そのさいに彼は、知的探究の方法として**問答法**（もんどうほう）（**ディアレクティケー**）を重視し、また、対話相手に真理を教え込むのではなく、対話相手の矛盾（むじゅん）や無知を指摘することによって相手自身に真理を発見させる手助けをするよう心がけた（**助産術**（じょさんじゅつ））。

それでソクラテスは人々から尊敬されたの？

　そうでもなかったんだな、これが。それどころか、ソクラテスは70歳のころ、「アテネの神々を敬わず、青年たちを堕落させた」との罪状で告発され、陪審制の裁判で**死刑判決**を受けてしまったんだ。

　考えてみれば、ソクラテスはアテネの有力な知識人を片っ端から論破し、その無知ぶりを証明して回っていたのだから、そりゃ憎まれもするだろう。なお、この裁判でソクラテスが自分の言い分を雄弁に語る様子を描いたのがプラトンの『ソクラテスの弁明』だ。2400年も前に書かれたとは信じられないほど感動的なものだよ。ぜひとも読んでほしい（短いからすぐに読めるよ）。

 ところでソクラテスの最後はどんな様子だったんですか？

　弟子であり友人でもあった**クリトン**が死刑を待つソクラテスのところに面会に行き、脱獄をすすめたんだ（わりに容易に脱獄できたらしい）。でも、ソクラテスは、不正（＝死刑判決）に対する不正（＝脱獄）は許されないとして、逆にクリトンを説得する始末だった。

 「悪法も法なり」ってやつですよね。

　いや、それがソクラテスの言葉だという証拠はない。ソクラテスは、国法である以上、悪法でも従わなければならないという消極的なことを言いたかったのではなく、アテネの国法の保護下に生き、その恩恵に浴してきた自分が、都合の悪いとき（死刑判決）だけそれを破るというのは、筋が通らない、ということを言いたかったんだ（彼はペロポネソス戦争に三度も従軍した愛国者でもあったんだよ）。**「大切なのは単に生きることではなく、善く生きることである」**との言葉は、じつはこのときに述べられたものだ。つまり、ソクラテスにとっては、死刑を受け入れるということが「善く生きる」という信念を貫徹する道だったんだ。もしこのときに彼が脱獄していたならば、歴史に名を残してはいなかっただろうね。

 深いですねぇ。なんだか厳粛な気分になりました。

ソクラテスは死刑の日に集まった弟子たちに向かって、哲学とは「**死の訓練**」だと言っている。ソクラテスにおいて哲学とは、「汝自身を知れ」の言葉にあるとおり、真の自己を知ることであり、そして真の自己とは**永遠不滅の魂**だとされる。だとすれば、真理の探究者たる哲学者にとって死は悲しむべきことではな

「ソクラテスの死」　ダヴィッド

く、むしろ真の自己になることにほかならない。こうして、彼は昂然と胸を張って、みずから毒杯を仰いだんだ。

ポイント　**ソクラテスの思想**

- ソクラテスは善く生きることが何より重要だと説いた。
- 善い生き方は、真理を探究してそれを知ることで可能になる。
- 無知の知を重んじ、対話を通じて人々にその自覚を促した。

「魂を善いものにする」など、ややわかりにくい言い回しが多かったかな。でも試験でもわかりにくい言い回しがそのまま使われるから、ぜひ慣れていってね！

チェック問題2 標準 2分

　古代ギリシャの哲学者の一人としてソクラテスが挙げられるが、その思想内容として最も適当なものを、次の①～④のうちから一つ選べ。

① 　人間はポリス的動物という本性（ほんせい）に従って社会生活を営む存在であり、正義と友愛の徳もポリスを離れては実現しないと考えた。
② 　対話的方法を通して自己の魂のあり方を吟味していくことが、「よく生きること」の根本であると主張した。
③ 　自然と調和して生きることを理想とし、自然を貫く法則性と一致するように意志を働かせることによって魂の調和が得られると説いた。
④ 　富や権力や名誉などの外面的なものや社会規範といったものを軽蔑（けいべつ）し、自然に与えられたものだけで満足して生きる生活を理想とした。

(2002年・センター試験倫理本試)

解答・解説

②

　正しい。ソクラテスは人々との対話によって真理を探求し、魂を善いものにする「**魂への配慮**」こそが人間にとって最も重要であると説いた。

①：ソクラテスの孫弟子にあたる**アリストテレス**についての記述 ➡p.238 。

③：ストア派の**ゼノン**についての記述 ➡p.245 。「自然を貫く法則性」とは**ロゴス**のこと。

④：ソクラテスは「社会規範」をすべて軽蔑したわけではない。「自然に与えられたものだけで満足して生きる」ことを説くのは、老荘（ろうそう）思想など ➡p.296 。

4 古代ギリシアの哲学(2)

この項目のテーマ

1 プラトン
現象とイデアとの関係をしっかりと理解しよう

2 アリストテレス
プラトンの理想主義に対してアリストテレスが説いたものは？

3 ヘレニズムの思想
ポリス崩壊後のギリシア哲学とは？

1 プラトン

　プラトン（前427～前347）は西洋哲学史において決定的に重要な人物で、観念論（idealism）と呼ばれる哲学の原型を構築した大哲学者だ。

　プラトンの著作の多くは対話形式で、ソクラテスが語る形をとっているのだけど、中期以降の著作では「善とは何か」「美とは何か」というように、物事の本質について踏み込んだ議論が展開されていて、これがプラトン自身の思想だと考えられている。

プラトン

へぇ。プラトンにとって善や美ってなんなんですか？

　「美」で考えてみようか。**個々の美しいもの**と**美そのもの**はちがう。たとえばモーツァルトの楽曲や谷崎 潤一郎の小説などはたしかに美しいが、それは美しいものの「具体例」にすぎず、「美そのもの」ではない。「美とは何か」を説明するためには、**個物を超えた美そのもの**を示す必要があるんだ。

「美そのもの」って言われても、そんなもの見えませんよ。

　だよね。個々の美しいものは見えたりするけど、美そのものはけっして見え

ない。また、個々の美しいものはいずれ消え去ってしまうけれども、美そのものは永遠不滅だ。このように、視覚や聴覚といった**感覚**でとらえられない永遠不変の真の実在を**イデア**と言う（「美そのもの」は「美のイデア」と言い換えられる）。イデアは感覚ではなく、**知性（理性）**でとらえるんだ。

　プラトンによると、僕らがじかに見たり聞いたりしているこの世界は現象の世界にすぎず、**イデアの影**にすぎない。そのような現象にとらわれるのではなく、知性を働かせて、事物の本質たるイデアを探求すべきなんだ。

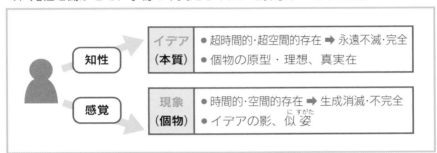

　幾何学を例に考えてみよう。たとえば、黒板に描かれた三角形は、厳密には三角形ではない。本当の三角形には1ミリの歪みも許されないし、そもそも線分に太さがある時点で失格だ。だから、目で見える三角形は真の三角形（三角形のイデア）に似ているものでしかない。でも、僕らが真の三角形を見たことがないからといって、もちろん三角形を知らないわけではない。真の三角形は知性でとらえられるんだ。「3本の線分に囲まれた図形」というようにね。

　しかし、僕らは個物（現象）を見たときに**本物（イデア）**と見間違ってしまうことがある（**洞窟の比喩**）。これを、プラトンは戒めているんだ。

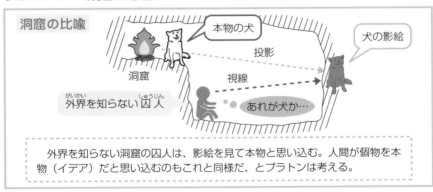

外界を知らない洞窟の囚人は、影絵を見て本物と思い込む。人間が個物を本物（イデア）だと思い込むのもこれと同様だ、とプラトンは考える。

では、善のイデアとはなんですか？

　イデアにはさまざまなものがあるけど、善のイデアは特別だ。三角形のイデアは個々の三角形の根拠だ。言い換えると、個々の三角形が三角形であるのは、それが三角形のイデアを**分有**している（分かちもっている）からだ。同じように、個々のイデアをイデアたらしめているのが善のイデアだ。プラトンは善のイデアを、世界を照らす太陽にたとえているよ（**太陽の比喩**）。

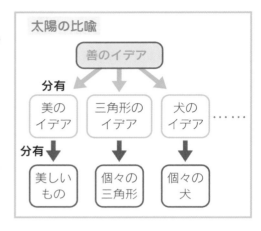

太陽の比喩

善のイデア

分有

美のイデア｜三角形のイデア｜犬のイデア　……

分有

美しいもの｜個々の三角形｜個々の犬

 ところで、イデアはどうすれば認識できるのですか？

　プラトンによると、人間の魂はかつてイデア界に住んでいて、さまざまなイデアを直接に見知っていたが、魂が肉体をまとったときにそれらを忘却してしまった。これこそ現実の人間が真理（＝イデア）に盲目な理由だ。でも、人間は**真理や理想を追い求める本能的な欲求**をもっている（**理想主義**）。この欲求のことをエロースと言う。これはもともとギリシア神話における「愛の神」を表していたが、プラトンは、ソクラテスが言う「知への愛」とほぼ同じ意味で使っている。このエロースの力を借りて、人は個物に出会ったときにイデアを想起（アナムネーシス）するんだ。個物は本体であるイデアに似ているので、これを見ることで本体であるイデアを思い出すことができるんだ。

ポイント　現象とイデアの関係

- 個物（現象）は**感覚**の対象だが、イデア（**本質**）は**知性**の対象。
- 魂がイデアを想起することで真理の認識が成立する。

　ところでプラトンは、正義の本質を次のように分析している。まず、魂（心）は理性、気概（意志）、欲望という三つの部分からなる（**魂の三分説**）。そしてこれらの三部分は、知恵、勇気、節制というそれぞれに対応する徳（アレテー）

をもっており、この三つの徳がバランスよく調和するときに、正義（せいぎ）が実現する。知恵・勇気・節制・正義を合わせて四元徳（しげんとく）とも言うよ。

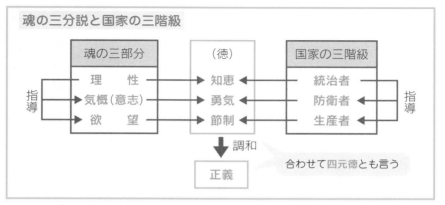

魂の三分説と国家の三階級

魂の三部分	（徳）	国家の三階級
理　　性 →	知恵 ←	統治者
気概（意志）→	勇気 ←	防衛者
欲　　望 →	節制 ←	生産者

指導 → （魂の三部分）　　　指導 → （国家の三階級）

↓ 調和

正義　　　合わせて四元徳とも言う

　そして魂についての以上の議論は、国家にも拡張される。つまり、魂が三つの部分をもつのと同様に、国家（ポリス）も統治者、防衛者（軍人）、生産者（庶民）という三つの階級からなり、各階級の徳がそれぞれ知恵、勇気、節制だとされるんだ。

　なお、魂の三部分も国家の三階級も対等な関係ではなく、それぞれ理性と統治者階級が指導的な地位を占める。理性より欲望の強い人が望ましくないのと同様に、国家ではエリートたる統治者がその他の階級を指導しなければ、けっして正義が実現しないんだ。

ずいぶんエリート主義者ですね。

　まさにそのとおり！　プラトンは、師であるソクラテスを死刑に追いやったアテネ民主政を心から憎んでいた。知恵のない民衆が国家のあり方を決めるなどもってのほかだと考えていたんだ。だから、彼が理想とするのは、**知恵を有する哲学者が王として統治するか、王が哲学を学ぶ**ような哲人政治（てつじんせいじ）だ。哲学史上、彼ほど公然と民主主義に敵意を示した人はいないかもしれない。

　そんなわけで、プラトンの政治哲学は、ファシズムや全体主義を擁護（ようご）するものだとして批判されることも多い。でも、流されやすい大衆 ➡p.508 の声が政治を誤った方向に導いてしまう衆愚政治（しゅうぐせいじ）の危険性というものがあることも事実だ。プラトンの議論から僕らが教訓として学ぶべきなのは、大衆自身が知恵を身につける必要がある、ということじゃないかな。

2 アリストテレス

アリストテレス（前384〜前322）はギリシア辺境で生まれ、17歳のときにプラトンの学園**アカデメイア**に入門した。このときプラトンはすでに60歳で、80歳で師が没するまでつき従った。しかし、師の没後は学園を去り、独自の思索を深めていく。彼は天文学・生物学・詩学・政治学・論理学などあらゆる学問を体系化したことから「**万学の祖**」と呼ばれる。でも、それ以上に重要なのは、彼が師プラトンの**理想主義**と対比される典型的な**現実主義**の哲学を構築したことだ。

アリストテレス

 アリストテレスの哲学は、プラトンとどのへんがちがうの？

アリストテレスは、次のように**プラトンのイデア論を批判**している。

プラトンの立場では、事物の本質（イデア）は個物を**超越**しているが、アリストテレスによると、事物の本質は個物に**内在**している。

事物はすべて、「それが何であるか」を表す**形相（エイドス）**に、「それが何からできているか」を表す**質料（ヒュレー）**が結びつくことで成立する。プラトンの場合、机そのもの（机のイデア）と個々の机はまるで別のものとされるが、アリストテレスの場合、机の本質は個々の机のなかに実現しており、**現実の事物とその本質とを切り離すことはできない**んだ。

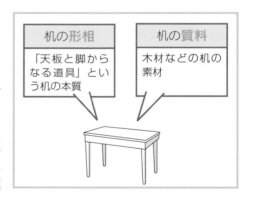

机の形相	机の質料
「天板と脚からなる道具」という机の本質	木材などの机の素材

 でも、形相と質料がつねに結びつくわけではありませんよね？

たしかに。ただの木材が現実の机になるわけではない。しかし、木材は潜在的には机になる可能性をもっている。このことをアリストテレス哲学では、「木材は机の**デュナミス（可能態）**である」と言い表す。また、現実の机は木材の可能性が顕在化したものとみなせるので、このことを「机は木材の**エネルゲイ**

ア（現実態）である」と言い表す。ほかに例を挙げると、子どもは大人のデュ
ナミスだし（大人は子どものエネルゲイア）、種子は花のデュナミス（花は種
子のエネルゲイア）ということになる。アリストテレスは、このように**動的**
なものとして現実世界を運動・変化のうちに把握しているんだ。

じゃあ、なぜ現実世界は運動・変化するの？

　一つには、**だれかが運動を引き起こしたから**だ。たとえば机の場合、なぜそ
れが存在するかといえば、職人が木材を加工したからだよね。このとき職人に
よる加工作業は机の始動因であると言われる。

　もう一つは、**何かしらの目的を実現するため**だ。机が何のためにつくられた
かというと、モノを載せたり書いたりするための道具が必要だったからだろう。
このような事物の目的を目的因と言う。

　目的因という発想がわかりにくいのは、近代科学の成立後には事物のあるべ
き姿ないし方向性を「原因」とは呼ばなくなったからだ（「始動因」だけが「原
因」と呼ばれる）。でも、中世以前には目的因こそが世界の主たる動因だとい
う目的論的自然観が支配的だった ➡p.316 。アリストテレスこそがこの考え方
を確立したんだ。

> ## ポイント　アリストテレスの存在論
> ● 事物の本質（**エイドス**）は個物に内在している。
> ● モノも人間も、すべてはその本性の実現へと向かっている（**目的論**）。

アリストテレスは倫理学でも重要なんですよね。

そうだね。彼は『ニコマコス倫理学』のなかで、アレテー（徳）を分類し、独自の道徳論を提唱している。

> **アリストテレスによるアレテー（徳）の分類**
> - **知性的徳**　（＝判断力）：学習によって習得できる
>   　　　　　　　　　例　知恵、思慮、技術
> - **習性的徳**　（＝人柄）：善行の実践・習慣化によって体得できる
>   　　　　　　　　　　　　　　　中庸（メソテース）に合致した行為

プラトンが重視した「知恵」は、アリストテレスによっても重視される。でも、賢い人（知性的徳をもつ人）の人柄がいいとは限らない。だから、人間には人柄の善さとしての習性的徳（倫理的徳）も求められる。そして、アリストテレスによると、人柄においてすぐれている人とは、しかるべきときに、つねに善を実践できる人、つまり**善を習慣化**している人だ。

アリストテレスの場合、善行とはどんな行為なんですか？

過少と過剰を避けた中庸（メソテース）にかなった行為が善い行為だ。なお、この中庸とは妥協を意味するわけではなく、あくまで事柄の本質において最適な行為を指す。たとえば、戦場でこっそり逃げ出すのは臆病だが、大軍に向かって一人で突撃するのは無謀だ。これらのあいだに最適の勇気というものが見いだされるはずなんだ。

もちろん、何が最適であるのかを判断するのは容易でない。だから、最適な行為を判断するためには知性的徳の一つである**思慮（フロネーシス）**の働きを借りる必要がある。**知恵（ソフィア）**が客観的事柄を判断する理論知であるのに対し、思慮は何をなすべきかを判断する実践知なんだ。

アリストテレスにとって、**人生の目的**とは何だったんですか？

目的論の立場をとるアリストテレスにとって、あらゆるものには目的がある。では、人間にとっての目的はというと、幸福（**エウダイモニア**）がこれにあたる。なぜかと言うと、幸福はけっしてほかの目的の手段となることはなく、そ

れ自体で善いもの（最高善）だからだ。

　では、どうすれば人は幸福になれるのか？
それは観想的生活によって、だ。観想とは、対
象を観察し、知ろうとすることだよ。なぜかと
言うと、アリストテレスによると、「**人間は生ま
れつき知ることを欲する**」動物であるからだ。

● 享楽的生活	➡ 快楽
● 政治的生活	➡ 名誉
● 観想的生活	➡ 幸福

たしかにだれしも知的好奇心ってものをもっているよね。アリストテレスによ
れば、知を探求することによって幸せになれるんだ。

ところで、アリストテレスは「**人間はポリス的動物だ**」
と言ってましたよね ➡p.206 。

　そう。アリストテレスは人間がポリスという共同社会に生きる存在だという
ことを強調している。けれどもポリスを成立させるためには人々を共同体に結
合させるための原理が必要であって、これが友愛（フィリア）と正義（ディケ
ー）だ。友愛とは、**相互に相手の徳を尊敬し、相手の向上を願うような関係に
おいて成立する愛**のことだ。

　正義のほうは少し込み入っているので、次のまとめを見てほしい。

アリストテレスの正義論

- **全体的正義**：すべての市民がポリスの法を守ること
- **部分的正義**：状況に応じた正義〜いかに公正を保つか
  - **配分的正義**：個人の地位・能力・功績に応じて**報酬**や**名誉**を配分
  - **調整的（矯正的）正義**：利害得失の不均衡を調整

　社会の秩序を保つためには、だれもが共通のルール（法）を守ることが必要
だよね。一部の人がズルをしているようなことがあってはならない。これが全
体的正義だ。

　でも、みんながルールを守るようにするためには、ルール自体が公正なもの
である必要がある。これが部分的正義で、これ自体がさらに二つに分かれる。

　配分的正義とは、報酬や名誉などを各人にふさわしく分配することだ。たと
えば、社長とヒラ社員、営業成績のよい社員とそうでない社員では給料がちが
っているが、これは配分的正義にかなっている。これに対して調整的正義とは、
各人がふさわしくないものをもっていたり、ふさわしいものを失ったときに正
義を回復するための原理だ。盗人には罰を与え、被害者には補償を与えるべき
だという具合だね。

なるほど。
そうやって正義が実現すれば理想国家ができるんですね。

まあね。ただ、アリストテレスはプラトンとはちがって現実主義者だから、**理想の国家**を思い描くだけでなく、**現実に可能な国家**についても考察を深めている。

支配体制	正しい国制	堕落した国制
一人による支配	王制	僭主制（独裁制）
少数者による支配	貴族制	寡頭制
多数者による支配	共和制	民主制（衆愚制）

上の政体のなかで理想的なのは、一人のすぐれた君主が統治する王制だ。しかし、これが堕落して独裁制となると、一転して最悪の統治形態となってしまう（名君のドラ息子が暴君となってしまう事例などは枚挙にいとまがない）。だから、各政体の堕落形態まで考慮するならば、最もリスクが小さく安定的なのは共和制ということになる。

昔もいまも、政情不安や社会への不満が募ると英雄待望論が高まるものだ。でも、すべてを解決してくれる英雄は、きわめて危険なものである。みんなで統治をする共和制（≒民主主義）は手間もかかるしパッとしないシステムだけれども、それでもこれは中庸にかなった穏当なしくみであり、このしくみのもとで人々はよりよき社会をつくるよう努力すべきだ。僕は、アリストテレスのこのメッセージを真剣に受け止めるべきだと思うよ。

ポイント　アリストテレスの倫理学

● アリストテレスによると、人柄の善さは善行が**習慣化**されることによって実現し、そのさいの善行とは中庸にかなった行為である。
● 人々が生きる場であるポリスが維持されるためには、正義と友愛が必要。

チェック問題 1

難 3分

古代ギリシアの思想家アリストテレスの主張の記述として最も適当なものを、次の①～④のうちから一つ選べ。

① 人間にとって最高に幸福な生活とは、観想（かんそう）によって把握された真理にもとづいて政治的実践を営む生活である。

② 真の友愛は、自分にとっての快楽や有用性（ゆうようせい）のみにもとづくものではなく、善き人々のあいだで相手のために善を願うものである。

③ 個物から離れて実在する超越的な形相（けいそう）が、感覚的な質料（しつりょう）と結びつくことによって、この世界のさまざまな事物が生成する。

④ 各人の判断こそが善や正義などの基準であり、みずからの経験と観察を重んじることによって知識が得られる。

(2008年・センター試験倫理追試)

解答・解説

②

アリストテレスによると、快楽や有用性にもとづく人間関係ではなく、相手の善を願う**友愛（フィリア）**が満ちることによってのみ、ポリスは維持されるので、②が正しい。

①：アリストテレスは人間が生まれつき知を欲する動物であると考えるので、彼にとって最高善である幸福は、政治的実践によってではなく、**観想**によって可能になる➡p.241。

③：**形相（エイドス）**の説明が正しくない。「個物から離れて実在する超越的な」ものは、プラトンが想定した事物の本質としての**イデア**である。

④：「各人の判断こそが善や正義などの基準」であるという相対主義的な発想は、ソフィストのプロタゴラスなどに見られるものである。

3 ヘレニズムの思想

絢爛たる哲学を生み出したポリス社会の文化は、**マケドニア**によるギリシア統一によって終焉した。かつてアリストテレスが家庭教師を務めたこともある**アレクサンドロス王**は、さらにペルシアやインドへと遠征し、空前の巨大帝国をつくりあげる。こうした政治社会状況が思想にも影響を与えたんだ。

その影響の一つは、**普遍的な人間概念**が成立し、世界市民主義（コスモポリタニズム）の発想が生まれたということだ。それまでのギリシア人にとって、ギリシア語を話さない者はすべて野蛮人とされた。ところが、世界帝国の成立で事情が大きく変わったんだ。

もう一つの影響は、**個人主義的な倫理**が広まったということだ。それまで、ギリシア人たちはポリスという顔の見える社会で隣人たちと自分たちの精神的共同体をつくって生きてきた。ところが、ポリスが崩壊し、彼らは自分たちの精神的拠りどころを喪失してしまったんだ。ちょうど、現代の都市で人間関係が希薄 ➡p.513 であるのとよく似ている。だから、彼らは、ソクラテスたちが公共の善を探求したような熱意を失い、個人的な**心の安らぎ**を求めるようになっていった。

 ヘレニズムってのはどういう意味？

ヘレネス（ギリシア人）が語源だから、広い意味では「ギリシアの考え方」くらいの意味だけど、せまい意味では、アレクサンドロスの東方遠征（前334）以降に東方の文明と融合して普遍的性格を帯びたギリシア文明を指す。**エピクロス派**と**ストア派**の二つがこのヘレニズムを代表する哲学だ。

エピクロス派の思想

- エピクロス（前341ごろ～前270ごろ）が創始
- **快楽主義**：肉体的な快楽ではなく**心の平静**（アタラクシア）を追求
  - ➡ 政治・社会から距離を置く（「隠れて生きよ」）
- **原子論的唯物論**：死はアトムの離散にすぎない

英語で「快楽主義者」のことを「エピキュリアン」と言うけど、その語源が**エピクロス**だ。もっとも、今日の「エピキュリアン」はワインをたしなむ美食家などを指すことが多いが、本家のエピクロスはこれとまったく異なるタイプの哲学者だった。彼が求めたのはあくまで**心の平静**（アタラクシア）であって、

刹那的な肉体的快楽などは長期的には苦痛をもたらすとしてしりぞけられた（たしかに、飲みすぎると頭痛になったりする）。

　心を煩わせるものがすべて否定されるのだから、ソクラテスみたいに街で論争をふっかけるなどもってのほかで、ひっそりと隠棲するのが正しいあり方だとされる。これが「隠れて生きよ」という標語だ。もっとも、彼はひとり孤独に暮らせと言ったわけではなく、「エピクロスの園」と呼ばれる学園をつくり、仲間たちと静かに共同生活を営んだ。

 なんか陰気ですねぇ……。

　でも、煩いの克服を目指す姿勢は仏教とも通じるものがある ➡p.277 し、たしかに、ここには思想の一つの典型の姿を見ることができる。

　なお、エピクロスに関しては、デモクリトスと同様に原子論を信じていたこともおさえよう。ここから彼は「死を恐れるな」と説いている。死を経験したことのある人はだれもいないのだから、死がどのようなものであるのかは知るすべもなく、そんなものについて心配しても仕方ない。そして、いざ死んだら原子の集まりにすぎない人間はチリのように離散してしまうのだから、もはや死を考えることもできない。だから、どのみち死に煩わされる必要はない、と。

 それって詭弁じゃないですか？　怖いもんは怖いですよ。

　……まあね。エピクロスは、死が人間の心の平静にとって最大の脅威だということをよく認識していたからこそ、やや詭弁めいた議論までしたのかもね。なんせ、彼はとても痛い病気に絶えず苦しめられていたらしいから。

ストア派の思想

- ゼノン（前336ごろ～前264ごろ）が創始
- **禁欲主義**：欲望に惑わされない**不動心**（アパテイア）を追求
- 宇宙に対するロゴスの支配 ➡「自然に従って生きよ」

　エピクロス派に対比されるのがストア派で、開祖はゼノンだ。「禁欲的」を意味する「ストイック」という英語の起源にあたるグループだ。彼らは、欲望に惑わされない**不動心**（アパテイア）を理想とした。これは、「**パトス**（情念）がない」という意味だ。

なお、「快楽主義」と「禁欲主義」と言えばまるで正反対のようだけど、エピクロス派とストア派がそれぞれ目指す「アタラクシア」と「アパテイア」は、ほとんど同じ境地と言える。

 どうすれば欲望に勝てるのでしょう？　僕は連戦連敗です。

　多くのギリシア人と同様、ゼノンも宇宙は<u>ロゴス</u>が支配していると考える。だとすると、僕ら人間もロゴスの支配下にあるはずだよね。この、人間におけるロゴスの部分こそ、いわゆる**「理性」**にほかならない。だから、<u>内なるロゴス（理性）の力でパトス（情念）を制御すればいいんだ</u>。もちろん、言うほど簡単じゃないことだけど、理性を信頼すること、これが「**<u>自然に 従 って生きよ</u>**」というスローガンとなっている。ゼノンの言う「自然」が「自然環境」や「大自然」などではなく、人間の理性であることをしっかりおさえておいてね！

　ストア派は、のちにローマ帝国でも継承され、奴隷出身のエピクテトスから、『自省録』を書いた皇帝**マルクス＝アウレリウス**（121〜180）まで、じつに多彩な人々が独自の思索を展開していった。

　また、ロゴスが全宇宙を普遍的に支配するという発想から、**世界市民主義**の考え方が展開され、時空を超えた普遍的な法としての<u>自然法</u>の思想も 育 まれた。

ポイント　ヘレニズムの哲学

- <u>エピクロス派</u>は快楽主義から心の平静（<u>アタラクシア</u>）を理想とし、公共の事柄に 煩 わされないよう**「隠れて生きよ」**と説いた。
- <u>ストア派</u>は、禁欲主義から欲望に惑わされない不動心（<u>アパテイア</u>）を理想とし、また宇宙を貫く**ロゴス**と一体化するよう説いた。

 ギリシア哲学は盛りだくさんだったね。よく復習しよう！

チェック問題 2　　標準 1.5分

　ストア派の人々が説いた「自然に従って生きよ」とは何を意味するのか。最も適当なものを、次の①〜④のうちから一つ選べ。

①　文明化された都市においては理性的な判断を惑わすものが多いため、自然の中で魂（たましい）の平静を求めて生きよ、という意味。

②　感情に左右されやすい人間の理性を離れ、自然を貫く理法に従うことにより、心の平安（へいあん）を得て生きよ、という意味。

③　人間の理性を正しく働かせ、自然を貫く理法と一致することで、心を乱されることなく生きよ、という意味。

④　人間の理性を頼みとして努力をするのではなく、自然が与えるもので満足することを覚えよ、という意味。

(2010年・センター試験倫理本試)

解答・解説

③

　「自然を貫く理法」は、客観的な世界を支配する**ロゴス**を意味し、「人間の理性」がこれをとらえることができれば**アパテイア**に至れるとされる。

①：ここでは、「自然」が「都市」や「文明」と対比されているので、人間の理性（ロゴス）ではなく、山や川といった自然（ピュシス）を意味する。

②・④：それぞれ、「理性を離れ」「理性を頼みとして努力をするのではなく」の部分が誤り。ストア派は理性によって欲望に打ち克（か）つことを目指す。

5 ヘブライズムの形成

この項目のテーマ

1 ユダヤ教
ユダヤ教の独自性と根本的な性格をよく理解しよう
2 イエスによる律法主義批判
イエスはユダヤ教から何を継承し、何を否定したのか？
3 キリスト教の成立と使徒パウロによる伝道
イエスの死を使徒たちはどう受け止めたのか？

1 ユダヤ教

　前回まで古代ギリシアの哲学（**ヘレニズム**）を学んできたが、西洋思想にはもうひとつの母体がある。それが**ヘブライズム**と呼ばれるもので、**ユダヤ教**に始まり、**キリスト教**へと受け継がれてきた思想的伝統だ。この二つの伝統をざっと対比してみると、次のようになる。

西洋思想の源流
- ヘレニズム （古代ギリシア哲学）
　　…**ロゴス**（理性）への信頼、**合理主義**的人間観
- ヘブライズム （ユダヤ教 ➡ キリスト教）
　　…**人間の無力さ**の自覚、絶対的な神の前での**平等**

　ギリシアの哲学者たちは、みな多かれ少なかれ人間の能力に強い自信と信頼を抱いていた。ところがヘブライズムの教えは、**人間の無力さ**を強調する。つまり、欲望や情念に流されてしまう人間の悲しい性を直視するんだ。

　　自分のことを言われているようで、耳が痛いです。

　でも人間の無力さが強調されるほど、その人間と対比される**神の偉大さ**が強調されることにもなるよね。

古代ギリシアを含めて世界中の多くの地域では多神教が信仰されていた。これに対してヘブライズムは一神教であるから、その神は唯一神であり、またすべてをつくりあげた創造神でもあり、ほかに比肩するもののない絶対神だ。もし神がこれほどえらいのだとすれば、人間の能力のちがいなんて無に等しいことになる。だから結果として、ヘブライズムからは**人間の平等**という発想が生まれた。これは英雄的な人間を理想視した古代ギリシアではほとんど見られなかった発想だ。

　ではユダヤ教の内容を具体的に見ていこう。

ユダヤ教とは

- 『旧約聖書』を聖典とする**ユダヤ人**の**民族宗教**
  - ≒**イスラエル人、ヘブライ人**　　　　　　　　→ 世界宗教
- 唯一神ヤハウェとの契約にもとづく救済への信仰
  - 創造神、絶対神、人格神
- 預言者モーセの活動などをもとに成立（BC. 6 C）

　ユダヤ教はユダヤ人だけが信仰でき、またユダヤ人だけを救済の対象とする民族宗教だ。民族宗教というのは特定の民族だけが信仰するもので、民族の枠を超える世界宗教と対をなしている。

　　ずいぶんとまた独善的な教えですね。

　たしかにそんなふうに見えるし、のちにキリスト教が成立するのも、この点とかかわっている。とはいえ、そんなユダヤ教が成立したことには、それなりの歴史的背景がある。ユダヤ教は、わずかな植物しか育たない過酷な砂漠地帯に生まれた。周辺の諸民族との争いも熾烈だった。こうした厳しい環境で生き残るためには、**厳格な掟**を基礎とし、自民族の救済を強く信じる教えがぜひとも必要だったのだろう。

　『旧約聖書』の記述によると、イスラエル民族の父アブラハムは、あるとき神の声を聞き、その命令に従って約束の地カナンに向かう。彼の子孫たちは飢えから逃れるためエジプトに移住するが、のちに奴隷とされてしまった。そこで神に与えられたカナンに戻ろうと、人々を導いたのがユダヤ教における最大の預言者モーセだ（**出エジプト**）。

　その後、彼らはカナンの地で**イスラエル王国**を建国し、栄華を誇ったが、王国はほどなくして分裂し、新バビロニア王国によって集団的に強制移住させられるという試練をも味わう（バビロン捕囚）。

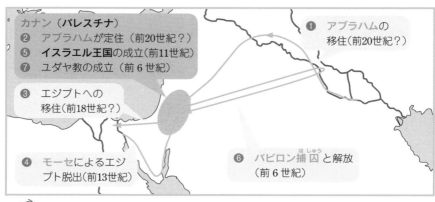

カナン（パレスチナ）
② アブラハムが定住（前20世紀？）
⑤ イスラエル王国の成立（前11世紀）
⑦ ユダヤ教の成立（前 6 世紀）

③ エジプトへの
　移住（前18世紀？）

❶ アブラハムの
　移住（前20世紀？）

④ モーセによるエジ
　プト脱出（前13世紀）

⑥ バビロン捕囚と解放
　（前 6 世紀）

 なるほど、ユダヤ人ってずいぶん苦労したんですね。

　そう。でも、だからこそ、彼らは苦難（＝試練）のなかで信仰を深めていった。ユダヤ教は、民族的な苦難の意味を説明し、あくまで救済を信じる人々の拠りどころだったんだ。

 ユダヤ教の信仰上の特徴は？

　ユダヤ教の大きな特徴は、それが神とイスラエル民族との契約を核心に据えているということにある。

ユダヤ教の基本構造

唯一神
ヤハウェ

契約

イスラエル
の民

信仰（≒絶対服従）〜律法の遵守　　救済（➡ 選民思想）

　ユダヤ教によれば、**神への信仰**を守り、神に与えられた掟である律法を守り通せば、万能の神が**救済**してくれる。そして神がこうした約束を与えてくれたイスラエル民族は選ばれし民なのである（選民思想）から、どんな苦難も神がわれわれの信仰を試す**試練**として引き受けるべきだとされたんだ。

 なるほどね。で、彼らが守るべき律法ってのは？

その核心は預言者モーセがエジプトを脱出する途中にシナイ山で神から授かったとされる十戒に示されている。

モーセの十戒

唯一神信仰の強制

❶ わたしをおいてほかに神があってはならない

偶像崇拝の禁止

❷ いかなる像も造ってはならない
❸ 主の名をみだりに唱えてはならない

❶〜❹は宗教的戒め

❹ 安息日を覚えて、これを聖とせよ

❺〜❿は道徳的戒め

❺ 父母を敬え
❻ 殺してはならない
❼ 姦淫してはならない
❽ 盗んではならない
❾ 隣人について偽証してはならない
❿ 隣人の家をむさぼってはならない

十戒は、神と人間との関係を規律する**宗教的な戒め**（❶〜❹）と、人間と人間の社会関係で守られるべき**道徳的な戒め**（❺〜❿）からなる。なお安息日とは、神が6日間で世界を創造して7日目に休息をとったことを記念するもので、いっさいの労働が禁じられている。十戒は必ずすべて目を通しておいてね。

⬆️ 律法（トーラー）とは

　数十の文書からなる『旧約聖書』は、律法（トーラー）、預言者（預言書）、諸書と大きく三つのパートに分けられる。このうち、冒頭にある「創世記」「出エジプト記」など五つの文書をまとめて律法または**モーセ五書**と言う。ここに描かれているのは天地創造からモーセの死までの物語で、それ自体が神による命令・掟としての性格をもつ。

イスラエルの人たちはその掟をちゃんと守ったわけ？

　そうでもなかった。僕らもたとえば成績が伸び悩んだりすると、参考書や予備校のせいにして、乗り換えたりするでしょ。同じように、イスラエル民族にも、苦難の連続に耐えかねて、ヤハウェ以外の神を信仰するような人がたびたび出てきたんだ。これは十戒❶の違反だね。

　するとすかさず神様が出現して、厳かに「おまえたちは私を裏切った」などと宣告し、彼らは一族皆殺しの刑に遭う。『旧約聖書』にはこうした記述が何度も出てくる。**ノアの方舟**で有名な大洪水の物語も同様の事例だよ。

げっ、おっかない神様ですね。なにもそこまでしなくても……。

日本のおおらかな感覚 ➡p.420 からすれば、やりすぎに思うよね。でもユダヤ人は神に対する畏怖が人々を正しく導くと考えたらしく、旧約聖書の神は「**怒りの神**」「**裁きの神**」としての性格が強い。

　また、神による「制裁」がない場合には、預言者たちが人々に警告を発した。「預言者」というのは未来の出来事を予知する者（予言者）ではなく、「神の言葉を預かる者」という意味だよ。ユダヤ教ではモーセだけではなく、イスラエル王国の滅亡後に人々の堕落に警鐘を鳴らした**イザヤ**や**エレミア**らも預言者として重要だ。

　また預言者たちは警告するだけでなく希望をも語り、人々を励ました。それが終末思想と**メシア**信仰だ。それによると、神が正しき者とそうでない者を選別する最後の審判がいずれ訪れ、その終末の日にはメシア（救世主）が現れる、とされる。人々は、このメシア降臨の日を待望することで苦難を耐え続けた。そしてついに、「**神の国は近づいた。悔い改めよ**」と説き、自分がメシアであることを匂わせる人物が登場した。それが**イエス**だ。

ポイント　ユダヤ教の特徴

『旧約聖書』を聖典とするユダヤ人の民族宗教であり、唯一神**ヤハウェ**との契約を核とする宗教。**律法**の遵守による民族的救済を主張。

ユダヤ人たちは、過酷な歴史的経験から、厳格な信仰体系をつくったんだね。

チェック問題 1

標準 2分

ユダヤ教の特徴として最も適当なものを、次の①〜④のうちから一つ選べ。

① 律法と預言者の言葉を通じて、超越的神が歴史において自民族にかかわり続けていることを確信し、メシアによる救済を待望する。
② 全知・全能で唯一絶対である神の子の意志や命令に服従することを教えの中心とし、民族や国家を超えた信仰共同体を形成する。
③ 狭い意味での宗教というよりも、ユダヤ共同体の生活様式全般であり、父・子・聖霊の一体性を奥義（おうぎ）として、人格神を礼拝する。
④ 律法よりも、人間社会の矛盾（むじゅん）に対して神から与えられた預言者の言葉を遵守する生活のほうが、救済のためには不可欠であるとする。

（2006年・センター試験倫理追試）

解答・解説

①

「超越的神」とはもちろん**ヤハウェ**のこと。ヤハウェの教えはモーセに与えられた十戒（じっかい）などの**律法**やその他の**預言者**を介して人々に示されているので、①が正しい。

②：「神の子」を「神」にする必要がある。「**神の子**」とはキリスト教でイエスを指す概念（がいねん）であり、ユダヤ教における信仰対象は神のみ。また「信仰共同体」の修飾語「民族や国家を超えた」も正しくない。ユダヤ教の共同体はあくまでユダヤ人だけのものである。

③：「父・子・聖霊の一体性を奥義として」が正しくない。この**三位一体**（さんみいったい）の考え方はやはりキリスト教に固有のもの ➡p.263 。それ以外の記述は正しい。

④：律法と預言者の言葉を対比している点が誤り。ユダヤ教では、これらはいずれも神の意志を示すものとして尊重される。

2 イエスによる律法主義批判

イエスは紀元前4年ごろに大工ヨセフと**マリア**の息子として生まれ、30歳のころに「**バプテスマのヨハネ**」の手により洗礼を受けた（「バプテスマ」とは「洗礼」のこと）。この時代のユダヤ教は、形式的な信仰に傾き、魂の救いを求める民衆からは遠ざかっていた。そうしたなかでイエスは登場し、信仰のあり方を刷新したんだ。

イエス

 ユダヤ教やその律法を**否定**したってこと？

いや、イエスは次のように言っている。「**わたしが律法を廃止するために来たと思ってはならない。わたしはそれを完成するために来たのである**」と。また彼は「『（旧約）聖書』の言葉は一字一句正しい」とも言っている。つまりイエスは、ヤハウェに与えられた律法を肯定しつつ、それについての**解釈**を改め、正しい信仰を人々に示しに来たというわけだ。このイエスによって示された教えは神と人間との**新しい契約**として、のちに『**新約聖書**』としてまとめられていく（『新訳聖書』じゃないよ！）。

⬆⬆『旧約聖書』と『新約聖書』

キリスト教では、神がモーセに与えた律法を中心とする文書群を『旧約聖書』と呼び、イエスによって示された新しい契約とそれを前提にした文書群を『新約聖書』としたうえで、旧約と新約を合わせて「聖書」と呼んでいる。この表現は、イエスを神の子とするキリスト教の立場によるものであり、ユダヤ教の立場では、いわゆる『旧約聖書』のみが聖書とされる。

 じゃ、イエスはユダヤ教のどんなところを改めたわけ？

イエスはユダヤ教における律法主義を厳しく批判した。律法主義とは**律法を形式的・表面的に守ろうとする態度**のことで、律法の遵守を至上とする**パリサイ派**に典型的に見られる。彼らは自分たちの正しさを誇り、律法を守れない心の弱い者たちや異民族を蔑んでいた。しかしイエスによると、律法というのは人々（の心）を正しき方向に導くためのものであり、こうした態度は本末転倒と言わざるをえない。イエスは、「律法の内面化」を目指したんだ。

たとえば、十戒の一つである**姦淫**禁止令を素直に解釈すれば、売春婦はたいへんな罪人ということになる。でも心のあり方を重視するイエスからすれば、姦淫の欲望を抱く者も同罪だ。また、**安息日**に病人を癒すのは戒律違反だとパリサイ派から咎められたさいにも、イエスは「**安息日は人のためにあるもので、人が安息日のためにあるのではない**」と静かに答えている。つまり、律法を形のうえでただ守ることよりも、**律法の精神**こそが大切にされなくてはならないというわけだ。

律法の精神って、具体的には？

イエスによると、律法とは神の教えであり、その最も核心にあるのは、**無差別で平等な絶対的な愛**にほかならない。これは、ギリシア語で**アガペー**と言われる。「**天の父は悪人にも善人にも太陽を昇らせ、正しい者にも正しくない者にも雨を降らせてくださる**」というわけだ。

そもそもイエスによると、人はすべて罪人であり、だれ一人として悔い改めの不要な人などいない。姦淫を犯した女に石打ちの刑を加えようとした人々に対して、彼は次のように言う。「**あなたがたのなかで罪を犯したことのない者が、まずこの女に石を投げなさい**」と。もちろん人々は無言で立ち去るほかなかった。イエスはまた、「**わたしが来たのは、正しい人を招くためではなく、罪人を招いて悔い改めさせるためである**」とも言っている。人間は本質的に弱い存在だから、どうしても罪を犯してしまうこともある。でも、その点を自覚して心から神に祈りを捧げるならば、慈悲深い神は赦してくださると言うんだ。

なるほど！ イエスの言う神様は懐が深いんだね。

うん、新約の神はしばしば「**愛の神**」「**赦しの神**」と言われる。だから人々に求められるのは、こうした神の愛（**アガペー**）に対する応答、すなわち**神への愛**と**隣人愛**だ（**二つの戒め**）。

神は、罪深く無価値な存在である私たち人間に対して無限の愛を注いでくださる。だから、僕らはその神を心から愛さなくてはならない（**神への愛**）。同時に僕らは地上の務めとして、神によるアガペーと同様の愛を同胞たちに差し向ける必要がある、これが**隣人愛**だ。

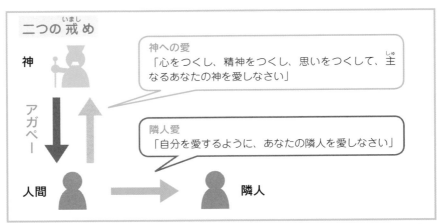

二つの戒め

神

神への愛
「心をつくし、精神をつくし、思いをつくして、主なるあなたの神を愛しなさい」

アガペー

隣人愛
「自分を愛するように、あなたの隣人を愛しなさい」

人間　　　　　　　　　　隣人

　この場合の「隣人」というのは文字どおり隣にいる人だけを指すわけではなく、イスラエル民族限定でもない。だからイエスの教えは明確に選民思想を否定するものだ。それどころか、イエスの言う「隣人」には自分の敵さえ含まれている。

- 「自分を愛してくれる人を愛したところで、あなたがたにどんな報いがあろうか」
- 「悪人に手向かってはならない。だれかがあなたの右の頬を打つなら、左の頬をも向けなさい」
- 「敵を愛し、自分を迫害する者のために祈りなさい」

これはすごい教えですね！
イエスの同時代の人もさぞや感銘を受けたでしょう。

　最初はね。とくに貧しい者、病人、女性らのあいだではイエスへの熱烈な支持が広がった。でも、彼こそがユダヤ人の王国を再建するメシアだという期待は、ほどなくして失望に変わった。次の言葉を見てほしい。

神の国

　「神の国は見える形ではなく、また『見よここに』とか『あそこに』というようなものではない。神の国はあなたたちのあいだにある」

　これは、神の国がかつてのイスラエル王国のような現実の国家ではなく、人々の心の内面に成立するものだという指摘だ。つまり、アガペーの心をもって隣人愛を実践する者は、すでに神の国を実現しているというわけだ。これは

たいへん革命的な教えだけど、ローマ帝国からの支配という現実の苦しみから脱することを切望していた民衆にとっては、あまりに物足りないものだった。

　そしてこの失望を利用したのがユダヤ教の指導者たちで、彼らは神の子を僭<ruby>称<rt>しょう</rt></ruby>する者としてイエスを訴え、イエスはローマ帝国の<ruby>官憲<rt>かんけん</rt></ruby>の手により<ruby>十字架<rt>じゅうじか</rt></ruby>にかけられて死んだ。

ポイント　イエスの教え

- イエスは律法そのものを否定していない（律法の内面化を主張）。
- 信仰の核心は無差別・平等の絶対的な愛。
- 神の国は、地上に実現するものではなく、個人の内面に実現。

ユダヤ人の王国をリアルの世界に実現したいと願う人々と、個人の内面に実現しようと説いたイエスとのあいだに溝ができて、イエスは処刑されてしまったんだね！

3 キリスト教の成立と使徒パウロによる伝道

さて、イエスの活動はわずか2年間ほどで終わってしまったわけだけど、キリスト教はこのイエスの死後に成立する。でも、このあと意外な展開が待っていたんだ。

たしか、イエスが3日後に**復活**するんですよね。

聖書の記述ではね。ただ、信仰をもたない人には死者の復活などという物語はとうてい受け入れられないことだろう。でも、これを合理的に解釈することも可能だ。

イエスの弟子のことを<u>使徒</u>と言うが、ひいき目に見ても、イエス生前の使徒たちはぱっとしなかった。使徒の一人である**ユダ**はイエスを密告して逮捕のきっかけをつくってしまうし、一番弟子の<u>ペテロ</u>（？～67ごろ）でさえ、イエスが逮捕されると、自分が関係者であることを三度までも否定する始末だった。とはいえ彼らは師を裏切って死なせてしまったことで激しく後悔したことだろう（ペテロは号泣し、ユダは自殺した）。しかしペテロたちは思い出したんだ。**悔い改める心**こそが重要だというイエスの教えを。こうして彼らは間違いなく生まれ変わり、その悔恨の気持ちが**イエスの復活**という心理的体験（夢？）を引き起こしたのだろう。だから、残された使徒たちは<u>原始キリスト教会</u>をつくり、イエスの教えを世に広めること（**伝道**）に文字どおり命をかけたんだ。

▶ペテロはのちにローマ伝道中に迫害に遭い、殉教した。ローマ・カトリック教会ではペテロを初代教皇と位置づけている。

感動的な話ですね。でもそもそもイエスは「神の子」だったんでしょ。なぜあっさりと死んじゃったのでしょうね？

それをみごとに説明してみせたのが<u>パウロ</u>（？～62/65ごろ）だ。この人物こそがキリスト教を本当の意味で築いたとも言われる。

じつはパウロはもともとパリサイ派の律法学者で、イエスの弟子たちを迫害する急先鋒だった。ところが彼は死んだはずのイエスの声を聞いて<u>回心</u>した。回心とは単純に心を入れ替える「改心」ではなく、考え方が根本的に転換することだよ。聖書の記述では、このとき彼は「目からウロコのようなものが落ちた」との

パウロ

258

ことだ。そして新たに使徒となった彼は、**イエスの死**について宗教的な解明を行った。これが贖罪の思想だ。

> **贖罪の思想** ～なぜイエスは死なねばならなかったのか
>
> 人はすべて罪深い（∵ 原罪）
> ➡ イエスが人間の罪を一身に引き受けた（**十字架**での死）
> ➡ イエスを神の子として信仰すべき
> ～「**イエス＝キリスト**」という信仰（＝**キリスト教**）の成立

　原罪というのはすべての人間が宿命的に背負う罪のことだ。これは、神が最初につくった人間である**アダム**と**イブ**に由来する。彼らは楽園で自然との完全な調和の下に生きていたが、これだけは食べるなと神に言いつけられていた知恵の木の実（**禁断の果実**）を食べてしまう。彼らが命に背いたことを知った神は激怒し、楽園から追放する。この結果、彼らの子孫である全人類にもその罪が継承されたというわけだ。およそ人間の行う悪はすべてこれに由来する。

　ところで一般に、罪を犯した者は何らかの形で罪を贖うこと（＝贖罪、罪ほろぼし、罪を償うこと）が必要になる。しかしこの原罪は人類の始祖にまで遡る罪なので、ちょっとやそっとの反省では償えない。そこで、イエスがわれわれ人間のすべての罪を文字どおり十字架として一身に背負ってくれたと言うのだ。だから、イエスの死は原罪に対する神の赦しを意味しているのであって、このイエスを与えてくれた**神の愛**を信仰し、神の子イエスを救い主（**キリスト**）として信仰するべきだとされる。ここにイエスをキリストとして信仰する**キリスト教**が誕生したと言うことができるんだ。

⬆ メシアとキリスト

　ヘブライ語で**メシア**は「油を注がれた者」を意味する。イスラエル民族の指導者（国王）が就任のさいに油を塗られたことから国王を指す表現となり、のちには来たるべき「**救い主**」を意味するようになった。このギリシア語訳が「**クリストス**」（『新約聖書』はギリシア語で書かれている）で、日本語では**キリスト**と言われるようになった。したがって「**イエス＝キリスト**」とは「救い主であるイエス」という一種の信仰告白である。

パウロってすごいんだね。ほかに大事な教えは？

信仰義認説の考え方を最初に示した点が重要だね。ユダヤ教では律法の遵守が救済の条件と考えられていた。しかしパウロによると、人間は自分の意志で善をなすことなどできないとされる。だから、律法などを行為において守ることではなく、ただひたすら神とイエスを**信仰**することによってのみ、人は神によって義と認められる（救いの資格が得られる）、とされるんだ ➡p.312 。

「わたしは肉の人であり、罪に売り渡されています。……わたしは、自分の望む善は行わず、望まない悪を行っている。……わたしはなんと惨めな人間なのでしょう。死に定められたこの体から、だれがわたしを救ってくれるのでしょうか。わたしたちの主イエス＝キリストを通して神に感謝いたします」

（パウロ『ローマ人への手紙』）

それからパウロは、キリスト者にとって最も大事なものとして信仰・希望・愛という三つを挙げている。これはのちにキリスト教の三元徳と言われるようになるもので、必ず覚えておこう。

あとは、パウロの教えというより行いに関する点だけど、彼が**異邦人**（＝非ユダヤ人）への伝道に励んだというのも重要だ。それまでイエスの教えはごく限られたユダヤ人に知られていたものにすぎなかったが、彼の活躍により、キリスト教は名実ともに世界宗教になっていったんだ。

ポイント　パウロの業績

- イエスの死を宗教的に説明（贖罪思想）。
- キリスト教の土台を形成（信仰義認説、三元徳、異邦人への伝道）。

パウロがいなかったら、キリスト教は存在しなかったかもしれないね。

チェック問題2 標準 1.5分

『新約聖書』に描かれたイエスについての記述として最も適当なものを、次の①～④のうちから一つ選べ。

① 「天地が消え失せるまで、律法の文字から一点一画も消え去ることはない」とあるように、ユダヤ社会の刷新には律法の遵守が不可欠と考えた。

② 「私があなたがたを愛したように、あなたがたも互いに愛し合いなさい」とあるように、相互の愛を実践するよう説いた。

③ 人間はすべて、理性と道徳上の能力において本来同等であるから、隣人愛に満ちた関係を築くべきだと説いた。

④ 預言者の精神を受け継ぎ、当時のユダヤ社会に真の悔い改めを求め、ヨルダン川で、身分の差別なく人々に洗礼を授けた。

(2008年・センター試験倫理追試)

解答・解説

②

正しい。神の教えにおいて最も重要な「二つの戒め」のうちの一つ、**隣人愛**についての正しい記述が②である。

①：引用文はたしかにイエスによるもの（**新約聖書の「マタイによる福音書」**）だが、そのあとの記述が正しくない。「律法の遵守が不可欠」というのは、律法の内面化を説いたイエスの立場と矛盾する。

③：「隣人愛に満ちた関係を築くべき」という結論は正しいが、その根拠がおかしい。隣人愛が求められるのはそれが**神の愛**に応えるものであり、また神の意に沿うものだからである。人間が「理性と道徳上の能力において本来同等」とあるが、これは近代哲学の発想であって、イエスは人間の能力よりも罪深さを強調する。

④：やや細かい点だが、イエスではなく、**バプテスマのヨハネ**に関する記述である ➡p.254 。イエスもこのヨハネから洗礼を受けている。

6 キリスト教の発展とイスラーム

この項目のテーマ

1 キリスト教の発展
アウグスティヌスとトマス・アクィナスの教えとは？

2 イスラームの教え
キリスト教との関係をおさえ、六信五行を覚えよう

1 キリスト教の発展

今回のテーマは、キリスト教の成立後の展開だ。

まず、紀元 1 世紀に『新約聖書』が成立し、キリスト教の信仰はローマ帝国の各地に急速に普及していく。しかし、この時代にはキリスト教の教義がまだ確立されていなかった。そのような状況にあって、異端信仰と闘い**正統教義**の確立に尽力した教会指導者を**教父**と言うんだ。その代表が**アウグスティヌス**だ。

アウグスティヌス（354〜430）

● 主著『告白』『神の国』『三位一体論』

● 教父哲学を大成し、カトリック教会の**正統教義**を確立

● **三元徳**：**信仰・希望・愛**をギリシア四元徳の上位に。

● **三位一体説**：「神」と「イエス」と「聖霊」は本質的に同一。

● **恩寵**による救い：人間は**原罪**ゆえに悪への自由しかもたず、人間の救済は神の恩寵（恵み）のみによる。

● **キリスト教の歴史哲学**：人間の歴史は善と悪、**神の国**と**地上の国**との闘いの歴史である。　▶**教会は神の国の地上における代理**

アウグスティヌスの著書『告白』によると、彼は最初からキリスト者だったわけではなく、性的な放蕩に溺れたり善悪二元論の**マニ教**を信じたりといった遍歴の末に、母が信じていたキリスト教にたどり着いた。キリスト教に敵対す

るほかの考え方を熟知しているという点が、彼の強みと言えるのかもしれない。

 アウグスティヌスは何を主張したんですか？

　まず彼は、前回にも出てきた**三元徳**（信仰・希望・愛）➡p.260 をプラトンの四元徳 ➡p.237 の上位に位置づけた（合わせて七元徳と言うことがある）。彼は、ギリシア哲学にも造詣が深く、とくに**新プラトン主義** ➡p.264 と言われる潮流の影響を強く受けていたんだ。つまり、アウグスティヌスはキリスト教の信仰をギリシア哲学によって補強したと言える。

　それから、**三位一体説**を確立した。クリスチャンはお祈りのさいに「父と子と聖霊の御名によって、アーメン」と言うけど、この**「父と子と聖霊」が本質的に同一だという考え方**を三位一体説と言うんだ。

　とくに問題だったのが、イエスは人間なのか、それとも神なのかというテーマなんだけど、イエスは肉体をもたぬ神が受肉したものである、つまり**イエスは神であると同時に人でもある**という立場が正統とされた。イエスは二重の性格をもっているんだ。

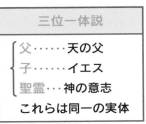

三位一体説

父……天の父
子……イエス
聖霊…神の意志
これらは同一の実体

 恩寵ってのは？

　前項で触れたように ➡p.259 、**原罪**ゆえに人間はどうしても悪へと流されてしまう。たしかに、人間は自分の行為を自分で決定できる**自由意志** ➡p.308 をもつが、それは**悪への自由**でしかない。つまり、人間に善をなす自由はない。だから、そんな人間が救われるためには、慈悲深い神による**恩寵**（恵み）に期待する以外にはないんだ。

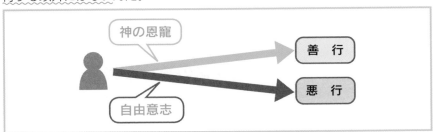

⬆⬆ 恩寵の予定

　アウグスティヌスは、恩寵（おんちょう）が与えられる人（救われる人）とそうでない人は神によって予（あらかじ）め決定されている（つまり、努力や信仰で救いを獲得することはできない）、と考えた。そもそも人間はだれ一人救われる価値がないため、そんな人間でも救われうることに感謝すべきだとされる。この**予定説**の考え方は、のちに宗教改革の指導者・カルヴァンに影響を与えた ➡p.313 。

「キリスト教の歴史哲学」ってのは何ですか？

　アウグスティヌスが生きたのは、ゲルマン民族が侵入し、西ローマ帝国が滅亡しようとする**危機の時代**だった。そんな背景の下（もと）、そもそも神が世界をつくったのに悪が存在するのはなぜなのか、といった疑念が強まっていた。

　これに対してアウグスティヌスはこう答えた。**歴史**は神による世界創造から終末に向かって進んでおり、そこでは**善**と**悪**という二つの原理がせめぎ合っている。この二つは**神の国**と**地上の国**と言い換えることもでき、それぞれ「神への愛」と「自己愛」によって支配されている。つまり、永遠の善である神のもとへと人々が導かれるまでの過程、それが歴史なのだと。なお、教会は地上における神の代理者であるとして、彼の議論は**教会制度の確立**にもつながった。

> 「あなた（神）は私たちを、御自身に向けておつくりになったので、私たちの心はあなたのうちに憩う（いこ）まで、安らぎを得ることができないのです」　　　（『告白』）

⬆⬆ 新プラトン主義

　アウグスティヌスに影響を与えた新プラトン主義とは、3世紀にプロティノスが始めたもので、万物は究極の一者から流出したものであるとし、この一者との合一（ごういつ）を目指す。一者をキリスト教の神と解釈し、キリスト教と結びつける動きも起こった。

ポイント ▶ アウグスティヌスの教父哲学

　最大の**教父アウグスティヌス**は、人間は**悪への自由**しかもたず、神の**恩寵**によってのみ救済されると説いた。

　次に紹介するのは**トマス・アクィナス**（1225ごろ〜74）だ。生没年を見ても
らえばわかるとおり、彼は古代の思想家ではなく、中世末期の思想家だ。この
時期には、教会や修道院の付属の学校で神学などさまざまな学問が研究されて
いた。学校で研究された哲学であることから、これを**スコラ哲学**と言う（「スコ
ラ」は school の語源だ）。

　アウグスティヌスはプラトン哲学の影響を受けていたけど、この時期のスコ
ラ哲学は**アリストテレス**の影響を強く受けている。じつは、アリストテレスの
学派はバラバラになってしまい、文献も散逸してしまっていたため、本家ヨー
ロッパでは長く忘れ去られていた。ところが、**十字軍の遠征** ➡p.306 でヨーロ
ッパのキリスト教徒たちがイスラームと戦ったさいに、意外なことにムスリム
（イスラーム教徒）たちがアラビア語でアリストテレスを研究し続けていたこ
とを知ったんだ。これをきっかけにアリストテレスの哲学はヨーロッパに逆輸
入され、神学者たちもこれを導入していった。

　なるほど。で、トマス・アクィナスは何を主張したの？

　トマス・アクィナスは**スコラ哲学の大成者**で、当時の神学者たちを悩ませて
いた大問題にいちおうの決着をつけたんだ。当時の問題というのは、理性と信
仰のいずれが優越するかというテーマだ。

　かつては「聖書」の記述などの神学的知識で宇宙のあらゆる現象が説明でき
ると考えられていた。ところが、アラビア世界から流入した高度な化学などの
科学的知識を使えば、信仰なしにたいていの事柄が客観的に説明できるように
なってきたんだ。こうなると、「理性だけで十分じゃないの？」「信仰いらなく
ね？」という疑問が出てもおかしくないよね。でも神学者にとって、これはま
ずい。理性の威力も否定できないが、信仰も捨てがたい……スコラ哲学は、こ
ういうジレンマに直面していたんだ。

　そこで、トマスはこの問題について、次のように考えた。

信仰と理性の調和（**トマス・アクィナス**）

- 理性（**自然の光**）：自然界を認識

　　　　　⬆ 完成（信仰が上位）

- 信仰（**恩寵の光**）：信仰上の真理を認識

認識の対象が
異なる

第一に、理性と信仰は扱う世界が異なっている。だから、両者はけっして矛盾せず、むしろ**相互補完**の関係にある。３＋３がいくつになるのかといった問いに答えを与えてくれるのは理性（哲学）だが、イエスの復活が何を意味するのかといった問いに答えを与えてくれるのは信仰（神学）だ。つまり、理性と信仰のそれぞれに独自の意義がある。

第二に、理性と信仰は対等な関係にあるのではなく、**あくまで信仰上位**で統合される。トマスは「**恩寵は自然を破壊せず、かえってそれを完成させる**」と述べているが、これは信仰（啓示）によって明らかにされる真理が理性とは矛盾しないということとともに、信仰が理性より高みにあるということを意味している。スコラ哲学では「**哲学は神学の婢〈侍女〉**」と言われるが、トマスもこの観点を受け継いでいる。

⬆️ 普遍論争

スコラ哲学では、「普遍は存在するか」という問題が大きなテーマとなっていた。「普遍」とは、たとえば「ミケ」「タマ」といった指し示すことのできる個々のネコに対して、思考でしかとらえられない「ネコ」という概念である。「ネコ」などの概念は単なる名前にすぎず、本当に存在するのは個物だけだとするのが**唯名論**（名目論）であり、**ウィリアム・オッカム**が代表的哲学者である。

しかし、唯名論の立場では、神の存在が単に名目上のものとされかねないため、**アンセルムス**ら**実在論**（実念論）の立場に立つ哲学者は、普遍概念こそが存在すると考えた。この普遍論争に対してトマス・アクィナスは、アリストテレス主義の立場から、**普遍が個物に内在する**と論じて両者を調停した。

チェック問題 1

標準 2分

アウグスティヌスが説いた、神と人間とのかかわりについての記述として最も適当なものを、次の①～④のうちから一つ選べ。

① 我々はみずからの原罪（げんざい）を克服しようと努めるべきであり、その努力に応じた神の恩寵によってのみ救済される。

② 我々は神の無償の愛によってのみ救済されるのであり、原罪のゆえにみずから善（ぜん）をなす自由を欠いている。

③ 我々は神のロゴスにより創造されているため、そのロゴスに従うよう努めることによってのみ救済される。

④ 我々は神の律法を遵守することによってのみ救済されるが、その律法を破ったならば神の罰を受ける。

(2008年・センター試験倫理本試)

解答・解説

②

　アウグスティヌスによると、人間は神による無償の愛（＝恩寵）によってのみ救われるとされるので、②が正しい。

①：原罪は人間に課せられた宿命のようなものである。したがって、それを「克服」することはできず、神の恩寵をひたすら信じることが求められる。また、人間には善をなす自由がないので、努力に応じて恩寵が与えられることもない。

③：①と同様に、何らかの努力によって見返りとして救済が得られることはない。なお、人間が神のロゴスによって創造されているというのは、「ヨハネによる福音書（ふくいんしょ）」冒頭の記述（「はじめに言葉（＝ロゴス）があった」）に対応している。

④：ユダヤ教、とくにパリサイ派 ➡p.254 の立場についての記述である。

「なんとなく」ではなく、正確な理解が重要だよ！

2 イスラームの教え

アウグスティヌスがキリスト教の正統教義を確立してから二百数十年後、アラビア半島では**ムハンマド**（570ごろ〜632）の手により、ヘブライズムの伝統を受け継ぐもう一つの宗教である**イスラーム**が誕生していた。イスラームは、唯一神**アッラー**への**絶対服従**を説く**平等主義**的な**世界宗教**だ。

> **イスラームの特徴**
> ● 開祖：ムハンマド（「**最後にして最大の預言者**」）　「神の子」ではない！
> ● 聖地：**メッカ**（ムハンマドの生誕地）、メディナ、エルサレム
> ● 聖典：『**クルアーン**』（ムハンマドを介した神の言葉）、「聖書」の一部
> ▶ イスラームは単なる内面的信仰ではなく、宗教的共同体（**ウンマ**）をなしている（**聖俗一致**）。日常生活も**シャリーア**（イスラーム法）で規律。

ムハンマドって、キリスト教におけるイエスみたいな人？

まったくちがう。イエスは「神の子」でありいずれ地上に再臨することが予定される神的な存在だが、ムハンマドは預言者だ。つまり、ムハンマドはあくまで人間だから、再臨も復活もしない。イスラームは神の唯一絶対性をキリスト教以上に強調する（「イスラーム」とは「服従」の意）ので、アッラー以外に神的な性格をもつ存在はけっして現れない。だから**偶像崇拝**も厳しく戒められていて、イスラームでは神やムハンマドを絵画で描くことさえ禁じられているんだ。

その反面、イスラームは「神の前の平等」をとくに強調するので、信者はみな兄弟であって、民族の差別がないのはもちろん、**聖職者**すら存在しない。

さて、ムハンマドはもともと裕福な商人だったが、40歳のときに突如「起きて警告せよ」との**啓示**（神の声）を受け、預言者としての活動を始める。ムハンマドは「**最後にして最大の預言者**」と言われていることからわかるように、イスラームの開祖であるにもかかわらず、彼に先行する預言者が想定されている。

いったい、それはだれですか？

モーセやイエスたちだ。イスラーム世界では、ユダヤ教徒とキリスト教徒は唯一なる神によって導かれた**啓典の民**とみなされており、これらは**兄弟宗教**と

位置づけられている。そして、モーセやイエスはムハンマドに先行する神の代弁者（預言者）と考えられているんだ。

 へえ！　ヤハウェとアッラーって同一人物なの？

「人物」かどうかはともかく、少なくともイスラームでは、世界を創造した唯一絶対なる神として同一の存在だと考えられている（そもそも「アッラー」とはアラビア語で「神（the God）」を意味する）。

> ### ポイント　イスラームの特徴
> - ムハンマドは最後にして最大の預言者。
> - ユダヤ教・キリスト教は兄弟宗教。

さて少々細かい話になるけど、入試的には**ムスリム**（イスラームを信じる者）の六つの信仰対象（六信）と五つの宗教的義務（五行）を覚える必要がある。

六　信

- 神　　　：唯一神アッラー　▶偶像崇拝は厳禁　　　　アッラーの言葉をムハンマドに伝えた
- 天　使：神と預言者の媒介者　例　ジブリール
- 聖　典：『クルアーン』、および『新・旧約聖書』の一部
- 預言者：神の言葉を伝える者　例　モーセ、イエス、ムハンマド
- 来　世：**天国**と**地獄**　最後の審判のさいに、現世での行いにより神が振り分ける
- 天　命：神の意志

まずは、六信を必ずすべて暗記してしまうこと。聖書が否定されていないというポイントは大事だよ。イスラームにおける聖典（啓典）とは、要するに神の言葉が正しく示されたものであって、『旧約聖書』の「モーセ五書」や『新約聖書』の「福音書」などもこの資格を満たしていると考えられている。『クルアーン』だけが聖典というわけではない。

なお『クルアーン』は「読まれるもの」を意味し、音読・暗唱が推奨される。これは、ムハンマドに伝えられた**神自身の言葉**だと位置づけられているからだ。けっしてムハンマドが執筆したものではない。

第2章　源流思想

五行（ご ぎょう）

- **信仰告白**：「**アッラーのほかに神はなく、ムハンマドはその使徒である**」と証言すること
- **礼拝**（れいはい）：毎日5回、定刻に**メッカ**に向かって祈りを捧げること
- **断食**（だんじき）：ラマダーン（断食月（づき））の日中にいっさいの飲食を絶つこと
- **喜捨**（きしゃ）：貧しい者に対して富（とみ）の一部を分け与えること
- **巡礼**（じゅんれい）：一生に一度はメッカに巡礼すること（努力目標）

　五行も、とにかくまず何度か唱えて暗記すること。これまでたびたび出題されたのは**断食**のやり方だね。断食が日の出から日没までの日中だけ（日暮れ以降には豪華ディナーが待っている）だということや、1カ月間のイベントだということなどに注意してほしい。

　喜捨は、イスラームが神の前の平等を強調することに由来するもので、同胞（どうほう）の助け合いが当然の義務とされている。

　なんだか、ルールが細かいっすね！

　イスラームはそもそも単なる内面的信仰ではなく、結婚・相続など生活の全般を規律する教えなんだ（その点はユダヤ教と似ている）。だから、『クルアーン』にはかなり細かいルールが書かれているし、そうでないルールは**シャリーア**（イスラーム法）で補われている。

　この信仰共同体は**ウンマ**と呼ばれ、かつては**カリフ**（「ムハンマドの後継者」の意）が指導していた。のちに大きく**スンナ派**（多数派。ムハンマドの言行をもとにした慣行を重視）と**シーア派**（少数派。ムハンマドの血統を重視）に分裂してしまったけどね。

　イスラームでは異教徒との闘い（**ジハード**）という教えがあり、これが一面的にとらえられて不幸な対立をも引き起こしてしまったけど、本来のジハードは悪に対する内面の闘いや、神に尽くすことを一般に指していた。ともあれ、結束と平等を説くイスラームの教えは多くの人の心をとらえ、現在ではアラビア語圏だけでなく全世界で信者を拡大している。

チェック問題 2

易 1分

アッラーの意志に関する記述として適当でないものを、次の①～④のうちから一つ選べ。

① アッラーの意志を示すものである『クルアーン（コーラン）』は、結婚や遺産相続などの生活上の規範も説いている。

② アッラーの意志はムハンマドを通じて人間に伝えられたが、ムハンマドにそれを仲介したのは天使だとされる。

③ ユダヤ教とキリスト教の聖典はアッラーの意志を示すものではないため、イスラームの聖典とは認められない。

④ ムスリムは、「アッラーの意志に従う者」を指し、民族のちがいにかかわらず平等に信徒として認められている。

(2008年・センター試験倫理本試)

解答・解説

③

イスラームにおいては『クルアーン』だけでなく、「聖書」の一部も聖典として位置づけられているので、③が誤り。

①：正しい。『クルアーン』は内面の信仰だけを示しているわけではなく、日常生活におけるさまざまなルールも規律している。

②：正しい。ムハンマドはアッラーと民衆を媒介する預言者だが、このアッラーとムハンマドを媒介したのが天使だとされる。

④：正しい。ムスリムとは「神に服従する者」の意味で、信者はみな兄弟とされる。

7 古代インドの思想

この項目のテーマ

1 ブッダ以前の古代インド思想
バラモン教とウパニシャッド哲学の基本性格が重要

2 ゴータマ・ブッダの教え
多岐（たき）にわたる仏教思想のエッセンスをつかもう

3 ブッダ以後の仏教の展開
大乗（だいじょう）仏教と上座部（じょうざぶ）仏教のちがいが頻出！

1 ブッダ以前の古代インド思想

　ここからは東洋の源流思想について見ていこう。東洋の源流思想は暗記しなければならないことが多いから、そのつもりでね。まずは古代インドだ。

　インドは仏教発祥の地だけど、じつは現代のインドで仏教徒の割合は非常に小さい（人口の1％くらい）。13世紀にはインドの仏教はほぼ消滅したとされる。20世紀後半からは増えてきているとも伝えられるけどね。

じゃあ、多くのインド人は何を信じているの？

　ヒンドゥー教だ。これはヨーロッパ人が「インド人の宗教」くらいの意味で呼称（こしょう）しているものにすぎないんだけど、ともかく古代のバラモン教にインド人の土着（どちゃく）信仰が融合してしだいに形成された宗教、それがヒンドゥー教だ。

　そしてヒンドゥー教の原型になったバラモン教（これまたヨーロッパ人が命名）とは、大昔のインドで成立したもので、次のような性格をもっている。

バラモン教とは

- カースト制を基盤とした**アーリア人**の民族宗教
  祭祀（さいし）階級バラモンを頂点とする階級制度

- 神々への賛歌（さんか）『**ヴェーダ**』を聖典とする自然神信仰

紀元前の15世紀ごろ、イラン北部地域に住んでいた**アーリア人**がインドに侵入し、先住民族を支配する過程で独自の信仰体系を形成していった。この信仰は祭祀階級であるバラモンを頂点にしたカースト制という階級制度を基盤とするものだ。

- **バラモン** ：祭祀階級
- **クシャトリヤ**：貴族・戦士階級
- **ヴァイシャ** ：農民・商工業者
- **シュードラ** ：奴隷階級

　神々への祈禱を司るバラモンはこの宗教で特権的な存在であり、聖典『ヴェーダ』（サンスクリット語で「知識」の意）に示される秘儀や神々の声を聴くことのできる存在とされた。

 カースト制っていまも残っているんですよね。

　そうだね。異なるカーストでは結婚はおろか食事を同席することすら認められないなど、非常に厳しい身分制だ。このしくみは1950年に制定された憲法で明確に禁じられたが、残念ながら今日でもなお生きている。

　なぜこんな悪習が残っているかというと、これはインド人のあいだで輪廻思想が強く息づいている点とおおいに関係があるんだ。輪廻思想とは、**永遠に生と死が繰り返される**、つまり肉体が滅んでも別の形で再生する、という考え方だ。でも、単に同じ人生を繰り返すわけではない。前世の行い（＝業、カルマ）によって来世の生まれが決定されるんだ。だから善い行いをした者は高い身分に生まれることができるし（善因善果）、悪い行いをした者は低い身分、場合によっては動物なんかに生まれ変わってしまうこともある（悪因悪果）。

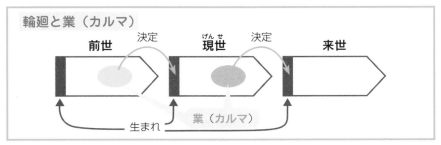

輪廻と業（カルマ）

前世　　決定　　現世　　決定　　来世

業（カルマ）

生まれ

　だから、逆に言うと、現世においてシュードラのような奴隷的境遇にある者は、前世で悪い行いをしたとみなされる。現実の世界では才能の差や運の善し悪しなど、たしかに運命みたいなものがあるよね。これを前世から説明するのが輪廻思想なんだ。そんなわけで、輪廻思想が息づいているインドでは、いまでもカースト制が宿命的なものとして受け止められがちなんだ。

なるほど、僕の物覚えが悪いのも前世に原因があるのかな……。でも、現世で頑張れば、来世に期待がもてるわけだよね。

　可能性としてはね。でも、だれしも多かれ少なかれ、後ろめたい過去を抱えているでしょ（僕も山ほどあるよ）。だから、来世ではさらにひどい生まれになってしまうのではないかと恐れる。おまけに、インド人は人間と動物をきわめて連続的にとらえているから、階級の「降格」ならまだしも、サルやイヌのような動物に生まれ変わってしまう可能性さえある。だから、人々は生まれ変わることを恐れていたんだ。人々が目標としたのは、こうした恐ろしい輪廻の悪循環を絶ち切って永遠の至福に至ること（＝解脱）だ。

どうすれば解脱できるんですか？

　それについては、世界最古の哲学とも評されるウパニシャッド哲学で理論化されている。「ウパニシャッド」とは「奥義書」などと訳される文書群で、『ヴェーダ』の最後に位置づけられるものだ。
　この哲学によると、解脱の方法は次のとおり。

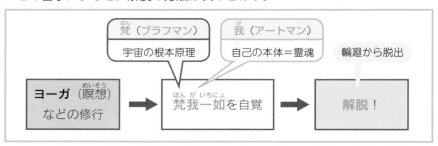

　ウパニシャッド哲学では、瞑想などの修業によって梵我一如を悟れば解脱できるとされる。「梵（ブラフマン）」とは宇宙の根本原理のことで、ギリシア哲学で言う「ロゴス」ときわめて近いものだ。神々を含めた森羅万象はすべてこのブラフマンの現れだとされる。これに対して、「我（アートマン）」とは自我の本体のことで、要するに魂のことだ。つまり、梵我一如とは、自我というものが宇宙と究極的に同一であるということを意味する。
　たとえば満天の星空などを見ると、吸い込まれてしまいそうになるよね。このときに人は、自分が大宇宙の一部にすぎないことを深く感じているんだ。この感覚を極限まで進めたのが梵我一如の境地だと思ってもらえばいい。

↑↑ ヨーガ

　ヨーガは、今日（こんにち）では健康法ともなっているが、もとは呼吸を整え、瞑想して精神を統一する宗教的な修行法。アーリア人の侵入以前からインドで行われていたと考えられ、バラモン教、ジャイナ教、仏教などでも取り入れられた。坐禅（ぜん）の原型でもあり、仏陀（ブッダ）はこれによって悟りを開いたことから、とくに禅宗（ぜんしゅう）では重視される。

　さて、バラモンたちはヴェーダ聖典の権威を絶対化し、いわば真理を独占していた。しかし、紀元前6世紀ごろから商工業が発達してクシャトリヤやヴァイシャたちの社会的地位が向上したことなどを背景に、**バラモンの宗教的権威はしだいに低下していった**んだ。そんななかで、バラモンおよびヴェーダの宗教的権威を公然と否定する修行者たちが出現したんだ。これを自由思想家と言う。その代表格が、ヴァルダマーナとゴータマ・ブッダだ。

　ヴァルダマーナってのは、何者？

　ヴァルダマーナ（前549ごろ〜前477ごろ）は、ブッダとほぼ同時代に活躍したと考えられている、ジャイナ教の開祖だ。「偉大な勇者」を意味する「マハーヴィーラ」という尊称（そんしょう）もある。彼はカースト制を批判し、徹底的な不殺生（ふせっしょう）（アヒンサー）、**無所有**などを根本教義として**厳しい苦行**（くぎょう）による解脱を説いた。あとで触れるけど、**苦行主義を認めるかどうか**がブッダとの大きなちがいだから覚えておいてね。

　ブッダについては、277ページ以降で詳しく見ていくとしよう。

↑↑ 六師外道（ろくしげどう）

　仏教の世界では、自由思想家のうち、ブッダを除いた有力者六人を**六師外道**と総称する。ジャイナ教の祖ヴァルダマーナのほか、真理認識の不可能性を説いた懐疑論者（かいぎ）の**サンジャヤ**、自由意志を否定した宿命論者（しゅくめい）の**ゴーサーラ**、道徳否定論者の**プーラナ・カッサパ**らが含まれる。彼らはいずれも、バラモンの権威を否定して独自の教えを展開した。

　古代インドのウパニシャッド哲学で追究された、輪廻（りんね）を脱した境地の説明として最も適当なものを、次の①〜④のうちから一つ選べ。

① アートマンのなかに変化しない要素はないことを認識し、執着を捨てて永遠性を獲得した境地。
② アートマンと宇宙的原理が同一であることを直観し、それによって永遠性を獲得した境地。
③ アートマンが存在のよりどころとしている身体を不滅なものにすることによって、永遠性を獲得した境地。
④ アートマンを創造した神の行為を認識し、神の慈愛（じあい）による救済を通して、永遠性を獲得した境地。

（2006年・センター試験倫理本試）

解答・解説

②

　ウパニシャッド哲学では、自己の原理が宇宙の原理と同一であること（梵我一如（ぼんがいちにょ））を認識すれば永遠の境地に至れると考えるので、②が正しい。

①：あらゆるものは変化するという前提に立って執着を捨てるべきことを説くのは**仏教**。

③：**アートマン**は、身体ではなく**霊魂**を意味する。身体は、生死が循環するごとに滅びる。

④：神の慈愛による救済は、**キリスト教**に特徴的な考え方。

次は、いよいよブッダの教えだよ。

2 ゴータマ・ブッダの教え

　いよいよ仏教の説明に入っていくよ。なじみのない用語がたくさん出てくるから、確実に頭に入れるまで繰り返し学習すること！　ではさっそくだけど、ひと言で言って仏教ってどんな教えだと思う？

仏（ほとけ）様の説いた教え、ですかね？

　半分はあたっているかな。でも、その説明だと非常に大事な点が抜け落ちてしまう。仏教というのは仏になる（**成仏**する）ための教えなんだ。では、仏（ブッダ、仏陀）とは何か。これは、「**悟りを得た者**」という意味だ。だから、ゴータマ・ブッダという表現は、シャカ族の王子**ゴータマ**が悟りを開いたという事態を言い表している。

　そして、仏教が目指すのは、苦悩の根本原因を知り、それを解消すること（解脱、悟り）だ。だから、キリスト教などとちがい、仏教は、絶対的な神による救いを求めるのではなく、努力をして仏になる、すなわち真理を認識することが究極目標とされる。

なるほど。ゴータマさんってどんな方だったんですか？

　ゴータマ・シッダッタ（前463?〜前383?）は、北インドの小国でシャカ族の王子として生まれた。物質的に何一つ不自由のない暮らしに虚しさを覚え、29歳のときに地位と妻子を捨てて出家したんだ。当時のインドでは、バラモン教とは異なる真の解脱を求める修行者（**沙門**）が多くいたようで、ゴータマもその道を選んだというわけだ。彼は6年間の修行の末に成道（解脱・成仏）し、これ以降、80歳で入滅（死去）するまで多くの人々に教えを説いた。

ゴータマ・シッダッタ

で、ゴータマは何を悟ったの？

ゴータマ・ブッダの教えの核心は、**あらゆるものごとが相互に依存する**、ということだ。これを縁起の法（縁起説）と言う。縁起というのは「縁りて起こる」と読み、何ごとも原因があって引き起こされたものだとする考え方だ。具体

的には、頑張って勉強したので（原因）大学に受かった（結果）、という具合だね。このように、僕らは物事を因果関係でとらえるのに慣れているはずだけど、これをきちんと貫けないこともある。たとえば、大学に落ちた（結果）ときには、自分の不勉強（原因）を反省するのではなく、よそに原因を求めて八つ当たりをしてしまったりするよね ➡p.210 。つまり、ブッダは、人間の苦悩の根本原因を、縁起についての無知（＝無明）に見いだしたんだ。

無　明（真理が見えないこと）	→	●煩悩（心身を迷わせる心の働き） ●我執（実体のない自己への執着） ●渇愛（自己を苦しめる欲望）	→	現実のさまざまな苦悩

　生あるものは必ず滅びる。ところがこうした根本的な真実を直視できなくなるときに、人は不老不死のような無理な欲望を抱いてしまう。こうした欲望こそがあらゆる苦悩の原因なんだ。

　煩悩、我執、渇愛の三つはいずれもこうした欲望を表す概念だ。ちなみに、「愛」という概念は仏教の世界では否定的にとらえられている（愛とは、何かに強くこだわることだからね）。また、煩悩はさらに細かく分けて三毒と言われることもあるよ。

三　　毒
●貪：貪欲に貪る心（＝欲望） ●瞋：怒りの心 ●癡：真理に対する無知の心

では、どうすれば悟りに至れるんですか？

　悟りに至るための道は四諦（四聖諦）と八正道という考え方でまとめられている。

四諦（ブッダの説いた四つの真理）

❶ **苦諦**（くたい）：人生は苦しみである

❷ **集諦**（じったい）：苦の原因は煩悩にある

❸ **滅諦**（めったい）：苦の原因を滅ぼせば**涅槃**（ねはん）に至れる

❹ **道諦**（どうたい）：八正道によって苦の原因を滅ぼせる

煩悩を吹き消した安らぎ（悟り）の境地（＝ニルヴァーナ）

- **正見**（しょうけん）（正しいものの見方）
- **正思**（しょうし）（正しいものの考え方）
- **正語**（しょうご）（正しい言葉づかい）
- **正業**（しょうごう）（正しい行い）
- **正命**（しょうみょう）（正しい生活）
- **正精進**（しょうしょうじん）（正しい努力）
- **正念**（しょうねん）（正しい心を保つこと）
- **正定**（しょうじょう）（正しい瞑想（めいそう））

四諦の「諦（たい）」とは「諦（あきら）める」という意味ではなく、「明らかにされたもの」、つまり「真理」ということだ。ブッダが悟りを開いたのちに修行仲間に行った最初の説法（**初転法輪**（しょてんぼうりん））で説いたのが、この四つの真理だとされる。

まず、**苦諦**。これは、人生が苦しみだという真理だ。もちろん、ブッダは絶望しなさいと説いているわけではなく、どう頑張っても人生の苦しみは避けることができないということを諭（さと）しているわけだ。

では、なぜ人生が苦なの

四苦八苦（しくはっく）

- **四苦**（**生、老、病、死**）
- **愛別離苦**（あいべつりく）：愛しい者と別れる
- **怨憎会苦**（おんぞうえく）：憎い者と会う
- **求不得苦**（ぐふとくく）：求めるものが得られない
- **五蘊盛苦**（ごうんじょうく）：心身の苦しみ

〉八苦

か？　それは、人が多くの煩悩を抱（かか）え込んでいるからだ（**集諦**）。苦の原因が煩悩だとわかれば、解決法は煩悩を滅却（めっきゃく）することに決まっている（**滅諦**）。しかも、それは適当なやり方ではダメで、煩悩を滅却するためには正しい修行法がある（**道諦**）、というわけだ。

> その修行法というのが**八正道**というわけなんですね。

そう。それから、正しい修行は**中道**（ちゅうどう）の性質をもつということも大事だよ。中道とは、**快楽**（けらく）と**苦行**（くぎょう）の両極端を避けるということだ。もともとブッダは王子としての安逸（あんいつ）な生活に満足できなかった。しかし、厳しい苦行に励んでも悟りは得られなかった。当時のインドでは身体を痛めつけることで悟りに近づけ

るという考え方が少なくなかったが、無益な苦行をブッダは明確に批判している。ここはジャイナ教と対立するポイントとしてよく出題されるよ。

 なるほど。でも、八正道を実践するのは大変そうですね。

じつは、八正道は出家者（仕事や家庭などのすべてを捨てて仏門に入った修行者）向けの教えなんだ。ブッダは、これとは別に在家信者（社会生活を営みつつ仏教に帰依する者）向けの教えも示している。出家をしない在家の者が信者になるには、仏・法（仏の教え）・僧の三宝へ帰依することに加え、右の五戒を守ることを宣言すればいい（三帰五戒）。

五　　戒	
● 不殺生戒	：殺すな
● 不偸盗戒	：盗むな
● 不邪淫戒	：みだらな行いをするな
● 不妄語戒	：うそをつくな
● 不飲酒戒	：酒を飲むな

 ふえ〜、盛りだくさんですね！　ブッダの教えのエッセンスを簡単に示したものとかはないんですか？

そんなキミたちにぴったりのものがあるよ。次の四法印だ。

四法印　〜ブッダの教えのまとめ		
❶ 一切皆苦	：人生のすべては苦しみである	
❷ 諸行無常	：あらゆるものは変化・消滅する	
❸ 諸法無我	：永遠不変の実体は存在しない	アートマン（我）の否定
❹ 涅槃寂静	：煩悩を克服した悟りの世界は安らかである	

四諦と同じく四つの真理ということだ。ブッダの教えは膨大な経典に示されているので、経典によって少しずつ教えの力点やニュアンスがちがうんだ。四法印の「法（ダルマ）」というのはブッダの説いた教え（＝真理）という意味で、四法印とはこのブッダの根本経説を四つに整理したものだ。

一切皆苦は四諦の「苦諦」とほぼ同じと言っていい。諸行無常は『平家物語』の冒頭句で有名だよね。だれも死を避けられないように、この世にあるすべては変化し消えてしまう、ということだ。諸法無我は永遠不変の実体といったものは何もない、ということ。ウパニシャッド哲学では我という実体が前提とされていた ➡p.274 けど、ブッダはこれも否定してしまうんだ。

えっ！　じゃあ「私」の存在を否定しちゃうんですか？

　そうじゃない。自我が実体であることを否定するんだ。ブッダによると、あらゆる存在者と同じく、人間は五蘊（ごうん）と呼ばれるものがたまたま寄せ集まったものにすぎない。言ってみればタマネギの皮のようなもので、どこまでむいても実体は現れない。はかない自我へのこだわりを捨てよというわけだ。

五　蘊
● 色（しき）：物質（身体）
● 受（じゅ）：感受（感覚）作用
● 想（そう）：表象（ひょうしょう）作用
● 行（ぎょう）：意志作用
● 識（しき）：認識作用

　無常と無我は、縁起（えんぎ）を別の形で言い表したものだ。だから、**無常無我**こそが仏教の核心的思想だと言ってもいい。
　最後の涅槃寂静は、無常無我（縁起）を悟って煩悩を克服した境地（涅槃）が安らかで静穏なものであるということを言い表している。

なるほど〜。ところでそもそもブッダはなぜこれらの教えを説いたんでしょう？

　前にも言ったけど、ブッダにとっては現に人々が苦しみ悩んでいるということが問題だった。だから、ブッダの教えのすべてを貫（つらぬ）く根本精神は、**苦悩する一切衆生（しゅじょう）を分けへだてなく救おうとする慈悲の心**であると言える。ちなみに、ブッダの慈悲は人間ばかりでなく、動物などにも差し向けられるよ。

無記説

　ウパニシャッド哲学などでは、宇宙の存在構造といった高度に形而上学的な（けいじじょうがくてき）事柄が論じられたが、ブッダにとっては、苦しむ衆生の救済こそが肝心の課題であったので、それとかかわりのない形而上学的な事柄（世界の永遠性や死後の世界など）については肯定・否定いずれの判断も下さなかった（くだ）。これを無記説（むき）（せつ）と言う。

ポイント　ブッダの思想

● ブッダは縁起の法にもとづき、苦悩の原因を知り、その克服を目指す教えを説いた。
● ブッダの根本精神は、一切衆生への慈悲の心である。

3 ブッダ以後の仏教の展開

　ブッダが亡くなった（入滅）後、ブッダの弟子たちのあいだでは、師の教えの解釈をめぐって混乱が起こる。ブッダは生前に何も書き残さなかったため、弟子のリーダーたちは、師の教えを**経典**にまとめるための会議（結集）を繰り返し開催した。この結果、**経・律・論**の**三蔵**と呼ばれる仏典がまとめられていったが、その過程で立場のちがいが表面化してしまったんだ。

三　　蔵
● **経**：ブッダの教え
● **律**：僧団（サンガ）の戒律
● **論**：経・律についての注釈

　まず、ブッダが説いた戒律をあくまで固持しようとする保守的な**上座部**と、これを柔軟に解釈しようとした**大衆部**とに教団が二分される。そして、これらはさらに四分五裂していった。このように、教団分裂以後の仏教を**部派仏教**と言う。そして前者の流れからは**上座部仏教**が、後者の流れからは**大乗仏教**が形成された。

- **上座部仏教**
  - 自己の悟り（**自利行**）を重視、**戒律**遵守、出家主義
  - **阿羅漢**（修行の完成者）を理想視
  - スリランカやビルマなど南方に伝播 ➡ **南伝仏教**
- **大乗仏教**
  - 衆生救済（**利他行**）を重視、ブッダの精神（＝**慈悲**）を尊重
  - **菩薩**（衆生済度を目指す修行者）を理想視
  - **一切衆生悉有仏性**を根本思想とし、**六波羅蜜**の実践を説く
  - 中国、朝鮮、日本へと伝播 ➡ **北伝仏教**

　上座部仏教って、もしかして**小乗仏教**のこと？

　そうだね。ただ、「小乗」という表現は大乗仏教の側からの蔑称なので、第三者はあまり使うべきでないだろう。そもそも、大乗や小乗の「乗」とは悟りの道に至るための「乗り物」という意味だ。大乗仏教ではすべての生きとし生けるものが**仏性**（成仏の才能）をもつ（**一切衆生悉有仏性**）と考えるので、みんなで一緒に（大きな乗り物で）悟りの世界に行きましょうという平等主義的な教えが説かれる。

ところが、上座部仏教は自分の悟りをひたすら目指すので、大乗仏教からは独善的な教え（一人乗りの乗り物）と映った。大乗仏教も仏教である以上は自分の悟りを目指して修行する（自利行）けれども、それ以上に苦しむ人々を救うための修行（利他行）を重視するんだ。

菩薩ってのは仏の一種？

　もともと菩薩は成仏を目指す修行者を意味していたが、のちに大乗仏教では苦悩する**衆生を救済する修行者**を指すようになった。仏というのは「悟りを得た者」 →p.277 なのだから、その手前にある菩薩は仏そのものではない（この点は、上座部仏教における阿羅漢も同様）。でも、大乗仏教の世界では有力な菩薩はそれ自体が信仰対象となっていき、いわゆる「仏像」などにもなっていった。

　なお、菩薩を目指す者がなすべきことは右のとおり（六波羅蜜）。

六波羅蜜
● 布施：施しをする
● 持戒：戒律を守る
● 忍辱：恥辱・迫害に耐える
● 精進：修行に励む
● 禅定：精神を統一する
● 般若：真実をきわめる

代表的な菩薩

　大乗仏教の世界でゴータマ・ブッダの次に成仏したと考えられているのが弥勒菩薩であり、日本でも国宝に指定されている広隆寺の半跏思惟像として有名である。弥勒菩薩は現在兜率天で待機中であるとされ、56億7000万年後に現れて人々を救済すると信じられている。

　そのほか、衆生救済の求めに応じてさまざまな姿で現れる観音菩薩（観世音菩薩、観自在菩薩）、のちに成仏して**阿弥陀如来** →p.432 となる法蔵菩薩などがよく知られている。

大乗仏教の展開

- **空の思想**
  - 龍樹［竜樹］（ナーガールジュナ、150ごろ～250ごろ）が大成（➡ 中観派）
  - 永遠不変の実体はいっさい存在しない（**無自性**）
- **唯識思想**
  - 世親（ヴァスバンドゥ、320ごろ～400ごろ）が確立
  - 万物を心の現れにすぎないと主張

釈迦入滅（ブッダの死）後、数百年をかけて『般若経』や『法華経』などの大乗仏教経典が形成されたんだけど、大乗仏教の理論化に最も貢献したのは、空の思想を大成したナーガールジュナ（龍樹［竜樹］）だ。彼の思想は『般若心経』を理論化したものだと言われる。このお経の「**色即是空、空即是色**」という表現を聞いたことがないかな？ これは、物質は有でも無でもない、空なのだ、という教えだ。

？？？

西洋人は物質が原子からなると考えてきたけど、現代物理学では物質が粒子であると同時に波動でもあると説明する。つまり、物質がいわゆるモノと言えるか、怪しくなっているんだ。空の思想はこれと近いことを言っていて、存在しているとも存在していないとも言えないようなものとして、万物を相対性のうちに把握する。それが『般若心経』であり、龍樹の思想だ。

最後に、ヴァスバンドゥ（世親）が確立した唯識思想について。これは、人間が世界で出会うあらゆるモノや現象を**心の現れ**にすぎないとする立場だ。つまり、心の外の世界などというものはいっさい存在せず、すべては心の奥底にある**アーラヤ識**（阿頼耶識）の作用で生み出された迷妄にすぎないとされる。だとすれば、瞑想（ヨーガ）によって心のあり方を改めれば迷妄もまた消え去る、というわけだ。

難解な教えだけど、そもそも仏教が自分の心を内省することで苦悩からの解脱を目指すものだったことを思い出せば、仏教の本流を徹底したものと見ることもできるだろう。

チェック問題 2　　　　易　1.5分

中国や日本に伝えられた大乗仏教の教えの記述として適当でないものを、次の①～④のうちから一つ選べ。

① すべての衆生は仏となる本性を備えているという、「一切衆生悉有仏性」の教義をもつ。

② 竜樹によって理論化された、すべて存在するものは固定的な実体ではないという「空」の思想をもつ。

③ 自己の解脱とともに利他の慈悲の行いを重んじ、広くいっさいの衆生の救済を目指して貢献する「菩薩」を理想とする。

④ 最高の悟りを得た者としての「阿羅漢」を理想とし、自己一身の解脱に努力することを重視する。

（1996年・センター試験倫理本試）

解答・解説

④

　大乗仏教と対立する上座部仏教（小乗仏教）の立場である。上座部仏教では自己の悟り（解脱）を目指し、すべての修行を完成させて成仏の一歩手前の段階まで来ている阿羅漢を理想とする。

①：正しい。大乗仏教ではすべてのものが仏となる本性（＝仏性）をもつという一切衆生悉有仏性を根本教義とし、すべての迷える者の救済に励む利他行が重んじられている。なお、「一切衆生悉有仏性」とは、大乗仏教経典の一つ『大般涅槃経』に出てくる言葉である。

②：正しい。竜樹（龍樹、ナーガールジュナ）は、あらゆる実体を否定する無自性（「自性＝実体」がない）という思想（空の思想）を体系化した。

③：正しい。大乗仏教でも自己の解脱が目指されるが、同時に慈悲にもとづいて衆生を救済するための利他の修行が重んじられる。利他行の行者は菩薩と呼ばれる。

8 古代中国の思想(1)

この項目のテーマ

1 孔子の思想
仁の基本的性格をしっかりとおさえよう

2 儒学の展開——孟子と荀子の思想
孟子と荀子はそれぞれ孔子の何を受け継いだのか？

1 孔子の思想

ここからは古代中国思想だ。

中国では紀元前12世紀に成立した周王朝が社会のしくみをつくりあげたと考えられている。ところが、この王朝がすっかり衰退し、混乱の時代が始まった。これを**春秋・戦国時代**と言う。

こうした乱世にあって、人間の生き方や社会のあり方についての指針を示すべく登場したのが諸子百家と言われる思想家群だ。くしくもこの時代は、ギリシアで自然哲学者たちが、そしてインドで自由思想家たちが活躍したのとほぼ同時期なんだよ。

なるほど。そして諸子百家の代表が儒家というわけね。

そのとおり。**孔子**（前551〜前479）を始祖とする思想家集団が**儒家**と呼ばれ、『論語』（孔子の言行録）や、後継者の思想書である『孟子』などに体系化された学問を儒学と言う。

孔子

↑↑ 儒学と儒教

儒学と**儒教**はほぼ同じものを指しているが、前者が孔子らの教えをまとめた学問体系全般を指すのに対し、後者は孔子以前から中国で伝えられていた**敬天思想**（宇宙の主宰者である**天**を敬う）や葬祭などの礼法を重んじる倫理思想・

政治思想を指し、儒学よりもやや広い。儒教では五経（こきょう）（『詩経（しきょう）』『書経（しょきょう）』『易経（えき）経（きょう）』『春秋（しゅんじゅう）』『礼記（らいき）』）がとくに根本教典として重んじられる。孔子以後の儒学および儒教では、五経のほかに四書（ししょ）（『論語（ろんご）』『孟子（もうし）』『大学（だいがく）』『中庸（ちゅうよう）』）も根本教典とされた。なお、『論語』は孔子の弟子たちがまとめたもので、孔子の著作ではない。

ふむ。では、孔子先生ってどんな人だったんですか？

　「子（し）」は「先生」という意味だから、孔子というのは「孔先生」ということだね（本名は孔丘（こうきゅう））。彼は周王朝の封建制（ほうけん）を理想視し、世の乱れの原因を礼法（れいほう）が廃れ（すた）たことに求め、その復興（ふっこう）を目指した。

　中国の封建制では、君主と諸侯が血縁関係で結ばれているのが大きな特徴で、これによって国全体が和合していたとされる。ところが混乱の時代となり、家

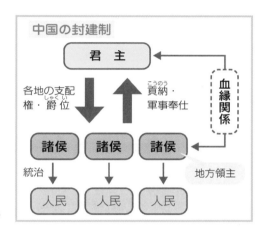

族的な社会秩序も失われてしまった。孔子はこれを再興しようとしたんだ。つまり、「温故知新（おんこちしん）」（過去をよく学ぶことで新しい知が得られる）の言葉に見られるように、孔子は何かを革新しようとしたというよりは、古きよきものを復活させようとしたと言える。

　今日の日本で「封建制」といえば、「古き悪（あ）しきもの」のイメージだけど、孔子にとっては、英君の下（もと）人々が和合していた理想の体制だったんだ。

孔子はどんな教えを説いたんですか？

　孔子はさまざまな形で人の生きるべき道（みち）（人倫（じんりん））を説いているが、その大きな特徴は、彼があくまで現世（げんせ）における人間の生き方や社会のあり方に関心を集

- 「子、怪力乱神（かいりきらんしん）を語らず」
  （先生は、人智（じんち）を超えた神秘的な事柄（ことがら）については何も語らなかった）
- 「未（いま）だ生（せい）を知らず、焉（いずく）んぞ死を知らん」
  （私はいまだに人生についてすらわからないのだから、死についてはなおさらだ）

中させているということだ。つまり、目に見えない「真理そのもの」とか「あの世」などには関心を向けなかった。これはギリシア哲学やキリスト教などと大きくちがう特徴だね。

道について、もっとくわしく教えてください。

孔子が説いた道とは、ひと言で言うと仁であると言える。

そして仁とは**親愛の情**のことだ。つまり、孔子における愛とはまずもって**親しい者への愛**を重視した。「人類みな平等」などと言うけれど、現実には赤の他人よりは知人のほうが、そして知人よりは家族のほうが大事だよね。このように、人が人である以上、当然にもっている**自然な感情**を、孔子は重視する。こうした自然な感情すら失われてしまったことが世の乱れの原因だと考えたんだ。

親しい者への愛ね。でも、そもそも愛って何ですか？

孔子によると、愛の基本は**忠恕**だとされる。**忠**とは自分を偽らないこと（＝まごころ）で、**恕**とは他者への思いやりのことだ。要するに、仁とは**まごころから他者を配慮すること**、とまとめられる。

また、「孝悌なるものは、それ仁の本なるか（仁の基本は孝悌だ）」とも言わ

れる。**孝**とは父母によく仕えることで、**悌**とは兄によく仕えることだ。つまり、**家族を何より大事にすべし**ということだね。

ここで大事なことを確認すると、儒家が説く愛は**身近な者への愛**だったよね。そして同時に、彼らは**目上の人**への敬意を重んじる。だ

> 「おのれの欲せざるところは人にほどこすことなかれ」
> （自分がしてほしくないことを人にしてはならない）

| 儒家の 仁 | 身近な者への愛 |
| | 目上の人への敬意 |

から、家族愛にしても上下関係のない「親子愛」「兄弟愛」ではないわけだ。もちろん、目上の人が威張り散らすことを正当化する教えではないけど、社会の秩序を整えるためには**上下関係**が大切だと儒家たちは考えたんだ。

ところで、仁って心のあり方ですよね。
行動はいらないんですか？

仁は単なる心がけではない。内面的なよい心（＝仁）は、目に見える形で現

れなくてはならない。それが礼だ。たとえば、だれかに感謝するときには頭を下げる（お礼）でしょ（これができない人は「無礼者」と言われる）。こうした礼儀作法をありとあらゆる場面で事細かく定めた社会規範が、儒家の「礼」だ。孔子は「己に克ちて礼に復るを仁と為す（欲望を抑えて礼を実践することが、すなわち仁である）」（克己復礼）と述べている。つまり、内面的な仁と外に現れる礼の実践は表裏一体だとされるんだ。

 なるほど。でも、その「礼」ってだれが決めたものなんですか？

　孔子が理想とした聖人である周公旦だ。この人は、周王朝の創始者の弟で、兄を補佐しつつ礼法の基礎を築いたとされる。
　なお、徳（仁＋礼）を修得した人物のことを君子と言い、その究極至高の存在を聖人と言う。儒学というのは君子を目指す学だと言ってもいい（聖人は別格）。ちなみに、君子の反対は小人と言うよ。

> **ポイント　孔子が説く道の二つの側面**
>
> ● 仁：心の内面における**親愛の情**のこと。
> ● 礼：**社会規範**のこと。振る舞いにおいて**客観化された仁**。

 ところで、道とは「社会のあり方」でもある、とのことでしたが。

　すべての人が徳を身につけたら完璧な社会が実現するよね。でもそんなことは現実には不可能だ。そこで孔子が提案するのが徳治主義だ。これは、徳ある**君主**が政治を行うならば、その徳が**人民**に波及する、という考え方だ。
　儒家は上下関係を重視するけれども、これは上に立つ者が人々を抑圧することを是認しているわけではない。上に立つ者こそが率先して道徳を身につけていなければならない、という考え方なんだ。逆に言うと、もし世が乱れて人心がすさんでいるとするならば、それはまずもって為政者の不徳が責められなければならない（不徳の致すところ）ということになる。

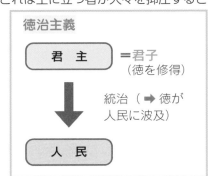

徳治主義

君主 ＝君子
（徳を修得）

↓　統治（➡ 徳が人民に波及）

人民

孔子が考えた「よい生き方」の記述として最も適当なものを、次の①～④のうちから一つ選べ。

①　平等の原則にもとづいた秩序を尊重するとともに、己の欲望を制限し他者との関係を重視する生き方。

②　つねに正義の実現を考え、不正の世にあっても、身の危険をかえりみず敢然として自己を主張する生き方。

③　みずからの利益よりも、つねに他者のことを考え、差別なき愛にもとづいた社会奉仕を第一とする生き方。

④　上下の序列にもとづいた秩序を尊重するとともに、己の欲望を制限し身を修めようとする生き方。

(1999年・センター試験倫理本試)

解答・解説

④

「上下の序列にもとづいた秩序」とは**封建制**のことであり、「己の欲望を制限し身を修めよう……」とは**克己復礼**のことなので、④が正しい。

①：孔子は「平等の原則にもとづいた秩序」ではなく、近親者を大事にし、目上の者に敬意を払う社会を理想とした。

②：孔子が目指したのは社会の和合であって、絶対的な正義や自己の信念を貫くことではない。

③：孔子が説いた仁は「差別なき愛」ではなく家族など近親者を大切にするもの。

② 儒学の展開——孟子と荀子の思想

　孔子には3000人もの弟子がいたと伝えられるが、孔子没後の儒家は、しだいにさまざまな立場に分かれていく。そのさいにポイントになったのは、仁と礼のいずれを重視するかという点だ。仁を重視する立場から出てきた最大の思想家が孟子（前372ごろ〜前289ごろ）であり、礼を重視する立場から出てきた最大の思想家が荀子（前298ごろ〜前235ごろ）ということになる。

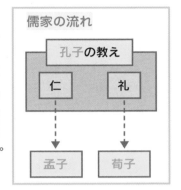

儒家の流れ

```
孔子の教え
  仁        礼
  ↓        ↓
 孟子      荀子
```

孟子といえば性善説ですよね。
人間はみな善人だとか言う。

　ちょっと不正確だね。孔子が亡くなって100年ほどのちに生まれた孟子が生きた時代は、孔子の時代よりさらに乱れていた。だから人の世に悪や不正が満ちていることは、彼にとって自明だったにちがいない。それでも孟子は、人間はみな生まれつき善の素質をもっていると考えた。これはあくまで「素質」だから、だれもが実際に善を実現できるわけではない。だれもが志望校に受かる素質をもっているからといって、勉強せずにだれもが志望校に入れるわけじゃないよね。

　孟子は、だれもが備える善の素質を四端の心と呼ぶ。これらは善の端緒であって、これら四端の心を修養によって伸ばしていけば仁・義・礼・智という四徳が身につけられるとされるんだ。

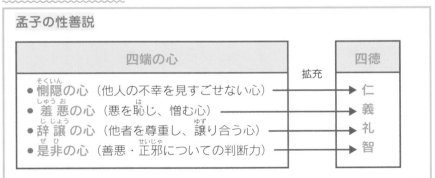

孟子の性善説

四端の心	拡充	四徳
● 惻隠の心（他人の不幸を見すごせない心）	→	仁
● 羞悪の心（悪を恥じ、憎む心）	→	義
● 辞譲の心（他者を尊重し、譲り合う心）	→	礼
● 是非の心（善悪・正邪についての判断力）	→	智

ちょっとお人好しな発想にも思われますが。

　でもさ、たとえば震災で辛い目に遭っている人についての報道などを見ると、自分も何かできないだろうかと考えたりしないかな。実際に義援金を送ったりボランティアに駆けつける人も大勢いる。これは、僕らのなかの惻隠の心が動かされたと見ることができる。また、人を殺したら刑法第199条により罰せられるなどという知識がなくても、僕らは殺人が悪だと信じているよね。これは是非の心にもとづくと説明することができそうだ。

　もちろん、こうした道徳をつねに完璧に実践するのは難しい。だからこそ、僕らは修養（道徳的なトレーニング）を重ね、道徳の種子たる四端の心を育て、四徳を身につけるよう努めるべきなんだ。

四徳が身についたらどうなるの？

　大丈夫になれる。これは道徳を身につけた人物という意味で、孔子の言う「君子」とほぼ同じだ。大丈夫は浩然の気に満ちているとされる。浩然の気というのは、体のなかからわいてくる道徳的活力といった意味だよ。

孟子も、やはり上下関係を重視するの？

　そりゃ、儒家だからね。孟子は孔子の教えをいっそう細かく展開していて、人間関係に応じて求められる徳を五つに整理している（五倫）。父子の親、君臣の義、夫婦の別、長幼の序、朋友の信だ。まずはこの五つ（親・義・別・序・信）を何度か唱えて丸暗記してしまおう。とにかく覚えたもん勝ちだ。最後の朋友（友人関係）の信（信頼）だけが対等な人間関係だというのもおさえておこうね。

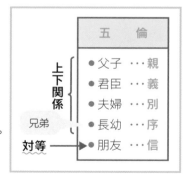

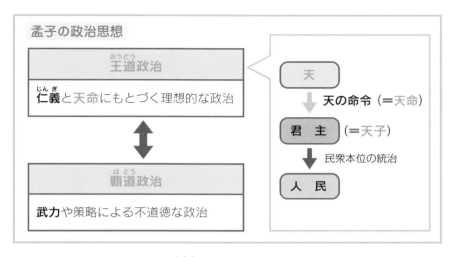

孟子の政治思想

王道政治

仁義と天命にもとづく理想的な政治

↕

覇道政治

武力や策略による不道徳な政治

天

↓ 天の命令（＝天命）

君主（＝天子）

↓ 民衆本位の統治

人民

　孟子の政治思想は、孔子の徳治主義をより具体的に展開したものと言える。まず、為政者は**武力**でもって天下統一を目指す**覇者**であるべきではなく、民衆を大切にして**徳**でもって天下統一を目指す**王者**であるべきだとされる。前者を覇道政治、後者を王道政治と言うよ。

　王道政治の条件としてもう一つ、天命にもとづくという点が挙げられる。天命とは**天による命令**ということだ。では、天とは何かというと、これはかなり抽象的な概念なんだけど、自然現象と社会現象のすべて、つまり全宇宙の出来事を司る存在、とでも言うしかない。たとえば、地上に雨を降らせるのも天の意志、戦争を引き起こすのも天の意志のなせるわざ、というわけだ（僕らも「運を天に任せる」などと言うよね）。孟子は、君主はこの天の意志（＝天命）にかなった人物（天子）でなければならないと言う。

　でも、現実の政治が天命どおりに行われているかどうかは、どうすればわかるんですか？

　孟子によると、天命は民意のうちに現れるとされる。つまり、民衆の支持がある君主は天命に忠実であり、民衆の支持を失った君主は天命からも見放されている、というわけだ。

　もし君主が徳を失えば、天命にかなった人物へと君主を交替させる必要がある。これが易姓革命（天命が革まり、王朝の姓が易わる）だ。

　革命には禅譲（みずから王位を譲ること）と**放伐**（武力による追放）の2種類があり、孟子はいずれをも是認している。力による政治（覇道）を否定した孟子が放伐を肯定しているのは注目に値する。孟子にとっては、何よりも正

しい政治が行われることが大事だったのだろうね。

荀子の思想

- **性悪説** ：人間の本性は悪 ➡ 修養なしに善は実現しない
- **礼治主義**：社会秩序の維持には外的な規範（＝礼）が必要

　　参考 弟子の韓非子を通じて法家に影響

　荀子は、孟子の性善説に反対して性悪説を唱えたことで知られるけど、これも人間はみな悪人だということを言いたかったわけではなく、人間の本性（本来の性質）が悪だということを指摘しているにすぎない。荀子は儒家だから、人間が正しい生き方をするということを否定するわけはなく、正しい生き方をするためには教育などの手段で矯正（曲がったものを真っすぐにすること）することが必要だと説いたんだ。彼は「**人の性は悪にして、其の善なる者は偽なり**」と述べている。善は人為的な手段によってのみ可能だということだ。

 その手段というのが礼だというわけだね。

　そう。考えてみれば、僕らもお母さんや学校の先生から、いろいろなしつけを受けてきたよね（寝る前には歯を磨きなさい、とか）。こういうのは放任ではなかなか身につかない。人間が欲望や安易な方向に流されやすいことを重く見ていた荀子は、人間がまっとうな道を進み、社会の秩序を維持するためには、聖人のつくってくれたルール（＝礼）を守るしかない、と考えたんだ。これが礼治主義だ。

　彼の教えは、弟子である**韓非子**を通じて**法家**に影響を与えているよ ➡p.301。

ポイント ▶ **孟子と荀子**

- **孟子**は性善説の観点から、善の素質（四端の心）を現実化させるための修養が必要だと説いた。
- **荀子**は性悪説の観点から、悪の本性を矯正するための礼が重要だと説いた。

チェック問題 2

標準 2分

　孟子の思想の記述として最も適当なものを、次の①～④のうちから一つ選べ。

① 　王は民衆の仁義礼智をあてにせず、武力によって世のなかを治めるべきだとする王道（おうどう）思想を説いた。

② 　人間の本質は善であるので、王は徳（とく）によって民衆を平等に愛するべきだとする兼愛（けんあい）思想を説いた。

③ 　王が徳に反する政治を行うなら、民衆の支持を失い、天命が別の者に移るという易姓（えきせい）革命を唱えた。

④ 　浩然（こうぜん）の気に満ちた大丈夫（だいじょうぶ）が王となって、民衆の幸福の実現を目指すという覇道（はどう）政治を唱えた。

(2007年・センター試験倫理本試)

解答・解説

③

　孟子によると、王は徳にもとづいた政治（**王道政治**（おうどう））を行うべきであり、それに反する政治を行うなら、民心が離れ、天命は別のものに移る（**易姓革命**）ので、③が正しい。

①：武力によって世のなかを治めるのは**覇道政治**であり、これは厳しくしりぞけられる。

②：「人間の本質は善である」というのは正しい記述だが、「**兼愛思想**」とは儒家に対立した墨家の教え **➡p.300**（ぼっか）。

④：「覇道政治」を「**王道政治**」にすれば正しい記述になる。

次は、老荘思想（ろうそう）を見ていくよ！

9 古代中国の思想(2)

この項目のテーマ

1 道家の思想（老荘思想）
道家は儒家の道徳論をどのように批判したのか？

2 その他の諸子百家
墨家による儒家批判も重要！

3 新儒学──朱子学と陽明学
儒学を哲学体系にまで高めた二人の思想を理解しよう

1 道家の思想（老荘思想）

　ここからは儒学以外の諸子百家について見ていこう。まずは、道家の思想から。これは老子（生没年不詳）と荘子（前4世紀ごろ）が大成した思想であることから、老荘思想とも言われる。

　イメージしやすいよう最初に乱暴にまとめてしまうと、儒家が厳しい自己研鑽を説く教えだったのに対し、道家は慌てず騒がず悠然と生きることを目指す立場だ。中国では日夜勉学に明け暮れて立身出世することを尊ぶ考え方が一方にあるけど、他方では都市の喧騒から離れた山里で気の向くままに生きる仙人のような暮らしへの憧れというものもある。後者の気分が思想的に結実したものが老荘思想だと言えるだろう。

　それは魅力的ですね。では、**老子**から説明をお願いします。

　老子の基本的立場は、**儒家の人為的道徳**を批判し、**自然との一体化**を説く点にあると言える。次の言葉を見てほしい。

> 「大道廃れて仁義あり。知恵出でて大偽あり。六親和せずして孝慈あり。国家昏乱して忠臣あり」
>
> （おおいなる道が廃れてしまったから仁義が生まれた。知恵が生まれたから大きな虚偽が生まれた。家族が不和になったから孝慈が尊ばれるようになった。国家が乱れたからこそ忠臣が尊ばれているにすぎない）

「道家」というくらいだから老子はもちろん**道**について説くんだけど、老子の説く道は、儒家の説く道とはまるでちがう。ここで言われる「仁義」「知恵」「孝慈」「忠臣」は、いずれも儒家が大切にするものばかりだ。しかし、老子に言わせれば、これらは本当の道（＝大道）が失われてしまったからこそ生まれてきたものにすぎず、それ自体としてありがたがるべきものなどではない。言ってみれば、肥満が増えた不健全な社会でダイエット食品がもてはやされるようなもので、儒家の教えは本末転倒（ほんまつてんとう）な教えだ、というわけ。

 じゃあ、本当の道ってのは？

老子の説く「道（タオ）」とは、儒家のように聖人のつくった人為的な規範ではなく、万物（ばんぶつ）を育む根源的な**自然**そのものだ。自然の世界には善悪といったものはありえないよね（ヘビやゴキブリが悪者でパンダやカブトムシは善玉だといったことはありえない）。自然の世界には、すべて必然的な法則（＝道）があるだけだ。ところが、人間だけはこの道に従わず、小賢（こざか）しい知恵を身につけようとしたり、人為的な価値基準に従って不自然な行為に努めたりしようとする。こういうのをやめよう、つまり**無為（むい）自然**に生きようと、老子は言うんだ。

 何もせずダラダラ生きていいってことですか？

うーん、微妙にちがうかな。

自然には自然のリズムがあるよね。四季とか朝昼晩など。こうしたリズムに自己をシンクロ（同調）させるというイメージだね。「無為」とは「何もしない」ことではなく、無理して不自然なことをしないということだ。

また、人間の理解を超えているという意味で、道は**無**であるとも言われる。人間はしょせん自然に生かされている存在にすぎないから、それをくみ尽（つ）くすことなどできるはずはない。人間が「これこそ道なり」などと名づけてしまったものは、本当の道ではない、ということだ。

> 「道の道とすべきは常（つね）の道にあらず、名の名とすべきは常の名にあらず、無名（むみょう）は天地の始め、有名は万物の母」
>
> （これこそが道だと言えるようなものは、真の道ではない。これこそがそのものの名だと言ってしまえるようなものは、真の名ではない。天地がつくられる前には名はなく、それらは万物が現れてから名づけられたのだ）

老子はどんな生き方をすすめるんですか？

　老子にとって理想の生き方は、「上善は水の如し」の言葉によく示されている。水はつねに低いほうに流れながら、万人に恵みをもたらすよね。これと同じく、人間にとって最も望ましい生き方は、ひたすら謙虚で他人と争わないあり方だというんだ。これは柔弱謙下とも言い表される。つねに「おれがおれが」と目立ちたがるくせに他人に迷惑をかけてばかり、という困った人がけっこういるよね。老子は、欲が人を誤った道に追いやることをよく知っていたから、満足することを覚える知足を重視している。

 そんな具合では、老子は政治にはまったく興味なさそうですね。

　たしかに儒家ほど積極的に政治にかかわろうとはしないけれど、老子にも政治思想がある。それが小国寡民だ。老子によれば、天下を統一する大国などよりも、人口も少なく、**自給自足**できる程度のつつましい国が理想とされる。老子が単なる世捨て人ではなく、政治のあり方についても語っているという点は覚えておいてね（このあとの荘子とはちがう点だ）。

荘子（前4世紀ごろ）

● 万物斉同 ── 荘子の世界観

　人間界における善悪・美醜などの価値判断を無意味なものとして否定

　▶胡蝶の夢、無用の用

● 真　人 ── 理想の人間像

　自然の理と一体化し、人間世界の区別や差別を超越した境地（逍遙遊）に達した人

● 心斎坐忘 ── 真人となるための修養法

　心からいっさいの作為を排除し、自己の心身を忘れること

　老子とともに道家の確立者とされる荘子は、**相対主義**の世界観を明瞭に打ち出した人物だ。人間が人を殺すのは間違いなく「悪い」行為だよね。でも、ライオンがウサギを食い殺すのはどうだろう？　これは善でも悪でもなく、単に自然な行為なんだ。荘子によると、人間がもっている善悪、是非、美醜、貴賤といった価値観はすべて人間が人為的にこしらえたものにすぎない（万物斉同）とされ、こうした差別を乗り越えた境地が目指される。

ソフィストのプロタゴラス ➡p.227 みたいですね。

　人間のつくった基準を絶対視すべきではないという主張は、プロタゴラスと共通しているね。

　でも、荘子はある意味でもっと徹底している。「マトリックス」という映画では、自分が生きるこの世界が現実なのか夢なのかわからなくなる、というテーマが出てくる。これは、じつは荘子が胡蝶の夢というたとえ話で示したものでもあるんだ。チョウになった夢から醒めた荘子が、ふと「自分はチョウになった夢を見たつもりでいるが、本当は荘子になった夢を見ているチョウなのではないか」と考える。結局、そもそも夢と現実の区別など無意味であって、あるがままの世界をあるがままに生きればよいとされる。

　こうして荘子は、有限な人間の知恵で何ごとも決めつけるべきではない、と強調する。たとえば、僕らが戯れに行う雑談などは一見すると無駄なようだが、長い目で見れば、円滑なコミュニケーションに資するなど、十分に意味があるばかりでなく不可欠なものであることがわかる。こうしたことを、荘子は**無用の用**（一見すると無用なものが、じつは有用）と言い表している。自然には無駄なもの、無用なものはいっさい存在しないのだ。

万物斉同を認識した人が、**真人**というわけですか？

　そうだね。真人は荘子にとっての理想の人間像で、あらゆる人間的な区別を超越した自由な存在だ。自然と戯れるこの逍遙遊の境地にたどり着くには、心を無にして（心斎）、自己を道にすっかりゆだねる（坐忘）修行（**心斎坐忘**）が必要だ。

　説明を聞いてわかったかと思うけど、老荘思想は仏教と通じるところが多いんだよ。中国のほとんどの思想は現実の政治と格闘する教えだけど、老荘思想は自然のなかに身をゆだねることで心身の安らぎを確保しようという教えなんだ。

⬆道　　教

　老荘思想をもとに、中国の伝統的な**民間信仰**（不老長寿を求める**神仙思想**など）が加わって形成された宗教を**道教**と言う。中国では、儒教、仏教とともに三大宗教に位置づけられている。

2 その他の諸子百家

- **墨家**
  - **墨子**（前470ごろ～前390ごろ）が創始
  - **非攻**：侵略戦争の否定（自衛のための戦争は肯定）
  - **兼愛**：儒家の愛を「**別愛**」と呼んで批判、万民平等の愛を説く
- **法家**
  - **韓非子**（？～前233）が大成
  - 法律と刑罰による**信賞必罰**の政治を主張 ➡p.294

　古代中国の思想家のうち、儒家と道家以外でとくに重要なのが墨家だ。墨子が創始したこのグループは強力な結束を誇り、戦国時代には儒家と勢力を二分するほどの影響力をもっていたと伝えられる。

　墨子はもともと儒学を学んでいたが、彼らの仁が親疎の別（親しい者とそうでない者の区別）を設ける差別的な愛（＝**別愛**）であったことに満足できず、万人をへだたりなく愛する兼愛を提唱した。

平等な愛ですか。まるでアガペー ➡p.255 みたいですね。

　たしかに共通点はある。でも、墨家の兼愛は必ずしも自己犠牲を説くものではなく、分けへだてなく愛することでお互いの利益が実現する（**交利**）という相互扶助の意味合いがあるんだ。それから、侵略戦争を断固として否定する議論（**非攻**）も重要だ。ただし、戦争一般を否定するわけではない。自衛のための戦争は肯定するんだ。それどころか、じつは墨家は軍事のプロ集団だった。あくまで専守防衛の立場だけど、兵術や最新兵器を駆使して弱小国の守備戦に命をかけた（頑固に守ることを意味する「墨守」という語は、彼らの立場に由来する）。墨子は、一人を殺すのは犯罪なのに、戦争で大量殺戮をすることが許されるはずはない、と述べている。

　そのほか、彼らは天命思想を否定（非命）したり、豪華な葬儀を批判（節葬）したりと、儒家とはことごとく対立して非常に近代的な発想を説いた驚くべき思想家集団だったんだ。

韓非子については荀子のところでも出てきましたね。

そうだね。荀子は礼の作法によって人間の善を実現しようとしたけど、韓非子の大成した法家になると、もう人間の善を実現することには関心が向けられなくなる。この立場にとって大切なのは、**法律と刑罰**によって社会秩序を維持することだけだ。

　身もフタもない教えだけど、乱世に終止符を打ち、中国に統一王朝を実現したのは、法家の教えを取り入れた秦王朝だった。

　その他の諸子百家については、正面から問われることはないけど、ダミー選択肢では何度か登場している。一応ながめておいてほしい。

学派	思想内容	代表者
名家 (めい か)	論理学	恵施、公孫竜 (けい し、こうそんりゅう)
縦横家 (じゅうおう か)	合従策、連衡策 (がっしょう、れんこう)	蘇秦、張儀 (そ しん、ちょう ぎ)
兵家 (へい か)	兵法	孫子 (そん し)
陰陽家 (いんよう か)	陰陽五行説 (いんよう ご ぎょうせつ)	鄒衍 (すうえん)

その他の諸子百家

中国思想は人名が多くて大変だね。忘れてもいいから、繰り返し覚えて少しずつ定着させていこう。

3 新儒学──朱子学と陽明学

中国思想の最後に、**新儒学**と総称される二つの潮流、朱子学と陽明学を見ておこう。

孔子や孟子らが説いた儒学は、もともと人の生き方、世のあり方を具体的に説く現実的な処世訓という性格の強いものだった。ところが、それから千数百年後に現れた新儒学は、自然現象から人間の道徳までをすべて包括的に説明する壮大な哲学理論へと変貌している。これを発展ととるか堕落ととるかは評価が分かれているが、とくに朱子学は、朝鮮半島や日本に絶大な影響を与えており、思想としての影響力はきわめて大きい。

 では、朱子学からお願いします。

朱子学は宋王朝の時代の儒者である朱子（朱熹、1130〜1200）が大成した学問体系だ（だから、宋学とも言われる）。漢代に国教とされたあとの儒学が訓詁学的に古典の注釈に終始しがちだったのに対し、朱子はきわめて体系性の強い哲学理論を打ち立てた。

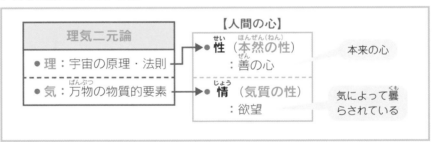

まず、宇宙のすべては、物質的な要素である気と、非物質的な原理・法則としての理から成り立っているとされる（理気二元論）。五感でとらえられるものが気で、五感ではとらえられないけれども確実に存在する法則のようなものが理だ。

次に、朱子はこの理屈を人間の心にもあてはめる。孟子が指摘したように ➡p.291 、人間の本来の心（本然の性）は善をなす意欲に満ちた純粋なものだ。

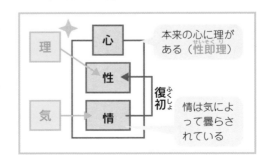

ところが、現実の人間は肉体（気）をもつがゆえに、その心はさまざまな欲望に曇らされてしまっている（気質の性）。つまり、朱子は荀子が指摘したような悪の心もうまく説明しているわけだ。このように心の乱れ（情）を気に由来するものとし、善の心（性）こそが理であるとするのが性即理の立場だ。あるべき心の姿がはっきりした以上、次に必要なのは、情（気質の性）を清めて性（本然の性）へと復することだ（復初、復性復初）。

心を清めるためにはどうすればいいのでしょう？

　一つは、精神の集中だね。気が散って勉強が手につかないときには、とりあえずゲーム機やスマホをどこかに片づけて、目を閉じて静かに座ってごらん。こうした静坐などにより心を鎮めて修養することを居敬と言う。
　もう一つは、儒教経典の読書などにより万物の理（法則）をわがものとすること（窮理≒格物致知）だ。
　この居敬窮理により心を本来のあり方に復すことを目指す教え、これが朱子学というわけだ。なお、朱子は、このように自分を厳しく整えるならば、家族も国家も安泰になると説いているよ（修身・斉家・治国・平天下）。

> **↑↑ 四書五経**
> 　儒教でとくに重視される四書と五経の総称。五経は『易経』『書経』『詩経』『春秋』『礼記』の五つ。四書は『論語』『孟子』『大学』『中庸』の四つだが、このうち『大学』と『中庸』はそれぞれ『礼記』のなかの一篇だったものを朱子が取り出し、『論語』『孟子』と並べて四書と位置づけた。

では、次は**陽明学**についてお願いします。

　陽明学は明王朝の時代の儒学者である王陽明（1472〜1528）が創始した儒学の一派だ。朱子よりもさらに300年以上あとの人で、彼が生まれたころの日本は、応仁の乱の時代だった。
　王陽明は、若いころに朱子学を懸命に学んでいたんだけど、朱子学が心を性と情にすっぱりと分離してしまう点にどうしても満足できなかった。そこで、彼は、心をまるごと肯定し、そこに理が宿っている（心即理）とした。

……すみません、意味がわかりません。

朱子学と陽明学の決定的なちがい
は、「理」がどこにあると考えるか
という点にある。**朱子の立場**では、
理は人間の心を含めた万物すべてに
宿っている。だから、心を正しくす
るためには一物一物に宿る客観的な

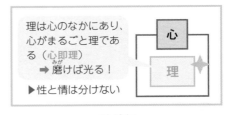

理は心のなかにあり、
心がまるごと理であ
る（心即理）
➡ 磨けば光る！

心

理

▶性と情は分けない

真理を研究することが求められるんだ。これに対して、**王陽明の立場**では、理
は心のなかだけにある。心のなかの善い側面（性）と悪い側面（情）を分離す
るようなことはせず、全体としての心に宿っている理を完成させることが目指
されるんだ。これが心即理の立場ね。

 どうすれば、心の理が完成するんですか？

かつて孟子が強調していたように、人間はみな生まれつき正しい心（**良知**）
をもっている。磨けば必ず輝く鏡のようなものをだれもがもっているというこ
とだ。

でも、それを本当に発揮できるかどうかは本人しだいだ。だから、日々の生
活のなかで絶えずこの良知を磨く（**事上磨錬**）ことが求められる。そして、
これは、朱子学者のように書物を読むだけでは実現できず、**実践**が不可欠なん
だ。実践によって良知（＝善）が実現することを致良知と言うよ。

朱子学がどちらかというと世界を観想的にとらえる立場だったのに対し、こ
のように陽明学はとにかく実践重視の立場だ。なぜそうなるのかというと、陽
明学においては**知ること**と**行うこと**はいずれも**心の働き**であって、表裏一体
とみなされている（知行合一）からだ。

難しいと思うけど、王陽明の思想は日本人にも多大な影響を与えてい
る ➡p.446 から、朱子学と対比しつつ理解できるよう頑張ってね。

チェック問題

やや難 2分

朱熹は、孔子や孟子には見られない理論体系を用いて人の本性の問題について説明している。その記述として最も適当なものを、次の①～④のうちから一つ選べ。

① 肉体を構成する気は社会の混乱につながる欲望の源泉であるから、その気そのものである人の本性は悪である。

② 道の立場から見れば、大小、是非などすべての価値的区別は相対的なものにすぎず、人の本性にも善悪の区別はない。

③ 人の本性は万物と共通の理であって善なるものだが、肉体を構成する気によって乱されており、悪の存在はその乱れに由来する。

④ 生きて働く現実の心そのものが理であって、生得の道徳性を自由に発揮すれば本性の善がそのまま実現する。

（2001年・センター試験倫理本試）

解答・解説

③

朱熹（朱子）によれば、人間の本性（**本然の性**）は善なるものであるが、それは肉体を構成する気によって乱されている。したがって、**居敬窮理**によって真の善を実現するよう努めることが求められるので、③が正しい。

①：たしかに、人間は**気**によって構成される肉体をもつが、同時に**理**にもとづく至善の心をももっており、人の本性がすっかり悪であるとは言えない。これは荀子と朱子の思想が異なる点である。

②：荘子の**万物斉同**についての記述。

④：心を丸ごと理であるとするのは、**心即理**を説いた王陽明の立場である。

 第 **2** 章 源流思想

10 西洋近代思想の成立

1 ルネサンス
ピコ、マキャヴェリ、エラスムスの三人の思想がとくに重要！

2 宗教改革
ルターとカルヴァンによる信仰の純化とは？

3 科学革命
近代科学の基礎を築いた人々の業績を確認しよう

1 ルネサンス

　さあ、ここからは西洋近現代思想について説明していくよ。この分野は量的に最も広く、質的に最も深い。また最も差がつくところだから、頑張ってね。

　さて、ギリシア・ローマの古典時代や中世とは異なり、西洋近代思想には理性への信頼にもとづく個人主義、合理主義、自由主義といった特徴がある。そして、こうした特徴をもつ近代思想は、ルネサンスと宗教改革の二つ、あるいはこれに科学革命を加えた三つがきっかけとなって生み出されたと言える。なぜそうしたことが言えるのか、順に見ていこう。

ルネサンスって何ですか？

　ルネサンスとは、古典研究に裏づけられた人間性解放の運動である、と定義できる。「ルネサンス」とはもともと「再生」とか「復興」を意味するフランス語で、イタリアに始まりヨーロッパ各国に広まった14〜16世紀の文化的運動のことだ。

　ここで言う「古典」とは、古代ギリシアやローマの文芸・美術・思想などを広く指している。ヨーロッパの中世は基本的にローマ・カトリック教会とキリスト教が社会を支配する時代で、神を中心とする価値観で特徴づけられる。ところが、イスラーム勢力から聖地エルサレムを奪還しようという十字軍の遠征（11〜13世紀）が失敗に終わり、教会の宗教的権威はおおいに失墜した。他方で、

そのころにはしだいに商人ら**新興市民階級**が勢力を増し、新たな時代の羅針盤が求められるようになってきた。そんななかで、ヨーロッパ人は**古典文化を再発見**したんだ。

　では、なぜ古典文化が見直されたのか？　それは、中世では絶対的な**神の権威**とくらべて人間は卑小で取るに足らないものとされていたのに対し、古典時代では**ありのままの人間**が賛美され肯定されていたからだ。

　絵画作品などでも、ルネサンス期には、世界を奥行きのある**遠近法**によって表現するスタイルが確立する。遠くのものを小さく、手前のものを大きく描く技法だよね。中世の絵画はのっぺりとしたものに見えるが、それはいわば**神の視点**から描かれたものだからだ。これに対してルネサンス絵画は**人間の視点**からとらえられた世界像が、数学的な計算のうえに描かれている。つまり、ルネサンスとは**神中心主義**から**人間中心主義**への転換とも言えるんだ。

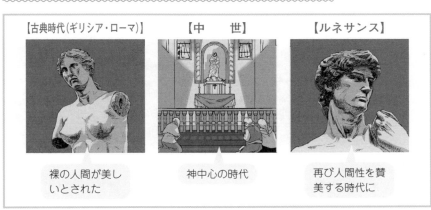

【古典時代（ギリシア・ローマ）】　　　　【中　　世】　　　　【ルネサンス】

裸の人間が美し　　　　　神中心の時代　　　　　再び人間性を賛
いとされた　　　　　　　　　　　　　　　　　　美する時代に

　古典の教養を身につけ、人間性（フマニタス）の解放を目指した人々を**人文主義者**と言い、彼らの思想的立場である**人文主義**（フマニスム、ヒューマニズム）はほぼルネサンスと重なり合う内容をもっている。彼らは真理と美を探究し、人間を多方面から理解しようとした。だから、この時代においては、絵画・彫刻・建築・医学などあらゆる領域をきわめた**レオナルド・ダ・ヴィンチ**のような**万能人**が理想視されたんだ。ダ・ヴィンチは遠近法の完成者としても知られているよね。

初期の人文主義者
「神の言語」であるラテン語ではなく、世俗語のトスカーナ方言で執筆
- ダンテ　：『神曲』
- ペトラルカ：『叙情詩集』で恋愛を賛美
- ボッカチオ：『デカメロン』で世俗の人々を生き生きと描写

これらはいずれもイタリアの文芸作品だ。どれも、けっして反キリスト教の立場ではないが、人間が単なる神の僕ではなく、それ自体の価値をもった存在であることが示されている。

思想家としてはどんな人がいたんですか？

とくに大事なのはピコ・デラ・ミランドラ、マキャヴェリ、エラスムスの三人だ。いずれも超頻出だよ！

ピコ・デラ・ミランドラ（伊、1463～94）

人間をほかの動物から区別する点は自由意志の有無にあると主張

「汝、人間は最下級の被造物である禽獣に堕落することもありうるが、汝の魂の決断によって神的な高級なものに再生することもできるのである」　　　　　　　　　　　　　　（『人間の尊厳について』）

マキャヴェリ（伊、1469～1527）

- 主著『君主論』において宗教（道徳）と政治を分離
- 「獅子の獰猛さと狐の狡猾さ」を併せもつ君主が理想的と主張

ピコ・デラ・ミランドラは人間の尊厳の根拠を自由意志に求めた。たとえば、僕らは努力して成功を勝ち取った人のことを尊敬するけど、宝くじに当選した人のことはとくには尊敬しないよね（うらやましいとは思うけど）。つまり、僕らは人間の価値は家柄や運によってではなく、自分の意志と責任において行為した結果によって決まると考えている。アウグスティヌスは自由意志による善に否定的だったけど ➡p.263 、ピコはこれを肯定し、そこに人間のすばらしさを見いだしているんだ。

マキャヴェリは、「近代政治学の祖」とも位置づけられる巨人で、政治の本質が道徳ではなく力にあることを見抜き、それを自覚すべきことを主張した。善良だが決断力に乏しい君主は、外国からの侵略を招くかもしれない。マキャヴェリによると、そんな軟弱な君主よりは、一見すると残忍であっても断固た

る決断力と**運命**に抗う強い**意志**をもち、非道徳的な手段を使ってでも国益を守れるような力強い君主が望ましいとされる。

　冷酷な主張に見えるかもしれないけど、たとえば戦場で一人の負傷兵を助けるために部隊を全滅させてしまうような指揮官を考えてほしい。彼はたしかに「いい人」かもしれないけど、有能な指揮官とは言えないよね。マキャヴェリは、道徳や善意だけじゃ世のなかを動かせないことを知り抜いていたんだ。

> **エラスムス**（蘭、1466〜1536）
> ● 主著『(痴)愚神礼讃』でカトリック教会の腐敗と堕落を批判
> ● ギリシア語原典の『新約聖書』を校訂し、出版
> ● 自由意志を擁護し、**ルター**と論争
> 　▶ 親友に、『ユートピア』を書いたトマス・モアがいる

　ルネサンス最大の人文主義者と言えるのがエラスムスだ。彼は現在のオランダで生まれ、イギリス、イタリアなど各地で活躍した。人文主義者としての彼の最大の業績は、当時一般的だったラテン語訳の『新約聖書』をギリシア語原典から校訂し、これを出版したことだ。これによって宗教上の真理が教会の独占物ではなくなったと言える。

　また、彼は『(痴)愚神礼讃』というユニークな本を書いたことでも有名だ。これは愚か者の女神というヘンテコな主人公が自画自賛するという体裁で、教会を含めた人間社会の愚かさを風刺した作品だ。カトリック教会は激怒して、これを禁書にしている。

　なお、彼自身は終生カトリック教会を離れることはなかった。そして、教会の堕落を批判するという点で、当初は良好な関係だった**ルター** ➡p.311 と**自由意志論**をめぐり激しく対立してしまう。人文主義者としてのエラスムスは、自由意志までを否定することには我慢できなかったんだ。

> **⬆ モラリスト**
>
> 　おもに**箴言**（断片的な文章・警句）のスタイルで人間への深い省察を行った思想家を**モラリスト**と言い、その代表に**モンテーニュ**や**パスカル** ➡p.324 らが挙げられる。
> 　ユグノー戦争（カトリックとプロテスタントの宗教戦争）に心を痛めた**モンテーニュ**（1533〜92）は、主著『**エセー（随想録）**』のなかで、宗教的な**寛容の精神**の重要性を強調した。彼はこの主張にあたり、人々が不当に自説に固執することに問題があるとして、**ソクラテス** ➡p.229 の「無知の知」を範にとり、「**ク・セ・ジュ（私は何を知るか？）**」との自問をみずからのモットーとした。

チェック問題 1 やや難 2分

マキャヴェリの政治論に見られる為政者のあり方の説明として適当でないものを、次の①〜④のうちから一つ選べ。

①　人間はつねに我欲を満足させようとするから、為政者は恐怖や暴力によって国家を維持することが許される。

②　政治は倫理にもとづいているので、為政者であっても、人間としての倫理は守ったうえで、政治固有の原理を考えるべきである。

③　為政者は、国家の存続と安定にとって不利な運命をも好転させうる決断力と実行力をもたなければならない。

④　為政者の卓越性（力）は、私人にあてはまる善悪の基準でははかり得ないものである。

（1994年・センター試験倫理本試）

解答・解説

②

　マキャヴェリは、為政者たる者は政治固有の原理（＝力）にもとづいて行動すべきだと考えており、「人間としての倫理」には必ずしもとらわれなくてよいと考えたので、②が誤り。

①：正しい。マキャヴェリは**「君主は愛されるよりは恐れられるほうがよい」**と述べている。彼によると、人間は恩知らずで強欲な存在だから、いざというときには君主を裏切るようなことを平気で行ってしまう。したがって、国を統治し秩序を維持するためには、恐怖で人民を縛るべきだとする。

③：正しい。マキャヴェリは運命（フォルトゥナ）を女神にたとえており、運命の女神を征服するには、慎重であるよりは決断力をもって果断に事をなす必要があると説いている。

④：正しい。マキャヴェリによると、為政者に求められる卓越性（ラテン語で「ヴィルトゥ」）は運命を変えるだけの力と責任であるから、一般的な善悪の基準で行動をすべきでないとされる。

2 宗教改革

　イタリアでルネサンスの運動がひと段落したころ、ヨーロッパの北部では宗教改革の動きが起こっていた。どんな権力でも長く続くと堕落してしまうものだが、当時のカトリック教会はまさにそうした状況にあり、教会の収入源として罪を軽減するための贖宥状（免罪符）を販売したり、聖職者の地位自体が売買の対象になったり（僧職売買）している有様だった。そんな状況に対して異議を唱え、信仰の純化を目指したのが宗教改革の運動だったんだ。

　まずはルターですか。

　そうだね。宗教改革にはイギリスで活躍したウィクリフ（1330ごろ〜84）や、チェコで活躍したフス（1369ごろ〜1415）といった先駆者もいるんだけど、ここはまあ「そんな人もいたんだ」くらいで十分だ。

ルター（独、1483〜1546）　　　　　　贖宥状の販売などへの批判

- 主著：『**キリスト者の自由**』。1517年に「**95か条の論題**」を発表
- 信仰義認説：人は内面的な信仰のみで義と認められる（➡ **信仰のみ**）
- 聖書中心主義：信仰の拠りどころとしての教会や聖職者を否定
　　　　　　（➡「**聖書**」**のみ**）　▶「聖書」のドイツ語訳を刊行
　　　　　　　　　　　　　　　　　　　　　　　聖職者の宗教
　　　　　　　　　　　　　　　　　　　　　　　的特権を否定
- 万人司祭主義：神の前ですべての信者は平等
- 職業召命観：世俗の職業はすべて神による召命（使命）

　宗教改革の主役は何と言ってもルターで、彼は1517年にローマ教会による贖宥状の販売などに対する公開質問状（「**95か条の論題**」）を貼り出し、これが宗教改革の発端となった。彼自身はこの段階でカトリックから離脱する意図はなかったのだけど、ローマ教会側はルターの破門を通告して、逆にルターは破門状を焼き捨てるに至る。このときルターに同調してカトリックに抗議した人々が、のちにプロテスタントと呼ばれるようになったんだ。

ルター

ルターの思想を教えてください。

　彼の主張の核心は、「人は**信仰**のみで救われる」という**信仰義認説**で、とくに目新しいものではない。なぜなら、これはかつてパウロが説いた教えそのものだからね →p.260 。とはいえ、当時のローマ・カトリック教会ではこれが見失われていた。そこで、何かしらの**行為**による救済というのはありえないということが強調され、**「信仰のみ」**がプロテスタントのスローガンとなった。

　もっとも、信仰内容がデタラメであってはまずい。そこで信仰の拠りどころは「聖書」だけであるとされた（**聖書中心主義**）。でも、当時の「聖書」はラテン語で書かれていたため、民衆は読めない。そこで、ルターは**「聖書」をドイツ語に翻訳**し、民衆が信仰の世界に直接入れるようにしたんだ。

　もう一つ、プロテスタントの大きな特徴に、**万人司祭主義**が挙げられる。ここで言う「司祭」とは「神の僕」といった意味で、キリスト者はすべて神と直接につながっているとの考え方だ。だから、プロテスタントの教会で礼拝を司る**牧師**は、カトリックの**神父**とはちがい、聖職者ではない。あくまで信者のリーダーといった位置づけなんだ。

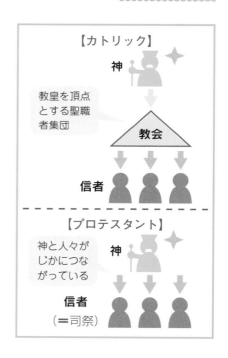

【カトリック】

神

教皇を頂点とする聖職者集団

教会

信者

【プロテスタント】

神と人々がじかにつながっている

神

信者
（＝司祭）

⬆️⬆️ 『キリスト者の自由』

ルターは主著『キリスト者の自由』のなかで、「**キリスト者はすべてのものの上に立つ自由な主人であって、だれにも従属していない**」と言い、同時に「**キリスト者はすべての者に奉仕する僕であって、だれにも従属している**」とも述べている。一見すると相矛盾する命題のようだが、第一の命題では、行いではなく信仰によって義と認められ自由となることができるということが指摘され、第二の命題では、キリスト者は信仰で満ち足りていることから万人に奉仕（隣人愛 ➡p.255 の実践）できるということが示されている。

カルヴァン（仏、1509〜64）
- 主著：『**キリスト教綱要**』
- 予定説：救われる者とそうでない者は予め決定されている
     ▶禁欲的・勤勉な生活 ➡ 救いへの確信
- 職業召命観：職業は神に与えられた使命
     ∴すべての職業は等価値、**利潤**は神による恵み

カルヴァンは、ひたすら**神の栄光**を賛美する立場から、かつてアウグスティヌス ➡p.264 が唱えていた**予定説**をあらためて強調している。つまり、だれが救われてだれが救われないかは、世界の主宰者たる神が予め決定している、という立場だ。

> でも、そうだとすると、まじめに信仰しても意味がないということになりませんか？

そう考えるのが人情だよね。事実、カトリックなどでは予定説は否定されているし、プロテスタントでも予定説を採用している宗派はけっして多くない。でも、**神の絶対性**を強調する立場から、カルヴァンは、これを譲らなかった。それに、信仰に生き禁欲的な生活を送り続けるならば、**自分が救われるという確信**を得ることはできる。それで十分だとすべきなんだ。きっと、カルヴァン自身は自分が救われるという確信をもっていたんだろうね。

それから、ルターも主張していた**職業召命観**が、カルヴァンではとくに強調されている。「**召命**」には「神による命令」といった意味があり、要するに自分の世俗的な職業が神によって与えられた使命（＝天職）だと理解する考え方だ。これは必然的に「職業に貴賤なし」ということを意味する。

では、金もうけも肯定されることになるのですか？

　お金が目的になってしまっては本末転倒だけど、勤労に励むということは神に与えられた職業をまっとうするということであり、その結果として利潤が生まれたならば、それは信仰の証として肯定される。

　ちなみに、この点に注目したのが19世紀から20世紀にかけて活躍したドイツの大社会学者マックス・ウェーバー ➡p.507 で、彼は主著『**プロテスタンティズムの倫理と資本主義の精神**』で、利潤追求がカルヴァン主義によって宗教的に正当化されたことが、資本主義の発展を思想的にあと押ししたと論じている（勤勉に蓄積しないことには、資本主義はありえないからね）。

⬆️ カルヴァンの神権政治

　カルヴァンはスイスのジュネーヴで宗教改革運動を展開し、のちに市政の実権を握るに至る。そこで彼は厳格な宗教的規律にもとづく体制を敷き、反対派を火刑に処するなど、厳格をきわめる統治を行った。

　ところで宗教改革は、**神の絶対性**を強調する思想運動であるとともに、教会組織という外的な権威によらない**内面的信仰**への道を開いた運動でもあった。したがって、ルネサンスと同様に、宗教改革も、自律的に考え行動する近代的自我を思想的に準備した運動だとみなすことができるんだ。

ポイント▶ 宗教改革

- ルターに始まる宗教改革は、内面的信仰を重視することで、近代的自我を準備した。
- カルヴァンは、救われる人とそうでない人が予め予定されていることを強調しつつ、**神の栄光**のために勤勉で禁欲的生活をするよう説いた。

チェック問題2　標準 2分

プロテスタンティズムに関する説明として適当でないものを、次の①～④のうちから一つ選べ。

① ルターによれば、キリスト者はみな等しく神の前に立つものであり、その観点からは、世俗（せぞく）の者も司祭である。

② カルヴァンによれば、神は救済される人間とそうでない人間とを予め決定しているが、人間はその決定を知ることはできない。

③ ルターによれば、救済のために必要なのは、教会がすすめる善行（ぜんこう）や功徳（くどく）を積むことではなく、ただ神の恵（めぐ）みを信じることである。

④ カルヴァンによれば、現世（げんせ）での善行によっては救いを実現することができないので、現世の生活は積極的な意味をもたない。

（2008年・センター試験倫理追試）

解答・解説

④

たしかにカルヴァンは善行によって救いを実現することはできないと考えたが、世俗の生活は神の栄光を讃える意味をもつし、神に与えられた職業生活（職業召命観（しょうめいかん））を勤勉に励むことで救いへの確信が得られるとされるので、④が誤り。

①：正しい。ルターは**万人司祭主義**の立場をとるので、キリスト者はすべて神の前で平等だとされ、聖職者（せいしょくしゃ）は否定される。

②：正しい。カルヴァンは**予定説**を説いており、神が予め決定した救いについては、変えることもできないし、知ることもできない、とした。

③：正しい。ルターはパウロ以来の**信仰義認説**（ぎにん）を説くので、ひたすら神を信じることによってのみ救われるとする。

3 科学革命

　君たちが勉強しているのは、きっと大学に行くという「目的」のためだよね。僕が毎日歯を磨いているのは、虫歯を防ぐという「目的」があるからだ。このように、人は自分の**目的**によって自分のあり方を決めることができる。これと同様に、自然もまた固有の目的を実現するように秩序づけられているとするのが**目的論的自然観**だ。たとえば、太陽が存在するのは人間やそのほかの生命が生きられるようにするためだ、というように考える。中世ヨーロッパではこうした自然観が支配的だったが、近代思想が形成される過程で、この自然観はしだいに衰退していった。

自然観の転回

神の意図によって世界を説明

● 古代・中世的自然観
　● 宇宙の秩序は神が**合目的的**に創造した（目的論的自然観）
　● 地球は宇宙の中心（天動説）

● 近代的自然観
　● 事物の運動を**機械的な因果関係**に還元（機械論的自然観）
　● 地球は惑星の一つ（地動説）

　目的論の考え方は**アリストテレス**が定式化した ➡p.239 ものだが、これは**キリスト教**の考え方にとっても非常に都合がよかった。森羅万象を**神の意志**（意図・目的）によって説明できるからね。でも、力学の研究などが進んでくると、自然現象を説明するためにいちいち神の意志をもちださなくてもいいのではないかという疑問が出てきた。そこで、現象の背後にある神の意志というものを棚上げして、現象を成立させている**法則**を明らかにしようという気運が高まってきたんだ。こうして成立したのが機械論的自然観で、この考え方は「**自然という書物は数学の言葉で書かれている**」という**ガリレオ・ガリレイ**の言葉に象徴的に示されている。この機械論は、**万有引力の法則**を発見した**ニュートン**が理論的に完成させ、次項目で説明する**デカルト** ➡p.321 も、この立場の代表的哲学者だ。君たちが勉強している理科は、間違いなく機械論的自然観にもとづく学問だ。

宇宙論でも大きな転回があったんですね。

　そうだね。じつは、古代ギリシアにも地動説の主張はあったんだけど、中世

のキリスト教では地球が宇宙の中心だという**天動説**が公認の学説になっていた。でも、以下の人たちの議論によって、少しずつ地動説に取って代わられていく。

地動説の展開

- **コペルニクス**：著書『天体の回転について』で**地動説**を提唱
  - ▶ただし、完全な**円運動**を主張
- **ケプラー**　：**観測データ**をもとに地動説を支持、「**楕円**軌道の法則」を含むケプラーの法則を発見
- **ブルーノ**　：地動説と**宇宙の無限性**を主張、宗教裁判により**火刑**
- **ガリレイ**　：● **慣性**の法則・**落体**の法則➡近代物理学を基礎づける
  - ● **天体望遠鏡**による観察
    - ➡『**天文対話**』で地動説を支持
    - ➡**宗教裁判**で有罪とされ、地動説の放棄を宣誓させられる
- **ニュートン**　：**万有引力の法則**により古典力学を完成
  - （地動説の証明）

　ここに挙げた人たちがいずれもキリスト教を否定する意図はもっていなかったことは、注目に値する（コペルニクスは司祭、ブルーノは修道士だった）。とくにコペルニクスは、神が創造した宇宙を最も簡潔に説明できる理論を求めて地動説にたどり着いたのであって、のちのケプラーやガリレイが観測データを重視したのとは大きなちがいがある。また、近代科学の祖と言われるニュートンも神による世界創造にはまったく疑いを抱いておらず、**錬金術**に傾倒するなど、今日からは非合理的とみなされる側面があったことがわかっている。

⬆ パラダイム論

　20世紀の科学史家**トマス・クーン**は、17世紀における宇宙論の転回などの**科学革命**を分析し、これらは単純に人類の知識が連続的に増したことを意味するのではなく、天動説という古い**理論的枠組み**（パラダイム）が地動説という新しい理論的枠組みへと取って代わられた出来事（**パラダイム・シフト**）であると主張した。

　パラダイムとは理論の枠組みのことで、クーンによると、科学者を含めて人はこうしたパラダイムの内部で思考するが、従来の枠組みで説明できない事実が確認されると、これを説明するために新たな枠組みが採用されていくとされる。

11 西洋近代哲学

この項目のテーマ

1 ベーコンとデカルト
経験論と合理論の基本的な考え方をよく理解しよう

2 経験論の展開
ロック、バークリー、ヒュームは経験論をどう発展させた？

3 合理論の展開
スピノザとライプニッツはデカルトをどう批判したか？

1 ベーコンとデカルト

中世のキリスト教世界では、「聖書」に書かれていることがすべて真理とされた。ところが、ルネサンスや科学革命などをきっかけに、自由な精神でものを考える動きが強まる。ここに花開くのが、17世紀以降に展開される**西洋近代哲学**だ。なかでも、イギリスで発展した思想的伝統を（**イギリス**）**経験論**、フランスやオランダなど大陸諸国で発展した思想的伝統を（**大陸**）**合理論**と言う。

西洋近代哲学の二大潮流
- **経験論** ●感覚でとらえられた経験を重視　▶**帰納法**により法則を導出
- ●イギリスで発展　例　ベーコン、ロック、バークリー、ヒューム
- **合理論** ●理性による合理的推論を重視　▶**演繹法**にもとづく推論
- ●大陸諸国で発展　例　デカルト、スピノザ、ライプニッツ

中世のスコラ哲学 ➡p.265 は、ひたすら理論の精密さと論理的な一貫性を追い求めた。だから、スコラ哲学にとっての学問的方法は**演繹法**だ。

演繹法？

演繹法とは、議論の**前提**から合理的推論によって論理必然的な**結論**を導こうという方法のことだよ。この方法は、みんなも数学の証明などで日々使ってい

るはずのもので、**論理的な正しさ**
を重視する限り、不可欠のものだ。

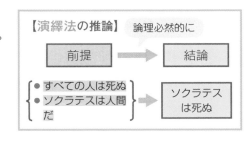

　ところが、演繹法には問題があ
る。それは、演繹法は論理的に正
しい結論を出せるけど、**新しい発
見**を何ももたらさないということ
だ。たとえば右の例では、あたか
も二つの前提から「ソクラテスは
死ぬ」という結論がわかったかのようになっているけど、実際には、「すべて
の人は死ぬ」という前提のなかにこの結論は含まれていたはずだ。だって、ソ
クラテスが死ぬことが明らかでなければ「すべての人は死ぬ」なんて言えなか
ったはずだからね。というわけで、演繹法は未知の事実を発見するのには役に
立たない。

　これに対して経験論は、知識の源泉を感覚によってとらえられた経験に求め
た。つまり、「百聞は一見にしかず」のことわざどおり、自分の五感でじかに
確認した知識を信頼しようとするんだ。

　目で見たり耳で聞いたり、というのを重視するんだね。

　そのとおり。とはいえ、一回限
りの個別の経験がつねに正しいと
は限らない。だから経験論者は、
観察や**実験**によって数多くのデー
タを収集し、そこから帰納法によ
って**一般法則**を導出しようとした
んだ。

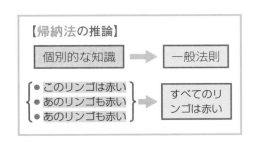

　情報量の増えない演繹法に対し、
帰納法を新しい学問として提唱したのが、**イギリス経験論の祖**と言われる**ベー
コン**（1561〜1626）だ。

ベーコン（1561〜1626）　…イギリス経験論の祖

自然に関する**知**を獲得　→　●自然を支配　●生活を改善

「知は力なり」

帰納法（きのう）を用い、イドラを排除すべし

ベーコンは主著『**ノヴム・オルガヌム**』のなかで、**観察**と**実験**で得られた知識を重んじ、これを**帰納法**によって一般法則化するという**新しい学問**の方法を提唱した。

彼が目指したのは、学問によって人間の生活を改善させることだった。そのためには、自然についての正しい知を獲得することで自然を支配・征服することが必要だと言う。気象学（きしょうがく）や土木学（どぼくがく）によって洪水（こうずい）を予防することなどをイメージしてもらうといい。

ベーコン

右の引用文は、「**知は力なり**」と要約される言葉のもとの表現だ。なお、こうした**自然の支配**という発想は西洋近代哲学にきわめて特徴的なものなのだけれども、環境問題が深刻化した20世紀以降には、

「人間の知識と力とは合一（ごういつ）する。……というのは、自然は服従することによってでなければ、征服されえない……からである」

（『ノヴム・オルガヌム』）

人間の傲慢（ごうまん）さ（≒**人間中心主義**）を示す事例として批判的に言及されることが多くなっている ➡p.403 。

なるほど。ところで経験が間違うことだってあるんじゃないですか？

そうだね。

じつはベーコンは、人間の知性が陥りがちな罠（わな）にも注意を促していて、これを**イドラ**と呼んでいる。イドラとは正しい認識を歪（ゆが）める**偏見**（へんけん）あるいは**先入観**（せんにゅうかん）のことだよ。次に挙げた**四つのイドラ**は頻出なので、しっかり頭に入れてね。

四つのイドラ

- **種族のイドラ** ：人間に共通する偏見　**例**　目の錯覚（さっかく）
- **洞窟（どうくつ）のイドラ** ：生育環境に由来する偏見　**例**　井（い）のなかの蛙（かわず）
- **市場（いちば）のイドラ** ：言葉づかいの誤りで生じる偏見　**例**　うわさ話
- **劇場のイドラ** ：伝統・権威への盲信（もうしん）による偏見　**例**　天動説（てんどうせつ）

ポイント　ベーコンの経験論

- 自然についての知を獲得することで自然を支配できると主張。
- 正しい知を獲得するには**イドラ**の排除が必要と主張。

 経験論には弱点はないんですか？

　じつは帰納法には根本的な難点がある。たとえ実験を100回やっても100万回やっても、その次に異なる結果が出る可能性はあるよね。経験によって獲得される知識はどこまで行っても「たぶんそうだろう」という程度の知識（蓋然的（がいぜん）知識）でしかないんだ。つまり、帰納法は新しい情報をもたらしてくれる代わりに、論理的な正しさを保証しないんだ。

　そうした難点を重視したのが**合理論**だ。この立場は、確実な真理を獲得するためには、経験よりも**理性**による**合理的推論**に頼るべきだと考えるんだ。この「合理的推論」にあたるのが、もちろん演繹法（えんえき）だ。

 じゃあ合理論はスコラ哲学と同じですか？

　通じるものはあるね。でも合理論は、スコラ哲学にとっての前提が疑わしいと考え、より**確実な原理**から議論を組み立てようとするんだ。演繹法は前提が正しければ結論も正しいというものだから、前提の正しさがとても大事になるよね。そこにこだわり抜いたのが、合理論哲学の祖と位置づけられる**デカルト**（1596〜1650）だ。

　フランスで生まれオランダなどで活躍したデカルトは、「**近代哲学の父**」とも言われていて、善（よ）きにつけ悪（あ）しきにつけ西洋近代哲学のパラダイム ➡p.317 をつくり上げた哲学者としてきわめて重要な存在だよ。

さて、デカルトの主著『方法序説』は、「良識（ボン・サンス）はこの世で最も公平に配分されている」という言葉で始まる。「良識」は「理性」と同じ意味だ。つまり、世のなかに頭のよい人とそうでない人がいるというのは間違っている、というわけだ。

デカルト

 だといいのですが、残念ながら僕の成績はイマイチです……。

デカルトに言わせると、それは**理性の使い方**が悪いんだ。もちろん、君だけじゃなく、これまでの誤った学問は理性を正しく用いる**方法**を欠いていた。建物を安全にするためには確実な土台が求められるのと同様に、学問も**確実な原理**に基礎づけられる必要があるというわけだ。

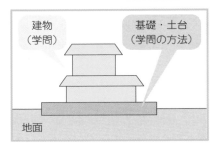

建物（学問）

基礎・土台（学問の方法）

地面

⬆⬆ 四つの規則

デカルトは、正しい学問をつくるための確実な方法は以下の四つの規則に還元できると考えた。

- ●**明証**の規則：明らかで疑い得ないもの（**明晰判明**）だけを受け入れる。
- ●**分析**の規則：問題をできるだけ小さい部分に分割すること。
- ●**総合**の規則：最も単純なものから複雑なものへと考察すること。
- ●**枚挙**の規則：見落としがないか見直すこと。

 じゃあ、どうすれば確実な原理が求められるんですか？

それは、**少しでも疑い得るものをすべて排除すること**によって、可能になる。絶対に確実なものを発見するために、「たぶん正しいだろう」みたいなものは全部間違っているものとみなしちゃうんだ（**方法的懐疑**）。そうすると、いろいろなものが疑わしいことがわかる。たとえば、**感覚**はどうかというと、僕らは錯覚や幻聴に陥ることがあるから、これは不確実だ。どれだけリアルな**経験**だって、夢を見ているだけなのかもしれない。**数学的な知識**さえも、神によってだまされているのかもしれない（**欺く神**）、と疑うことは可能だ。

このように、たいていのものは疑える。でも、**私がいま、疑っているという**

事実だけはどうしても疑いえない。私はいま、疑っているけどじつは疑っていない、などというのは論理的に矛盾していてナンセンスだからね。だから、**疑っているこの私の存在**は確実だとして、デカルトはこれを「**コギト・エルゴ・スム（われ思う、ゆえにわれあり）**」と言い表したんだ。ここにおいて、**自我の存在**を**哲学の第一原理**とする近代哲学がつくり上げられたと言うことができる。近代哲学では、この世で最も確実なものは感覚でも神でもなく、ほかならぬこの私（自我）の存在なんだ。

 なるほどー。さすがはデカルト、明晰な議論ですね！

でも、デカルトの哲学にも問題がある。

まず、自我の存在の確実性がすべての基礎になると言うのだけど、彼が言う「自我」とは、**身体**をもたない純然たる**精神**なんだ。だって、確実なのは自分のカラダではなく「考えるわれ」だからね。つまり、デカルトは物質と精神、心と身体を完全に分離する**物心二元論（心身二元論）**の立場に立っているんだ。

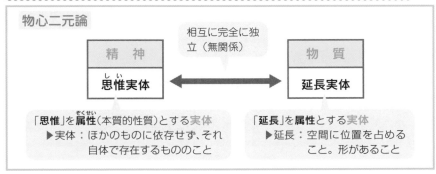

精神と質量が分離できるという考え方はきわめて近代的な発想だ。これは、人間の身体を因果律のみに従う一種の機械とみなす**機械論**的な考え方 ➡p.316 を完成させるものであり、医学などを格段に進歩させた。でも、精神と物質が完全に無関係だとすれば、僕らが自分の意志で自分のカラダを動かせるという事実をどう説明するのか？　これは**心身問題**と言われ、今日に至るまで多くの議論を招いている。この問題は、人間の身体をただのモノとみなすことができるのかという論点ともかかわり、**生命倫理**の大きな問題となっている ➡p.492 。

 デカルトにとって、人間は単なる機械なんですか？

いや、人間の身体が機械なんだ。デカルトより少しあとの時代には、人間がまるごと精巧な機械だという主張（人間機械論）も現れるけど、デカルト自身はそこまで言っていない。デカルトは、身体に発する情念を精神の力で統御すべしと言っている。こうした能力（高邁の精神）が人間にはたしかにあり、そこにこそすべての徳のカギがあると言うんだ。ここには、人間が自分の頭で考え、行動することができる自由な存在だという、ルネサンス以来の人間観を見いだすことができるだろう。

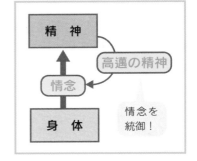

⬆⬆ 暫定的道徳

　世界を正しく**認識**するための方法としては徹底的な**懐疑**に裏づけられた確実な原理が必要だとしたデカルトだが、**実践**の場面では**暫定的道徳**として次の三つの規則に従えばよいとした。❶ 国の法律と習慣・宗教に従い、**中庸**をとる。❷ **きっぱりと一貫した方向に向かう。**❸ 欲望を抑えて**自己に打ち克つ**ことに努める。

ポイント　デカルトの合理論

- **演繹法**の出発点となる哲学の第一原理を**方法的懐疑**で探求。
- 考える自我の存在は疑いえない（**われ思う、ゆえにわれあり**）。
- 精神と物質は相互に独立した実体（**物心二元論**）。

　デカルトよりややのちに登場した**パスカル**（1623〜62）は早熟の天才で、数学や物理学で重要な業績を上げた超一流の科学者だった。だから、世界を客観的に把握し論証する**幾何学の精神**が大切なものであることは自明だった。けれども、パスカルは科学者であると同時に深い信仰家でもあったので、これに加えて、全体を**直観**（じかにとらえる）する**繊細の精神**が不可欠だとも考えていた。愛や信仰は、分析も証明もできるものではないからね！

ところが、デカルトはあらゆるものを理性で合理的に把握しようとし、**神の存在証明**などということまでやっていたんだ。これに対して、パスカルはそのような「哲学者の神」は真の神ではないとして憤激している。これは、**近代的理性への反省**という点で最も先駆的な議論の一つと言っていいだろう。

パスカル

なるほど、**モラリスト** ➡p.309 らしい教訓的な話ですね。

パスカルは著書『**パンセ**』のなかで、人間が悲惨さと偉大さの両側面をもつ中間者（ちゅうかんしゃ）だと言っている。たしかに人間は無力だし、苦しいときにはすぐ**気晴らし**に走ってしまう情けない存在だ。でも、そうした事実を反省することができる存在であるというのもまた事実だ。そこで、パスカルは人間を「**考える葦（あし）**」と呼び、人間の偉大さを讃えている。

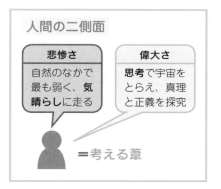

人間の二側面

悲惨さ	偉大さ
自然のなかで最も弱く、**気晴らしに走る**	**思考**で宇宙をとらえ、真理と正義を探究

=考える葦

デカルトは超重要人物だよ。確実に理解しよう！

精神に関するデカルトの見解として最も適当なものを、次の①～④のうちから一つ選べ。

① 精神は、人間の根源にある欲望を統御する良心であり、教育を通じて社会の規範が内面化されたものである。
② 精神は、誠実なる神によって人間に与えられた良識（りょうしき）であり、信仰に応じて各人に配分されているものである。
③ 精神は、思考を属性とする実体であり、延長を属性とする物体である身体から明確に区別されるものである。
④ 精神は、客観的な真理を追究しようとする高邁（こうまい）の心であり、情念（じょうねん）とのかかわりをもたずに存在するものである。

(2009年・センター試験倫理本試)

解答・解説

③

デカルトは**思惟実体**としての**精神**と、**延長実体**としての**身体**を峻別（しゅんべつ）する**心身二元論**の立場を明確に打ち出したので、③が正しい。

①：「人間の根源にある欲望を統御する良心であり、教育を通じて社会の規範が内面化されたもの」とは、フロイトの説いた**超自我** ➡p.210 についての説明である。

②：「信仰に応じて」の部分が正しくない。デカルトは、神によって万人（ばんにん）に**良識**＝理性が与えられていると主張した。

④：「**高邁の心**（高邁の精神）」は、情念を制御するためのものであるから、「情念とのかかわりをもたずに存在する」という記述は正しくない。また、「客観的な真理を追究」するのは**良識**（理性）である。

この調子で、ドンドン先に進もう！

2 経験論の展開

　ベーコンによって方向性が定められたイギリス経験論の哲学的伝統は、それ以降三人の哲学者によってさらなる発展を遂げていった。

　まず、『**人間知性論**』を著した**ロック**（1632〜1704）は、**いっさいの知識は経験に由来する**として、生得観念を否定した。生得観念とは**人が生まれながらにもつ観念**のことで、デカルトなどが主張していたものだ。ロックは徹底した経験論の立場から、生まれたばかりの人間の心はまだ何も書き込まれていない白紙（**タブラ・ラサ**）の状態にあると説いた。

　次に、『**人知原理論**』を書いた**バークリー**（1685〜1753）。彼は経験の源である知覚をいっそう重視する立場から、「**存在するとは知覚されることである**」と述べ、意識から独立した物質の存在を否定した。

何を言ってるんですか！　ここにあるこの机は間違いなく存在しますよ。ほら、現に触れるし。

　でも、その机は、僕らの視覚や触覚などの知覚によってとらえられた机以外の何ものでもないはずだ。つまり、僕らが知っているモノはすべて僕らの心のなかのモノであって、心の外にはどうしたって出られないんだ。

心のなかのモノ（知覚できる）　心の外のモノ（知覚できない）

視線

うーん、なんかだまされているみたいな気がしますけど……。

　バークリーに同意する必要はないけど、彼の考え方は理解してほしいな。これを論破するのはとても難しいよ。

　そして、この議論をさらに徹底して経験論を極限にまで推し進めたのが、『**人間本性論**』を書いた**ヒューム**（1711〜76）だ。まず、デカルトが実体として挙げた精神と物質のうち、バークリーは**物質**を否定したわけだが、ヒュームは**精神**のほうも否定してしまう。

心が存在しない??

正確には、心ないし自我が実体として存在することを否定しているんだ。僕らは、心のことを知覚が収納される「器」のようにイメージしがちだけど、ヒュームによると、心は鍋や風呂桶のような入れ物とはちがう。心そのものを知覚することはできないからね。そんなわけで、ヒュームは、心は知覚の束にすぎないと言う。

　ヒュームはまた、因果律（因果法則）を否定している。つまり、原因と結果の連鎖に必然的関係を認める考え方を否定しているんだ（懐疑論）。たとえば、「水を沸騰させるとお湯になる」というのは確実なことのように思われるよね。でも、過去に起こった現象の連鎖が明日も必ず起こるという保証はない（たとえば、気圧そのほかの条件が明日すっかり変わってしまったら、もはや同じことは起こらないだろう）。そもそも、僕らは継起している現象Aと現象Bを知覚することはできるけれども、AとBの因果関係そのものは知覚できない。

　そんなわけで、ヒュームは、因果律というものは自然のなかに存在するものではなく、人間が過去の事例をもとに心の習慣として抱くものにすぎないと結論したんだ。

　言うまでもなく、ヒュームのこの議論はきわめて過激なものだけど、これに反駁するのは並大抵で

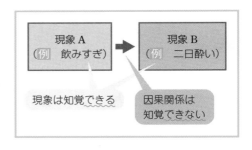

はない。そして、この課題に対しては、のちにカントが挑戦することになる ➡p.340 。

ポイント　経験論の展開

　ロックは生得観念の存在を否定し、バークリーは心から独立した物質を否定し、ヒュームは心の実体性と因果律を否定した。

3 合理論の展開

　合理論というのは、理性への信頼を基礎に演繹的推論を重ねていく知的伝統の総称であって、まとまりのある学派やグループではない。だから、デカルトが確立した立場に対しては、経験論だけでなく合理論のなかからもさまざまな批判が寄せられた。とくに問題とされたのが物心二元論だ。

　まず、スピノザ（1632～77）。彼はオランダに生きたユダヤ人の哲学者で、その主著『エチカ』は幾何学の論証スタイルで記述された異色の哲学書だ。デカルトは精神と物質という二つの実体が存在するとしたが、スピノザによると、これらはいずれも神という究極の実体の現れにすぎない。したがって、この世界に存在するすべては神そのものだ（神 即 自然）とされる。このような立場を汎神論と言う。

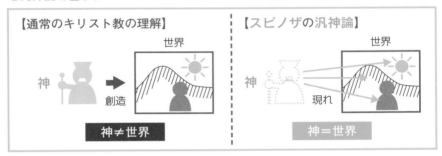

　しかし、このスピノザの立場は、世界の外部にいる神を否定するのだから、ユダヤ教およびキリスト教の伝統的な考え方とはまったくちがう。そんなわけで彼は唯物論・無神論の疑いをかけられ、ユダヤ教からは破門され、キリスト教からも異端視されてしまった。

⬆⬆ スピノザの自由意志論

　スピノザにとって、世界のすべては神によって支配されているのであるから、人間の自由意志 ➡p.308 といったものも否定される。したがって、人間にとって幸福とは、ありもしない自由を追求することではなく、すべてを神のつくった必然性において、「永遠の相の下に」見ることによってのみ得られる。

最後に、**ライプニッツ**（1646～1716）。彼は哲学者・数学者（微分積分法を発見している）・法学者・政治家ときわめて多くの肩書きをもち、哲学史上でも屈指の天才として知られる。

ライプニッツは、世界は無数の**モナド（単子）**からなるという**多元論**を説いた。モナドとは世界を構成する実体であり、分割不可能なものだ。

 はぁ、アトムと同じですか ➡p.225。

いや、デモクリトスやエピクロスが想定したアトム（原子）は物質だけど、ライプニッツが言うモナドは、物質ではなく**心**の一種だ。鏡が世界を映し出すのと同じように、世界をさまざまに表象する多様なモナドが世界には充満している。

モナドは実体なので、それぞれのモナドは完全に独立していて相互には無関係だ（このことは「**モナドは窓をもたない**」と表現される）。にもかかわらず、宇宙全体に秩序があるのは、世界の創造者である神が、個々のモナドが調和するように設計したからだ（**予定調和**）。このように、ライプニッツは、デカルトや古代原子論では説明できなかった世界の秩序を、神の意志によって説明しているんだ。

ポイント スピノザとライプニッツ

　デカルトが実体に関する**二元論**の哲学を説いたのに対し、**スピノザ**は実体は神のみという**一元論**を説き、**ライプニッツ**は無数のモナドが実体であるという**多元論**を説いた。

このように、デカルト、スピノザ、ライプニッツの思想は、対比させて理解しよう！

チェック問題 2

実体について考察したライプニッツの説明として最も適当なものを、次の①～④のうちから一つ選べ。

① 実体とは不滅の原子のことであり、世界は原子の機械的な運動によって成り立っていると考えた。
② 存在するとは知覚されることであるとして、物体の実体性を否定し、知覚する精神だけが実在すると考えた。
③ 世界は分割不可能な無数の精神的実体から成り立っており、それらの間にはあらかじめ調和が成り立っていると考えた。
④ 精神と物体の両方を実体とし、精神の本性は思考であり、物体の本性は延長であると考えた。

(2017年・センター試験倫理追試)

第3章 西洋近現代思想

解答・解説

③

「分割不可能な無数の精神的実体」とは、ライプニッツの考えた**モナド**（**単子**）のことである。これらは実体であるがゆえにすべて独立しているが、神によってあらかじめ調和するようつくられているとされる（**予定調和**）。

①：ライプニッツの考えた実体は、「機械的な運動」を行う「**原子**」ではなく、世界を映し出す精神的なモナドである。

②：「**存在するとは知覚されることである**」と述べて物体の実体性を否定したのは、経験論の**バークリー**である。

④：精神と物体の両方が実体だと論じたのは**デカルト**である。

12 近代ヨーロッパの社会思想

1 社会契約説

　合理論と経験論の哲学が確立されたころ、ヨーロッパ社会は**市民革命**で揺れに揺れていた。ここで言う「市民」とは**ブルジョワジー**（**市民階級**）のことで、**資本家階級**と言っても意味はほぼ同じだよ。彼らは労働者を雇って商業や工場経営を行っていた。つまりブルジョワジーは家柄（いえがら）や身分という意味では平民だが、経済力を蓄えていたんだ。

　彼らが台頭した16〜18世紀のヨーロッパは、国王にあらゆる権力が集中する**絶対王政**の時代となっていた。それに不満を募らせたブルジョワジーが、経済的自由や信仰の自由などを求めて起こしたのが市民革命だったんだ。

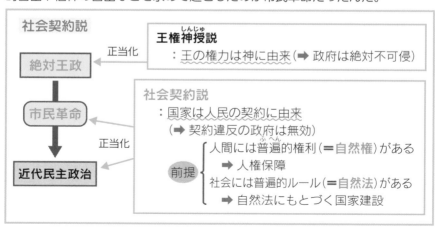

社会契約説

王権神授説（しんじゅ）
　：王の権力は神に由来（➡ 政府は絶対不可侵）

絶対王政 ← 正当化

市民革命

近代民主政治 ← 正当化

社会契約説
　：国家は人民の契約に由来
　（➡ 契約違反の政府は無効）
　前提 ┌ 人間には普遍的権利（＝**自然権**）がある
　　　　│　➡ 人権保障
　　　　└ 社会には普遍的ルール（＝**自然法**）がある
　　　　　　➡ 自然法にもとづく国家建設

ところで、絶対王政は**王権神授説**、つまり国王の権力が神に授けられたとする理論に支えられていた。しかし、この考え方が正しいとすると、国王がどれほどの圧政を敷こうと文句が言えないことになってしまう（背後に神様がいるからね）。そこで、この王権神授説を批判し、市民革命を正当化するために登場した理論が社会契約説というわけだ。

　ここでは社会契約説のおもな提唱者たちについて、くわしく見ていこう。

ホッブズ（1588〜1679）　◆主著：『リヴァイアサン』

利己的人間観	● **自然権**：自己保存権
	● **自然状態**：「万人の万人に対する闘争」

➡ 社会契約により**強大な国家権力**に自然権を**譲渡・放棄**

（➡ 絶対服従）

➡ 結果として絶対王政を正当化　▶王権神授説とはちがう

　17世紀のイギリスで活躍したホッブズは、国家の存在しない自然状態を**戦争状態**とみなした。なぜそうなるかというと、自然権としての自己保存権（自分の身を守る権利）をみんなが勝手に行使しようとするからだ。この結果、人々の安全はかえって損なわれ、「孤独で貧しく、険悪かつ残忍で、しかも短い」生活を余儀なくされることになる。たしかに、今日でも政府が機能しないために内戦状態に陥っている国が見られるよね。

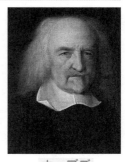

ホッブズ

　でも、人間は理性的な動物なので、このような「**万人の万人に対する闘争**」の打開策を考えた。それが**国家の創設**だ。すなわち、みんながいっせいに自己保存権を放棄して、強力な国家権力にそれを全面的に**譲渡**するという契約を結べば丸く収まるというわけ。わかりやすく言うと、みんなが護身用

> 「人々が外敵の侵入から、あるいは相互の権利侵害から身を守る……唯一の道は、すべての意志を多数決によって一つの意志に結集できるよう、**個人あるいは合議体**に、彼らのもつあらゆる力と強さを譲り渡してしまうことである」
> （『リヴァイアサン』）

ナイフやピストルで武装している社会よりも、警察などの国家権力が暴力を独占している社会のほうが安全だということだ。

　だから、犯罪者によって平和と秩序が脅かされないようにするためには、

国家がだれも逆らえないほど強力なものでなければならない。**リヴァイアサン**とは『旧約聖書』に出てくる怪物のことで、ホッブズは、怪物のように強力な国家権力の必要性を説いたんだ。

ただ、ホッブズは無秩序を恐れるあまりに絶対君主を擁護したので、この点がのちにロックやルソーから批判されることになる。

ロック（1632〜1704）　◆主著：『統治二論』

自然状態：自由・平等・平和（⟷ ホッブズ）

　　　　ただし、自然権（所有権）が不安定・不確実

➡ 国家に権力を信託（全面委任ではない、抵抗権は留保）

　　▶間接民主制を主張

ホッブズよりも50年ほどのちのイギリスで活躍したロックは、自然状態は基本的に**平和**だと主張し、ホッブズを批判した。たしかに、僕らの友人関係などを考えてみても、ときどきケンカをすることがあっても、おおむね仲良くできるよね。怖い先生などが監視していないと年中ケンカばかりしている、というわけではない。

ロック

 じゃあ、何で社会契約が必要になるわけ？

自然権が不安定かつ不確実だからだ。ここでロックが重視する自然権は、生命・自由・**財産**に対する所有権だ。自然状態では司法機関が存在しないので、所有権の侵害があったときに逮捕も裁判もできない。そこで所有権を確実にするために社会契約によって国家機構を創設した、というのがロックの説明だ。

ただし、ロックの場合、ホッブズとちがい、国家に全権を委譲するわけではない。所有権を確実にするという目的を実現するために、人民の代表者に権利の一部を信託するだけだ。だから、もし代表者たちが公約違反のようなことをやったならば、人民は抵抗権にもとづいて政府を変更することもできる。

このような**間接民主制**を理想としたロックの主張は、**名誉革命**を正当化するとともに、アメリカ独立革命に大きな影響を与えたんだ。アメリカではいまでも憲法で人民の武装が権利として保障されているけれども、これはロックの思想に由来するんだよ。

ルソー（1712～78）　◆主著：『社会契約論』『人間不平等起源論』

- 自然状態（過去）：自由・平等・**平和**、**自己愛**と**憐(あわ)れみ**
  ⬇　**私有財産制**
- 社会状態・**文明**（現在）：不平等・不公正
  ⬇　**社会契約**～自由・平等の回復（「**自然に帰れ**」）
- 新たな社会状態（未来）：**一般意志**にもとづく共同体、**直接民主制**

　　　　　　　　　　　公共の利益を目指す全人民の意志

　最後に**ルソー**。ロックと同じく、ルソーは自然状態を**平和**な状態ととらえた。無分別な赤ん坊が悪徳を知らないように、自然状態に生きる人は、孤独ではあるが充足していたという。

　ところが、今日(こんにち)の**文明社会**には不平等と不公正が満ち満ちており、かつて人々が備えていた**自己愛と憐れみ**の情も喪失してしまった。その理由は、人々が**私有財産**への権利意識に目覚めたからだ。

ルソー

　所有権の意識が定着すると、少ないモノを分かち合っていた時代とはちがい、さまざまな争いが起こってしまう。おのずと富める者と貧しい者との格差も生まれてしまう。これが諸悪の根源だというわけだ。ここは、**所有権を肯定したロックと対立**するポイントだね。以上の事態をルソーは、「**人間は自由なものとして生まれたが、（今日は）至るところで鉄鎖(てっさ)につながれている**」と表現している。

　そこで、**社会契約**によって本来の自由・平等を回復することが目指される。これが「**自然に帰れ**」という標語だ。

　　一般意志ってのは？

　一般意志は、「**公共の利益を目指す全人民の意志**」と定義できる。注意しなければならないのは、これが、**諸個人の意志（特殊意志）の総和（＝全体意志）**とは異なるということだ。

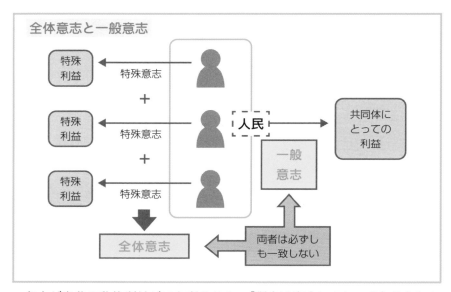

全体意志と一般意志

特殊利益 ← 特殊意志 ← 人

+

特殊利益 ← 特殊意志 ← 人　人民 → 共同体にとっての利益

+　　　　　　　　　　　　　　一般意志

特殊利益 ← 特殊意志 ← 人

全体意志 ← 両者は必ずしも一致しない

　各人が自分の私的利益だけを考えると、「税金は廃止しましょう」みたいな結論が出るかもしれない。でも、これでは国家が破綻してしまい、みんな不幸になってしまう。

　これに対して、だれもが自分の私的利益を棚上げして、社会の一員として（公民として）、社会にとっての利益を考えるならどうだろう。そうすると、議論の末に何かしらの結論（ベストな税制）が出てくるのではないだろうか。これが人民の一般意志だ。

　一般意志は、みんなで考えることによって導かれるものだから、人民の代表機関は認められない。だから、ルソーは、ロックが肯定した**間接民主制**を批判し、**直接民主制**を擁護したんだ。

　また、各人は必ず一般意志に服従しなくてはならない。みんなで導いた結論に服従することは、けっして不自由ではなく、本当の意味での自由（**市民的自由**）を意味するとされるんだ。

ポイント　三つの社会契約説

ホッブズは自然状態を**戦争状態**ととらえ、**ロック**は国家における**抵抗権**を主張し、**ルソー**は人々が**一般意志**に従うべきことを主張した。

チェック問題 1

標準 **2分**

自然状態に関するルソーの思想の記述として最も適当なものを、次の①〜④のうちから一つ選べ。

① 自然状態においては、人間は自分自身の生命を保存するためにみずからの力を好きなように用いる自然権をもっているから、この自然権が存続しているかぎり、いかなる人間にも安全はまったく保障されていない。

② 自然状態においては、人間は、自己愛と憐(あわ)れみの感情とをもつだけで、虚栄心(きょえいしん)も敬意も軽蔑(けいべつ)も知らなかったので、人間相互間にはいかなる社会的交渉もなく、所有権や正義といった観念もまだ存在しなかった。

③ 自然状態においては、各人が権利をもつのは、自己を他者の圧迫から守りうるあいだだけだと言えるから、自然権と言われるものも、それが各人単独の力によってのみ決定されるあいだは無に等しく、むしろ空想でしかない。

④ 自然状態においては、法的に有効な判断を下(くだ)す裁判官が存在しないため、権利をめぐって争いが生じた場合にも訴訟をおこせないから、それは言わば無法状態であって、所有権も単に暫定的(ざんてい)に保障されるだけである。

(2004年・センター試験倫理本試)

解答・解説

②

ルソーは、自然状態に生きる人を「**幸福な未開人(みかいじん)**」になぞらえており、原始的ではあるが争いのない状態として描いているので、②が正しい。

①：自己保存権が自然権であるとされているから、**ホッブズ**に関する記述である。

③：自然状態においては自然権が「空想」にすぎないとされているので、**ホッブズ**に関する記述である。

④：自然状態を裁判官の不在になぞらえ、また自然権として所有権を主張しているのは**ロック**である。

⑫ 近代ヨーロッパの社会思想 337

2 啓蒙思想

　啓蒙思想の「啓蒙」は、英語で enlightenment、すなわち「光をあてる」という意味だ。つまり、啓蒙思想は、**理性の光**で世界を照らし、合理的な知識にもとづいて世界を正しく再編しようという考え方のことなんだ。とくに18世紀のフランスでこうした思想が隆盛し、具体的には、無知と迷信によって支えられている非合理的な専制君主制を打倒することが目指された。18世紀は「**理性の世紀**」とも呼ばれるよ。

 専制君主制は、社会契約説によって批判されたのでは？

　社会契約説は、広い意味で啓蒙思想の一つと言える。ほかにも「スコットランド啓蒙」と言われるヒューム ➡p.327 やスミス ➡p.354、それにドイツのカント ➡p.340 らも広い意味では啓蒙思想に位置づけられる。以下では、ほかの枠には収まらない、せまい意味での啓蒙思想を紹介していこう。

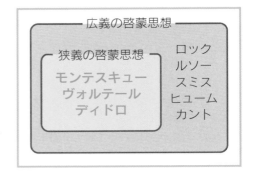

広義の啓蒙思想

狭義の啓蒙思想
モンテスキュー
ヴォルテール
ディドロ

ロック
ルソー
スミス
ヒューム
カント

啓蒙思想家たち

- モンテスキュー （1689〜1755）　◆主著：『法の精神』
  - 専制君主制は本質的に不健全 ➡ 共和制 or 立憲君主制が望ましい
  - 政治的自由を実現するためには三権分立が不可欠
- ヴォルテール （1694〜1778）　◆主著：『**哲学書簡**』
  - 専制への批判 ➡ **宗教的寛容**と**言論の自由**を主張
  - **理神論**的立場
- ディドロ （1713〜84）　◆主著：『ダランベールの夢』
  - 百科全書派のリーダーとして『**百科全書**』を執筆・編集
  - 無神論・唯物論

モンテスキューは、各国の法制度を見聞するなかで、それらの多様性が風土や習俗などと関連すると考えた。彼によると、各国の法制度はそれぞれ何らかの「法の精神」によって支えられている。そして、恐怖によって支えられる専制は本質的に不健全であるとして、フランスにおいては立憲君主制が望ましいと説いた。

各制度とその精神		
● 共 和 制	➡	美徳
● 君 主 制	➡	名誉
● 専　　制	➡	恐怖

　彼はまた、政治的自由を実現するためには権力機構を分割すべきであるとして、立法権・行政権・司法権が抑制と均衡の関係に立つという**三権分立**を説いた。

ヴォルテールは？

　ヴォルテールは啓蒙思想のチャンピオンと言うべき人物で、ルネサンス期におけるエラスムス ➡p.309 と同様に、この時代に名声をほしいままにした人物だ。とくに**宗教的寛容**と**言論の自由**についての擁護者としてよく知られている。

　また、彼は**理神論**の立場に立っていた。これは、神の存在を否定はしないものの、奇跡や啓示などを否定する合理的な信仰のことで、この時代に多くの支持者を集めていた考え方だ（ニュートンなどもこれに近い）。

　最後の**ディドロ**は、**百科全書派**のリーダーとして知られる。『百科全書』とは、人類の知をすべて網羅的・体系的に集大成しようという知的プロジェクトで、啓蒙思想の最大の成果と言える。今日の百科事典のモデルとなったものだ。これにはモンテスキュー、ヴォルテール、ルソーなど多くの執筆者が協力している。

　ディドロ自身の思想としては、合理主義を徹底し、この時代にあってはきわめて珍しい**無神論・唯物論**の境地にまで進んでいるという点をおさえておいてほしい。

13 ドイツ観念論

この項目のテーマ

1 カントの認識論
　人は何を知りうるか？　～『純粋理性批判』の世界
2 カントの道徳哲学
　人は何をなすべきか？　～『実践理性批判』の世界
3 ヘーゲルの弁証法
　ヘーゲルはカントをどのように批判したのか？

1 カントの認識論

　カント（1724～1804）はドイツのケーニヒスベルクという町で大学教授として規則正しく地味な生涯を送った哲学者だ。でもその地味さとは裏腹に、18世紀ドイツにおける「**精神の革命**」を遂行した立役者と評されているよ。

　カントの哲学は**批判哲学**と言われる。ここで言う「批判」とは、「非難する」とか「否定する」といった意味ではなく、「**徹底的に吟味する**」という意味だ。彼はそれまでの哲学を深く検討し、継承すべき点と乗り越えるべき点をはっきりさせようとした。そして、とくに合理論と経験論の問題点を明らかにし、それらの統合を目指したんだ。

カント

カントによる課題設定

- **合理論**…独断論に陥っている
　　　　　不確実な教条（ドグマ）を無批判に受容する立場
- **経験論**…懐疑論に陥っている
　　　　　客観的真理を認識できることを疑う立場

➡ 理性能力を吟味すべき

カントはドイツ人だから、もともと大陸合理論の立場だった。でも、因果律を否定した**ヒューム** ➡p.327〜328 の懐疑論に接することで、合理論哲学は独断論に陥っていることに気づかされた（彼はヒュームによって「**独断のまどろみから醒まされた**」と述懐している）。

　なお独断論とは**不確実な前提**のうえに積み上げられた議論のことだ。たとえば「日本は神国だ。神国は不敗だ。だから日本は絶対に戦争に勝つ」みたいな議論。

　でも、カントは経験論にも不満だった。というのも、徹底した経験論はヒュームのように懐疑論に行き着くが、これでは幾何学の証明手続きのようなものすら確実でないとみなされるからだ。カントは**普遍的に妥当する真理**というものが確実に存在すると考えており、それすら否定してしまう懐疑論には満足できなかったんだ。

> 合理論も経験論も一面的だということですね。

　そう。だからカントは合理論と経験論がどこで間違ったのかを明らかにするため、人間の**認識能力**そのもの（**理論理性**）、つまり**人がどこまで認識できるのか**という点について吟味したんだ。この課題を遂行したのが『純粋理性批判』だ。で、カントによると人間の認識は以下のような手順で行われるという。

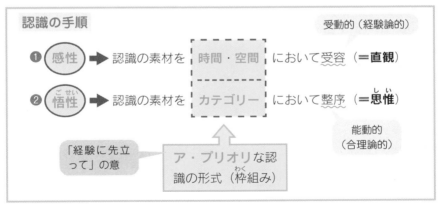

　認識の第一段階では、**感性**が、**認識の素材を受容する**。（この働きを**直観**と言う）つまり、たとえばリンゴに接したときに「赤い」「丸い」などの視覚的データや、「甘い」などの味覚のデータを受け取る。でも、これらのデータはまだ**断片的**なものにすぎないので、直観の働きだけではこれを「リンゴ」として把握できない。

これに対して、第二段階では、感性が受容したバラバラの素材を悟性（ごせい）がまとめ上げて、一つの概念として把握する。つまり、赤くて丸くて甘い物体を「リンゴ」として把握する。これが思惟（しい）の働きだ。

　第一段階は、言ってみればジグソーパズルのピースが手元に集められる段階で、第二段階は、同様にパズルを組み立てる段階だ。この二段階はそれぞれ経験論と合理論の立場に対応していて、認識が成立するためにはいずれも欠かせない。つまり、カントは認識論において経験論的要素と合理論的要素を統合したんだ。

 「ア・プリオリな認識の形式」って何ですか？

　まず、「ア・プリオリ」とは、「経験に先立って」という意味だ。

　時間と空間は世界に客観的に存在する座標のようなものだと思っている人が多いよね。でもカントは、時間と空間は主観から独立したものではなく、直観の形式だと考えた。つまり、僕らは時間と空間という色眼鏡（いろめがね）をとおして認識の素材を受容しているというわけだ。

　次にカテゴリーは、思惟の形式を意味している。カテゴリーのなかでも最重要なのが因果性（いんがせい）だ。ヒュームは、因果性が「心の習慣」にすぎないとして切り捨てたよね ➡p.328 。カントは、因果性が心の外に客観的に存在しないという点でヒュームに同意するが、人間は思考するさいに必ずこの因果性のカテゴリーを用いざるをえない、と言う。

 因果性を用いて思考する？

　たとえば、「彼は猛勉強したがゆえに合格した」というように、僕らは現象A（彼は猛勉強した）と現象B（彼は合格した）のあいだに因果関係を求める心理的傾向をもっているよね。つまり、僕らが思考するさいには、因果関係という、それ自体は知覚できない枠組（わく）みを用いているんだ。ちょうど目を閉じたままではモノを見ることができないのと同じように、僕らはカテゴリー抜きでは思考できない。

　なので時間と空間、カテゴリーは経験に先立って（ア・プリオリに）人間が備えている認識の形式なんだ。

なんだか、認識が主観的なものであるように聞こえますが。

　ここがカント認識論の最大の特徴なんだけど、カントによると、認識とは心の外にある客観的な事物（**物自体**）をとらえることではなく、能動的な認識作用によって心のなかで**対象を構成**することだとされるんだ。これをカントは「**認識が対象に従うのではなく、対象が認識に従う**」と表現している（コペルニクス的転回）。

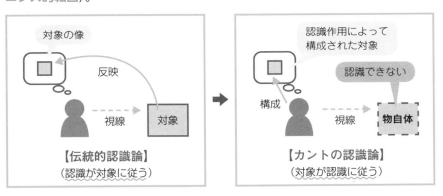

【伝統的認識論】
（認識が対象に従う）

【カントの認識論】
（対象が認識に従う）

　「コペルニクス的転回」というのは、もちろん天動説から地動説へという転回 ➡p.317 に自説をなぞらえているわけだ。カントは、人間の認識というものが単に受動的なものではなく、能動的・主体的なものであることを示したんだ。

なるほど。結局、人はどこまで認識できるんですか？

　カントによると、人間の認識は感性と悟性の協同で行われるということだったよね。だとすると、感性のおよばない世界は認識できない。つまり、人間が認識できるのは五感（ごかん）でとらえられる世界（現象界）だけであって、頭で考えることしかできない世界（英知界（えいちかい））については認識できないということになる。

理性の限界

認識

経験可能な世界
（現象界）

経験を超えた
世界（英知界）

認識不能な世界
（神、自由、魂（たましい））
➡**実践理性**の対象

デカルトやスピノザなどによると、神の存在は「証明」できる。でも、カントに言わせれば、神は見ることも聴くこともできないから、理性的認識の対象外なんだ。カントが伝統的形而上学にとどめを刺し、**精神の革命**を遂行したなどと言われるのはこのことからだ。

ふーん、じゃあ英知界（えいちかい）なんてそもそも存在しないと？

ところが、それもちがうんだ。たしかに、英知界は人間が**理論理性**で認識することのできない世界だ。でも、カントによると、英知界は実践理性によって要請される。実践理性とは**善を意志する能力**、すなわち道徳的な能力のことだ。つまり、**神**や**自由**といった英知界に属する概念（がいねん）は、人間が善をなすためにどうしても必要な能力だとされるんだ。詳しくは次項目で説明しよう。

> ### ポイント　カントの認識論
> - カントは**合理論と経験論の統合**を目指した。
> - 認識は**感性による直観**と**悟性（ごせい）による思惟（しい）**の協同によって成立する。
> - 理性（**理論理性**）は経験可能な世界しかとらえることができない。

カントの認識論は難しかったかな。でもこれが理解できると、西洋哲学の理解はぐっと深まるよ。

2 カントの道徳哲学

『純粋理性批判』のテーマは「**人は何を知りうるか**」という認識論だった。これに対して『**実践理性批判**』では「**人は何をなすべきか**」という主題、つまり**道徳哲学**が論じられる。カントの道徳哲学は、ベンサムらの**功利主義**➡p.355 と並び、今日から見ても最も首尾一貫した道徳哲学の一つなんだよ。

ところで、君は「何があろうとうそをついてはいけない」と考えるかい？

 はあ、場合によりますかね……。

人助けのためのうそなら許されるのではないか、といったところかな。そのように、行為の**結果**を重んじる道徳論は**帰結主義**と言われる。これに対して、カントの道徳論は、行為の道徳性は結果ではなく**動機**によって判断されるという**動機主義**の立場なんだ。

ただ、動機といってもそれは主観的な善意のようなものではない。普遍的に妥当する**道徳法則**を尊重し、それを目指す**善意志**にもとづいているかどうかが問題になるんだ。

 ちょっと待って、**道徳法則**ってなんですか??

自然界に自然法則が存在するのと同じように、道徳の世界にも**万人**が従わなければならないような普遍的法則が存在するとされるんだ。それが道徳法則。ところで、これは法則だから、無条件のものでなければならない。したがって、「〜ならば……せよ」というような**条件つきの命令**（**仮言命法**）は道徳法則たりえない。「叱られたくなければ掃除をしろ」という命令は、叱られてもかまわない者には無効だからね。端的に「……せよ」という**無条件の命令**（**定言命法**）のみが道徳法則たりうるというわけだ。

 「たりうる」ってことは、定言命法であるだけではダメだと？

そのとおり。たとえば「人を殺せ」というのは一種の定言命法だけど、これが道徳法則であるはずはないよね（みんなが殺し合いをすることはいいことのはずがない）。道徳法則であると言えるためには、それが普遍的なルールであることが求められるんだ。カントは、これを次のようにまとめている。

格率とは、個人的な行為の原則、つまり私的なルールのことだ。たとえば「毎日納豆を食べよう」や、「毎朝10km走ろう」などだ。でも、これらは万人（ばんにん）に適用するわけにはいかなさそうだよね。つまり、格率には普遍的でないものもあるのであって、カントは、万人に妥当する格率だけが道徳法則の名に値すると言っているわけだ。

> わかりました。でも、道徳法則に従うだけの生き方というのもなんだか受動的な気がしますけど。

とんでもない！　いいかい、道徳法則というのは自然法則のように人間を一方的に縛るものじゃなく、**理性的存在**である人間自身が主体的に立法するものなんだ。そして、自分で立法した道徳法則に**自律的**に従う（**意志の自律**）わけだから、受動的どころではない。

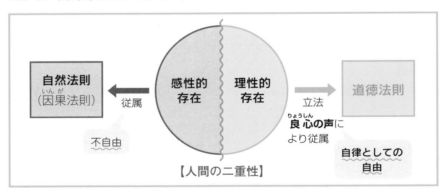

自然法則
（因果（いんが）法則）

感性的存在　理性的存在

従属

不自由

立法

良心（りょうしん）の声により従属

道徳法則

自律としての自由

【人間の二重性】

そのさい、カントは道徳法則に従うことを**義務**と呼び、「**汝なすべし**」という**良心の声**にもとづいて行為する（義務を果たす）ことのみが**道徳的**であると言う。逆に結果として義務にかなっているだけの行為（叱（しか）られるのがイヤだから掃除をする、など）は**適法的**であると言われ、ここには道徳性はないとされる。「義務」と言うとネガティブに聞こえるけど、このとき彼は自分の意志で自分のあり方を定めているのだから、彼は真の意味で**自由**だ。

> 厳格な主張ですね！　僕にはマネできそうもありません。

でもさ、不思議なことに、人は一見すると自分に不利なことを進んでやることがあるんだよね。たとえば『走れメロス』の主人公のように、友との約束を守るために、殺されることがわかっていながら友のもとに走るとか。あるいは震災ボランティアをやるとか。

だから、人間がある局面において自律的に行為しうるというのは事実なんだ。その意味で、人間は自然法則に従うばかりの単なる**物件**とは異なる尊い存在であって、自由で自律的な人格として、それにふさわしく扱う必要がある、とカントは言う。

これは、人間を道具のようにのみ扱ってはならず、尊厳ある人格として扱えという教えだ。だから、友人を踏み台として利用するような生き方は否定される。このように人々がみな相互に尊重し合う社会がカントの理想で、これは目的の王国と呼ばれる。容易に実現しそうにはないけど、高邁な理想だよね。

チェック問題 1

標準 2分

カントの主張として最も適当なものを、次の①〜④のうちから一つ選べ。

① 人間は、経験を通じて成長するのだから、道徳的な人格の形成も経験にもとづいて行われなければならない。

② 人間は、いかなる場合にも義務を果たすべきなので、義務に適った行為にはすべて道徳的価値を認めなければならない。

③ 人間は、つねに自律的でなければならず、みずからの意志の格率だけを信じて行為しなければならない。

④ 人間は、自律的な行為をなしうる主体だから、これを単なる物件と厳しく区別し、尊重しなければならない。

(2004年・センター試験倫理追試)

解答・解説

④

　カントの道徳論についての正しい記述。単なるモノ（物件）は自然法則に受動的に従うだけの存在だから、そこに尊厳は認められない。しかし、人間は理性的存在として自律的に行為することができる存在であるから、尊厳ある存在として（目的として）扱うことが求められる。

①：人格が経験によって形成されるとあるが、これはイギリス経験論 **→p.318** の考え方である。カントにおいては、人格は普遍的に（時間を超えて）尊重されるべきものである。

②：結果として「義務に適った行為」であるだけでは、その行為は**適法的**であるにすぎない。ある行為が**道徳的**と言えるためには、**善意志**にもとづき、義務に発する行為でなければならない。

③：「みずからの意志の格率だけを信じて行為」するならば、内容において**道徳法則**たりえない行為が採用される可能性がある。したがって、普遍的に妥当するような格率が採用されなければならない。

3 ヘーゲルの弁証法

ヘーゲル（1770～1831）は、若いころには熱烈なカント主義者だったが、しだいに独自の哲学体系を構築していった。彼の残した『精神現象学』『法の哲学』などの膨大な著作および講義ノートにおいて、近代哲学の流れは巨大な山脈の頂点をきわめたと言うことができる。

ヘーゲル

まずは、彼の哲学的方法である弁証法について説明しよう。

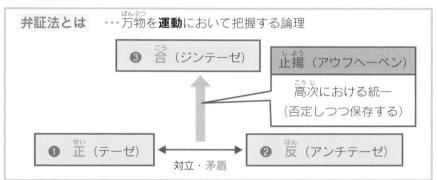

弁証法とは、あらゆるモノを**運動**において把握する論理のことだ。ここで言う「運動」とは、モノの生成・発展・消滅の全プロセスを指す。ひと言で言うと、弁証法とは、世界がダイナミックに動いているという事態を言い表している。

さて、上の図の「正（テーゼ）」とは命題という意味だ。たとえば「彼は子どもだ」という命題を例にとると、これに「彼は大人だ」という対立命題（反、アンチテーゼ）を設定することができる。この二つの命題は両立できそうにないよね。でも、「彼は青年だ」という新たな命題（合、ジンテーゼ）、つまり子どもから大人になりつつある存在 ➡p.214 という動的な契機を導入すれば、二つの命題は統一的に理解できる。

このように、対立・矛盾を高次において統一することを止揚と言う。止揚という概念には、「否定する」という意味と「保存する」という意味が含まれている。たとえば、「青年」は単純な子どもでも大人でもないから、その意味でこれらは否定されている。でも、青年という概念には、子どもの側面と大人の側面が間違いなく含まれている（＝保存されている）。

一般に、「矛盾」とは、ありえないものだと考えられているよね。でも、ヘーゲルによれば、矛盾は実際に存在するし、矛盾が存在するからこそ矛盾を止揚する力が働き、それが現実世界に運動をもたらすんだ。つまり、**矛盾こそが事物の運動の原動力**だとされるんだ。

ポイント 弁証法とは

- **弁証法**とは、世界の運動を説明するための原理。
- あらゆるところに**矛盾**が存在しており、これが世界を動かす。

ヘーゲルの哲学は「**自由の哲学**」だと言われることがある。でも、彼が言う「自由」にはかなり独特の意味がある。これを理解するために、人倫についてのヘーゲルの議論を見ていこう。

ヘーゲルにおける人倫

◎人倫とは…法と道徳を統一した客観的自由（共同体において成立）

- 道徳：人間を内的に規律
- 法　：人間を外的に規律

❶ 　家　族　 …愛によって結合した**自然的人倫**

　　　　　　　▶個人の自立が欠如

❷ 　市民社会　 …個人の自立が基本／**欲望の体系**／**人倫の喪失態**

❸ 　国　家　 …家族と市民社会を統一した理想的人倫

カントが考えたように、自由を実現するためにはみずからを律すること、すなわち道徳が必要だ。でも、人間は一人で生きているわけではなく、共同体において他者とともに生きている。だから、真の自由を実現するためには共同体の秩序を守るための法が欠かせない。

つまり、ヘーゲルは、各人が主観的な自由を追求しているだけではダメで、自由は現実の社会制度のなかで具体化される必要がある、と考えたんだ。このように**内面的な自由である道徳**と**客観的な秩序を維持するための法**を弁証法的に統一した概念が人倫と呼ばれる。つまり、人倫とは、共同体の各メンバーの意志と共同体そのものが**有機的**に機能している状態を意味するんだ。

いまいちピンとこないなあ。

学校の合唱コンクールなどをイメージするといいよ。メンバーはみんなに合

わせて歌う必要があるけど、そのときに自由はけっして失われない。声を合わせ、心を合わせることで、みんなは一丸となり、真の自由を獲得できるんだ。チームスポーツでも同じだよね。

　これが共同体において成立する真の自由、人倫だ。一人ぼっちの個人的な自由よりはるかに次元の高いものだよね。

 なるほど。で、その人倫が三段階で展開されるんだね。

　そう。まず、第一段階が家族。家族は最も基礎的な共同体なので、ヘーゲルはこれを「**自然的人倫**」と呼んでいる。家族は**愛**という強い絆によって結ばれている。でも、その反面、そこには**個の自立がない**。これを克服するために登場するのが市民社会だ。

　市民社会とは、独立した個人からなる社会のことで、資本主義社会と同じと思ってもらっていい。しかし、市民社会は人々が自分の欲望だけを追求する社会（「**欲望の体系**」）であり、そこでは家族で成立していたような絆が失われている（**人倫の喪失態**）。

　そこで、家族と市民社会という二つの人倫を弁証法的に統一（止揚）することが求められる。こうしてできたのが**国家**だ。国家は、家族における**絆の強さ**も市民社会における**個の独立**も実現しているので、人倫の最高段階だとされる。

 現実の国家はそんなにすばらしいものに見えませんが。

　まあね。ヘーゲルは、新興（しんこう）のプロイセン国家に期待するあまり、現実の国家と理想の国家を区別できなくなってしまったのかもしれない。ただ、彼は「**世界史は自由の意識の進歩である**」と述べていて、この歴史観はなかなか一貫性のある議論なんだ。

 と言うと？

　ヘーゲルによると、人倫の展開とは歴史において絶対精神（世界精神）が自己を展開する過程だと説明される。ちょうど人間が生涯をかけて自我を完成させる ➡p.217 のと同じように、絶対精神は世界史においてみずからの本質である自由を実現していくと言うんだ。

（縦書き・右余白）
第**3**章　西洋近現代思想

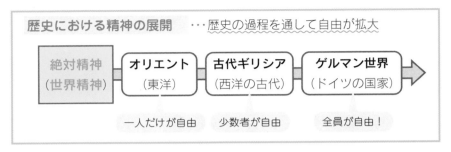

歴史における精神の展開　・・・歴史の過程を通して自由が拡大

絶対精神 (世界精神)	→	オリエント (東洋)	→	古代ギリシア (西洋の古代)	→	ゲルマン世界 (ドイツの国家)	→
		一人だけが自由		少数者が自由		全員が自由！	

　僕らは、自分の心（精神）が単独で成立していると思いがちだけど、ヘーゲルは**歴史を動かす巨大な世界精神**というものを想定していて、個人の精神はその一部にすぎないとした。

 個人の精神が世界精神の一部？

弁証法（べんしょうほう）の図式 ➡p.349 で考えてみようか。

　まず、僕らは自分の見方なり意見をもっている（**正**（せい））。でも、現実の社会で生きていると、これに反対する立場や意見があることがわかる（**反**（はん））。そこで、僕らは対話を交わし、紆余曲折（うよきょくせつ）の末（すえ）に対立を止揚（しよう）して、「私たち」の意見というものを形成する（**合**（ごう））。こうして、僕らは個人のせまい見方を脱（だっ）し、共同体の成員として「私たち」の視点を確保するに至る。僕らは単なる「私」から「私たち」に成長することによって、真の自由を実現できるんだ。

　ヘーゲルは**「理性的なものは現実的であり、現実的なものは理性的である」**と述べている。プラトンなどでは、理性的なものは現実と無関係なものと見られていたけれども、ヘーゲルによると、理性的なものは、現実において具体化されなければならない。また、現実世界には不条理に見えるものも多いけれど、存在するものにはすべて理由があるのであって、これを精神（≒理性）の自己実現の過程として把握すべきだというわけだ。

　「世界精神の自己展開」などを説くことから、しばしばヘーゲルは神秘主義的な観念論（かんねん）だと批判されてきた。でも、自由についての彼の議論から、僕らは多くを学べるんじゃないかな。

チェック問題 2

易 1.5分

ヘーゲルの思想として最も適当なものを、次の①～④のうちから一つ選べ。

① 婚姻は男女両性の間の法的な契約であるから、男女の愛情における本質的要素ではない。

② 市民社会は、法によって成り立つとしても、経済的には市民たちの欲望がうずまく無秩序状態である。

③ 国家は、市民社会的な個人の自立性と、家族がもつ共同性とがともに生かされた共同体である。

④ 世界共和国の下での永遠平和は、戦争はあってはならないという道徳的命令による努力目標である。

(2007年・センター試験倫理本試)

解答・解説

③

ヘーゲルは、家族と市民社会のそれぞれの難点を止揚する形で成立した**人倫の最高段階**が**国家**だと考えたので、③が正しい。

①：ヘーゲルによると、婚姻（**家族**）は単なる法的契約ではなく、愛情によって結合された人倫である。

②：たしかに、市民社会は欲望のうずまく「人倫の喪失態」だが、人倫の一形態であることにはちがいないので、ホッブズ **➡p.333** が自然状態について考えたような無秩序状態ではない。

④：**カント**が『永遠平和のために』のなかで展開した議論である。

14 功利主義とプラグマティズム

この項目のテーマ

1 功利主義
個人主義と社会の幸福は調和するのか？

2 プラグマティズム
パース、ジェームズ、デューイの特徴をおさえよう

1 功利主義

18〜19世紀のヨーロッパでは、**市民革命**と**産業革命**により、自由で独立した諸個人を基礎とした**市民社会≒資本主義社会**が成立していた。でも、この社会では、人々が自由に営利活動を追求することにより、**貧富の格差**といった問題が顕在化していった。そこでこの時代の思想家たちは、**資本主義の矛盾**という課題に直面したんだ。

なるほど。資本主義とくれば、まずは**アダム・スミス**ですね。

そうだね。ルソーなどが、利己的な活動が社会に災いをもたらすと主張した ➡p.335 のに対し、ルソーの同時代人で「**経済学の父**」と言われる<u>アダム・スミス</u>（1723〜90）は、むしろ<u>利己心</u>にもとづく営利追求こそが社会に富をもたらすと考えた。

その理由は二つある。一つは、売り手と買い手が自分の利得を最大化しようと行動しても、それが「（神の）**見えざる手**」によって調整されるからだ。この「見えざる手」というのは、今日の**市場メカニズム**と呼ばれるものにあたる。政府がモノの値段を決めたりせずに**自由放任主義**をとったほうがよい結果になる、というわけだ。この議論は『**諸国民の富**

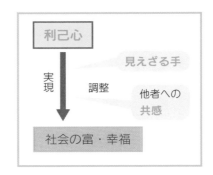

（国富論）』で展開されている。

　もう一つの理由が哲学的にはより重要で、スミスによると、人々の利己心というものは、じつは他者への共感の原理（＝良心）によってすでに調整されている。たとえば、僕らは駅前の募金に応じることがあるけど、あれはけっして不合理な行動ではなく、自分なりの良心を満足させるための合理的な行動なんだ。この良心は「公平な観察者」とも言い換えられる。人間は自分で自分を第三者的にながめることができる存在なのだから、利己的に行動するといってもすぐに他者を踏みにじったりするということにはならない、というわけだ。以上の議論は、もう一つの著書『道徳感情論』で展開されている。

でも、利己心ってそんなにうまく調整されるもんですかね？

　たしかに、利己心の制御はそんなに簡単ではないのではないかという疑問も起こるよね（宗教などはそのために生まれたようなものだ）。そこで、利己心が社会の利益を損なうことなく、人々の幸福を実現するために必要な条件を詳しく検討していったのが、功利主義の祖ベンサム（1748～1832）だ。

　功利主義とは、善悪の基準を行為や規則のもたらす結果の有用性に求める立場のことだ。道徳性の基準が結果に置かれる（功利の原理）ことから、帰結主義の道徳哲学とも言われ、カントの動機主義 ➡p.345 と対比される。

ベンサム

　では、なぜ結果の有用性が問題になるのか？　ベンサムは『道徳および立法の諸原理序説』のなかで、それは、人間が「快楽と苦痛という二つの君主」の支配下に置かれ、すべての人は快楽を求め苦痛を避けようとする存在だからと述べている。つまり、人間にとっての幸福は、

二つの道徳学説

動機
行為
結果

カントが重視

功利主義が重視

快楽が多く苦痛の少ないことにある、というのがベンサムの基本的発想なんだ。

　ここから、社会にとって望ましいのは「最大多数の最大幸福」を実現することである、という非常に有名な命題が導かれる。これは、一人ひとりの幸福量の総和が最大のときが最善の状態だ、ということだ。

　この議論には、社会は個人を基礎単位とする集合体であり、個人（そして社

会）の快楽や幸福は計算可能であるという前提がある（**量的功利主義**）。本当に快楽を計算できるのか、快楽には質的差異があるのではないか、という疑問は残るよね。これについては次のミルのところで。

> で、どうすれば社会の幸福を最大化できるんですか？

そこだよね。なかには他人に危害を加えることに快楽を感じるような人もいるからね。そこでベンサムは、**制裁（サンクション）** によって「**最大多数の最大幸福**」を実現するよう主張した。制裁とは、ある人にある行動を起こすよう強いるもので、具体的には右に挙げた4種類の制裁がある。たとえば人を殺した者は死刑にする、というような制裁をルール化しておけば、利己的な人は「割に合わない」行為（殺人）を回避しようとするので、結果として「最大多数の最大幸福」が実現する、というわけだ。ベンサムはとくに**法律的制裁**を重視し、立法による社会改革に生涯を捧げたんだよ。

四つの制裁（サンクション）
● **自然的制裁**　　例　不摂生の結果、健康を崩す
● **法律的制裁**　　例　犯罪をおかして刑罰を受ける
● **道徳的制裁**　　例　不道徳な行為で社会的非難を受ける
● **宗教的制裁**　　例　不敬な行為で神罰を宣告される

> ベンサムの議論に問題はないわけ？

いくつか考えられるけど、とくに快楽をすべて量的に測定できるという点は、功利主義の後継者たちからも批判を受けた。量的功利主義に対して**質的功利主義**の立場をとったのが**J.S. ミル**（1806〜73）だ。

ミルはベンサムの友人を父にもち、幼少時代から英才教育を受けた天才の代名詞のような人物だ。彼は「最大多数の最大幸福」という功利主義のスローガンを保持しつつも、**快楽の質的差異**にも留意しなければならないと主張した。たしかに、肉体的快楽と精神的快楽を同じモノサシで測るのはきわめて困難だし、死別した妻と過ごしたかけがえのない期間を「1000万円

J.S. ミル

相当の快楽」などと言っていいはずがないよね。

ミルはまた、ベンサムが法律的制裁を重視したのに対し、**良心**にもとづく内的制裁を重視した。ミルは、社会の幸福は**利他的な感情**によって実現するとして、「**人にしてもらいたいと思うことは、すべてあなたがたも人にしなさい**」というイエスの黄金律こそが功利主義の原理だと主張している。

あと、ミルの主著『**自由論**』では、個人の自由を制限できるのは他者への加害行為だけだという**他者危害原理**が説かれており、自由主義の古典的定式として重要だよ。

> **ミルの質的功利主義**
>
> 「満足した豚であるよりは不満足な人間であるほうがよく、満足した愚者であるよりは不満足なソクラテスのほうがよい」　（『功利主義』）

⬆ 功利主義と現実政治

功利主義は社会改革を目指して現実政治にかかわった。ベンサムは、**普通選挙制**の導入を強く訴えたほか、**動物愛護**や**同性愛**の擁護を行ったことなどでも知られる。ミルは自身も国会議員になるほど議会政治を重視した思想家だったが、民主主義が「**多数者の専制**」へと堕落してしまう危険性のあることにも注意を促しており、これを防ぐために少数意見を尊重して**言論の自由**を強く保障することなどを主張している。また、女性が隷属的地位に置かれていることの不当性を断罪したことでも知られる。

カントと功利主義の道徳論はとても対照的だね。みんなはどちらの議論が正しいと思うかな？

功利主義者ベンサムは、行為の判断基準として行為の結果を重んじた。ベンサムの考え方にもとづく発言として最も適当なものを、次の①～④のうちから一つ選べ。

① 「私は、どんな状況下でもうそをつくべきではないと考えているので、自分に不利益がおよぶとしても、正直に話をすることにしている」

② 「私の行動原則は、そのときどきの自分の快楽を最大にすることだから、将来を考えて今を我慢するようなことはしないことにしている」

③ 「社会の幸福の総和が増大するとしても、不平等が拡大するのはよくないから、まずは個々人の平等を実現すべきだと、私は考える」

④ 「自分の行動が正しいかどうかに不安を覚えるとき、私は、その行動をとることによって人々の快楽の量が増えるかどうかを考える」

(2009年・センター試験倫理本試)

解答・解説

④

功利主義の祖であるベンサムは、「**最大多数の最大幸福**」を社会的な目標とするので、行動が正しいかどうかの基準は、社会全体の幸福量を増やすかどうかという点に求められるので、④が正しい。

①：ベンサムは、行為がもたらす結果を重視するので、「どんなときでもうそはつかない」といったことは言わない。これはカント ➡p.340 の立場である。

②：前半は正しいが、後半が誤り。**快楽計算**にあたっては、今の快楽と将来の快楽を考慮に入れることになる。

③：ベンサムが求めるのはあくまで「**最大多数の最大幸福**」、つまり社会の幸福の総量を最大化させることなので、不平等は必ずしも否定されない。この点は、のちに**ロールズ**に批判されることになる ➡p.396 。

② プラグマティズム

　ここまでヨーロッパの思想ばかり見てきたけど、次のプラグマティズムはアメリカ生まれ・アメリカ育ちの哲学だ。この立場は、知識や理論の妥当性を**実践（行為）**によって検証しようとする。

「実践によって検証」ってどういうこと？

　簡単に言えば、「とりあえず試してみよう」ということだ。
　目の前のプリンの味を知りたいときに、人によっては、成分や製造者などから、おいしさについてあれこれ想像するかもしれない。でもプラグマティストであれば、「食べてみればいいじゃん」と考える。
　この立場は、ヨーロッパの伝統的形而上学が**思弁的**・観念的で無益な議論に終始しがちであったとして、「使える思想」を目指すんだ。当時のアメリカは、まだ建国して百年もたっていない若い国だ。だから、縛られるような権威も伝統もなく、何事もとりあえず試してみようという自由な**フロンティア精神**に満ちていた。この気風が、プラグマティズムの哲学を生み出したんだ。
　さて、**プラグマティズムの特徴**として、科学への信頼と宗教の尊重の２点を挙げることができる。科学への信頼という点については、**仮説**を**実験**によって**検証**するという**経験論** ➡p.318 の伝統を実生活に適用したものと言えるだろう。宗教を尊重するというのは、アメリカ最初期の入植者たちが信教の自由を求めた**敬虔なピューリタン**だったこととも関連があると考えられる。科学と宗教は、一見すると相容れないもののようにも見えるが、今日でもアメリカはこの二つを最も尊重するユニークな伝統をもっているよね。

プラグマティズムは、だれがつくったの？

　プラグマティズムの生みの親は**パース**（1839〜1914）だ。彼は測量技師として比較的地味な生涯を送った人物だけど、**形而上学クラブ**という研究サークルを組織して新しい思想運動を起こした。彼はプラグマティズムの基本的立場を次のように定式化している。

プラグマティズムの格率（かくりつ）

「ある**対象の概念**（がいねん）を明晰（めいせき）にとらえようとするならば、その対象がどんな**効果**……を及（およ）ぼすと考えられるかということをよく考察してみよ。そうすればこの効果についての概念は、その対象についての概念と一致する」 （『いかにして我々の観念（かんねん）を明晰にするか』）

回りくどい言い方をしているけど、要するに「**ある概念の意味はそれがもたらす効果と一致する**」ということだ。たとえば、「硬い」という概念は「叩（たた）いても壊れない」という意味をもつ。つまり、「叩く」という行動によってその意味が明らかになるわけで、パースは行動を基準にして概念や思想を明晰にし、科学を進歩させることを目指したんだ。なお、「**プラグマティズム**」とは「行動」を意味するギリシア語の「プラグマ」をもとに、パースが名づけたものだよ。

 それで、プラグマティズムは広まったの？

実際にプラグマティズムが世に広まったのは、形而（けいじ）上学（じょうがく）クラブのメンバーだった**ジェームズ**（1842～1910）が著書『**プラグマティズム**』でこの思想をわかりやすく紹介してからだ。

ジェームズは、**真理の有用性**というアイディアを提案している。普通、ある議論が**役に立つ**のはそれが**正しい**からだと考えられているよね。たとえば、万有引力（ばんゆういんりょく）の法則は真理である、ゆえに人工衛星の軌道計算などに役立つ、という具合に。ところが、ジェームズは、現に**役に立っている**がゆえにその議論は**正しい**、と言い換えてもいいではないかと言うんだ。つまり、「**真理であるがゆえに有用**」と「**有用であるがゆえに真理**」は実質的に同じだとされる。このような**相対主義**的な立場から、彼は**宗教**には人々に心の安らぎを与えるという有用性が認められる限りで真理と言える、と説いている。

こうした主張は、真理が人間から独立した客観的なものではなく、心のなかで生起（せいき）

ジェームズ

真理の有用性

「カトリックが正しい」　「プロテスタントが正しい」

それぞれの立場にとって有用 ➡ いずれも正しい（＝相対主義）

する**心理的な現象**であるという立場から出てくるものだ（じつは、ジェームズはもともと心理学者だった）。彼は、著書『**宗教的経験の諸相**』のなかで、数多くの神秘体験を紹介し、意識の流れ（純粋経験）こそが根本的実在だとする**根本的経験論**を説いている。この議論は西田幾多郎 ➡p.486 にも影響を与えているよ。

> ### ポイント　ジェームズのプラグマティズム
>
> ● 有用な（役に立つ）ものが真（正しい）であり、真理は人によってさまざまでありうる（**相対主義**）。
> ● 宗教も有用である限りで真であり、その点で科学と変わらない。

最後に**デューイ**（1859〜1952）について。

『**哲学の改造**』などの著作を残したデューイは、自身の立場を道具主義と呼んでいる。ハンマーが釘を打つための道具であるのと同じように、思想もまた生活を改善するための**道具**でなければならない、というわけだ。

さて、デューイは、人間が完璧に理性的な存在であるという見方をしりぞけ、人間が**習慣**のなかを生きる存在であると説いている。

デューイ

じゃあ動物と同じ？

いや、そこには明らかなちがいがあって、それは人が困難や障害にぶつかったときにはっきりする。デューイによると、人は習慣的な生活を送るなかで困難に直面すると、**環境に適応**するために**試行錯誤**を行う。そしてそのプロセスを通して新たな習慣を獲得し、成長していくんだ。このような**問題解決能力**のことを創造的知性と言う。

⑭　功利主義とプラグマティズム　361

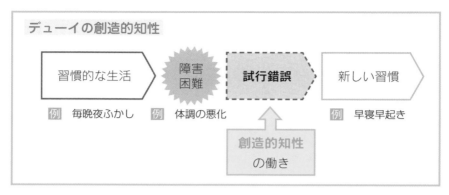

またデューイは、科学的知識を含めてあらゆる人間の知識は**仮説**にすぎないと言う。だから、絶対的な真理を追い求めたりするのではなく、絶えず仮説を行動によって**検証**する姿勢が大切だ。

 どうしたら、そんな能力を身につけられるのでしょう？

教育の力によって、だ。それも、ただ知識を暗記させるような教育ではなく、生徒みずからが試行錯誤によって学びとる（＝**なすことによって学ぶ**）ことが期待されているんだ。学習の結論そのものよりも学習のプロセスが大切ということだね。

デューイがこのように教育を重視したのは、**民主主義**が危機に瀕していると考えたからだ。民主社会は、一人ひとりが自分の頭で考えて自分の責任で行為するということを前提にしている。ところが、急速な産業化の過程で、人々は主体性を失い ➡p.506、民主主義の危機が起こっていた。そこで、権威に盲従しない民主的な主体を、教育の力で再生することをデューイは願ったんだ（『**民主主義と教育**』）。彼の教育理論は世界中の国々に多くの影響を与えたんだよ。

チェック問題2 標準 1.5分

プラグマティズムの説明として最も適当なものを、次の①〜④のうちから一つ選べ。

① プラグマティズムとは、経験論の伝統を受け継ぎ、知識や観念をそれが引き起こす結果によってたえず検証しようとする思想である。

② プラグマティズムとは、大陸合理論を基盤として生まれ、のちにキリスト教精神によって育まれたアメリカ固有の思想である。

③ プラグマティズムとは、行為や行動を意味するギリシア語を語源としているが、その方法は思弁的であり、実生活とは隔絶した思想である。

④ プラグマティズムとは、科学的認識よりも実用性を優先し、日常生活の知恵を基盤とする思想である。

(2004年・センター試験倫理追試)

解答・解説

①

プラグマティズムは、知識や観念の妥当性をそれ自体で検証しようとするスコラ哲学や大陸合理論などとは異なり、それらを実践に移し、その結果によって、仮説の正しさをたえず検証し直そうとするので、①が正しい。

②：「大陸合理論を基盤として生まれ」という記述が誤り。プラグマティズムはイギリス経験論 ➡p.318 や功利主義の伝統から生まれた。

③：後半の記述が誤り。プラグマティズムは「思弁的」で「実生活とは隔絶した思想」への批判から生まれた。

④：たしかに、プラグマティズムは実用性を重視するものだが、とくにパースやデューイは、**科学の方法**を、実生活を豊かにするために用いるというスタンスをとるので、科学を否定したわけではないし、「日常生活の知恵を基盤とする」ような処世訓などではない。

15 社会主義

この項目のテーマ

1 マルクス以前の社会主義
三人の空想的社会主義者の特徴を整理しよう

2 マルクスの思想
疎外論（そがい）と唯物史観（ゆいぶつしかん）をよく理解すること！

3 マルクス以後の社会主義
マルクスを継承する立場と批判する立場の主張を整理しよう

1 マルクス以前の社会主義

　19世紀初頭のヨーロッパでは、急増する都市労働者が悲惨な境遇へ追い込まれており、もはや社会体制の根本的変革しかないという**社会主義**思想が生まれた。社会主義とは、さしあたり**資本主義の矛盾（むじゅん）を克服（こくふく）し、より公正・平等な社会をつくろうという思想・運動**のことと思ってくれればいいよ。

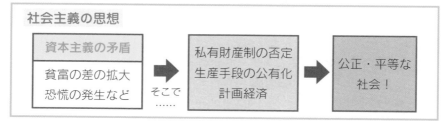

社会主義の思想

資本主義の矛盾		私有財産制の否定		公正・平等な
貧富の差の拡大	そこで……	生産手段の公有化		社会！
恐慌の発生など		計画経済		

社会主義と言えばマルクスですよね。

　そうだけど、マルクスにも先駆者（せんく）がいる。次の三人は必ずおさえておく必要があるよ。

> ## 空想的社会主義者たち
> 資本家➕労働者
>
> ▶ **サン゠シモン**（仏、1760〜1825）：『**産業者**の教理問答』を著し、働く
>   者の社会（**産業社会**）の創設を主張。
> ▶ **フーリエ**（仏、1772〜1837）：農業を中心として調和のとれた協同組合
>   （**ファランジュ**）を基礎とする共同社会の建設を主張。
> ▶ **オーウェン**（英、1771〜1858）：**工場経営者**として労働環境の改善によ
>   り事業を成功に導き、アメリカで共産主義的な共同体**ニューハーモニ
>   ー村**をつくるが、失敗。

　サン゠シモンは、名門貴族の出身でありながら革命運動に挺身したり投機で荒稼ぎしたりと、じつに破天荒な生涯を送った人物だ。彼の思想は、「産業者の社会をつくれ」の一点に尽きる。産業者とは「働く者」すべてを指し、**労働者**だけでなく**資本家**なども含んでいる。その他の王侯貴族や僧侶たちは、社会の寄生虫にすぎないとされる。

　フーリエは、サン゠シモンとはちがい、資本主義が労働者を搾取する現実に目を向け、人間が最も調和的に生きることができるのは1620人で構成される協同組合**ファランジュ**だとして、これにもとづく共同社会の建設を説いた。

　最後が**オーウェン**。彼は**工場経営者**として**労働時間を短縮**したり、工場内に就学前の児童のための学校をつくるなど、労働者の福利厚生を拡充し、それで経営的にも大きな成功を収めた。彼は「**人間は環境の産物である**」との信念から、生活環境の改善によって人間と社会をよりよいものにしようとしたんだ。労働組合や協同組合の運動も推進しているよ。そして、その集大成がアメリカでつくった**ニューハーモニー村**という一種の共産主義の実験だったんだけど、これは失敗してしまった。

　彼らはいずれも先駆者として重要だけど、マルクスとその盟友エンゲルスから見れば、その思想は**空想的**（ユートピア的）と言わざるをえない限界をもっていた（だから空想的社会主義と呼ばれる）。そこでマルクスたちは、彼らの限界を乗り越える新しい社会主義（＝科学的社会主義）を目指したんだ。

2 マルクスの思想

さて、いよいよ社会主義思想の大本命であるマルクス（1818〜83）について見ていこう。彼は、盟友のエンゲルス（1820〜95）とともに革命運動とそれを基礎づけるための理論を完成させることに生涯を捧げた哲学者だ。

マルクス

大著『資本論』などで経済学の分野でも大きな貢献をしており、現実世界に与えた影響という点では、古今東西のあらゆる思想家のなかでも、イエスやブッダに引けをとらないほど巨大な人物と言っていいだろう。

ずいぶん持ち上げますね。社会主義は崩壊したじゃないですか。

まあね。でも、**社会主義思想**、**ドイツ観念論哲学**、**古典派経済学**といった広範な知的財産を吸収して構築されたマルクスの理論体系は、それまでの哲学に大きな衝撃を与え

> **実践の哲学**
>
> 「これまで哲学者たちは世界をあれこれと**解釈**してきたにすぎない。しかし、肝心なのはそれを**変革**することである」
> （マルクス『フォイエルバッハに関するテーゼ』）

るものだったし、今日でもなお社会科学の諸分野をはじめ絶大な影響をもっているんだよ。

空想的社会主義とはどうちがうんですか？

マルクスとエンゲルスによれば、空想的社会主義は、資本主義に問題があることは指摘したが、その**経済学的分析**が不十分だった。また資本主義に代わる理想的社会を描写したが、**理想を現実化するための道筋**を示せなかった。ひと言で言えば、絵に描いた餅にすぎなかったというわけだ。

ふーん。でも、そもそもなぜ社会の変革が必要なんですか？

それは、資本主義に根本的な矛盾があり、人間が疎外されているからだ。マルクスは次のように資本主義を分析し、批判している。

```
┌─────────────────────────────────────────────────┐
│ 資本主義における人間の疎外                        │
│                                                   │
│  ┌──────────┐    ┌ ● 労働による自己実現 ┐       │
│  │ 人間の本質 │ … {                      }       │
│  │ るいてき  │    └ ● 社会的連帯        ┘       │
│  │（類的本質）│                                  │
│  └──────────┘                                    │
│  しかし 資本主義のもとでは労働が苦役に（労働の疎外）│
│                              えき                 │
│  ⟹ 社会変革＝すべての人間の解放が必要           │
│    ばんこく                                       │
│  ⟹「万国のプロレタリアート（労働者）よ、団結せよ！」│
└─────────────────────────────────────────────────┘
```

これは、マルクスが26歳のときに書いた『経済学・哲学草稿』で展開されて
いる議論だ。　　　　　　　　　　　　　　　　　　そうこう

　マルクスは、労働こそが人間の本質だと考える。たとえば彫刻家にとっての
彫刻とは、彼らの内面を客観化する営みだよね。このように、労働とは**自己実
現**の営みにほかならない。また、こうした労働の営みは、一般に他者と共同し
て行うものだから、**社会的な連帯**も人間にとっての本質と考えられる。

　ところが、現実はというと、マルクスの時代には、子どもが毎日15時間もの
労働を強いられるような悲惨な状況があり、本来喜びであるはずの労働は**苦役**
になり果てていた。このように、労働が非人間的なものとなってしまうことを
労働の疎外と言う。

なぜ、資本主義では労働が疎外されるんですか？

　その原因は、労働者階級（プロレタリアート）が**労働力を資本家に商品とし
て売る**ほかない「賃金奴隷」にすぎず、労働者の生み出した富が資本家によっ
て**搾取**されるという構造にある。
　さくしゅ

　これは、個々の資本家の強欲さの問題ではなく、資本主義という経済システ
ムの問題だ。だから、問題の解決のためには、資本主義のしくみを丸ごと転換
（＝革命）するしかなく、またその担い手はこの社会で抑圧されている労働者
　　　　　　　　　　　　　にな
階級以外にない。さらに、労働者階級の利害は国境を越えて万国共通であるか
ら、団結は可能だし、またすべきなんだ。こうして、『共産党宣言』は、次の
言葉で締めくくられる。「万国のプロレタリアートよ、団結せよ！」と。

なんだか、革命が必要な気がしてきました。
でも、資本主義を変えることなんて本当に可能なんでしょうか。

　少なくとも、マルクスは、資本主義の転換が**歴史の必然**だと考えた。それを
説明するのが唯物史観（史的唯物論）だ。
　ゆいぶつしかん　　してきゆいぶつ

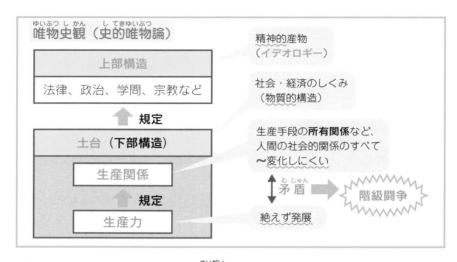

唯物史観（史的唯物論）

上部構造
法律、政治、学問、宗教など

精神的産物
（イデオロギー）

社会・経済のしくみ
（物質的構造）

↑ 規定

土台（下部構造）

生産関係

生産手段の**所有関係**など、
人間の社会的関係のすべて
〜変化しにくい

↑ 規定

矛盾 ➡ 階級闘争

生産力

絶えず発展

　唯物史観における最も核心的な命題は「**土台が上部構造を規定する**」というものだ。土台とは社会・経済のしくみのことで、上部構造とは法律や学問などの人間の精神的産物を指す。

　空想的社会主義者たちは、人々が考え方を改めたり法律を変えたりすれば社会を正すことができると考えていた。ところが、マルクスによると、社会のしくみは人間の意識から独立した物質的な構造をもっており、これが土台となって人々の意識を規定している。だから、土台を変えずに上部構造だけを変えるというのは無理な相談なんだ。

では、どうすれば土台を変えられるわけ？

　まず、経済的土台は生産力と生産関係からなるんだけど、このうち生産力のほうは絶えず発展する。ところがこれに対して生産関係のほうは変化しにくい。生産関係というのは、要するにどの階級が生産手段を所有しているかということだよ。この所有関係というのは、法律や宗教（つまり

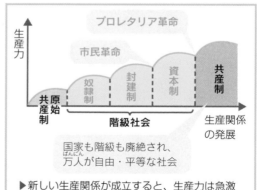

プロレタリア革命
市民革命
生産力

共産制
原始共産制 奴隷制 封建制 資本制 共産制
階級社会
生産関係の発展

国家も階級も廃絶され、
万人が自由・平等な社会

▶新しい生産関係が成立すると、生産力は急激に上昇するが、各生産関係のもつ限界によって、生産力はしだいに停滞する。この停滞は階級闘争と革命によって打破され、新しい生産関係が成立する

上部構造）によって正当化されるので、いったんでき上がると、なかなか変えられないんだ。

　だから生産力がある程度向上すると、生産力と生産関係とのあいだには矛盾が発生する。この矛盾は、古い生産関係を維持しようという階級と、これを改めようという階級とのあいだの階級闘争として現れる。そして、これが革命として爆発すれば、新しい生産関係がつくられ、上部構造もこれに対応して新しいものとなる。

 なるほど、それで人類の歴史は階級闘争の歴史だと言うんだね。

第3章　西洋近現代思想

　そう。そして、今日(こんにち)では資本家階級（ブルジョワジー）と労働者階級（プロレタリアート）の闘争がさまざまな場面で行われている。なお、来たるべき共産主義社会では国家も階級も廃絶され、万人が自由で平等な社会が訪れるので、この階級闘争は労働者階級だけのためのものではなく、全人類の解放のためでもあるとされる。

　この階級闘争史観には、矛盾こそが発展の原動力であり、歴史において自由が実現されるというヘーゲルの影響 →p.349 を見ることができるね。

　マルクスにとって社会発展は法則的なものであって、資本主義がその矛盾にもとづいて乗り越えられるのは、歴史の必然だったんだ。

 マルクスは用語が少し難しいけど、内容をよく理解してね。不正確な理解で言葉だけ暗記するのでは、失点のおそれがあるよ。

3 マルクス以後の社会主義

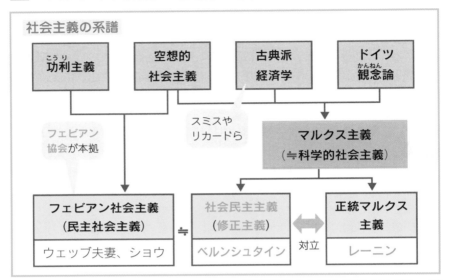

マルクス以後の社会主義は、**マルクスの科学的社会主義を継承するグループ**と、**マルクスから距離をとるグループ**とに分裂していく。

　このうち、マルクスを正しく継承すると称する正統マルクス主義は、ロシア革命を指導した**レーニン**（1870～1924）によって代表される（したがって、この立場をマルクス・レーニン主義と言うこともある）。レーニンは、革命家としての生涯のうち20年近くを亡命者として生き、そのあいだに『**帝国主義論**』をはじめとする多くの著作を残している。その思想の骨子は、次のようなものだ。

> **レーニン主義の基本的主張**
> - 資本主義は**帝国主義**という最終段階に入った
> - 議会を通じた改革／革命は不可能 ➡ **暴力革命**は不可避
> - 革命の成功後にはプロレタリア独裁が必要（民主的議会を否定）
> - 前衛党（共産党）が革命運動を指導すべき

　しかし、国際共産主義運動のなかには、レーニンの急進的立場に賛同せず、議会制民主主義の進展した今日では、**議会を通じた改革**（≠革命）を目指すべきだという穏健な動き（**社会民主主義**）も登場した。その主唱者は**ベルンシュタイン**（1850～1932）だ。

改革と革命って、ちがうんですか?

改革は**資本主義の枠内**で労働者の権利などを拡充しようというものだが、**革命**は**資本主義を転換して一挙に社会主義の実現を図る**ものだ。

ベルンシュタインは、マルクス没後にエンゲルスが指導していたドイツ社会民主党のメンバーだった。でもしだいに資本主義が必然的に崩壊するというマルクス主義の理論に疑問を抱くようになり、イギリスのフェビアン協会とも交流するなかで、時代の変化に対応することが必要だと考えるようになったんだ。しかし、これには党内でも反発が大きく、**修正主義**と呼ばれて厳しく批判された。

ちなみに、ドイツ社会民主党は、第二次世界大戦後にマルクス主義を放棄し、何度も政権を担う大政党となっているよ。

ベルンシュタインに影響を与えたイギリスの**フェビアン協会**は、功利主義 ➡p.355 の社会改良主義と伝統的な労働組合運動を背景につくられたグループで、今日に続く**労働党**の母体だ。思想的には**民主社会主義**と呼ばれることもあるが、社会民主主義とほぼ同じで、やはり議会制民主主義を擁護しつつ、社会の漸進的改良を目指している。

⬆⬆社会主義と共産主義

マルクスとマルクス主義者たちにとって、**社会主義**と**共産主義**の定義には揺れがある。一般には、広い意味で共産主義という場合にはそこに社会主義を含み、社会主義は共産主義の低い段階だと言われる。この段階では国家が存続しており、「能力に応じて働き、労働に応じて分配される」。

これに対して、せまい意味での共産主義、国家が廃絶されたあとの高次の共産主義と言う場合には、社会主義を乗り越え、「能力に応じて働き、必要に応じて受け取る」ことができるという理想が実現している社会を意味する。

マルクスの考え方として最も適当なものを、次の①〜④のうちから一つ選べ。

① 労働者の生産物が資本家の支配下にあるという資本主義の問題を克服するために、革命による社会主義社会への移行が実現されなければならない。

② 数多くの矛盾が存在する資本主義社会において、商業は文明の弱点であり、商業資本家の悪徳と無政府性は強く非難されなければならない。

③ 帝国主義の時代においては、議会制度を通じて社会を変革することは困難であり、社会主義社会は武力闘争によって実現されなければならない。

④ 議会制度を通じて、生産手段の公有化、富の公平な分配、社会保障制度の拡充を推進し、資本主義社会の弊害を除かなければならない。

(2002年・センター試験倫理本試)

解答・解説

①

　商品は労働者が生産しているのに、それらは資本家によって取得される。こうした搾取構造を改めるためには労働者階級による革命が遂行されるほかないとされるので、①が正しい。

②：商業が悪徳であるというのは、空想的社会主義者である**フーリエ**による主張である。これに対してマルクスは、商業の発展は社会主義の樹立の条件の一つだと考える。また、資本主義の問題は、個々の資本家の悪徳などにあるわけではない ➡p.367 。

③：帝国主義段階においてマルクス主義を発展させた**レーニン**による主張。レーニンは、こうした理論にもとづき、**ロシア革命**を実際に成功させた。

④：議会制度を基礎にして漸進的な社会主義の実現を目指すのは、**ベルンシュタイン**が提唱した社会民主主義の立場。

スキルアップ2 実証主義と社会進化論

19世紀のヨーロッパでは、市民革命と産業革命によって激変する社会情勢にあって、社会のあり方を客観的に把握するための学問研究がおおいに進んだ。

その流れをつくった一人が、実証主義の祖と言われる**コント**（1798〜1857）である。サン゠シモンの弟子であったこともあるコントは、経験的に確認することのできない神学や哲学で社会を説明するのではなく、**観察された事実**のみにもとづいて理論を組み立てようとした。これが**実証主義**（実証哲学）である。

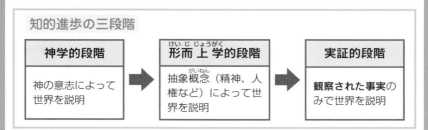

知的進歩の三段階

神学的段階		形而上学的段階		実証的段階
神の意志によって世界を説明	→	抽象概念（精神、人権など）によって世界を説明	→	**観察された事実**のみで世界を説明

コントはまた、実証主義の考え方をこれまでのあらゆる学問に適用し、数学・天文学などのように比較的法則が見えやすいものから学問研究を始めた人類は、いまや社会についての法則を解明すべきだとして**社会学**を創始した。

コントの影響を受けて社会学を大きく進歩させたのが、イギリスの**スペンサー**（1820〜1903）である。彼は生物学者の**ダーウィン**よりも早い段階で**適者生存**のアイディアを浮かべ、一種の有機体としての社会（**社会有機体説**）が軍事型社会から産業型社会へと進歩していくという**社会進化論**を提唱した。

スペンサー以後には、この社会進化論は国家の優勝劣敗を正当化するものへと大きく様相が変わり、日本でも**加藤弘之** ➡p.469 がこうした主張を行った。

16 実存主義

この項目のテーマ

1 キルケゴールと実存主義
実存主義の根本性格とキルケゴール哲学のキーワードをおさえよう

2 ニーチェ
ニヒリズム、ルサンチマン、運命愛など重要用語をチェック！

3 危機の時代の実存哲学
ヤスパース、ハイデッガー、サルトルによる実存主義の展開

1 キルケゴールと実存主義

　啓蒙思想家たちは**近代（＝理性の時代）**を限りなく明るいものとして思い描いていたが、マルクスたちが問題にした ➡p.364 ように、近代とは社会のひずみが浮き彫りになった時代でもあった。このひずみに対し、**社会変革**ではなく**人間のあり方をとらえ直す**ことを目指そうとしたのが、19世紀後半のヨーロッパに現れた実存主義だ。

　実存主義は、マルクスの同時代人であるキルケゴールに始まると言えるが、まず**実存主義とは何か**ということを整理しておこう。

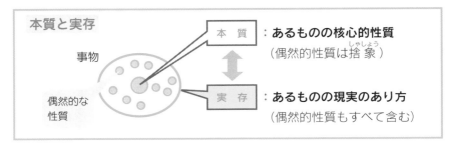

本質と実存

事物

偶然的な
性質

本　質 ：**あるものの核心的性質**
　　　　（偶然的性質は捨象）

実　存 ：**あるものの現実のあり方**
　　　　（偶然的性質もすべて含む）

　この世界の事物は、すべて本質と実存を備えている。**本質**（essence）とは**あるものの核心的な性質**のことであり、偶然的な性質は捨象されている。たとえば、「くつ」の場合は「足を入れて歩行するための道具」というのがその本質だ。これに対して、**実存**（existence）とは**あるものの現実のあり方**を意味

しており、あらゆる偶然的な性質もそこに含まれる。だから、個物におけるどうでもよいような性質、たとえばこのくつの実存には、そのニオイや汚れ方などもすべて含まれている。

　以上の区別を前提にしたとき、もし人間を本質においてとらえようとするならば、**本質にくみ尽くせない実存**（＝個性）は切り捨てられてしまうことになる。そこで、「この私は世界に一人しかいない！」ということにこだわる立場が実存主義なんだ。

なるほど。で、キルケゴールがその先駆者なんですね。

　そういうこと。**キルケゴール**（1813〜55）は、ヘーゲル哲学が圧倒的な影響力をもっていた時代にあって、ヘーゲルの体系への根本的批判を試みたデンマークの哲学者だ。

キルケゴール

キルケゴールの思想　◆主著：『死に至る病』

● 同時代への診断〜現代は「水平化の時代」である

　　　　　　　　　　　　　　　人間が画一化・平均化している

　　➡ 倫理的な**責任**を負い、**決断**する**主体**となるべき

● ヘーゲル批判〜**私だけに妥当する真理**を選び取ることが重要

　　（＝主体的真理）　▶「あれか、これか」

　キルケゴールは、現代は「水平化の時代」だと嘆いている。これは、だれもが横並びで個性を失ってしまっている現状を批判した言葉だ。近代以降には人間の平等がうたわれるようになったが、皮肉にも人々が自分自身の存在意義を実感できないような事態が進行してしまったんだ ➡p.506。だから、現代の課題は、失われた**主体性**を取り戻すことだということになる。

キルケゴールは、ヘーゲルの何が気に入らなかったんですか？

　ヘーゲルが想定していた真理は、万人にあてはまる客観的真理だ。でも、キルケゴールに言わせると、1＋1＝2のような命題は、**ほかならぬこの私**の生には関係ない。大切なのは、この私だけにあてはまる真理、すなわち主体的真理なんだ。

たとえば、生涯の伴侶を選ぶときに、有力な候補者が二人いて迷ったとしよう。こんなとき、ヘーゲルだったら矛盾を弁証法的に統一 ➡p.349 して「一方を愛人にすればよろしい」とでも言いかねない（ちなみに、ヘーゲルには隠し子がいた）。でも、キルケゴールによると、断固として一方を選び他方を捨てる決断をしなきゃいけない。つまり「**あれも、これも**」の生き方は否定され、主体的に「あれか、これか」を選ばなければならないんだ。こうした選択には客観的な正解はなく、あくまで私だけにとっての真理だ。キルケゴールは、こうした主体的真理のみが真理の名に値すると考えたんだ。

キルケゴールによると、以上のような**実存的な生き方**は、右下の三段階で展開される。快楽を追求する美的実存でも、カントのように義務を果たそうと努力する倫理的実存でも、人は絶望に突きあたってしまう。こうした「**死に至る病**」としての絶望から逃れるためには、理性でくみ尽くせない不条理な神を信じきること、しかも教会の一員としてではなく単独者としてたった一人で神と向き合う宗教的実存しかない。

キルケゴールのこの情熱的な信仰は、同時代人の作家**ドストエフスキー**が『罪と罰』や『カラマーゾフの兄弟』で描いている世界ときわめて似ているんだよ。いつかぜひ読んでみてね。

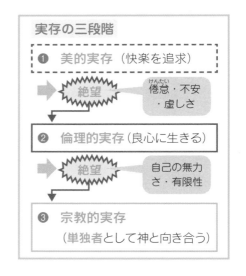

実存の三段階

❶ 美的実存（快楽を追求）

絶望　倦怠・不安・虚しさ

❷ 倫理的実存（良心に生きる）

絶望　自己の無力さ・有限性

❸ 宗教的実存（単独者として神と向き合う）

チェック問題 1

標準 2分

キルケゴールの思想の説明として最も適当なものを、次の①〜④のうちから一つ選べ。

① 本来の自己を見失って絶望する人間は、理性によっては根拠づけられることのない信仰への決断によって、本来の自己を回復できる。

② 現世の悪に絶望するキリスト者は、神から与えられた現世（げんせ）の務めに専心することによって、人間としての本来のあり方を獲得できる。

③ 超越的な神がもはや存在しない現実に絶望する人間は、みずから覚悟をもって価値創造に挑むことで、本来の力を獲得することができる。

④ 肉体を支配する悪の原理に絶望するキリスト者は、信仰による決断を通して、魂（たましい）を肉体から解放し、本来の故郷に帰ることができる。

（2009年・センター試験倫理本試）

解答・解説

①

理性にもとづかない信仰への決断とは、**宗教的実存**に相当する生き方なので、①が正しい。

②：「現世の務めに専心」とは、カルヴァンの説いた**職業召命観**（しょうめいかん） ➡p.313 に対応する記述である。

③：絶対的な価値の不在（**ニヒリズム** ➡p.378 ）という状況でみずからの価値創造に挑むのは、ニーチェの説く**超人**（ちょうじん）思想である。

④：肉体に由来する悪から離れ、魂の解放を願うのは**アウグスティヌス**である ➡p.262 。

2 ニーチェ

　ニーチェ（1844～1900）は、若干24歳にしてスイスの名門大学で古典文献学の教授に任命された天才。でも、学問の世界では評価されず、大学を去って『ツァラトゥストラはこう語った』など文学的なスタイルの哲学書を次々と発表した末に、44歳のときに発狂し、その11年後に世を去った。晩年には、自分はかつてブッダであったとかナポレオンでもあったなどと告白（？）する手紙を書いたりしている。でも、間違いなく天才だ。哲学が「自分の頭で考えること」を意味するのだとすれば、ニーチェほど哲学者の称号にふさわしい人物もそういないかもしれない。

ニーチェ

　さて、19世紀後半のヨーロッパを生きたニーチェは、同時代を「ニヒリズムの時代」と診断している。ニヒリズムとはもともと「虚無主義」といった意味で、ニーチェのニヒリズムは**「価値喪失」**と理解するといい。要するに人々が**心の拠りどころ**を失ったということだ。

 それって、キリスト教が信じられなくなったということ？

　そうだね。ニーチェは「神は死んだ」という有名な言葉を残しているけど、彼は、神は人々によって殺されたとも言っている。この謎めいた言い回しを理解するためには、ニーチェがキリスト教をどう理解したのかを知る必要がある。ニーチェによると、キリスト教は、不健全な**「畜群」**本能＝強者への**ルサンチ**マン（恨み、妬み）に由来する奴隷道徳にすぎない。

　キリスト教は、大変な迫害を受けながら形成された。だから、迫害される弱者たちは、現実世界での救いや希望がいっさいないために、空想の世界で強者たちに復讐するべくキリスト教とその神をつくった、と言うんだ。キリスト教では、**天**

キリスト教の起源

強者　　　　　　　　　　弱者

迫害

「金持ちになりたい、でもなれない」
➡「金持ちは地獄に落ちる」

強者への**ルサンチマン**（怨恨）から、想像の世界で復讐（**キリスト教の創造**）

378

国は貧しき者のものであるとされ、**金持ちが天国に行くのは、ラクダが針の穴を通るより難しい**、などと言われる。でも、これはニーチェによると、本来の欲求（「金持ちになりたい」など）が実現不可能なために欲求そのものを改竄し、**自分の弱さや無能さを正当化しようという、不健全で歪んだ発想**だ。

そして、キリスト教は、科学の発展とともにしだいに不要とされるようになっていった。つまり、神は人々によってつくられたが、いまや用済みになって殺されたんだ。もっとも、ヨーロッパ人たちは自分たちが神を殺したことに気づいていない。気づかないままにいっさいの羅針盤を見失ってしまっていたんだ。

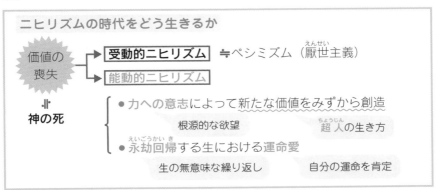

たしかに、神は死んで価値は失われてしまった。でも、ニヒリズムの状況をただ嘆く（**受動的ニヒリズム**）のではなく、むしろそれをチャンスとしてとらえて**新たな価値**をつくるべきだというのがニーチェの主張だ（**能動的ニヒリズム**）。

「新たな価値」って？

キリスト教やカント哲学など、善悪の基準にはさまざまなものがあるけれども、これらはいずれも既成の道徳にすぎない。ニーチェは、そうした常識にいっさい縛られずに、**私が欲するものを善とみなすべき**だと言うんだ（『**善悪の彼岸**』）。これは、世間一般の道徳を無視しろと言うのだけど、けっして不道徳の勧めではない。自分の根源的な欲望（＝力への意志）に忠実であれ、つまり、人生の意味は与えられるものではなく自分自身で創造すべきだ、という教えなんだ。このように、みずから価値を創造する生き方ができる人間像は超人と呼ばれる。

「**永劫回帰**」って何ですか？

　永劫回帰とは、人生は無限に繰り返されるものであり**意味も目的もない**、という考え方だと思ってくれればいい。あなたの人生にめでたいゴールのようなものはない、などと言われたら普通はがっかりするよね。でも、これを自覚するからこそいまのこの瞬間を大切にすることができるんだ。

　過酷な運命を背負わされると、運命を呪いたくなるものだ。でも、その過酷な運命をむしろ自分が望んだのだと断言する勇気と力強さ（運命愛）があれば、その人は本当に輝かしい人生を送れるだろう。ニーチェはこう言う。「**これが人生だったのか、さればもう一度！**」

　ニーチェは、**同情**や**哀れみ**にはとことん冷たい。でも、苦しいときに運命と全力で戦おうという勇気を与えてくれるものであることもたしかだ。「自分らしく生きよ！」「いまを生きよ！」という人生への応援メッセージとして受け止めるべきだと、僕は思うよ。

ポイント　ニーチェの思想

- キリスト教は強者への怨恨（ルサンチマン）に由来する奴隷道徳。
- 既成の価値にとらわれず、みずからの欲望（力への意志）にもとづいて新たな価値を創造する超人が理想のあり方。
- 人生には意味も目的もない（永劫回帰）が、だからこそその生を全面的に肯定すべき（運命愛）。

3 危機の時代の実存哲学

　20世紀前半にヨーロッパは二つの大戦を経験した。経済・文化の最先端がアメリカに移るなか、荒廃したヨーロッパに生きる人々は西欧の没落を実感し、精神的にも危機の時代を迎える。そんな状況に現れたのが、ヤスパース、ハイデッガー、サルトルの実存哲学だ。

　まずはヤスパース（1883〜1969）から。

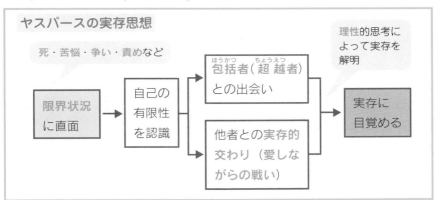

　ヤスパースが生きたのは、機械文明と**ナチズム**の時代だった。彼は、妻がユダヤ人だったために大学の教授職を追われ、大変な辛酸をなめた。こうした危機の時代を生きたことから、ヤスパースは人間が本当に自分らしく生きる（実存に生きる）ための条件を考え抜いたんだ。

　ヤスパースによると、死・苦悩・争い・責め（罪責感）などの限界状況に直面したときに、人ははじめて打ちのめされ、挫折を余儀なくされる。これは、キルケゴールの言う「絶望」にきわめて近い経験だ。

 挫折すると、どうなるんですか？

　挫折してこそ、人は自分のあり方を反省し、真の生き方を模索できるようになる。自分の卑小さを悟ることで、その自分を包み込む包括者（超越者）の存在を知ることができるんだ。これは、ほぼ**神**のことを指すと思っていい（神を目指す実存）。

　また、このような壁に直面したときにはじめて**他者**に気づき、自分の心を他者に開き、せまい自己の殻を破ることができるようになる。これが実存的交わり（愛しながらの戦い）だ。苦しいときにこそ真の友が見え、真の友情が理解

できるものだよね。こうしたことによって、人は真の自己（＝実存）を獲得することができるようになる。

　なお、ヤスパースは実存を解明するための道具として**理性**の働きを重視している。実存主義者の多くが近代的理性に否定的であるだけに、この点は要注意だね。

ポイント　ヤスパースの思想

　限界状況に突きあたることで、人は**包括者**（ほうかつしゃ）を知ることができるようになる。実存は、ともに生きる他者との全人格的な交流（**実存的交わり**）によって解明される。

　さて、今度は**ハイデッガー**（1889〜1976）だ。ハイデッガーは主著『**存在と時間**』などで「20世紀最大の哲学者」と評価される大哲学者だが、**ナチ党**に入党し、ナチ党とドイツ民族の歴史的使命を訴える演説まで行ってしまった人物でもある。

ハイデッガー

　あらら……。哲学者としてはどんなことを主張したんですか？

　現代人は日常生活（**日常性**）に埋没し、本来の自己（**本来性**）というものを見失っている、というのがハイデッガーの基本的発想だ。一種の**大衆社会論**➡p.506 と考えてもいい。

　なお、彼自身は自分の哲学を「実存主義」とは考えておらず、あくまで存在そのものについて問う**存在論**がみずからの仕事だとしている。**何かが存在するとは、はたしてどういう意味なのか**、という問いだ。

　すいません、なんのことかまったくわかりません。

　いや、無理もない。「存在とは何か」というのが非常に難しい問いであることは、彼も十分に自覚していた。そこで、ハイデッガーは、存在そのものではなく、まず**われわれ人間がどのように存在するのか**ということから明らかにしようとす

二つの存在者

- **事物的存在者**（モノ）
  ：単に存在するだけ
- 現存在（人間）
  ：存在の意味を問う

る。

　なぜ人間を主題に据えるかというと、人間は**事物的存在者**（＝モノ）とは明らかに存在の仕方が異なっているからだ。モノは**単に存在する**だけだが、人間は**存在の意味を問う**特別な存在だ。そこにおいて存在の意味が明らかにされる場所であるという意味で、人間は現存在と言われる。とりあえず「現存在」＝人間だと思ってほしい。

　さて、ではその現存在（人間）はどのように存在しているのだろうか。結論から言うと、世界－内－存在というのが現存在のあり方だ。

> 世界のなかに存在しているということ？　当たり前じゃん。

　そう誤解されやすいところなんだけど、それじゃモノと同じことになってしまう。ハイデッガーの言う「世界」とは、容器のようにあらかじめ存在する物理的・客観的なものではない。世界とは人間によって意味づけられた道具（モノ）の体系であって、要するに「私にとっての世界」だ。人間はモノを必ず自分との関係において把握する。つまり、デカルトのように世界の外部から世界を客観的にながめるようなことは不可能であって、人間はつねに世界の内側から世界を解釈しつつ生きている。このように、人間は周囲のものを配慮し、それへとかかわりながら生きる存在だ。この事態を、ハイデッガーは世界－内－存在と言い表したんだ。なお、ここで言う「配慮」とは「親切にする」といった意味ではなく、自分との関係を推し量るという意味でも、**「関心」「気遣い」**などとも訳されるよ。

　ところで、さまざまなものを配慮すると、人は自分がたまたま世界に投げ出された存在にすぎないことに気づき、不安になる。

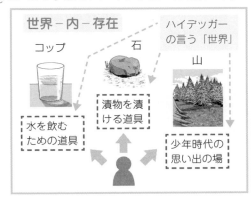

世界－内－存在

コップ　水を飲むための道具

石　漬物を漬ける道具

ハイデッガーの言う「世界」

山　少年時代の思い出の場

> 不安になると、どうなるんですか？

　一方には、不安に耐えきれずに周囲の人々に同調するだけの**ダス・マン**（世人・ひと）へと**頹落**する道がある。これは、存在の意味を問うという現存在の本来のあり方を見失った（**存在忘却**し故郷喪失した）**非本来的生き方**だ。

でも、他方には、日常性に埋没したあり方に疑問を抱き、自分が「**死への存在**」であることを自覚する道もある。「死への存在」とは、人間が死を避けられないという根源的事実のことで、多くの人はこれを直視せずに生きている。しかし、「**良心の呼び声**」に耳を傾け、この事実を本当に直視することができれば、人間は**本来的生き方**（自分だけの固有の生き方）に目覚めることができる。たとえば、医師から突然「余命1カ月です」と宣告されたら、どんな人だって生き方がガラリと変わるだろう（代わりの効かないこの自分の生について真剣に考える）。僕らはいずれ確実に死ぬのだから、かけがえのない一日一日を真剣に生きたいものだよね。

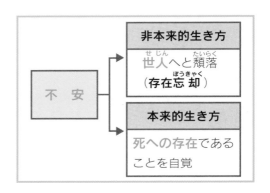

ポイント ハイデッガーの思想

● 人は絶えず世界に意味を与えつつ生きる世界−内−存在である。
● ただ日常性のなかを生きるのは、ダス・マンへと頽落した生き方。
● 自分が死への存在であることを自覚すれば、人は本来性に目覚める。

⬆⬆ フッサールと現象学

ハイデッガーの師・フッサール（1859〜1938）は、哲学を確実な基礎のうえに再構築するために現象学という新しい哲学を創始した。それによると、従来の哲学は、意識の外部に客観的世界が存在することを素朴に信じていた。しかし人はどうしても意識の外部に出ることができない以上、そうした外部の世界を前提とし、内なる意識をないがしろにする学問は、不確実なものと言わざるをえない。そこでフッサールは、世界の実在を素朴に信じる**自然的態度**をいったん停止（**エポケー**）し、意識に現れる現象をそのままに記述することで、確実な学問をつくり上げることができると考えた。

最後は、**サルトル**（1905〜80）。作家としても活躍（ノーベル文学賞の受賞を拒否〈！〉した）し、大学に籍を置かずに街のカフェで哲学を論じた（主著『存在と無』もカフェで書き上げた）自由な哲学者でもあり、「行動する知識人」としても著名であった。彼の葬儀には5万人もの民衆が集まったんだよ。

サルトル

ふーん。で、どんなことを主張した人なんですか？

　サルトルは、人間が果てしなく自由な存在であるということを強調し、その喜びと責任の重さを訴えた。では、なぜ人間が自由なのか？　次の板書を見てほしい。

実存と自由

| モノ | 「**本質が実存に先立つ**」
モノは本質があらかじめ与えられている |
| 人間 | 「**実存が本質に先立つ**」
人間は自分の本質をみずからつくることができる |

【モノ】　【人間】
実存
本質
↓　　　↓
実存　　　実存
本質　　　**本質**

　ハサミの本質（≒定義）は紙を切ることであり、ハンマーの本質は釘などを叩くことである。これらの道具の本質は、道具として現実に存在する（実存する）よりも以前から、つまり作製される以前から、それらを作製する職人の頭のなかで存在していたはずだよね。これをサルトルは、モノは「**本質が実存に先立つ**」と言う。

　ところが人間の場合、生まれた瞬間にはまだ何者でもない。ただ実存するだけだ。その人の本質は、その人自身がつくり出すんだ。たとえば、「私は弁護士だ」と自己紹介できる人物は、弁護士という自己の本質を自分の努力でつくり上げたというわけだ。このことをサルトルは、人間は「実存が本質に先立つ」と言う。

　キリスト教は神が人間の本質をつくったと考えるけれども、**無神論者**であるサルトルにとって、「**人間はみずからつくるところのもの以外の何ものでもない**」んだ。

人間はなんでもできるって言うんですか!?

　まさにそのとおり。サルトルによれば、モノとはちがい、人間はいつでもどこでも完全に**自由**だ。だから、たとえ牢獄のなかにあっても人は自由だ（詩をつくるとか筋トレをするとか、何かしら選択肢はある）。

　でも、このようにすべてが自由だということは、すべてに**責任**を負わなければいけないということだ。すべてあなたが自分で選んだことだ、というわけだからね（成績不振を学校や参考書のせいにするのは間違っている！）。このことを、サルトルは「**人間は自由の刑に処せられている**」と表現している。

自由って、しんどいんですね……。

　そうだね。しかも、僕らが選択した行為は自分の将来のみならず、全人類に影響をおよぼす。懸命に勉強して医者になれば多くの人の命を救えるかもしれないし、いま、自分の選挙で投じる一票で日本の将来がほんの少し変わるかもしれない。僕らの一瞬一瞬の選択が人類のあり方を動かすことになるわけだから、責任重大だ。

　でも、だからこそこの責任を積極的に引き受けて**アンガージュマン（自己拘束＝社会参加）**することには特別に道徳的な意義があるとされるんだ。サルトルは、マルクス主義にも接近し、ベトナム戦争への反対運動などにも積極的にかかわったんだよ。

> **⇡ ボーヴォワール**
>
> 　サルトルの伴侶としても知られる哲学者・作家の**ボーヴォワール**（1908〜86）は、主著『**第二の性**』で「**人は女に生まれない、女になるのだ**」という有名な言葉を残した。**ジェンダー** ➡p.514 としての「女らしさ」が歴史的に形成されたものでしかないことを先駆的に主張したものと考えられている。

チェック問題2

標準 2分

サルトルについての記述として最も適当なものを、次の①～④のうちから一つ選べ。

① 自己の死を自覚することによって、日常性に埋没した無責任で匿名_{とくめい}的な「ダス・マン」のあり方を乗り越えていく態度を説いた。

② 人間を根源的に自由な存在としてとらえ、たえず未来へ向けて自己を投げ出し、新たな自己を創造していくあり方を主張した。

③ 死や苦のように克服できない究極の壁を限界状況と名づけ、これを直視することによって、人間は自己を包括_{ほうかつ}する 超越者_{ちょうえつしゃ}の存在を感じるとした。

④ 人間の選択や思考は身体を媒体_{ばいたい}にしてなされるものだと考え、身体におけるくみ尽くしがたい経験を繰り返し取り上げ直す可能性を示した。

（2012年・センター試験倫理本試）

解答・解説

②

サルトルにとって、人間は「**実存が本質に先立つ**」ものであり、自己の本質はみずからつくりあげるものとされるので、②が正しい。

①：**ハイデッガー**についての記述。現代人は「その他大勢」に埋没した「**ダス・マン**」へと頽落_{たいらく}しがちであるが、自分が「**死への存在**」であることを自覚すれば、自己の固有性に目覚めることができる、とされる。

③：「**限界状況**」「**超越者**」といったキーワードから、**ヤスパース**についての記述であることがすぐにわかる。

④：私の固有性が「**身体**」において明らかになると説いたのは、もともとサルトルの盟友_{めいゆう}でもあった**メルロ・ポンティ**である ➡p.389。

少し難しい内容だけどよく読んで理解しよう！

生の哲学

　ヨーロッパで18世紀までに確立された理性主義（合理主義）≒啓蒙主義（けいもう）の考え方に対して、しだいに文学者などを中心に反発の動きが起こり、感情の解放を訴える**ロマン主義**の運動が起こっていった。このロマン主義と同様に、理性にくみ尽くせない非合理的な生（せい）（生命）の独特の力を強調する哲学潮流が生の哲学と呼ばれる。

　生の哲学の先駆（せんく）とされるのが、ヘーゲルと同時代の人であった**ショーペンハウアー**（1788～1860）である。彼は主著『意志と表象（ひょうしょう）としての世界』で、その哲学的出発点であるカント哲学の用語を使いつつ、**仏教思想**を自身の理論に組み込んで独自の体系をつくり上げ、のちにニーチェに大きな影響を与えた。
　彼によると、世界の現象の背後には人間理性によってとらえがたい盲（もう）目的意志（もくてき）（生への意志）が働いており、人間はひたすらこれに突き動かされている。これが人間に絶えざる苦悩が宿命づけられている理由であるとして、**厭世主義**（えんせい）（ペシミズム）的な世界像を示した。この苦悩から免れるには、芸術に触れることで一定の癒（いや）しが得られるほか、意志の完全な滅却が必要だという。

　また、19世紀末から20世紀にかけて活躍したフランスの**ベルクソン**（1859～1941）は、デカルト的な心身二元論や機械論に反対し、流動する**生命の流れ**こそが真実在であると説いた。彼によると、人間（自我（じが））とはこうした生のエネルギーの現れにすぎず、生物の進化（**創造的進化**）は根源的な生命力の発動＝**生の躍動**（やくどう）（エラン・ヴィタール）としてとらえられる。そして、ベルクソンの唱える創造的進化である生の躍動は、個や共同体の垣根を超越した人類愛や慈悲に満ちた**愛の躍動**（**エラン・ダムール**）に従うことのできる**開かれた魂**（たましい）のもち主を生み、彼らによって、よそ者を排除する**閉じた社会**から、だれも排除しない**開かれた社会**へと人類社会を進化させるとされる。

スキルアップ4 現象学の展開

フッサールにより創始された現象学 →p.384 は、ハイデッガーとサルトル以外にも重要な思想家を生んだ。

メルロ・ポンティ（1908〜61）は、もともとサルトルと共同で雑誌『現代』を発刊していたが、のちにサルトルとは絶縁した。

メルロ・ポンティの哲学は、デカルト以来の哲学が前提にしてきた思考する主体としての精神という発想を否定し、人が**身体において実存**するというアイディアを核心としている。

たとえば、ピアニストにとっての指やレスラーにとっての肉体は、自我にとって単なる客体や道具ではなく、それ自体が自我であるはずであろう。つまり、人は身体を通して生きているのであり、世界は身体によって「生きられた世界」なのである。

メルロ・ポンティ

『全体性と無限』などを書いたレヴィナス（1906〜95）は、ユダヤ人として強制収容所に送られ、親族を皆殺しにされるという体験をした。

こうした背景をもつレヴィナスにとって、暴力に満ちた世界で真の**倫理の可能性**を示すことが切実な課題だった。そこで彼は、伝統的な西洋哲学が**自我**をあらゆる理論の中心に据え、すべてをそこから把握しようとしてきたのに対し、理解不能な他者を倫理の中心に据える。つまり、他者を暴力的に把握するのではなく、他者の顔が訴えかける声（「殺さないでくれ」など）に耳を傾け、理解できないままにその声を聞き取ろうと努力することにおいてのみ倫理の可能性があると言う。

レヴィナス

17 現代のヒューマニズムと現代正義論

この項目のテーマ

1 現代のヒューマニズム
ヒューマニストたちは、プロフィールが重要！

2 現代正義論
ロールズとセンが説いた現代の正義論とは？

1 現代のヒューマニズム

　西洋近代思想は、人間性の尊重という**ヒューマニズム**を基調とするものだったし、人類の進歩を信じてきた。

　ところが20世紀の世界は、それまでに人類が経験したことのない戦争や大量殺戮の時代だった。こうした**戦争と暴力の時代**にあって、人種や宗教などを超えて、あくまで**非暴力**の手段によって人間性を回復するために闘った思想家たちが現れた。彼らの思想を**現代のヒューマニズム**と呼ぶんだ。この分野では、思想内容よりむしろ各人のプロフィールが重要になるよ。

文学者たちのヒューマニズム

- トルストイ（1828〜1910）　◆主著：『**戦争と平和**』
  - 勤勉な**農民**の生活を範とし、キリスト教的**博愛主義**と**非暴力**を主張

- ロマン・ロラン（1866〜1944）　◆主著：『**ジャン・クリストフ**』
  - 第一次世界大戦にさいして**絶対平和主義**の立場から反戦を主張
  - 第二次世界大戦では**戦闘的ヒューマニズム**の立場から反ファシズムのレジスタンスを支援　　平和の敵とは闘うべし！

　トルストイは『**戦争と平和**』などで知られる屈指の大文豪だよね。彼は名門貴族の出身だったんだけど、教養と洗練を競う**貴族社会の偽善**（19世紀ロシアの貴族は日常的にオシャレ〈？〉なフランス語を使っていた）や、支配層と結

託した教会に見切りをつけて、黙々と大地を耕し純朴な信仰生活に生きるロシアの農民たちの生き方こそが理想だと考えた。また、飢饉にさいしては支援活動を大規模に展開し、日露戦争にさいしては**非暴力主義**の立場からこれを批判するなどして、世界的な名声を博した。

　そして82歳のときに、家族と財産を捨て、清貧の理想を貫き農夫として生きるための旅に出て、肺炎で死んだ。

 ずいぶんと極端な人ですね……。

　だね。そのトルストイから強い影響を受けたのがフランス人の**ロマン・ロラン**。彼は、代表作『**ジャン・クリストフ**』でノーベル文学賞を受賞している。作曲家ベートーヴェンをモデルにし、さまざまな苦悩を突き抜けて人生を生き抜くという人間賛歌だよ。

　第一次世界大戦が勃発した当時のヨーロッパは、愛国心による好戦ムード一色だったが、彼は時流に抗して**絶対平和主義**の立場から反戦を訴えた。ただその後は、ロシア革命を支持する姿勢を明らかにし、第二次世界大戦のさいには反ファシズムの旗を高く掲げ、平和の敵には断固として闘うという**戦闘的ヒューマニズム**の姿勢を表明した。彼のこの姿勢は「世界の良心」などと評されたんだよ。

キリスト教的な奉仕の実践者　　通称「密林の聖者」

- シュヴァイツァー（1875〜1965）　◆主著：『水と原生林のはざまで』
  - アフリカで医療活動と伝道活動に従事
  - 生命への畏敬を基礎に、自然界のあらゆる生命を尊ぶべきことを説き、反核・反戦運動にも取り組んだ
- マザー・テレサ（1910〜97）
  - カトリックの修道女としてインドで貧民のための奉仕活動
  - **精神的なケア**が重要との認識から「**死を待つ人々の家**」を開設

　シュヴァイツァーは哲学・神学・医学の三つの博士号をもち、バッハ研究者・オルガン奏者としても超一流という人物だ。アフリカで傷病に苦しむ人々を救いたいという決意から、30歳になって医学を学び始め、地位と私財を投げ打ってアフリカに渡り、医療活動と伝道活動を献身的に行った。

彼はあるとき、カバの群れが悠然と渡河するのを目撃し、生命への畏敬というキーワードを思いつく。つまり、キリスト教の伝統における隣人愛 ➡p.255 を超え、あらゆる「生きようとする意志」ある生命は等しく価値があるというわけだ。この原理を信条とした彼は、反戦・反核運動にも熱心に取り組むようになり、1952年にはノーベル平和賞章を受賞した。

シュヴァイツァー

なるほど、たいへん献身的な人だったんですね。

献身的といえばマザー・テレサも有名だね。カトリックの修道女としてインドに派遣されると、貧しい人たちに奉仕することをキリスト者としての使命と考え、生涯を奉仕活動に捧げた。

貧しい人の世話をすることはキリストへの奉仕であるとして、彼女は「死を待つ人々の家」と

> 「恵まれない人々にとって必要なのは多くの場合、金や物ではない。世のなかでだれかに必要とされているという意識なのです。見捨てられて死を待つだけの人々に対し、自分のことを気にかけてくれた人間もいたと実感させることこそが、愛を教えることなのです」

いうホスピス ➡p.495 をつくって、すべての人から見捨てられて余命短い人を引き取り、最後を看取るということを続けたんだ。

彼女はまた、孤児を引き取って教育を与え、ハンセン病患者のための施設をつくり、ノーベル平和賞の賞金も全額を寄付した。こうした活動を死ぬまで続けた結果、彼女はインドにとって、外国出身の一民間人かつ異教徒であったにもかかわらず、国葬という最高の名誉をもって葬られたんだ。

たしかに、すごいですね。でも、ヒューマニストたちの活動は現実社会を変えるまでの力をもつのでしょうか？

次の二人などは、単に「良心」の守護者であっただけでなく、間違いなく現実世界を変革した人と言えるだろう。

非暴力による人間の解放運動

- ガンディー（1869～1948）　「インド独立の父」
  - 非暴力・**不服従**運動により、イギリスからの**インド独立運動**を指導
  - インドの伝統である**アヒンサー**（不殺生）などにもとづき**真理**を追究
- キング牧師（1929～68）
  - アメリカの**公民権運動**を非暴力によって展開
  - **ワシントン大行進**を指導し、「私には夢がある」と演説

> ガンディーは、
> 「インド独立の父」として有名ですね。

　そうだね。彼は意外にも、少年時代には素行が悪く、名門の出身であることを鼻にかけるような人物だったらしい。でも、イギリスに留学して弁護士資格を取り、弁護士活動を始めた南アフリカで人種差別問題に直面したことから、社会問題への自覚を深めていった。

ガンディー

　そしてインドに帰国してからは、粗末な民族衣装をまとい、独立運動を宗教的な真理追究と統一するようになった。

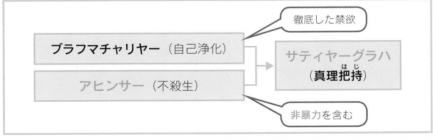

　アヒンサー（不殺生）はジャイナ教や仏教でも重んじられるインドの伝統的な考え方で、これを社会運動にも適用することで、非暴力による独立運動が展開された。だから、ガンディーは何度投獄されても無言の抵抗運動を貫いた。
　彼は、ヒンドゥー教徒とムスリムが共生できるインドを夢見ていたが、イスラーム勢力はパキスタンとして分離する形での独立となり、その混乱期に狂信的なヒンドゥー教徒の青年によって暗殺されてしまった。

キング牧師の演説は、英語の授業で聴いたことあります！

歴史に残る名演説だよね。あの「私には夢がある（I Have a Dream!)」の演説のとき、**キング牧師**はまだ34歳だったんだよ！

キング牧師

さて、1950代から60年代にかけてのアメリカでは、リンカーンの奴隷解放宣言（1863年）から百年もたっていたが、依然として南部の各州では黒人への差別的な法律や習慣が根強く残っていた。そんなとき、ある黒人女性がバスの白人専用座席を譲らなかったことから逮捕されるという事件が起こった。

これを知ったキング牧師は**バス・ボイコット運動**を呼びかけた。このころの黒人解放運動には暴力的手段に訴えるグループもあったが、ガンディーの影響を受けていたキング牧師はあくまで非暴力**の抵抗運動**に徹することで、多くの白人の共感も勝ち取り、運動を広げることに成功したんだ。そのピークが、20万人以上もの参加を勝ち取った**ワシントン大行進**（1963年）で、ここであの名演説がなされた。

この効果はてきめんで、翌年にはあらゆる黒人差別を禁止する**公民権法**が制定され、キング牧師は史上最年少（35歳）でノーベル平和賞を受賞する。彼はその4年後、39歳のときに凶弾に倒れたが、アメリカ建国以来最も偉大な人物の一人として、今日までその不滅の業績が讃えられている。

「私には夢がある。ジョージアの赤色の丘の上で、かつての奴隷の子孫とかつての奴隷を所有した者の子孫が同胞として同じテーブルにつく日が来るという夢が。

私には夢がある。私の四人の小さい子どもたちが、肌の色ではなく内なる人格で評価される国に住める日がいつか来るという夢が」

⬆⬆ ヴァイツゼッカー

旧西ドイツ（ドイツ連邦共和国）の大統領だった**ヴァイツゼッカー**は、ナチス゠ドイツの降伏40周年にあたる1985年に「**荒れ野の40年**」と題する国会演説を行い、「**過去に目をつぶる者は、現在のことも正しく見ようとしない者である**」と語り、自由民主主義の体制を守るためには過去の悲劇（ナチズム）を反省し、必要なときに勇気をもって立ち上がる市民の自覚が必要だと訴えた。

チェック問題 1   標準 1.5分

　ガンディーはインドの伝統思想を現代的な視点からとらえ直した。彼の考え方についての記述として最も適当なものを、次の①～④のうちから一つ選べ。

①　真理を把握し実現するための闘いにおいては、いっさいの生命を同胞と見なして、あらゆる暴力に反対するとともに、自分の生命を投げ出してでも他者に最大の利益を提供しなければならない。

②　労働者が生産手段を共有するという目標は、議会制民主主義を通じては実現不可能であり、それを実現するには、職業革命家が武装蜂起して国家を資本家階級から奪い取らなければならない。

③　過去に目をつぶる者は、現在のことも正しく見ようとしない者である。非人道的な行為を心に刻もうとしない者は、将来再びそうした危険に陥りやすい。

④　戦争は人間の人格を破壊し、自由を奪い去るものであるから、自由な諸国家の連合体を形成することによって永久的な平和を確立することが、人間の目指すべき理想である。

（2001年・センター試験倫理本試）

解答・解説

①

　「真理を把握し」にあたるのは**サティヤーグラハ**であり、「あらゆる暴力に反対」がガンディーの**非暴力主義**に対応するので、①が正しい。

②：議会制民主主義を否定して暴力革命を説いていることから、**レーニン**の革命論についての記述である ➡p.370 。

③：ドイツ連邦共和国大統領であった**ヴァイツゼッカー**の主張である。

④：**カント**の『**永遠平和のために**』における議論である ➡p.347 。

2 現代正義論

　プラトンやアリストテレスなど古代の哲学者にとって、「正義」が哲学的に重要な問題であるというのは自明のことだった ➡p.237、241 。ところが、近代以降になると、ものの見方や価値観が多様であるということが認識されるようになり、しだいに正義についての**相対主義的な見方**が強まっていった。どんな立場にもそれなりの言い分はあるよね、というわけだ。

　たしかに、あんまり声高に自分の「正義」を主張する人がいると、ちょっと引いちゃいますよね。

　だよね。ただ、政治家の汚職や無差別テロなどのニュースを聞けば、「許せない」と思わないかい？　つまり、無意識的にせよ、僕らはたしかに何かしら「正義」の感覚をもっているんだよ。こうした点に着目し、『正義論』（1971年）で再び正面から正義を哲学的に論じて大きな話題を呼んだのがアメリカの政治哲学者ロールズ（1921〜2002）なんだ。

ロールズ

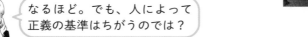
　なるほど。でも、人によって正義の基準はちがうのでは？

　それはそうだ。人によって立場も考え方もまるでちがうからね。そこで、ロールズは、**だれもが合意できる正義の基準**を見つけるため、「**無知のヴェール**」というアイディアを提案する。これは、地位・能力・性別・人種・年齢など、自分に関するあらゆる情報を知らないものと仮定せよ、というものだ。

　無茶な仮定だと思うかもしれないけど、たとえば「自分が障がい者だったらどう思うか」といったことを想像することはできるよね。そんなふうに、どの立場であっても採用できる正義の原理を考えるならば、万人にとって合意できる正義の原理（「**公正としての正義**」）が見いだされるだろう、というわけだ。

　なるほど。で、その原理とは？

　正義の二原理と呼ばれるものだ。次の二原理は、どんな人であれ、無知のヴェールの下で合意できる正義の原理ではないか、とロールズは言う。

```
正義の二原理

❶  平等な自由の原理     ：基本的権利は平等に分配すべき

❷  不平等を容認する原理   ：以下のケースでは不平等もやむなし

     ● 公正な機会均等原理
        ：機会を均等にしたうえで生じる不平等は仕方ない

     ● 格差原理
        ：不遇な者の境遇を改善するための不平等は是認できる
```

第一の原理（平等な自由の原理）で言われていることは、言論の自由や投票権などの基本的権利はどんな人にも平等に分配すべきだというものだ。当たり前のように見えるかもしれないけど、これは主流派の経済学で暗黙の前提となっていた**功利主義への批判**という意味をもつ。社会全体の幸福の名の下に個人を犠牲にするわけにはいかない、これが第一原理だ。

　でも、彼は社会主義者ではないので、平等主義を説くだけで議論を終わらせなかった。**場合によっては不平等であるほうが正義にかなっているケースがある**ことを指摘する。これが第二の原理。

　その一つが公正な機会均等原理と呼ばれるもので、**結果の平等**ではなく**機会の平等**を重視する。つまり、公正な競争の結果として不平等が生じても仕方ない、というわけだ。たとえば頑張った人が志望校に合格し、多く稼ぐといったことは認められる。もう一つがロールズ理論の最大のポイントで、格差原理と呼ばれる。これは、**社会で最も不遇な者の境遇を改善するための不平等であれば正当化できる**、というものだ。具体的には、累進課税制度などがこの格差原理にもとづいて正当化される。また、この原理はアファーマティブ・アクションを哲学的に基礎づけ、現実の政策に大きな影響を与えた。

　　アファーマティブ・アクション？　なんですかそれは？

　これは「**積極的差別是正措置**」などと訳される概念で、**実質的平等**を実現するために、少数民族や障がい者などを就職や入学などで優遇する措置のことだ。日本でも女性を優先的に雇用するしくみといった形で制度化されている。

　そんなわけで、ロールズ以降の政治哲学では、ロールズを批判するにせよ擁護するにせよ、ロールズを無視することは許されなくなった。

へえ、大変な影響力だったんですね。
ロールズへの批判にはどんなものがあるのですか？

アマーティア・セン（1933〜）による批判が重要だ。
センはインド出身の経済学者で、少年時代に壮絶な飢
餓を目のあたりにしたことから世界の貧困を解決する
ための経済学を 志 し、アジア人ではじめてノーベル
経済学賞を受賞したという人物だ。

アマーティア・セン

センは、社会正義の実現を目指すロールズの哲学に
基本的に賛同しつつ、ロールズの正義論が財（モノ）
の再配分に偏重しているとして、潜在能力（ケイパ
ビリティ）の開発という視点が重要だと主張した。

潜在能力とは、**よりよい生を営むために必要な機能**のことで、具体的には
「健康であること」「教育を受けていること」といったものが挙げられる。所得
の再分配といったものだけでは人間の幸せは実現できず、幸福を実現するため
の自由（＝潜在能力）を開発することが重要だというわけだ。

ロールズ正義論への批判

1970年以降のアメリカの政治哲学では、ロールズの正義論をめぐって急速に
議論が活性化した。

まず、ロールズが平等主義的な正義論を説き、国家による福祉政策に期待す
るのに対して、個人の自由を最大限に保障すべきだと主張したのがノージック
（1938〜2002）を代表とするリバタリアニズムである。ノージックは『アナーキ
ー・国家・ユートピア』（1974年）のなかで、ロックの社会契約説 ➡p.334 に依
拠しつつ、国家は国防などの最低限の事柄のみを行う「最小国家」であるべき
だと主張し、ロールズが肯定する福祉国家を批判した。

これに対し、ロールズとノージックは社会契約論的なアプローチによって普
遍的な正義が見いだせるとしている点では共通してい
るとして、これらの個人主義的な前提と普遍的な正義を
疑問視し、正義は、人々が生きる共同体の価値観（**共通
善**）と切り離して論じることはできないと説くのがコミ
ュニタリアニズム（共同体主義）である。その代表的論
者としては**マッキンタイア**（1929〜）や**サンデル**（1953
〜）らが知られている。とくにサンデルは、ロールズが
前提とする自由で独立した個人を「**負荷なき自我**」と呼
び、そうした非現実的な人間観にもとづいて正義を論じ
ることは不毛だと論じた。

サンデル

チェック問題2　やや難 2.5分

　ロールズとセンの正義論についての記述として最も適当なものを、次の①～⑥のうちからそれぞれ一つずつ選べ。

① 各人に対し、みずから価値があると認めるような諸目的を追求する自由、すなわち潜在能力を等しく保障することが重要であると指摘した。

② 各人には過剰な利己心（りこしん）を抑制する共感の能力が備わっており、めいめいが自己の利益を追求しても社会全体の福祉は向上すると考えた。

③ 自由や富など、各人がそれぞれに望む生を実現するために必要な基本財を分配する正義の原理を、社会契約説の理論にもとづき探究した。

④ 相互不信に満ちた自然状態から脱することを望む各人が、みずからの自然権を互いに放棄し合う、という形で社会や国家の成立を説明した。

⑤ 侵すことのできない権利をもつ各人から構成されるものとして、国家は国民のそうした権利を保護する最小限の役割のみを担（にな）うとした。

⑥ 自然法を人間理性の法則としてとらえて国家のあり方を論じるとともに、諸国家もまた同じく普遍的な国際法に従うべきであると説いた。

（2006年・センター試験倫理本試）

解答・解説

ロールズ ③／セン ①

　それぞれ「**基本財**」「**潜在能力**」がキーワードとなっている。

②：**アダム・スミス**が『道徳感情論』において行った議論 ➡p.355 。

④：**ホッブズ** ➡p.333 の社会契約説についての記述。「相互不信に満ちた自然状態」とは「万人の万人に対する闘争（ばんにん）」のこと。

⑤：**ロック** ➡p.334 や、20世紀以降のリバタリアニズムに対応する記述である。

⑥：自然法を人間理性から説明し、自然法思想から国際法を論じたのは**グロティウス**。

18 近代批判の哲学

この項目のテーマ

1 フランクフルト学派
　近代的理性の意義と限界は？
2 構造主義
　レヴィ＝ストロースとフーコーによる西洋近代思想への批判
3 その他の現代哲学
　ウィトゲンシュタイン、ハンナ・アーレント、レヴィナスが頻出

1 フランクフルト学派

　この項目で扱うのはバリバリの現代哲学だ。いずれも、**理性**によって世界を把握し、よりよいものにできるという近代思想の見通しが楽天的すぎたのではないかと批判する点に大きな特徴がある。

　これらは、超一流の思想家たちが生涯をかけて紡いできた知的産物なのだから、お気楽に理解できるとは思わないでほしい。でも、最近では出題頻度がとても高いし、真剣に向き合えばきっとポイントはつかめるはずだから、そのつもりで頑張ってね。

> 了解です。まずは、**フランクフルト学派**とのことですが。

　フランクフルト学派は1920年代のドイツ・フランクフルトで活動を始めた思想家グループで、そのメンバーのほとんどはユダヤ人だ。

　この時代のドイツでユダヤ人であるということが何を意味するかわかるよね。そう、ナチスによる迫害だ（ヒトラーの全権掌握が1933年）。だから、フランクフルト学派の思想家たちは、ユダヤ人の絶滅をねらい、ヨーロッパ文明を崩壊の危機に追いやった**ナチズムがなぜ生まれてしまったのか**という問題を、思想的に究明しようとした。

なるほど。どんな立場からナチズムを批判するんですか？

　彼らの多くは**マルクス主義**の影響を強く受けている。けれども、文化や思想の問題をすべて経済的土台から説明しがちだった正統マルクス主義者 ➡p.370 の議論には飽きたらず、**フロイト** ➡p.210 の**精神分析**などを援用して独自の立場を組み立てていった。また、彼らは現実社会

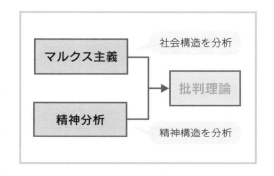

を単に**説明**するのでなく、根本的に**批判**して**変革**することを目指すことから、彼らの議論は**批判理論**とも言われる。

　まずは、**フロム**（1900〜80）。彼は**フロイトの精神分析**を**マルクスの社会理論**と結合させ、人間集団の心理が社会状況によって規定されると考えた。その成果が『**自由からの逃走**』で、大衆社会における孤独な群衆 ➡p.506 が**自由の重み**に耐えかねて**全体主義**へと逃避するメカニズムを描写している。

ファシズムは大衆自身がつくったということですか？

　まさにそのとおり。ファシズム（≒全体主義）とは、一部の悪者が大衆を操作してつくったものではなく、強大な**権威**にすがろうとする大衆自身の心理が生み出したものだと言うんだ。

　次に、フランクフルト学派のリーダーだった**ホルクハイマー**（1895〜1973）が、その同僚である**アドルノ**（1903〜69）とアメリカ亡命中に書いた『**啓蒙の弁証法**』について見てみよう。これは、「なぜ人類は真に人間的な状態に踏み入っていく代わりに、一種の**新しい野蛮状態**へ落ちこんでいくのか」を主題としている。理性に対するイメージを根本的に覆すような作品だよ。

アドルノ

なんだか難しそう……。

めちゃくちゃ難しい本だよ！　とりあえず粗筋（あらすじ）を取り出すと、だいたい次の
ような具合だ。

　神話の時代の人々は無知蒙昧（もうまい）であったが、啓蒙（けいもう）されて科学的な**合理主義**を拠（よ）
りどころとする近代人はそうでない……これが普通の考え方だよね。だけど、
こうした単純な進歩史観では、ナチズムのような野蛮（やばん）が近代に再び現れた理由
を説明できない。そこで……。

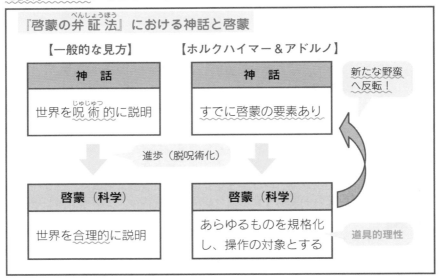

『啓蒙の弁証法（べんしょうほう）』における神話と啓蒙

【一般的な見方】　　【ホルクハイマー＆アドルノ】

神　話	神　話
世界を呪術（じゅじゅつ）的に説明	すでに啓蒙の要素あり

新たな野蛮
へ反転！

進歩（脱呪術化）

啓蒙（科学）	啓蒙（科学）
世界を合理的に説明	あらゆるものを規格化し、操作の対象とする

道具的理性

　アドルノたちによると、神話と啓蒙は対立物ではない。神話のなかに登場す
る英雄たちは、困難に打ち克（か）つ強い意志をもった近代的自我の原型であり、つ
まり、神話にはすでに啓蒙の要素が含まれていた。だから、神話が啓蒙へと移
行したのはごく自然なことだったんだ。

　でも、ここで話は終わらない。神話が単なる野蛮ではなかったのと同様に、
啓蒙も単なる進歩ではない。じつは啓蒙には**野蛮で暴力的な要素**が含まれてい
たんだ。

 いったいそれは？？

　あらゆるものを規格化・計量化し、操作・支配の対象とする道具的理性だ。

「知は力なり」と述べたベーコン ➡p.320 が典型なんだけど、近代における理性は、一般に何らかの目的に奉仕する**道具**のようなものと考えられている。でも、たとえばハンマーが釘を打つ道具であるだけでなく人を殴り殺す道具にもなりうるように、道具にはいかなる目的にも奉仕してしまう危険性がある。原子物理学などもその典型だよね（医療や発電のみならず、大量破壊兵器にも役立つ）。そして、ナチス・ドイツは近代科学を駆使して最も効率的にユダヤ人を抹殺するためのシステム（ガス室など）をつくってしまったんだ。

だから、ナチズムは啓蒙と無縁な野蛮などではなく、近代科学という啓蒙をへた**新しい野蛮**なのであって、いわば**啓蒙の必然的な帰結**なんだ。なお、彼らは、アメリカの資本主義もソ連の社会主義も、啓蒙の自己崩壊という点で同根だと厳しく批判している。

 なんだか、あまり展望のない話ですね。

たしかにね。そこで、かつてアドルノの助手をしていた**ハーバーマス**（1929〜）は、先輩たちが悲観的に見ていた**近代的理性**について再検討し、そこにはいまだくみ尽くされていない可能性があることを発見したんだ（『**コミュニケーション行為の理論**』）。

僕らが自動車やスマホを操作するときのように、モノを扱うときに作動するのが**道具的理性**だ。これは人間を相手にするときにも用いられる。たとえば、ブラック企業がバイトを使い捨てにするときとかね。道具

ハーバーマス

的理性は完全に一方的な関係だから、明らかに相手を支配しようという抑圧的な性格を強くもっている。

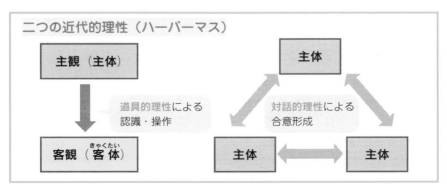

二つの近代的理性（ハーバーマス）

主観（主体） → 客観（客体）
道具的理性による認識・操作

主体 ⇄ 主体（上）／主体 ⇄ 主体（下）
対話的理性による合意形成

でも、ハーバーマスによると、近代的理性にはもう一つ、哲学者たちがあまり重視してこなかったものがある。それは相手を自分と対等な主体とみなし、そのような相手と**合意形成**を図る能力だ。これこそ彼は対話的理性と呼ぶ。たとえば、僕らは恋人とデートに出かけたりするときに、どこに行くかを話し合って決めたりするよね。このように民主的な合意形成をする能力を、たしかに人間はもっているはずなんだ。

 でも、現実にはそううまくいかないことが多いですよ。

たしかに、恋人同士でも、つねに一方だけが決定権をもっていたりするような不健全な関係は少なくない。でも、そうでないケースがあるというのも事実だよね。そこで、どうすれば民主的な対話が可能なのか、これをハーバーマスは深く分析したんだ。経済合理性ばかりが追求され、民主的な対話が困難になっている現状をハーバーマスは**生活世界の植民地化**と言い、人々が本当に民主社会を築けるかどうかは、今日（こんにち）の僕らによる対話の実践にかかっていると訴えたんだ。

⬆⬆ ベンヤミン

フランクフルト学派に位置づけられるドイツの思想家ベンヤミン（1892〜1940）は、かつての芸術作品がもっていた唯一無二（ゆいいつむに）の崇高（すうこう）さ＝**アウラ**（オーラ）は、写真や映画などの**複製技術**の時代となって喪失していったとしつつ、同時に、それによって権力者が独占していた芸術作品が大衆に解放されていたと論じた。

ベンヤミン

ポイント フランクフルト学派

- **ホルクハイマー**と**アドルノ**は、近代的理性は相手を支配しようとする道具的理性にほかならないと批判した。
- **ハーバーマス**は、近代的理性には道具的理性以外に、合意形成の能力である対話的理性という側面があることを指摘した。

チェック問題 1

やや難 **2**分

　ホルクハイマーやアドルノは近代的理性をどのように考えたか。その説明として最も適当なものを、次の①～④のうちから一つ選べ。

① 　理性は、自然を客体化し、技術的に支配することを可能にする能力として、手段的・道具的なものである。
② 　理性は、物事を正しく判断し、真と偽とを見分ける良識として、すべての人間に等しく与えられている。
③ 　理性は、真の実在をとらえることができる人間の魂の一部分として、気概と欲望という他の二部分を統御する。
④ 　理性は、人と人とが対等の立場で自由に話し合い、合意を形成することができる能力として、対話的なものである。

(2008年・センター試験倫理本試)

解答・解説

①

　ホルクハイマーやアドルノは、近代的理性は対象を支配するための**道具的理性**にすぎないと指摘したので、①が正しい。
②：理性が万人に分配されている良識であるとしたのは、合理論哲学の祖・**デカルト**である ➡p.321 。
③：理性を気概と欲望を統御する魂の一部分としたのは、魂の三分説を説いた**プラトン**である ➡p.234 。
④：理性における**合意形成能力**（＝対話的理性）に着目したのは、アドルノたちの批判的な後継者である**ハーバーマス**である。

2 構造主義

　20世紀半ばのフランスでは、サルトル ➡p.385 の実存主義が圧倒的な知的影響力をもっていた。ところが、1960年代以降になると、構造主義と呼ばれる潮流が急速に台頭し、実存主義を圧倒していった。

　　構造主義ってのは、いったいなんですか？

　簡単に言うと、構造主義とは、あらゆる物事を構造（システム）において把握しようとする立場だ。
　たとえば、働きアリは、つねに集団のうち2割ほどが（その名に反して）実際には働いていないと言う。それで、その怠け者たちを取り除くと、不思議なことに、残りのうちまた2割ほどが働くのをやめてしまうという。

　　へー、面白いですねぇ。でも、それが何か？

　ここでわかるのは、働きアリを理解するためには個体をいくら詳細に観察してもダメで、役割分担を行っている集団を全体としてとらえる必要がある、ということだ。
　同じことが、人間にも言える。西洋近代では、社会とは理性的存在としての個人の総和にすぎないと考えられてきた。ところが、構造主義は、要素の合計が全体になるのではなく、要素を秩序づける構造が要素に先立つと考えるんだ。つまり、理性と自由意志をもった主体としての個人という発想を、正面から否定する。これがサルトルのような実存主義と対立するのは明らかだよね。

　構造主義は、言語学・哲学・社会学・精神分析学などさまざまな分野で応用されたんだけど、とりわけ影響力の大きかったのは、フランスの文化人類学者レヴィ゠ストロース（1908～2009）の議論だ。
　文化人類学とは、おもに未開社会の文化を研究することによって人類の文化を比較研究する学問で、伝統的に、未開社会は遅れた野蛮な社会であるのに対し、ヨーロッパは進歩の極にあるすぐれた文明社会だと考えられてきた。

　　え、ちがうんですか？

レヴィ＝ストロースの『野生の思考』によると、たしかにいわゆる**文明社会**と**未開社会**には大きなちがいがあるけど、それはけっして**優劣の差**などではないとされる。

レヴィ＝ストロースは、南米などの無文字社会を実地調査し、そこに生きる人々が**親族関係**のつくり方などに関してきわめて複雑な、しかし当人たち自身も自覚していないルール（＝構造）のもとに生きていることを指摘している。つまり、未開社会の人々は、西洋人が考えたように無秩序で非合理的な生き方をしているわけではなく、非西洋的ではあるが論理的な規則に従った生き方をしている、と。

レヴィ＝ストロース

でも、魔術なんかにとらわれているわけでしょ？

呪 術 的思考も、世界に因果性が働いていることを前提に組み立てたものだという点では、**科学的思考**と同じだ。むしろ、植物や昆虫などの具体的なものを具体的なまま把握する野生の思考は、具体物を概念として把握してしまう「栽培された思考」（科学的思考）よりも豊富ですらあるとして、レヴィ＝ストロースは西洋人がより進んだ地点に立っているとする西洋中心主義を厳しく批判したんだ。

ポイント レヴィ＝ストロース

未開と文明には優劣の差はないとして、レヴィ＝ストロースは西洋中心主義を厳しく批判した。

フーコー（1926〜84）

◆ 主著：『監獄の誕生』『言葉と物』『狂気の歴史』

　近代的な〈人間〉とは、近代社会の諸制度（権力）を通してつくられた、規範へと服従する主体にすぎない。

➡ 権力の構造／権力と知の結びつきを解明すべし

➡ 真の自己の回復（＝〈人間〉の死）

　次に紹介するのは、**『監獄の誕生』『言葉と物』**などの著作によって哲学・社会学・教育学など多くの学問分野に絶大な影響を与えたフーコーだ。彼の思想のポイントは、**理性的で主体的な存在として人間をとらえる近代の常識を根本的に否定**した点にある。フーコーによると、こうした近代的な人間像は、じつは**規範へと従属する主体**にすぎないとされる。

フーコー

　　近代人が、じつは奴隷みたいなものだと言うわけ？？

　まあ、そういうことだ。なぜか？　これを理解するためには、近代社会における権力の特異な構造を理解する必要がある。

　社会的な規範を守らせるために、かつては死刑をはじめとする暴力的手段がとられ、人々は死の恐怖ゆえに権力者に従った。でも、近代以降の社会では、**人々が規範意識を内面化**しているため、もはや特定の権力者が君臨する必要もない。権力は、そのように目に見える形をとらなくなっているんだ。

　　規範意識ってのはどういうものなんですか？

　ひと言で言えば、規範意識とは、**「人間はこうあらねばならない」**という意識のことだ。たとえば、「人を殺してはならない」「うそをついてはならない」「ちゃんと勉強しなきゃ」「健康は大事だ」などなどだ。

　　どれもいいことじゃないですか。

　まあ、そうかもしれない。でも、「自分でものを考える立派な人間」が、じつは**既成の規範に従順な存在**にすぎないのだとすれば、その人は本当に自由と

言えるのだろうか。

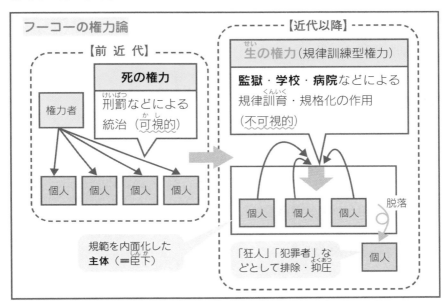

フーコーの権力論

【前近代】

死の権力

権力者 — 刑罰(けいばつ)などによる統治(可視的)(かし)

個人 個人 個人 個人

規範を内面化した
主体(＝臣下)(しんか)

【近代以降】

生(せい)の権力(規律訓練型権力)

監獄・学校・病院などによる規律訓育(くんいく)・規格化の作用
(不可視的)

個人 個人 個人 脱落

「狂人」「犯罪者」(よくあつ)などとして排除・抑圧

個人

　こうした規範意識を育てるのが、**監獄**や**学校**といった施設だ。これらは、人間を規律訓練し、多様な人間を「正しい人間」へと 矯 正(きょうせい)する。こうして、規範を内面化した「近代的自我」が製造されるんだ。

　このように、人間を規律化・画一化する装置の全体が権力であって、これは生の権力と言われる。つまり、僕らの社会は、じつは見えない抑圧で満ちていて、おまけに、その抑圧は僕ら自身の常識的な知と日々の実践によって生み出されていると言うんだ。

　これに関しては「狂気」という概念(がいねん)の分析が有名だ(『**狂気の歴史**』)。

狂気ってのは「狂人」に宿っているものじゃないの？

　フーコーによると、そうじゃないんだ。たとえば、イエスやガリレイは当時「狂人」扱いされていたが、いまではちがうよね。つまり、狂気とは、みずからを「**理性的**」だと考える社会的多数派が、社会の規範や常識からはずれた人々に貼りつけたレッテルにすぎない。このように、理性と狂気、正常と異常をえり分けて「狂人」「異常者」を排除・抑圧・矯正しようという人々の意識、これが権力なんだ。

カント ➡p.340 などが理想とした自律的な**主体**（subject）とは、じつは権力に従順な臣下（subject）にすぎない。そこで自律的な主体としての人間はもう終わりつつあるとして、フーコーはニーチェの説いた「神の死」になぞらえて「**人間の死**」を予告した。

 なんだか、ずいぶん陰鬱な見通しですね……。

　まあね。フーコーの議論は、彼自身が同性愛者で、「異常者」に対する社会的な抑圧を痛感していたことと関係があるのかもしれない。ともあれ、彼は社会の隅々まで浸透している権力のシステムを解明することで、近代的な主体を乗り越えたところに成立する真の自由を目指していたのであろう。

構造主義とポスト構造主義

　スイスの言語学者**ソシュール**（1857～1913）は、語とその意味の対応を否定し、言語は語と語の**差異の体系**であると主張して（たとえば、日本語では「マグロ」と「カツオ」は別物だが、英語ではいずれも tuna と呼ばれる）、構造主義の先駆となった。

　フランスの思想界では、1970年代ごろまでに、**ポスト構造主義**と呼ばれる潮流が形成された。**デリダ**（1930～2004）は、構造主義が自明視しがちであった対立構造・差異の構造をずらし、**脱構築**することを説いた。たとえば、主観と客観のような二項対立の図式を固定化するのではなく、これをずらす（脱構築する）ことで新しい世界が見えてくるという。また、フランスの哲学者**ドゥルーズ**（1925～95）は、同じくフランスの哲学者で精神分析家**ガタリ**との共著『アンチ・オイディプス』のなかで、フロイトを参照しつつ、人間は**欲望する機械**であり、文明や国家はそれを**抑圧する装置**であるとして、そうした抑圧からの解放を訴えた。

 フランクフルト学派や構造主義あたりは難しいけど頻出だよ。何度も読んでしっかりと理解しよう！

チェック問題2 標準 2分

人間理性のあり方を批判的に検討した現代の思想家フーコーについての記述として最も適当なものを、次の①〜④のうちから一つ選べ。

① 西洋哲学を成り立たせてきた主体などの概念（がいねん）が覆い隠してきた問題を、歴史のなかで新たに問うために脱構築を主張し、理性の概念をとらえ直した。

② 理性と狂気とが区別されるようになってきた西洋の歴史を分析し、確固とした理性という考えが歴史の過程の産物であることを明らかにした。

③ 非西洋の未開社会の実地調査を通して、西洋社会とは異なる独自の思考体系を見いだし、西洋の理性的思考を特権化するような考えを斥（しりぞ）けた。

④ 自己意識のなかに取りこめない他者性が現れる場を「顔」という言葉で表現し、そのような他者に向き合えない理性の暴力性に照明を当てた。

（2009年・センター試験倫理本試）

解答・解説

②

「理性」は普遍（ふへん）的なものではなく、西洋近代に出現した歴史的な概念にすぎないというのが**フーコー**の主張。**「狂気」**も「理性的」を自認する人々が自分たちと異なる者に貼り付けたレッテルにすぎないとされるので、②が正しい。

①：「脱構築」をキーワードとするのは、ポスト構造主義に位置づけられる**デリダ**である。

③：**レヴィ＝ストロース**についての記述。未開社会には独自の思考（**野生の思考**）が息づいているとされ、西洋的な思考の特権的地位を否定し、西洋中心主義を批判した。

④：他者を他者として尊重するのではなく、他者をすべて理解可能なものとして自分の意識のなかに取り込んでしまうことの暴力性を説いたのは、**レヴィナス** →p.389 。他者の他者性を表すシンボルが「顔」とされる。

3 その他の現代哲学

　ここまではドイツとフランスの現代哲学を見てきたが、イギリスやアメリカなどの英語圏ではヨーロッパ大陸とはやや毛色のちがう哲学が展開された。思弁的な認識論や存在論ではなく、だれもが客観的に検証できるような明晰な議論を目指す傾向が強く、これらは**分析哲学**、もしくは**科学哲学**などと呼ばれることがある。

 へえ。その代表者は？

　イギリスで活躍したウィトゲンシュタイン（1889～1951）だ。彼はオーストリア出身だけど、ラッセルに見いだされてイギリスで活躍した**分析哲学**の草分けの一人だ。ハイデッガー ➡p.382 とともに20世紀最大の哲学者の一人と言っていいだろう。

ウィトゲンシュタイン

　ウィトゲンシュタインが生前に刊行した唯一の著作『論理哲学論考』では、「**語りえないものについては沈黙しなければならない**」という有名なテーゼが示されている。これは、言語によって明晰に語りうる事柄とそうでない事柄（宗教など）を峻別すべきだという主張で、カントが**認識批判**において行ったのと同様のことを**言語批判**という形で行ったものと解釈できる。20世紀以降の哲学は言語が哲学の大

きな主題となっているが、ウィトゲンシュタインのこの議論は、**言語哲学**の先駆としてきわめて重要な位置を占めている。

　なお、ウィトゲンシュタインは、遺稿の『**哲学探究**』では言語ゲームという新しい見方を提唱している。一般に、言語には厳密な文法規則があり、世界の客観的なあり方を正しく反映するような言語が理想の言語だと考えられていた。ところが、言語ゲーム論によると、言語は偶然にでき上がった規則の体系にすぎず（チェスのルールにそれ自体の必然性がないのと同様だ）、正しい言葉遣いとは、真実をとらえることではなく、ゲームのルールに従ったものにすぎないとされる。

最後に、**ハンナ・アーレント**（1906〜75）について
見ておこう。彼女は、ハイデッガーやヤスパース ➡p.381
から教えを受けたドイツ出身の哲学者だが、ユダヤ人
であったために亡命を余儀なくされ、アメリカで活躍
した。その意味で、英米哲学というよりは、大陸系の
哲学の伝統を背負っている哲学者だね。

ハンナ・アーレント

 どんなことを論じたんですか？

　彼女が最初に注目を集めた著書は『**全体主義の起源**』で、同書では彼女自身
をドイツから追いやったナチズムのような野蛮（ばん）が生まれた背景が探究された。
それによると、全体主義の原因は、現代社会において**個人が孤立化し、アトム
化してしまった**点にある。

 個人がバラバラになってしまったことが原因だ
と言うわけですね。でも、どうすればいいんでしょう？

　アーレントによると、こうした全体主義の最大の問題は、人間の多様性（**複
数性**）を破壊してしまう点にある。そこで、そうしたことを避けるためには、
人々がもつ複数性を前提とする営み、すなわち**公的な問題**を公的な空間で論じ
合うという営み（＝**政治**）を再興する必要がある。彼女がここで念頭において
いるのは古代ギリシアのポリス ➡p.206 だ。そこでは市民たちが自分の私的な
利害を棚上げして公的問題について討論していたとされる。

 今では政治のことを議論するのは、
憚（はばか）られる雰囲気があるかもしれませんね。

　だよね。アーレントは主著『**人間の条件**』で、人間の営みを次の三つに分類
している。

> **人間の営み**
> ● **労働**（labor）…生存を維持するための営み　例 工場労働
> ● **仕事**（work）…耐久物をつくる営み　例 彫刻作品の創造
> ● 活動（action）…人と人が直接に結びつく営み（＝政治）

アーレントによると、現代では人々は自分の命を維持するための労働ばかりにかまけてしまっている。これは人がモノとかかわり合う営みにすぎず、人間の複数性という、人間にとって最も大事な事実と無関係だ。だから人々が私的利害を離れて公共の問題について議論を行う活動（＝政治）こそが真に人間にふさわしい自由な行為であるとして、**政治の復権**を説いたんだ。

↑↑ ポストモダンの思想

20世紀後半のフランスでは、構造主義・ポスト構造主義とも連動する**ポストモダン**の思想が展開された。ポストモダンとは、近代（モダン）において前提とされていた理性や進歩といった概念を根本的に疑う思想を指す。

この思想の代表である**リオタール**（1924〜98）は、世界の歴史をすべて説明し尽くす「絶対精神の自己展開」（ヘーゲル ➡p.349）や、「階級闘争をとおした人間の解放」（マルクス ➡p.366）といった「**大きな物語**」は終焉したとして、歴史に究極目的を設定する思考や、一つの枠組みであらゆる現象を説明しようとする抑圧的思考を放棄することが重要だと説いた。

また、**ボードリヤール**（1929〜2007）は、今日の**消費社会**では、商品はその使用価値よりも社会的な価値（ブランド品をもつことによる他者からの視線など）を示す**記号（コード）**として機能していると指摘し、時代の大きな変化を示唆した。

長かった西洋思想もここまでだ。お疲れさま！

チェック問題 3

　ハンナ・アーレントによれば、生活を維持するために働くという側面がある限り、働くことは、生活の必要に縛られることを意味する。これに対して、彼女は、公的領域で営まれ、生活の必要に直接に縛られない「活動」のうちに、人間の自由なあり方を見た。アーレントはほかにも「活動」の特徴を挙げている。その特徴について述べた次の文章を読み、アーレントが考える活動の具体例として最も適当なものを、下の①～④のうちから一つ選べ。

　活動は、物を介在させることなく直接に人と人との間で行われる唯一の営みであり、複数性という人間の条件に対応している。すなわち、地上に生き、世界に住まうのが一人の人間ではなく、複数の人間であるという事実に対応している。

（ハンナ・アーレント『人間の条件』）

①　冬が訪れ豪雪に見舞われたので、協力して友人の家の雪下ろしをした。
②　春の展覧会への出品に向けて、一人で部屋にこもって絵を描いた。
③　夏祭りの運営方法について、市民たちが集会所で議論を重ねた。
④　秋の文化祭に向けて、クラスのみんなで壁画づくりをした。

（2008年・センター試験倫理追試）

解答・解説

③

　ハンナ・アーレントは、衣食住のような生活の必要にもとづく営み（＝**労働**）ではなく、公的な領域（≒**政治**）で公共の問題について人々が論じ合う営み（＝**活動**）こそが、最も人間にとって重要なものだと考えた。「夏祭りの運営方法」は、生活の必要や個人的利害から離れた公共の事柄と言える。
①：雪下ろしはあくまで生活の必要性に迫られた「労働」にすぎない。
②：絵を描くという営みは、永続的なものをつくる「**仕事**」にあたる。
④：「クラスのみんなで」となっているが、あくまで壁画という「物」をつくる営みなので、「仕事」にあたる。

19 日本の古代思想

この項目のテーマ

1 日本の風土と古代日本人の意識
日本の風土は日本人の意識にどんな影響を与えたか？

2 仏教の受容——聖徳太子から奈良仏教へ
聖徳太子の思想と奈良仏教の基本性格をおさえよう

1 日本の風土と古代日本人の意識

　日本人はどんな思想を育んできたのだろうか。これを確認するためには、その土壌としての**日本の風土**についての理解が欠かせない。

　日本列島は南西から北東に長く延び、その地形は急峻な山々と複雑な海岸線によって特徴づけられる。日本人は、古代からこの列島の山間の里に集落を切り開き、**豊かな自然環境と調和**した農耕生活を営んできた。

　自然との一体感ってやつですか。

　そうだね。ギリシアなどの**西洋文明**は、都市も建築物も耐久性のきわめて高い石で構築したことに見られるように、自然を**支配の対象**としてとらえがちだった。

　これに対して日本では、建築物は大半が木造だし、稲作のためにつくった水田や人間が手を加えた**里山**を見てもわかるとおり、人々は自然を支配するどころか、むしろより豊かなものにしてきた。つまり、日本では**自然との調和・共生**という感覚がきわめて強かった。

　このちがいは、精神的支えと

里山の風景

なる宗教施設を見れば一目瞭然だよね。西洋の教会は、街の中心部に天まで届こうという大伽藍として設計されるのに対し、日本の神社は鬱蒼たる森のなかにつくられている。

 それが、日本人の思想に影響しているんですか？

和辻哲郎 →p.487 は、風土が文化や人々の意識に影響を与えていると論じている（『風土』）。次のような具合だ。

モンスーン型風土 （アジア、日本）	湿潤で**気まぐれな自然** ➡ 受容的・忍従的**態度**
砂漠型風土 （中東、北アフリカ）	過酷な自然 ➡ **対抗的・戦闘的**態度（ ➡ 厳格な一神教）
牧場型風土 （ヨーロッパ）	穏やかで規則的な自然 ➡ **合理的**態度

　日本の場合、**モンスーン型**の風土なので、四季折々の自然は非常に豊かで恵み深く、人々は**清けき自然**に対する調和の意識を強くもっている。でも、ときおり**台風のような暴威**に襲われてしまうことがあるので、一種の**諦め**の意識も抱いており（台風や大雪には勝てないからね）、これが受動性と忍耐力などを育んだと言うんだ。
　もっとも、和辻もこうした風土的特徴だけで文化を説明できると考えたわけではなく、**日本文化の重層性**についても指摘している。つまり、日本文化は、古層の文化のうえにさまざまな**外来思想**が塗り重ねられ、古いものと新しいものが排斥し合うことなく溶け込むことで形成された、というわけだ。たしかに、日本人は古来の神々への信仰と同時に**仏教**や**儒教**の考え方も矛盾の意識なしに受容しているところがあるよね。
　次に、古代日本人の信仰について見てみよう。

古代日本人の信仰

基本的特徴　〜絶対神の不在（➡ 八百万神）

　　▶カミ＝人知を超えたものや働きの総称

● 自然信仰（アニミズム）：森羅万象に神（精霊）が宿っている

　　➡ 動物や植物、山や川も信仰対象に

● 祖霊信仰：祖先は死後に神（祖霊）となり、生者を見守る

　　▶お盆には子孫のもとに来往 ➡ 迎え火（出迎え）・送り火（見送り）

● 産土神信仰：土地の守護神（≒氏神≒鎮守）への信仰

　　▶マツリ・・・神々に感謝と祈りを捧げる行事。特別な日（ハレの日⬄ケの日）に行う

　古代日本人の信仰で最も特徴的なのは、**絶対神が存在しない**ことだろう。そもそも日本では、およそ理解できないものがすべてカミの名で呼ばれていた。だから、人を寄せつけない急峻な山 ➡p.416 や神々しい岩をはじめ、山川草木すべてがカミだ。このように、自然界のあらゆる事物に魂（精霊）が宿るという考え方を**自然信仰**（精霊信仰、アニミズム）と言う。

　こうした神々はのちに人格化されていき、律令国家が成立したのちに編まれた『古事記』や『日本書紀』（記紀神話）では多くの人格神が登場して建国神話が物語られているが、ここで最高神として位置づけられている天照大神にしても「祀られると同時に祀る神」であって、ヘブライズムにおける「唯一なる絶対神」とはまったく性格が異なる。

　「マツる」って、どういう意味ですか？

　マツリには「祭り」「祀り」「奉り」などさまざまな字と意味があるけど、さしあたりは**神に祈ること**や**霊を慰めること**を意味すると思ってほしい。天照大神はもちろんえらい神様だから多くの人々からの信仰を集めている（祀られている）が、同時に自然神などに祈りを捧げる（＝祀る）祭司でもあったんだ。

　古代においては、**五穀豊穣**を祈願するなどの祭祀をとり行うことは共同体にとっての死活問題であったので、農耕社会にとっての祭祀は共同体のあり方を決定する「政治」をも意味していた（**祭政一致**）。今日でも政治のことを「まつりごと」と言うのは、ここに起源があるんだよ。

　日本神話では、天地は神（神々）によって「つくられた」ものでなく、おのずから「なった」ものとみなされている。

　なお、日本で信仰される神々は非常に数が多いことから、八百万神と言われ

る。

具体的にはどんな神様がいたんですか？

記紀神話では、以下のような神々が有名どころだね。

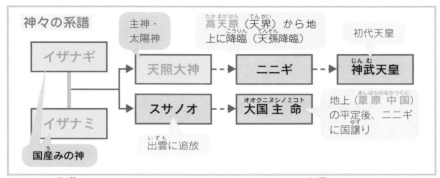

まず、男神である**イザナギ**（イザナギノミコト）と、女神である**イザナミ**（イザナミノミコト）が地上の国（葦原中国）を産み落とした「**国産みの神**」とされている。しかし、妻であるイザナミは火の神（カグツチ）を産み落としたときに火傷を負い、死んでしまう。愛する妻を失ったイザナギは怒り狂ってカグツチを斬り殺した末に、黄泉国（死者の世界）へとイザナミに会いに行く。

なんだかすごい話ですねぇ。
あの世にも簡単に行けちゃうんですか。

行けちゃうんだ。古代日本人は**この世とあの世を連続的に理解**していた。だからこそ、**お盆**に祖霊が子孫のもとに訪れるなどということが可能なんだ。

ともかく、イザナギがイザナミと再会したところ、なんと彼女はウジにたかられて変わり果てた姿になっていた。

これに仰天したイザナギは全速力で地上に逃げ帰り、穢れを洗い清めるために禊を行うと、左目から天照大神が、鼻からスサノオ（スサノオノミコト）が生まれた。

どこから突っ込むべきかという感じですが、とりあえず、どうやらイザナギはきれい好きだったんですね。

　古代日本人が全体として「きれい好き」だったんだ。古代日本人にとって**穢れのない純粋さ**がとくに重んじられ、そうした心のあり方を意味する**清き明き心（清明心）**が理想の心情とされた。これは私心のない純粋な心という意味で、**濁心**と対比される。日本人は農耕民族だったので、共同体で他者と協調することが尊ばれたのだろう。

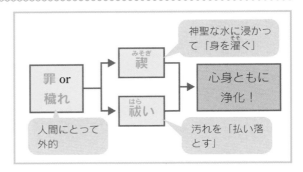

| 罪 or 穢れ | → | みそぎ 禊 | → | 神聖な水に浸かって「身を濯ぐ」 | 心身ともに浄化！ |
| | → | はら 祓い | → | 汚れを「払い落とす」 | |

人間にとって外的

　さて、この穢れと禊のエピソードからわかる重要なポイントは、罪や穢れといったものが人間にとって病気や天災と同様に外的なものにすぎず、禊や祓いによって比較的容易にぬぐい去れるものとして理解されていたということだ。キリスト教の文化圏では、罪というのはまずもって神に対する内面的な裏切りということとされているので、このちがいは非常に大きい。

　日本語では「水に流す」と言うよね。これは、責任をはっきりさせない日本の馴れ合い慣行として批判されることも多いものだけど、明らかに古代以来の日本人の**共同体感覚**に由来するものなんだ。

外来思想がやってくる以前の日本思想はとても面白いけど、手薄になりがちなところだよ。知識のもれがないようにね！

チェック問題 1

祓い（祓え）の儀式についての説明として最も適当なものを、次の①〜④のうちから一つ選べ。

① 災害や病気を外部から侵入した邪悪な力によるものと考え、それをなだめ祀ることによって恵みを与える力に変えようとした。

② 災害や病気を人間の行いに対する報いと考え、身を慎み、戒律に従って行いを正すことによって平安を得ようとした。

③ 災害や病気を人間の心のもち方によって引き起こされたものと考え、罪を告白し、悔い改めることによって赦しを得ようとした。

④ 災害や病気を外からふりかかるものと考え、それを除去したり代償を捧げたりすることによって正常な状態に戻れるとした。

（2008年・センター試験倫理追試）

解答・解説

④

古代人にとって災害や病気は人間の外からやってくるものであった。そこで祓いや禊をすることで本来の清い状態に戻れると考えられていたので、④が正しい。

①：マツリについての記述である。古代日本では善悪を超えて**威力あるもの**すべてが神とみなされ、こうした畏怖すべきものを祀ることによって共同体を守ろうとしてきた。

②：災いをかつての行いによる報いとしてとらえる発想は、古代インドの**輪廻思想**などに見られる ➡p.273 。古代日本では、一般に災いとそれを受ける当人の行いとのあいだに因果関係は認められない。

③：古代日本では、病災と**心のもち方**とのあいだにも因果関係が認められない。罪の告白と悔い改めを重んじるのはキリスト教などである。

② 仏教の受容—— 聖徳太子から奈良仏教へ

　日本文化における大きな特徴として、**外来の思想や文化をおおらかに受容する柔軟性**を指摘できる。僕らが使っている漢字なども、もともとは中国の文字だよね。日本人はさまざまな**外来思想を重層的に受容**することで、独自の文化を形成してきたんだ。

　でも、6世紀に仏教が正式に日本に伝えられた（**仏教公伝**）ころ、仏教における「仏」は、外国から来た神（**異国の神**）とみなされていたんだよ。

> あれ、仏って「神」なんですか？

　いいことに気づいたね。たしかに、仏は本当は神じゃない **→p.277** 。でも、当初の日本人には「悟りを得た者」としての仏という概念を理解することができず、仏は神々と同列視されたんだ。また、豪族たちが一族の繁栄と守護を祈念するための**氏寺**を各地に建立するなど、仏教信仰は**現世利益**の道具として機能していた。これでは仏教の本当の精神からは距離があると言わざるをえない。そんななかに現れたのが、**聖徳太子**（574〜622）だ。

　聖徳太子　〜仏教を思想としてとらえて国家の支柱に据えるよう努力
- 『**三経義疏**』（法華経・勝鬘経・維摩経の注釈書）の編纂
- 「**世間虚仮、唯仏是真**」〜**現世利益**主義の否定
- **十七条憲法**〜仏教精神の具体化　▶**儒教**の影響も

　『三経義疏』の「義疏」とは「注釈書」という意味ね。ここでは深い仏教理解が示されていると評され、聖徳太子自身が著した、もしくは編纂したものと伝えられてきた（異説もある）。聖徳太子が重視したとされる三つの経典に**法華経**が含まれている点は必ず覚えておこう。

　「**世間虚仮、唯仏是真**」とは、太子の遺言とされる言葉で、この世界にあるものはすべて虚しく実体のないものであり、仏の教えだけが真実だという意味だ。仏教の核心を簡潔的確にとらえた言葉だね。

> **十七条憲法**は、小学校ですでに習いましたよ。

　そうだね。**十七条憲法**は、豪族や官僚たちへの**道徳的な訓示**という性格をもつ文書だ。ここには仏教で大切な**三宝**への帰依（第2条）や、人がすべて煩悩を捨てられない**凡夫**にすぎないとの指摘（第10条）など、明確に**仏教的な**

観点が示されており、仏教を国家の支柱に据えようという太子の意図が見出される。

でも、仏教精神だけが示されているわけではない。たとえば、最も有名な第一条「**和を以て貴しと為し**……」は、じつは『論語』からの引用だ。『論語』と儒教の教えは仏教よりも古くに日本に伝えられており、十七条憲法にはその影響もあったんだ。この条文は、

十七条憲法
一．　和を以て貴しと為し、忤ふること無きを宗とせよ。
二．　篤く三宝を敬へ。三宝とは仏・法・僧なり。
十．　我必ず聖にあらず、彼必ず愚にあらず。ともにこれ凡夫のみ。

もちろん**共同体の調和**という日本の伝統的な精神 ➡p.420 が具体化されたものと言うこともできる。

奈良時代の仏教は、どんな性格をもっているんですか？

平城京遷都（710年）以降の時代の**奈良仏教**の特徴は、**国家主導の仏教**（国家仏教）だったとまとめることができる。政府が国家を効果的に統治するためには、領内の有力者と民衆を束ねる、精神的な軸となるものが必要だ。その点で、仏教は朝廷による全国統治を進めるための大きな武器となった。仏法の力で国家の安泰を祈念する**鎮護国家**思想にもとづき、**聖武天皇**は全国各地に**国分寺・国分尼寺**をつくるよう命じ、その総本山として奈良に**東大寺**が建立されたんだ。

ということは、もともと仏教は民衆の信仰ではなかったの？

明らかにちがうね。奈良時代初頭には**僧尼令**（僧侶と尼を統制するための法令）が出され、僧侶の資格を国家資格とする（無断で僧侶となる**私度僧**は取り締まられた）とともに、民間への布教が禁止されていた。つまり、この時代の仏教は、いわば国家の独占物だったんだ。

　奈良時代の僧・行基（668〜749）は、僧侶が厳しく統制された奈良時代にあって、諸国をめぐって**民衆の教化**と**土木事業**に励み、民衆から絶大な支持を集めた。このため、朝廷からはたびたび弾圧を受けたが、その影響力を買われて、東大寺の**大仏**造営の勧進（寄進を募る責任者）に起用され、大僧正に任じられるまでになった。

　奈良時代の仏教では、のちに**南都六宗**と呼ばれる六つの宗派（法相宗・倶舎宗・三論宗・成実宗・華厳宗・律宗）が栄えていた。これらはいずれも中国から伝えられた宗派だが、平安時代以降の宗派のような独自の教団組織ではなく、おもに**教理研究**を目的としたもので、いわば（国立）大学の学部に相当するものだと思ってほしい。だから、複数の宗派を研究する僧侶も多かったと言われる。

　南都六宗のうち、律宗を日本に伝えたのが**鑑真**（688〜763）で、彼によって**受戒制度**が確立された。

受戒制度？

　戒律を授ける（受ける）儀式が**受戒**だ。正式に僧侶になるためには戒律を遵守する宣誓が必要なんだけど、そのやり方がそれまでの日本ではけっこう適当だったんだ。そのことに危機感を抱いた人たちが中国・唐の高僧であった鑑真を招聘して、東大寺などに**戒壇**（受戒の施設）をつくったというわけだ。

ポイント　奈良仏教

- 奈良仏教は朝廷による国策としての性格をもち、**鎮護国家**を目指すものであった。
- 当時の仏教は、民衆にとっての信仰という性格よりも、**南都六宗**などによる学問研究という性格のほうが強かった。

チェック問題 2

やや難 2分

その事績から菩薩とも呼ばれた奈良時代の行基に関する記述として最も適当なものを、次の①〜④のうちから一つ選べ。

① 中国から貴重な経典をもたらし、仏教を広めるとともに、進んだ医薬の技術などを紹介し、日本の文化に大きく貢献した。

② 諸国を遊説・布教し、道や橋あるいは貧民のための無料宿泊所をつくるなどして、積極的に民衆の救済にあたった。

③ 俗世を捨てて隠遁し、諸国を行脚・修行するとともに、自然と自己を深く見つめたすぐれた歌を数多く残した。

④ 念仏を唱える人はすべて救われるとし、踊念仏を通じて諸国を遊行・布教して、多くの民衆を感化した。

（1998年・センター試験倫理追試）

解答・解説

②

行基は各地を遊行しつつ土木事業などを行い、行基菩薩と呼ばれたので、②が正しい。

①：江戸期に禅宗の一つである黄檗宗を日本に伝えた**隠元**についての記述。

③：俗世を捨てて諸国を遊行しつつ仏教的見地から多くの歌を詠んだのは、平安末期から鎌倉時代にかけて活躍した**西行** ➡p.445 。

④：踊念仏により民衆を教化したのは、時宗の祖とされる鎌倉時代の**一遍** ➡p.437 。

20 平安仏教と末法思想

この項目のテーマ

1 平安仏教——天台宗と真言宗
最澄は日本仏教の基礎を築き、空海は壮大な真言密教を構築

2 末法思想の広がり
鎌倉仏教に道を開いた末法思想とは？

1 平安仏教——天台宗と真言宗

　奈良仏教は国家の保護によって発展したが、朝廷に政治的影響力を振るう僧侶が出現するなど、しだいに仏教本来の精神を見失うようになっていった。そんななか、寺院の政治への関与を嫌った桓武天皇が平安京に遷都し、仏教内部からも刷新の動きが起こってくる。それを担ったのが最澄と空海だ。

> では、まず最澄からお願いします。

最澄（767〜822）
● 天台宗（総本山：比叡山延暦寺）の祖、主著：『山家学生式』
● 一乗思想：法華経に示された**平等主義**の教え（⟺奈良仏教）
　　　　　　　　　　素質と無関係にだれもが成仏できる！
● 大乗戒壇独立運動 ➡ 平安時代・鎌倉時代に僧侶を多く輩出

　最澄は近江（滋賀県）出身の僧で、804年に遣唐使船で中国にわたり、**法華経**を最高の経典と位置づける**天台宗**の教えを学んだ。帰国後の最澄が開いた日本天台宗は、**密教・禅（止観）・戒律**の教えをも融合した独自のものであり（のちに念仏も加えられた）、比叡山延暦寺を根拠としておおいに栄えた。

そんないろいろな教えを無節操に取り入れていいんですか？

　最澄は、仏教のさまざまな教えはつまるところ一つの教え（＝法華経）に帰着すると考えていた（一乗思想）。そして、法華経に何が書かれてあるかというと、いかなる者も仏性（成仏の素質）をもつという**平等思想**だ。

　こうして最澄においては、「**一切衆生悉有仏性**（だれもが成仏の素質をもつ）」という大乗仏教 ➡p.282 の教えが強調されたため、天台宗では、「**山川草木悉皆成仏**」というように自然物すらもが成仏するとまでが説かれるようになった。そんなわけで、最澄以後の天台宗では、「悟りの世界」と「迷いの世界」を二分する考え方も否定し、人は本来すでに悟っていて、悟っている事実を認識できないことが迷いなのだという**本覚思想**が説かれるようになった。

大乗戒壇独立運動ってのは？

　最澄は、東大寺などの戒壇 ➡p.424 では小乗式の具足戒が授戒されているとして、著書『**顕戒論**』で、大乗仏教にふさわしい菩薩戒を授けるための戒壇が必要だと主張した。そして、その**大乗戒壇**を「わが比叡山延暦寺につくらせてほしい」と朝廷に願い出ていたんだ。もちろん僧侶資格の認定権を独占していた奈良仏教からは強く抵抗されたが、結局、最澄の死の直後に認められた。これ以後、正式な僧侶になることができるようになった延暦寺は、鎌倉仏教の開祖たちをはじめ、多くのすぐれた僧侶を輩出することになるんだ。

> ## ポイント▶最　澄
> - 法華経信仰の立場から平等主義を説いた。
> - 大乗戒壇の設立を訴え、比叡山繁栄の基礎を築いた。

> **空海**（774〜835）
> - 真言宗（総本山：高野山金剛峯［峰］寺）の祖
>   主著：『**三教指帰**』『**十住心論**』
> - 三密の修行 ➡ 即身成仏（大日如来と一体化）

右側欄外：第**4**章　日本思想

空海って、たしか字のうまい人だったのでは？

そうだね。天台宗とともに平安仏教の二大宗派の一つである真言宗の開祖・空海は諡（死後に与えられた名）を「弘法大師」と言い、「三筆」に数えられる能書家としても有名だね。最澄が比叡山に延暦寺をつくったのに対し、高野山（現在の和歌山県）に金剛峯（峰）寺をつくっているよ。

空海は、はじめ官吏になるための大学で儒学などを学んでいたんだけど、それに飽きたらず仏門に入った。24歳のときに書いた『三教指帰』は中国三大宗教（儒教・道教・仏教）を対比したもので、仏教の優位性が説かれている。その後、31歳のときに空海はくしくも最澄と同じ遣唐使船で唐へと留学し、密教を学んでくる。

 密教って何ですか？　最澄のところでも出てきましたが。

密教とは、字面どおり「秘密の教え」という意味で、経典を読んだり説教を聴いて理解できる顕教と対比される。もともと密教はインドでヒンドゥー教の要素などを摂取する形で生まれた仏教で、『大日経』などを根本経典とするものだ。

最澄の天台宗が台密（天台密教）と言われたのに対し、真言宗の密教（真言密教）は、空海が嵯峨天皇から与えられた東寺（教王護国寺）を根拠としたことから東密と言われる。

密教は言葉で尽くせない教えであるため、神秘体験などを通して体得するほかない。そして、そのための手段が三密と呼ばれる修行法（三密加持）だ。

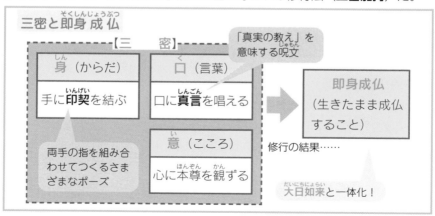

三密と即身成仏

【三密】

身（からだ）
手に印契を結ぶ
両手の指を組み合わせてつくるさまざまなポーズ

口（言葉）
口に真言を唱える
「真実の教え」を意味する呪文

意（こころ）
心に本尊を観ずる

修行の結果……

即身成仏
（生きたまま成仏すること）

大日如来と一体化！

成仏を目標とするのは仏教の世界で一般的なことだけど、普通は何度も生まれ変わるくらいに途方もなく長い年月の修行の末にようやく成仏できると考えられているから、生きた身のままに成仏できるという**即身成仏**を掲げるのはかなりユニークなことだ。

 空海が言う「成仏」って、どんな境地なのでしょう？

　空海において即身成仏とは、大日如来と一体化することを意味する。大日如来とは**宇宙そのもの**、真理そのものを表す最高の 仏 であり、どこかにいる仏ではなく、世界に満ち満ちているということで、汎神論 →p.329 的な性格をもった仏であると言える。

第 **4** 章 日本思想

⬆ 曼荼羅と『十住心論』

　空海は、『十住心論』のなかで人の心を10の段階に分け、迷いから悟りへの道のりを示した。このうち、低次の段階には儒教そのほかの宗教や 小 乗 仏教、大 乗 仏教の他宗があてられ、最高の段階（悟りの段階）に真言密教をあてている。

　この密教の教えは言葉で尽くせないものであるため、大日如来を中心に配して全宇宙を図像化した曼荼羅が、悟りに近づくための助けに用いられる。

⬆ 修験道・山岳仏教・神仏習合

　日本では太古以来、山を信仰対象とする**山岳信仰**の伝統があった。これがしだいに仏教や神道の教義と融合するようになり、平安時代ごろには山中の修行によって超自然的な能力（**験力**）を身につけようとする修験道へと発展した（その修行者を**山伏**と言う）。

　ところで、平安仏教は天台宗・真言宗のいずれも、山中での思索と修行を行ったことから**山岳仏教**とも呼ばれる。また、この平安仏教は神秘体験を重んじる**密教**であったことから、修験道を組み込むようになっていった。

　なお、神道と仏教が融合することを**神仏習合**と言い、平安時代にとくにこれが広がった →p.467 。このため、この時代の神社には、境内に寺院をつくる**神宮寺**が多く見られる。

最澄による仏性の理解として最も適当なものを、次の①～④のうちから一つ選べ。

① すべていのちあるものは生まれながらに仏である。したがって、悟りに至るための修行は必要なく、寺院での日常的な生活行為こそが重要である。

② 仏になれるかどうかについては、その人が受けた教えや、その人の素質によって差異が出てくる。したがって、選ばれた者のみが成仏しうる。

③ 『法華経』には仏教の真理が集約されている。したがって、『法華経』に帰依するという意味の言葉を唱えることによってのみ仏性は実現される。

④ すべていのちあるものは仏となる可能性を備えている。したがって、みずからがそのような本性を自覚し、さらに修行するならば、だれもが成仏しうる。

(2005年・センター試験倫理追試)

解答・解説

④

最澄は、あらゆる者が仏性をもつという一切衆生悉有仏性の立場に立ち、『法華経』にもとづいて、だれもが成仏できるという教えを説いたので、④が正しい。

①：最澄は、修行が不要という立場には立っていない。現に天台宗では山々をめぐり歩く修行などが重んじられている。

②：最澄の論争相手であった法相宗の徳一の立場である。

③：たしかに、最澄は法華経信仰の立場に立っていたが、法華経以外を否定するという立場ではなかった。法華経至上主義を推し進め、その名号（**南無妙法蓮華経**）を唱えるのみで成仏できると説いたのは、鎌倉仏教の日蓮である ➡p.442 。

2 末法思想の広がり

　一般に「**平安仏教**」とは、天台宗・真言宗を中心とする密教を指す。しかし、**平安時代の後期**以降になると、打ち続く戦乱や疫病を背景に、仏教の歴史観に根ざす末法思想が強まり、鎌倉仏教を準備する新しい潮流が芽吹き始める。

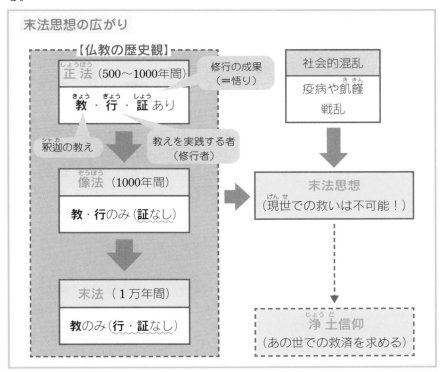

　仏教の歴史観では、釈迦が亡くなってから時間の経過とともにその影響力が弱ってしまうと考えられている。最初の500〜1000年間（正法）は正しい教えにもとづいて正しい修行を行う者もいるし、その成果として悟る者もいる。ところが、その後の1000年間（像法）は、修行の意欲のある者はいても、修行法が正しくないために悟れる者がいなくなる。さらに、その次の末法は、もはや経典などの形で釈迦の教えが残っているのみで、修行者も悟れる者もいないという希望のない時代だ。

　そして、日本では、1052年にこの段階、つまり末法に突入してしまったと言うんだ。この世でもはや救いが得られない、さあ、どうする？

んー、あの世に希望を求めるしかないですかねぇ。

そうだね。当時の日本でもまさにそうした思想、すなわち浄土信仰（**浄土教**）が広がっていったんだ。

> **浄土信仰（浄土教）**
> ● 穢れた現世（現世＝穢土）において救いはない
> ● 阿弥陀仏にすがることで西方極楽浄土へと往生（≠成仏）できる
> 　　　　　　　浄土へと生まれ変わること
> ● 唐の**善導**が大成、日本では空也が民間へ布教、源信が理論化

　浄土とは、仏の教えが行きわたり、穢れのない清浄な世界のことを指す。薬師如来の住む東方浄瑠璃世界などもその一つだが、断りなしに「浄土」と言う場合には、阿弥陀仏（阿弥陀如来）の住む西方極楽浄土を指すのが普通だ。この阿弥陀仏による救いを求める教えが浄土信仰（**浄土教**、**阿弥陀信仰**）というわけだ。この教えは、大乗仏教経典の**浄土三部経**（無量寿経・観無量寿経・阿弥陀経）などで説かれている。

 浄土信仰は、普通の仏教とどうちがうんですか？

　決定的にちがうのは、浄土信仰が現世（**娑婆の世**）での**悟り**（＝**成仏**）は不可能だと考える点だ。末法の世においてはどれだけ頑張って修行しても悟りに至ることはできない、だから、阿弥陀仏が浄土へと導いてくださること（往生）だけを期待する。

 ひょっとして、「お迎えが来る」ってやつですか？

　そのとおり！　死の床に阿弥陀仏がやって来て（**来迎**）、浄土に連れていってもらえること、これだけを願うという信仰なんだ。だから、即身成仏を目指す真言宗などとはちがい、浄土信仰は**死後救済**を目指す。
　浄土信仰の立場で唱えられるのが「**南無阿弥陀仏**」の名号で、これは「私は阿弥陀仏に帰依します」という宣言だ。だから、いわゆる「ナンマイダ」という念仏は浄土信仰・阿弥陀信仰でのみ唱えられる（次項目で触れる日蓮宗などでは、念仏はけっして唱えられない！）。

🔼 空也と源信

　浄土信仰の先駆者と位置づけられる**空也**（903～72）は、諸国をめぐり歩いて道路の修繕などの社会事業を行いつつ、「南無阿弥陀仏」の名号を唱えて民衆に阿弥陀信仰を広げた。彼は、行き倒れた死体の火葬なども行い、「**市聖**」と呼ばれて多くの者を帰依させた。

　源信（942～1017）は天台宗の高僧で、末法に入るとされた1052年に先立って浄土信仰の結社を比叡山につくり、浄土信仰を広げた。著書『**往生要集**』には浄土の清浄さを強調するために地獄の恐ろしさを詳細に描写し、浄土信仰の立場を「**厭離穢土、欣求浄土**（穢れた娑婆の世を逃れ、浄土を願う）」とまとめた。なお、源信の念仏は阿弥陀仏の姿を心に念ずる**観想念仏**であった（のちの法然 ➡p.434 は、「南無阿弥陀仏」と唱える**称名念仏**を説いた）。

チェック問題 2

標準 1分

　源信の『往生要集』で重視されている修行として最も適当なものを、次の①～④のうちから一つ選べ。

　① いっさいの自力の修行を放棄し、ひたすら阿弥陀仏の慈悲の力にすがる。
　② 他力に頼らず、ひたすら坐禅に打ち込むことを通して悟りを得る。
　③ 仏や浄土の姿に心を集中させ、それをありありと思い浮かべる。
　④ 他の教えを排し、妙法蓮華経への帰依を意味する題目を唱える。

（2009年・センター試験倫理本試）

解答・解説

③

　源信は阿弥陀仏や極楽浄土の姿を思い浮かべる**観想念仏**を行うことで往生できるようになると説いたので、③は正しい。

①：自力の修行をすべて放棄するよう説くのは、鎌倉仏教の**法然**と**親鸞** ➡p.436 である。源信は、浄土信仰を説いているが、天台宗の僧侶でもあるので、ほかの修行法をすべて否定する立場には至っていない。②は**禅宗**の立場 ➡p.439 、④は**日蓮**の立場である ➡p.442 。

21 鎌倉仏教

この項目のテーマ

1 浄土教の展開
法然と親鸞の他力信仰をよく理解しよう

2 禅宗と日蓮宗
栄西、道元、日蓮の思想をていねいに理解しよう

1 浄土教の展開

　鎌倉仏教は、為政者や特権層のものであった仏教を刷新すべく、形成された。それまでの仏教は、病気や災厄を加持祈禱（呪術の一種）によって取り除くなど現世利益と強く結びついていたが、これが信仰中心となり、単純な修行法（易行）を採用して民衆のな

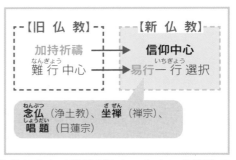

【旧仏教】　　　　　　【新仏教】
加持祈禱　　→　　　信仰中心
難行中心　　→　　易行一行選択

念仏（浄土教）、坐禅（禅宗）、唱題（日蓮宗）

かへ入り込んでいった。それまでの仏教と大きく性格が変わったという意味で**鎌倉新仏教**とも言われる。

　まずは、**浄土教**（浄土信仰）。平安末期に台頭した浄土教が、この時代には本格的に展開することになる。

法然（1133〜1212）　◆主著：『選択本願念仏集』『一枚起請文』

● 浄土宗の開祖
● 末法の世に自力での悟り（聖道門）は不可能　　衆生救済の願い
　➡ 他力信仰（浄土門：**阿弥陀仏の本願**にすがる）しかない
● 必要な修行は 称名念仏のみ（＝専修念仏）

　鎌倉時代の浄土教は、天台宗を学んだ法然に始まる。難解な経典研究や厳しい戒律を重視する旧仏教では庶民は救われないとして、法然は比叡山を下りて浄土信仰を民衆に広める道を歩んでいった。

そういえば、平安時代の源信 ➡p.433 も天台宗でしたね。

　よく覚えていたね。天台宗の理論体系には浄土信仰や坐禅なども含まれていた ➡p.426 ので、延暦寺でこれらを学んだ僧侶たちが鎌倉時代に独立していったんだ。

　法然は末法思想を前提に、もはやこの世界において自力で悟り（＝**成仏**）を得るのはきわめて困難だとして、**弥陀の本願**にすがって往生を目指すしかないという他力信仰を全面的に打ち出した。

　「弥陀」とは阿弥陀仏の略で、**本願**は本来の誓願といった意味だ。阿弥陀仏は**法蔵菩薩** ➡p.283 だった時代に、苦しむ衆生をすべて救うまでは自分の成道（成仏）をあと回しにするという誓願をしたという。その法蔵菩薩が、阿弥陀仏となって現に西方極楽浄土にいらっしゃるというのだから、弥陀の本願（他力本願）を信じることでわれわれは往生することができるというわけだ。

僕たちは何をすればいいんですか？

　ただひたすら「**南無阿弥陀仏**」と唱える（称名念仏）だけでいい。いや、ほかの修行はいっさい捨てるべきなんだ。源信の場合は観想念仏だったよね。また、ほかの修行を捨てろとも言っていなかったから、これらの点が法然の新しさだ。念仏に専念するという意味でこれを「専修念仏」と言う。ちなみに、法然は毎日 6 万回もの念仏を唱えたそうだよ！

ポイント　法然の思想

- 末法において自力での悟りは不可能 ➡ 阿弥陀仏による救済を願う。
- ただひたすら念仏を唱える（専修念仏）ことで、浄土へと往生できる。

　浄土真宗の開祖と位置づけられる親鸞だが、彼自身は独立した教団組織の指導者になろうという意図はいっさいなく、延暦寺で学んだのちに**法然**の弟子となり、90歳で没するまで法然の弟子を名乗り続けた。旧仏教からの圧力で専修念仏を説く法然が流罪となったとき、これに連座して親鸞も流罪となるとともに、僧籍（僧侶の資格）を剝奪される。

親鸞

ありゃ、僧侶じゃなくなっちゃったわけ？

　朝廷公認 ➡p.423 の僧侶ではなくなった。でも、ここからが親鸞のえらいところで、彼はそれ以後、**非僧非俗**の「愚禿（剃髪した愚か者）」を名乗り、地位やカネにこだわる名ばかりの僧侶の肩書きを捨てて真の仏法を説いていった。親鸞が「**肉食妻帯**」という破戒（戒律破り）を敢えて実践するのもこの立場からで、最も救いが必要な民衆にとって避けられない行為（肉食妻帯）を否定するようでは、衆生救済を願う阿弥陀仏の教えと矛盾するとして、あくまで民衆とともに生きるという立場に徹したんだ。

親鸞の立場は、法然とまったく同じなんですか？

　本人はそう言うけど、より**他力信仰が徹底された**と言える（絶対他力）。法然はひたすら念仏を唱え続ければ往生できると説いたが、親鸞は、念仏という

行為ではなく**阿弥陀仏への信心**によって往生が可能になると説いた。また、最晩年には、その信心すら阿弥陀仏に与えられたものであるとして、自力の要素をいっさい捨ててすべてを阿弥陀仏に委ねるべきだとする自然法爾の境地に達している。

親鸞の場合、念仏はいらないんですか？

「南無阿弥陀仏」の念仏は、救済を求める言葉ではなく感謝の言葉へと意味が変わっている。つまり、「お救いください」の祈りから「救ってくださってありがとうございます」となっていて、感謝の念からつい口をつくのが念仏だと言うんだ（報恩感謝の念仏）。

悪人正機説というのは？

親鸞の弟子である**唯円**の書いた『歎異抄』には、「**善人なほもて往生をとぐ、いわんや悪人をや**」という有名な言葉が出てくる。これが悪人正機説で、善人でさえも往生できる、ましてや悪人については言うまでもないという意味だ。「善人」と「悪人」が逆のようにも見えるが、これで正しい。

ここで言う「**悪人**」とは文字どおりに「悪事をなす者」ではなく、自分が煩悩を捨てきれない者であるという自覚をもつ者、という意味だよ。凡夫の自覚があるからこそ阿弥陀仏にひたすら祈る心が生まれるわけで、そのような謙虚な者こそが真の救済対象だ。

これに対して、あくまで自力での悟りを目指す**善人**（**自力作善の人**）は、なまじ努力家だけに、凡夫の自覚が足りず、阿弥陀仏にすがろうともしない。だから、一段低く位置づけられている。でもそんな善人でさえも阿弥陀仏は救ってくれるよ、というわけだ。

⬆⬆ 遊行上人・一遍

鎌倉仏教の開祖のなかで唯一延暦寺で学んでいないのが、時宗の祖と位置づけられる**一遍**（1239～89）である。彼は、生涯一つも寺をかまえず、ひたすら全国をめぐり歩いて民衆を阿弥陀仏の功徳で救うことを目指したことから**遊行上人**と呼ばれる。すべてを捨てよと説いたことから**捨聖**とも呼ばれる。民衆を教化するため、彼は民衆とともに踊りながら念仏を唱え（**踊念仏**）、相手の信・不信を問わず「南無阿弥陀仏」と書かれた念仏札を配り歩いた。

修行をめぐる法然の考えの記述として最も適当なものを、次の①～④のうちから一つ選べ。

① 草木や国土など心をもたないものも仏となる素質を備えており、その生成変化の姿がそのまま、修行であり成仏である。

② 仏の悟りはすでに各人にさまざまな仕方で備わっているが、それを働かせ、体得するためには修行が不可欠である。

③ 末法の世に生まれて素質の劣る者は、他のすべての教えや修行を差し置いて、ただ他力易行門を選び取るべきである。

④ 自己の心の内には元来、地獄から仏に至るあらゆる世界が含まれており、心を観察することで悟りを得ることができる。

（2003年・センター試験倫理本試）

解答・解説

③

　法然においては、末法では念仏に専念するほかないとされる（**専修念仏**）ので、③が正しい。

①：世界のすべてのうちに修行を見出し、修行を成仏と同一視するのは道元の**修証一等**の立場である **➡p.440** 。法然など、浄土信仰においては、この世での成仏ができないとされている点がポイントとなる。

②：あらゆるものに仏の悟りが備わっているというのは本覚思想であり **➡p.427** 、それを体得するために修行が必要だというのはやはり道元である **➡p.440** 。

④：心のなかにあらゆる世界が含まれるというのは天台宗の考え方。浄土信仰では、この世で「悟りを得る」ことはできない。

2 禅宗と日蓮宗

　鎌倉時代に広まったのは浄土教だけではない。浄土教は自力での悟りを断念して、他力による往生を目指す点に最大の特徴があるけど、同じ鎌倉仏教でも禅宗と日蓮宗は、あくまで**自力での悟り**を目指しながら仏教信仰を純化しようとした。

　まずは禅宗から見ていこう。

　「禅」とは**禅定** ➡p.283 の略で、雑念を取り払って精神を安定させることを言い、禅宗とは坐禅を修行の中心に据えている宗派の総称だ。

　なぜ、坐禅を中心に据えたの？

　理由は簡単、仏教の始祖である**釈迦**が坐禅によって悟りを開いたからだ。これを追体験することで悟りを目指すというのが禅宗なんだ。インドから中国に坐禅をもたらした**達磨**（?〜530ごろ）が禅宗の始祖と言われる。この人には、ひたすら坐禅だけをやっていたために手足が腐ったとの伝説があって、ここからいわゆるダルマさんの置物が生まれたんだよ。

　禅宗の大きな特徴としては、**言葉や文字に頼らずに、みずからの体験を通して悟りを目指す**という点が挙げられる。「**以心伝心**」という言葉はもともと禅宗の言葉なんだよ。

> **栄西**（1141〜1215）　◆主著：『興禅護国論』『喫茶養生記』
> ● 臨済宗 の開祖
> ● **看話禅**　：公案（禅問答）をしつつ、禅を行う
> ● 鎮護国家：禅が既成宗派と矛盾せず、国家守護に役立つことを強調

　日本における禅宗は、延暦寺で天台宗の教えを学んだのちに中国・宋に二度にわたり留学して禅宗を学んできた栄西に始まると言われる。彼が日本で開いた臨済宗の最大の特徴は、公案を重視することだ（**看話禅**）。公案とは、俗に禅問答と呼ばれるもので、師匠から出される謎めいた問いに答えを出そうと頭をひねることで悟りに近づこうというものだ。これらの問いはいずれも分別（知恵）ではとうてい解けないシロモノで、幾何学のような「解答」はない。ぜひキミも考えてみてくれ。

栄西については、禅の教えが既成仏教とも国家権力とも矛盾しないと強調したこともおさえておきたい。これは『興禅護国論』（禅によって国を守る）という著書名とセットで覚えればいいよ。鎌倉に臨済宗の大きなお寺が多いのは、これが幕府によって保護されたことと関係がある。

また、茶道、華道、造園などは臨済宗の禅寺で育まれたものであり、臨済宗は日本文化における貢献も大きい。

▶ 僧が聞いた。「達磨大師がインドから伝えたものはいったい何ですか？」和尚は答えた。「庭先の柏の木だ」

▶ 僧が聞いた。「犬に仏性はあるでしょうか？」和尚は答えた。「ない」
➡ いったい和尚は何を言おうとしているのか？

(栄西『興禅護国論』)

道元（1200～53）　◆ 主著：『正法眼蔵』
● 曹洞宗の開祖、福井に永平寺を開く　　　公案は重視されない
● 黙照禅：ただひたすら坐禅せよ（只管打坐）
　　　➡ 身心脱落（心身ともに束縛から解放される）（≒悟り）
◎坐禅は悟りの手段ではない（修証一等：修行と悟りは一体）

もう一つの禅宗である曹洞宗を開いたのが道元だ。道元は14歳で出家し、延暦寺に学び、さらに臨済宗の教えも学んだが満足できず、中国・宋にわたり、如浄の下で曹洞禅を学んだ。

公案を通した悟りを目指す臨済宗に対し、曹洞宗は「不立文字（悟りは言葉で示せない）」をより強調するため、公案は重んじられず、**ただひたすら坐禅する**ことが奨励される（只管打坐）。そうすると、あるときふと**身も心もいっさいの執着から解放された境地**に至れる（身心脱落）と言うんだ。

道元は、成仏の不可能を説く**末法思想** ➡p.431 を**明確に否定**し、あくまで自力の禅に打ち込むことで悟りを目指すべきだと主張した。

道元

なるほど、悟りの手段はただ坐禅だけということですね。

いや、ちょっとちがうな。道元の場合、**修行**（坐禅）と**悟り**（＝証し）は一体なんだ（修証一等）。つまり、修行は悟りという目的の単なる手段というわ

けではない。修行の一瞬一瞬のプロセスがすべてなんだ。これは、旅人にとって空間的に移動することが目的なのではなく、旅そのものが目的であるのと似ている。だから、曹洞宗では、掃除や洗面など生活のあらゆる瞬間を修行と心得て全力で取り組まなければならないんだ。

おぉ、深いですね。道元で
ほかに気をつける点は？

臨済宗とくらべると、俗世や国家権力から意識的に距離を置こうという姿勢が目立つね。都や鎌倉から遠く、福井の山中に**永平寺**を建立したのもその現れだ。栄西が朝廷や幕府からの保護を受けるのに苦心したのと対照的だね。

なお、道元の大著『**正法眼蔵**』の教えは、その弟子・**懐奘**によって『**正法眼蔵随聞記**』として簡潔にまとめられているよ。

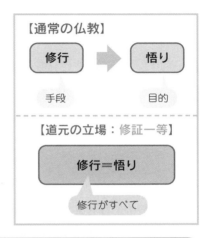

【通常の仏教】

修行 ➡ 悟り

手段　　　　目的

【道元の立場：修証一等】

修行＝悟り

修行がすべて

ポイント▶臨済宗と曹洞宗

- 臨済宗は公案（問答）を行いながら坐禅をするが、曹洞宗は沈黙して坐禅に徹する（只管打坐）。
- 道元における坐禅は悟りに向かう単なる手段ではない（修証一等）。

法然と親鸞、栄西と道元のように、近い立場の思想家の違いがよく出題されるよ。よく復習しよう！

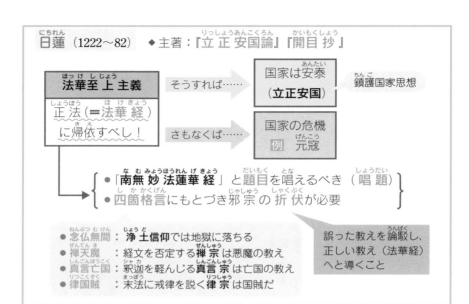

日蓮（1222〜82）　◆主著：『立正安国論』『開目抄』

法華至上主義
正法（＝法華経）
に帰依すべし！

そうすれば……　→　国家は安泰
（立正安国）　鎮護国家思想

さもなくば……　→　国家の危機
例　元寇

• 「南無妙法蓮華経」と題目を唱えるべき（唱題）
• 四箇格言にもとづき邪宗の折伏が必要

• 念仏無間：浄土信仰では地獄に落ちる
• 禅天魔　：経文を否定する禅宗は悪魔の教え
• 真言亡国：釈迦を軽んじる真言宗は亡国の教え
• 律国賊　：末法に戒律を説く律宗は国賊だ

誤った教えを論駁し、
正しい教え（法華経）
へと導くこと

　鎌倉仏教の最後を飾る日蓮宗は、もちろん日蓮によって開かれた宗派だ。日蓮の思想で決定的に大事な点は、とにかく彼が法華経を重視したということにある（**法華至上主義**）。日蓮が法華経を重要視した理由は、基本的に最澄の場合と同じだ →p.426 。しかし日蓮の場合、法華経がいわば至上の聖典となっている。人々がすべて正法（正しい教え）である法華経に帰依する（**立正**）ならば国家は安泰となる（**安国**）が、そうでなければ国難が起こってしまうと言うんだ。

日蓮

ずいぶんとまた極端な主張ですね。

　たしかに、法華経に帰依しない他宗をすべて斥けると言うのだから、他宗派からすれば受け入れがたい話だし、有力な寺社勢力と関係をもっている幕府にとっても困った教えだ。そんなわけで、日蓮は、襲撃を受けたり流罪になったりと散々に迫害を受ける。ところが、まさにこの時代、日蓮の予言どおりにモンゴル人勢力の襲来（**元寇**）が起こってしまう。こうして意を強くした日蓮はみずからの正しさをますます確信し、弾圧を受けるのも末法の世における「**法華経の行者**」としての試練だとして「**われ日本の柱とならん**」とさけび、

布教に邁進したんだ。

たくましいですねぇ。
で、日蓮によれば僕らは何をすればいいんですか？

　まずはしっかりと正しい信仰をもつことだね。とはいえ法華経は難しいし、またとても長い。そこで、その正式なタイトル（題目）である「妙法蓮華経」の名を唱える（唱題）だけでも功徳（ご利益）が得られる。だから、ひたすら**「南無妙法蓮華経」**と唱題することだ。くれぐれも「南無阿弥陀仏」と唱える念仏と混同しないようにね。

　なお、法華経では、釈迦がインドに生まれてはじめて悟りを開いた人物であるというのは方便だとして、釈迦は永遠の昔に悟りを開いて、永遠にわれわれを教化し続けてくれているとしている（**久遠実成の仏**）。

　あとは、誤った教えに対しては妥協せずに断固として闘い、迷える人々を正しい教えに導く折伏が必要だ。とくに、念仏による往生を目指す浄土信仰の諸宗、それに禅宗、真言宗、律宗は四箇格言において邪宗と位置づけられている。このリストに天台宗が入っていないことに注意しよう。もちろん、天台宗が法華経を信仰の中心に据えているから ➡p.426 だね。

南無阿弥陀仏と南無妙法蓮華経はまったく意味がちがうんだよ。そんなの常識？

チェック問題 2

道元についての説明として最も適当なものを、次の①〜④のうちから一つ選べ。

① 戒律を厳しく守って坐禅にはげみ、公案に取り組むことによって悟りを得ることができると説き、さらに密教をも取り入れて鎮護国家に努めた。

② すべての衆生に仏になる可能性が備わっていると主張し、大乗の菩薩戒のみを受けて長期間山にこもって修行すれば、悟りが可能になると説いた。

③ 題目には釈迦の因行と果徳が十分に備わっているとし、題目を信じて唱えるならば、それらが譲り与えられて、悟りが可能になると説いた。

④ 坐禅の修行は悟りのための手段ではなく、修行を行うことがそのまま悟りであると説き、また洗面や掃除などの日常的な行為も修行とみなした。

（2004年・センター試験倫理本試）

解答・解説

④

道元は坐禅と修行を一体としてとらえ（**修証一等**）、また日常的な行為も修行とみなして全力で取り組むべきだと説くので、④が正しい。

①：公案に取り組むのも鎮護国家に努めたのも、**栄西**の開いた**臨済宗**である。

②：菩薩戒だけが必要だと説いた点と、山中の修行を説いた点から、天台宗を開いた**最澄**についての記述だとわかる。

③：題目を唱える（**唱題**）ことを説くのは**日蓮**である。

▶自然との一体感

日本では自然が**人間と一体**のものとしてとらえられてきたため、自然の美しさを表す「花鳥風月」「雪月花」といった表現が風雅な心がまえをも表している。

▶無常観と無常感

万物が流れ去り消え去っていくものであるという、仏教における**無常** ➡p.281 の思想は、日本の文芸作品にも大きな影響を与えている（**西行**や**鴨長明**など）。

> 「ねがはくは　花のしたにて春死なん　そのきさらぎの　望月の頃」　　　　　（**西行**）
> 「ゆく河の流れは絶えずして、しかももとの水にあらず」
> 　　　　　（**鴨長明**『**方丈記**』）

しかし、本来の無常が宇宙の客観的な構造をとらえる**無常観**であったのに対し、日本ではこれを主観的な心情（**無常感**）としてとら

> 「世は定めなきこそいみじけれ」
> 　　　　　（**兼好法師**『**徒然草**』）

えるようになった。**兼好法師**の作品などには、無常のなかにかえって美や趣を見いだす傾向も見られるし、近代日本の哲学者・**九鬼周造**は、江戸時代の美意識「**いき（粋）**」を分析し、これは「意気地」や「諦め」の念によって無情を愉しむ姿勢だと論じている。

▶余白や余韻の美

日本文化には、すべてを説明し尽くすのではなく、余白や余韻によって何かを表現するという伝統がある。**枯山水**（石庭）や**雪舟**の大成した**水墨画**などはその典型である。また、**藤原俊成**が歌論の極意とした**幽玄**の美（言外の余韻、奥深さ）は、のちに**世阿弥**が大成した**能**にも取り入れられ（『**風姿花伝**』）、また**千利休**が大成した**茶道**における「**わび**」（わび茶）や、**松尾芭蕉**によって完成された**俳諧**における「**さび**」へと発展していった。

近世日本の思想(1)

この項目のテーマ

1 日本の朱子学と陽明学
江戸期に活躍した多彩な朱子学者と陽明学者の思想とは？

2 古学派の思想
山鹿素行、伊藤仁斎、荻生徂徠の思想を整理しよう

1 日本の朱子学と陽明学

　ここまでの日本思想史ではほとんど仏教ばかりが扱われてきたけど、近世（江戸時代）になると、主役の座が**儒学**へと交替するよ。

　その背景としては、この時代には江戸幕府という強力な政権が成立して社会秩序が安定したため、**現世**をどのように生きるかという**道徳的指針**が求められたことや、幕藩体制を思想的に支える**身分道徳**が求められたことなどが挙げられる。こうした思想のニーズにフィットしたのが、儒学、とりわけ**朱子学**だったんだ。

　儒学はこの時代にいきなり現れたんですか？

　そんなことはないよ。儒学（≒儒教）はもともと仏教よりも古い段階で日本に伝えられている ➡p.423 。ただ、江戸時代までは僧侶が教養として片手間に研究してきたんだ。

　そんな僧侶の一人だったのが、「近世儒学の祖」と言われる**藤原惺窩**（1561〜1619）だ。もともと彼は京都の禅僧だったんだけど、しだいに**朱子学**に傾倒するようになり、**出世間**（俗世を捨てる）を説く仏教への疑問を深めて還俗した（僧籍を捨てた）。これをもって、**日本儒学が仏教から独立**したとみなされているよ。

藤原惺窩が思想界の表舞台（おもてぶたい）に登場したんですね。

　いや、惺窩は幕府から仕官（しかん）するよう要請されたのを断り、自分の弟子だった林羅山（はやしらざん）（1583〜1657）を推薦した。林羅山は、徳川家康以下、4代の将軍に侍講（じこう）（君主や将軍の家庭教師、ブレーン）として仕えた人物で、この林羅山こそが朱子学を思想界の中心に押し上げ、**官学**（かんがく）（幕府公認の学問）化させた最大の功労者と言える。

林羅山（1583〜1657）　◆主著：『**三徳抄**（さんとくしょう）』『**春鑑抄**（しゅんかんしょう）』

上下定分の理（じょうげていぶんのことわり）：自然界における上下の秩序が不変であるのと同様に、
　　　　　　　　人間社会の**身分秩序**も不変の真理

心に**敬**（つつしみ）をもつべし（**存心持敬**（そんしんじけい））　朱子が説いた居敬（きょけい）と同じ

　林羅山については、さっき紹介した簡単なプロフィールのほかに、**上下定分の理**を必ずおさえてほしい。天が上にあって大地が下にあるというのはだれにも変えられない真理だよね。これと同じように、人間社会における身分の上下もまた不変の真理だと。なんだか屁理屈（へりくつ）のようだけど、とにかく林羅山はそう主張した。幕府としては武士を頂点とする身分制を確立したかったのだから、この議論が歓迎されるのは当然だよね。

　それから羅山は、君臣（くんしん）・夫婦・兄弟などあらゆる上下関係を確実にするため、心に**敬**をもたねばならない

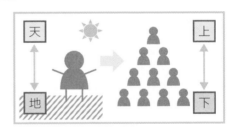

（**存心持敬**）と説いている。これは、朱子のところで見た居敬（きょけい）→p.303 と同じだ。「うやまい」ではなく「つつしみ」と読まなければならない点に注意してほしい。つまり、これは他者を大切にする心ではなく、自己を厳しく律（りっ）することを意味する。この考え方は、被支配階級にとっては「分際（ぶんざい）をわきまえよ」という押しつけであっただろうけど、武士たちにとっては私利私欲を戒（いまし）める精神文化として広まっていった。

 そのほかに、大事な朱子学者はいますか？

京都で活躍した山崎闇斎（1618〜82）が頻出だね。この人もまた僧侶から還俗して儒者となった経歴をもち、京都で私塾を開いて多くの弟子を育てた。山崎闇斎の思想の特徴は、**厳格な修養主義**と要約することができる。6000人とも言われた弟子の最有力者を破門にしてしまうほど峻厳をきわめる学風で、内なる悪を徹底的に抑え込むことで正義が実現すると説いた。また晩年には、連綿と続く天皇家を戴く神道の教えと儒教は本来同一であるとして、儒教と神道を融合させた垂加神道を創始した。

ポイント ▶ 近世日本の朱子学者

- 日本の儒学は仏教の**出世間主義**を批判した藤原惺窩から始まった。
- 藤原惺窩の弟子・林羅山は、**上下定分の理**を説き、封建的な身分秩序を理論的に正当化した。
- 京都で活躍した山崎闇斎は厳格な修養主義を説き、神儒一体の**垂加神道**を創始した。

↑↑ その他の朱子学者たち

新井白石（1657〜1725）は、木下順庵（1621〜98）に朱子学を学び、のちに将軍の補佐役として幕政に参与した。キリスト教の布教のため密入国したイタリア人宣教師シドッティを尋問し、そこから得た知識をまとめた『西洋紀聞』は、キリスト教や西洋について開明的な理解を示したものと評されている。

雨森芳洲（1668〜1755）は、新井白石の同門として木下順庵に学び、対馬藩に仕えて外交官として活躍した。豊臣秀吉の朝鮮侵略を大義名分のないものと批判し、朝鮮との善隣外交に努めた。

貝原益軒（1630〜1714）は、「信ずべきを信じ、疑うべきを疑う」という実証的・合理的精神から**本草学**（今日の薬物学・植物学など）を研究した。また、『養生訓』を著して心身の健康を保つための方法を平易に指南している。

 陽明学者にはどんな人がいるんですか？

絶対におさえなければいけないのが中江藤樹（1608〜48）だ。彼は、戦前の修身（道徳）教科書には必ず載っていた、親孝行かつ正直者の代名詞のような人物で、**日本陽明学の祖**と位置づけられている。

中江藤樹（1608〜48）　◆主著：『翁問答（おきなもんどう）』
- 日本陽明学の祖、「近江聖人（おうみせいじん）」
- 孝（こう）の重視
- 時（じ）・処（しょ）・位（い）に応じて**実践**すべし
　とき　ところ　身分

あらゆる道徳の基本原理
人を愛し敬（あいけい）う心（**愛敬**）

　ただし、中江藤樹の言う「**孝**」は、単に親孝行だけを意味するのではなく、人間の内面から出てくる善の心（＝**良知（りょうち）**）そのものでもあり、これは**愛敬**とも言い換えられる。中江藤樹によると、どんな人でも磨けば輝く善の心をもっており、儒学の目的は知識を詰め込むことなどではなく、善をなす心を磨くことに尽きる。
　朱子学は普遍（ふへん）的な理（り）を強調し、画一的な道徳規範に従うように説くが、藤樹は時（とき）・処（ところ）・位（身分）に応じて**実践**すべきだと言う。つまり、状況に応じてなすべき行為はちがうので、良心に従って心と行為を一致させることが大事だと言うんだ。

中江藤樹

　彼は故郷に一人で暮らす老いた母に孝養（こうよう）を尽くすため、武士の身分を捨てて脱藩（だっぱん）している。これなどは、杓子定規（しゃくしじょうぎ）な朱子学の立場からは絶対に許されない主君への裏切りだけど、彼は自分の信念を貫いたということなのだろう。位（＝身分）を重視していることからわかるように、彼はけっして身分秩序を否定したわけではない。でも、心を磨き、それに内面に従って実践あるのみという陽明学の教えは、のちに**吉田松陰（よしだしょういん）**➡p.466や西郷隆盛（さいごうたかもり）ら倒幕の志士たちにも受け継がれることになるんだ。

🔼 その他の陽明学者たち

　中江藤樹の弟子であった**熊沢蕃山（くまざわばんざん）**（1619〜91）は、岡山藩の池田光政（いけだみつまさ）に仕えて、教育や土木事業など積極的な**藩政改革（はんせい）**に取り組んだ。しかし、陽明学を信奉することから、幕府や藩内の守旧（しゅきゅう）派から圧力が強まり、辞職を余儀なくされた。
　大阪町奉行所の与力（よりき）（幹部）を務めていた**大塩平八郎（おおしおへいはちろう）**（1793〜1837）は、天保（てんぽう）の大飢饉（だいききん）にさいして奉行所（役所）の無為無策に憤り、民を救うために挙兵した（**大塩平八郎の乱**）。陽明学の**知行合一（ちこうごういつ）**➡p.304の立場から、正義を実践したものと受け止められている。

中江藤樹の説明として最も適当なものを、次の①～④のうちから一つ選べ。

① 朱子学の天理の抽象性を批判して古学を提唱し、道徳的指導者としての武士のあり方を士道論として展開した。

② すべての人の心には、神妙不測の孝の徳が備わっていると説き、その孝に依拠して身を立て道を行うことを修養の根本とした。

③ 平易な生活道徳としての正直と倹約の実践を唱え、それまで低く見られていた商人の営みに社会的な存在意義を与えた。

④ 身分制度を否定し、農業を重視する立場に立って、万人が直耕する自然世を理想として説いた。

（2003年・センター試験倫理追試）

解答・解説

②

　だれもが心のなかに徳を備えているとし、その徳を孝と表現している点から、中江藤樹とわかる。孝の徳目を強調する日本の思想家とくれば、ほぼ間違いなく中江藤樹だ。

①：古学を提唱して士道論を展開したのは山鹿素行 ➡p.451 。

③：「正直と倹約」の提唱と商人の営為の正当化という点から石田梅岩についての記述 ➡p.461 。

④：身分制度の否定と万人直耕とのキーワードにより、安藤昌益についての記述 ➡p.462 。中江藤樹は身分制度を否定していない。

❷ 古学派の思想

ここまで見てきた**朱子学**と**陽明学**は、いずれも儒学の一派ではあるけれども、孔子や孟子の時代から千数百年後に現れた儒学の**解釈**にすぎない。また、これらは草創期の儒学とくらべると、理論的に緻密にはなっているけれども、形而上学的な空理空論に陥っているという印象も否めない。まさにこうした点を突き、**儒学の原点回帰**を目指すべきだという動きが起こってきたんだ。それが**古学派**だ。

古学派というのは**山鹿素行**の**古学**、**伊藤仁斎**の**古義学**、**荻生徂徠**の**古文辞学**の総称で、いずれも儒学の**原典に忠実であれという主張**、「敬」を重視する朱子学の**厳格主義への反発**という特徴をもっている。

> なるほど。では、まず**山鹿素行**からお願いします。

山鹿素行 （1622〜85）　◆主著：『聖教要録』

● 解釈に頼らず儒学の原典を研究する**古学**（聖学）を創始
● 欲望の肯定　　　　　農・工・商の三民
● 士道：武士は庶民の精神的模範たるべし

　　平時の武士道徳　　　▶山本常朝による批判（『葉隠』）

儒学者であり軍学者（兵学者）でもあった**山鹿素行**が直面したのは、**儒学はどうあるべきなのか**という主題と、**平時における武士の存在意義**という問題だった。

前者の主題については、素行は、朱子などの解釈に頼らずに孔孟（孔子と孟子）の原典をよく読めという**原典復古主義**を説いた。これが**古学**と呼ばれるようになる。そして、素行が原典から読み取った教訓は、人間を観念的な「理」という型にはめてしまう硬直した朱子学に対し、『論語』などでは、欲望をも抱く**ありのままの人間**が肯定されているということだ。

また、後者の主題（武士の存在意義）についてだけど、山鹿素行の時代は天下泰平の時代であって、もう戦乱の世ではない。だから、平時において武士に求められるのは、戦闘者としての能力よりは、精神的・道徳的なリーダーとしての資質だ。これは、孔子の徳治主義を応用したものと言えるだろう。農・工・商の三民は生業に忙しいから、修養の暇はなかなかない。

そこで、為政者（＝武士）たるものは**道徳的な模範**であらねばならない、これが平時における武士の存在意義というわけだ。

 山本常朝の武士道

佐賀（鍋島）藩の藩主側近として生きた武士の**山本常朝**（1659〜1719）は、「**武士道といふは死ぬことと見つけたり**」（『葉隠』）と述べ、武士の生き様の本質を、「**常住死身**」（つねに死の覚悟をもつこと）に求め、儒教的な修養に武士の本質を見出した山鹿素行の士道論を批判した。

次は、**伊藤仁斎**ですね。

伊藤仁斎（1627〜1705）　◆主著：『童子問』『語孟字義』

● 京都に私塾・**古義堂**を開き、**古義学**を創始　　『論語』と『孟子』の注釈
● 朱子学のような恣意的解釈を排し、**孔孟**を直接読むべし
● 道は卑近な人倫（人間関係）のうちにある　　とりわけ、孔子（『論語』）!
　➡ 儒学の根本精神は仁（**仁愛**）　　　　　　　『孟子』はその注釈書

仁の根本には誠（真実無偽の心≒忠信）が必要

伊藤仁斎は京都で商人の子として生まれた人物で、山鹿素行と同様に、朱子学が儒学を歪めているという問題意識をもち、儒学の本来の意義（古義）を探究する**古義学**を創始した。

伊藤仁斎が重視したのは、儒学の数ある経典のなかでも『論語』や『孟子』、とりわけ『**論語**』だ。彼にとっての『論語』は「**最上至極宇宙第一の書**」とまで言われるほどの完璧な聖典で、仁斎はいっさいの解釈を排して一字一句をすべて真実として受け止めるべきと説いた。

 よほど論語に惚れたんですね。
で、『論語』から何が明らかになったんですか？

朱子学者たちは、宇宙的な「理」を重視し、その観点から善悪を裁き、心に「敬」をもつよう説く➡p.446。でも、このような「**残忍酷薄の心**」は儒学の本質ではない。儒家の道とは「**人倫日用の道**」であり、要するに卑近な人間関係における仁（**仁愛**）こそ大切だというのが、仁斎の主張だ。

仁が大切と言われても、あまりピンとこないんですが……。

　僕らの普段の人間関係を思い起こしてもらうといい。円滑・円満な人間関係が成立しているときっていうのは、たぶんうそや 偽 りのない率直な関係を築けているときだよね。こうしたうそ偽りのない**真実無偽の心**（＝誠）があるならば、おのずと仁が成立し、五倫 ➡p.292 も成立する。逆に言うと、誠の心がなければ仁も礼も偽りの看板にすぎないというわけだ。この「誠」は、「**忠信**」と言ってもほぼ同じだよ。

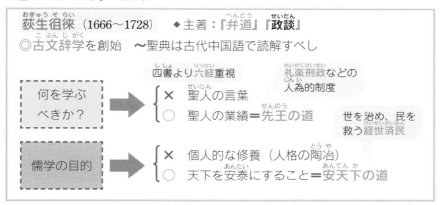

荻生徂徠（1666～1728）　◆主著：『弁道』『政談』
◎古文辞学を創始　～聖典は古代中国語で読解すべし

何を学ぶべきか？	→	✕ 聖人の言葉　　四書より六経重視
		○ 聖人の業績＝先王の道　　礼楽刑政などの人為的制度　世を治め、民を救う経世済民
儒学の目的	→	✕ 個人的な修養（人格の陶冶）
		○ 天下を安泰にすること＝安天下の道

　古学派の最後を飾るのは、古文辞学を創始した荻生徂徠だ。「古文辞」というのは、儒学の経典が書かれた古代中国語という意味だ。日本人は昔もいまも中国の古典を日本語風に読み下しているけど、荻生徂徠の学校では日本語を禁止にして中国語でこれを研究したんだよ。

　また、彼は伊藤仁斎のように『論語』を特別視せず、むしろそれよりも古い六経を重視した。六経というのは五経 ➡p.303 プラス、失われてしまった「楽経」を指す。

なぜ、孔子以前の経典を重んじたわけ？

　それは、聖人がつくった人為的制度（礼楽刑政）こそが、儒家が学ぶべき対象だと考えられたからだ。伊藤仁斎を含めた儒者たちは、一般に**聖人が何を言ったのか**を金科玉条のようにとらえてきた。しかし、徂徠によると、大切なのは**聖人たちの業績**（先王の道）のほうだ。

徂徠によると、**堯・舜**といった中国の伝説的な王たちは、社会に秩序をもたらすために礼楽の作法を人為的につくってくれたという。そして、これらの作法が書かれてあるのは『論語』などの四書 p.303 ではなく、孔子自身も学んだ六経のほうなんだ。

 荻生徂徠の立場だと、道は人為的なものなの？

　まさにそのとおり。朱子学では、道は客観的な「理」そのものだと考えられていたし、陽明学でも心の内面を清めればおのずと社会は整うと考えられていた。でも、徂徠によると、道とは聖人がつくったルールにすぎない（今日の道路交通法みたいなものだ）。朱子学者たちは個人的な修養を重んじたけれども、儒学の目的はむしろ社会に秩序と平和を与えること（**安天下の道**）であり、苦しむ民を救うこと（**経世済民**）だと言う。内面的な道徳と政治制度を分離したという意味で、「日本のマキャヴェリ」と評価されることもあるよ。

⬆儒学者と赤穂浪士事件

　元禄時代に赤穂藩の浪士46人が江戸の吉良義央邸に乗り込み、主君の仇討ちを行うという事件が起こった（**赤穂浪士事件**、いわゆる「忠臣蔵」）。この事件をめぐっては、幕府指導部も儒学者たちも、意見が割れた。木下順庵 ➡p.448 の門下生であった朱子学者の**室鳩巣**（1658〜1734）は、これを忠臣・義人たちによる義挙であるとして擁護したが、**荻生徂徠**は、私情にもとづいて公的な秩序を損なったとして切腹させるよう進言した。ここには、儒学者として何を重んじるかという根本的な姿勢のちがいを見てとることができる。

チェック問題 2

やや難 1.5分

荻生徂徠についての説明として最も適当なものを、次の①〜④のうちから一つ選べ。

① 聖人の言葉に直接触れるために古代中国の言語を研究する必要を訴え、のちの国学（こくがく）の方法論にも影響を与えた。
② 孔子以来、儒教が重要視する孝（こう）を、人倫（じんりん）のみならず万物（ばんぶつ）の存在根拠とし、近江聖人（おうみ）と仰がれた。
③ 実践を重んじる立場から朱子学を批判し、直接孔子に学ぶことを説き、『聖教要録（せいきょうようろく）』を著（あらわ）した。
④ 『論語（ろんご）』『孟子（もうし）』の原典に立ち返ることを訴え、真実無偽（しんじつむぎ）の心として誠（まこと）の重要性を主張した。

(2009年・センター試験倫理本試)

解答・解説

①

古代中国の言語を研究するのが**古文辞学**（こぶんじがく）の立場。国学者の**荷田春満**（かだのあずままろ）➡p.457 や**賀茂真淵**（かものまぶち）➡p.457 も古文辞学の影響を受けているので、①が正しい。

②：孝を最重要視し、「近江聖人」と呼ばれたのは日本陽明学の祖・**中江藤樹**（なかえとうじゅ）。

③：朱子学を批判して『聖教要録』を著したのは、古学（こがく）の**山鹿素行**（やまがそこう）。また、荻生徂徠は孔子以前の聖人の事績が記された六経を重んじている。

④：『論語』『孟子』を重んじ、「誠」を説いたのは**伊藤仁斎**（いとうじんさい）。

> 江戸時代の思想は、学派と思想家がたくさん出てきて、とてもまぎらわしい。一つひとつしっかり区別しておこうね！

23 近世日本の思想(2)

この項目のテーマ

1 **国　学**
　国学者たちが探究した日本人の心とは？

2 **民衆思想**
　町人や農民の立場に立った思想をおさえよう

3 **洋学と幕末の思想**
　新時代を思想的に準備する、日本思想と洋学との対決

1 国　　学

　前項目で見た古学派 ➡p.451 は、文献の実証的な読解によって日本の学問を大きく進歩させた。でも、そこで精読すべき対象とされたのはあくまで儒教の文献、つまり、外国で生まれた文献だった。そこで、しだいに「なぜ日本人が外国の文献ばかり読まなければならないのか？」といった疑問がわいてきた。そうした背景の下、**日本の古典**を研究して**日本古来の精神（＝古道）**を探究しようという国学が成立したんだ。

　その場合の、「日本の古典」とは？

　『**古事記**』や『**万葉集**』などだ。「**聖人の道**」を説く儒教や、「**悟りの道**」を説く仏教は、理想の人間像を思い描き、これに遠くおよばない現実の人間を否定的に見る。ところが、日本の古典には儒仏以前の、おおらかでのびのびとした日本人の文化や心のあり方が描かれているとして、これらをていねいに読み解くべきだと考えられたんだ。

　なるほど。国学者にはどんな人がいるんですか？

まず**契沖**（1640〜1701）。この人は真言宗の僧侶だった人物で、『**万葉代匠記**』において『万葉集』を一字一句くわしく研究し、歴史的仮名遣いの原型を生み出した。

　そして、この契沖から強い影響を受けたのが**荷田春満**（1669〜1736）だ。彼は神官の息子として育てられたため、**神道**（日本の神々への民族的信仰、→p.467）を体系化するという目標をもっていた。そのための手段として、古義学 →p.452 や古文辞学 →p.453 からも学んだ文献学的手法を用いたというわけだ。

賀茂真淵（1697〜1769）　◆主著：『**国意考**』『**万葉考**』

◎おもに『万葉集』を研究

⇒
- 男性的で力強い「**ますらおぶり**（**益荒男振**）」が理想の歌風（女性的な「**たおやめぶり**（**手弱女振**）」や、人為的な「**からくにぶり**」を批判）
- 古代日本人の精神は、素朴で雄渾な**高く直き心**

　賀茂真淵は、浜松の神官の子で、古文辞学派の教えを受けたあとに荷田春満の下で国学を学び、これを大きく発展させた。彼は、とくに、『万葉集』研究に傾注し、そこで基調となっている歌風が「**ますらおぶり**（**益荒男振**）」であることを発見した。「ますらおぶり」とは、字面からもわかるとおり、繊細さや技巧には欠けるが**力強く男性的な歌風**のことを指す。

　奈良時代に編纂された『万葉集』は日本最古の和歌集で、それ以降の時代の和歌集では、儒仏の影響を受けた人為的な「**からくにぶり**」や、繊細で女性的な「**たおやめぶり**（**手弱女振**）」の歌風が目立ってくるが、真淵はこれを堕落として批判する。そして、『万葉集』を歌った人々のなかに生きていた**高く直き心**を取り戻すべきだと言う。これは、日本古来の、**素朴で雄渾な人間らしい心**だ。

　つまり、真淵は技巧をこらした装飾的な美を批判し、素朴な歌と心を取り戻すべきだと主張したんだ。

国学の大成者として知られるのが**本居宣長**だ。彼は松坂（現在の三重県）で生まれ、学問をしつつ故郷で医業を営んでいたのだけど、憧れの賀茂真淵との面談がかない（松坂の一夜）、弟子入りするとともに真淵の助言を受けて本格的な『**古事記**』研究を始めた。宣長の『古事記』研究はじつに35年にもおよび、その成果をまとめたのが、大作『**古事記伝**』だ。

本居宣長

 本居宣長は『古事記』から何を読み取ったんですか？

宣長によると、儒教や仏教が人間を無理やり人為的な型に押し込もうとしてきたのに対し、古代の日本人は**神々の時代から受け継がれてきた、飾らない自然な生き方**をしていたという。これが**惟神の道**だ。この世界ではうれしいことや悲しいことなど、じつにさまざまなことが生起する。そうした森羅万象を**さかしら**（小賢しい分別）でもって善悪正邪へと分析するというのは、漢意のなせるわざだ。

漢意とは**外国風（中国風）の考え方**という意味で、具体的には儒教と仏教の考え方を指す。これらの教えは人間を外から縛る規範を前提としていて、それを破る行為は「悪」として批判・否定されてしまう。このように、物事を思慮分別で裁くようなあり方を、宣長は漢意として批判したんだ。

だから、宣長が愛した『源氏物語』も、「仏教的な無常が描かれた書」というように小賢しく分析的にとらえるのではなく、うれしいことをうれしいとし、悲しいことを悲しいとするような素直な感情（**もののあはれ**）を養う書とすべきなんだ。このような「**あはれ**（＝もののあはれ）」を知る心こそが「**よくもあしくも、うまれつきたるままの心**」と言われる真心であって、日本人の本来

の心（**大和 心**）であるとして、その回復を説いたんだ。

なるほど。賀茂真淵を発展させた、ぐらいの感じ？

いや、宣長は師匠の賀茂真淵と大きくちがうことも主張している。歌道についての考え方だ。

賀茂真淵は、**男性的な力強さ**が望ましいという考えだから、失恋に涙する光 源氏（『源氏物語』の主人公）のような「女々しさ」は受けつけられなかったんだけど、本居宣長はそうした女性的で繊細な「**たおやめぶり（手弱女振）**」こそが美しいと主張した。宣長は、人間というものはそんなにまっすぐで強いばかりでないと考えていたんだろうね。

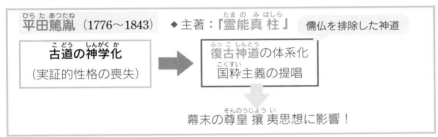

国学の最後を飾るのは、平田篤胤だ。彼は、本居宣長の死後に夢で弟子入りを許されたとして「死後の門人」を名乗ったという、ちょっとヘンな人だ。

それまでの国学者たちは、古典文献の読解から古代の日本人の心情を明らかにすることを目指していた。ところが、平田篤胤が目指したのは、**儒仏を排除した復古神道を体系化すること**であり、キリスト教や密 教などさまざまな思想体系を取り入れて、独自の神学的体系を一人で構築してしまった。主著『霊能真柱』は、篤胤が『古事記』を読解したものだが、その解釈には明らかにキリスト教の影響が見られ、天 御中 主 神など造化三神による天地創造などが描写されている。彼が体系化した復古神道は、幕末に**尊皇攘夷思想**へ影響を与え、明治以降の国家神道の基礎にもなっていった ➡p.467 。

本居宣長の主張として最も適当なものを、次の①～④のうちから一つ選べ。

① 日本人は、古代の純粋な神道信仰に復帰し、天皇への服従にもとづく民族意識に目覚めなければならない。

② 日本人は、素朴な高く直き心をもって暮らしていた古代の自然の道を回復しなければならない。

③ 日本人は、無名の人々の文字によらない暮らしや考え方のなかに、日本文化を見いださなければならない。

④ 日本人は、仏教や儒学が入って来る以前の教えなき時代のあるがままの世界を知らなければならない。

(2003年・センター試験倫理追試)

解答・解説

④

「教えなき時代のあるがままの世界」にあたるのが**惟神の道**なので、④が正しい。儒仏の伝来以前の**真心**を知る時代の日本人に立ち戻るべきだという主張。

①：宣長にも復古神道の考え方はある。しかし、彼は政治的権力としての「**天皇への服従**」を説いたわけではない。これは、**平田篤胤**の主張である。

②：力強い「**高く直き心**」を再興すべきと説いたのは宣長の師・**賀茂真淵**である。

③：「**無名の人々の文字によらない暮らしや考え方**」を重視したのは、新国学と言われた**民俗学**の創始者・**柳田国男** ⇒p.488 である。「無名の人々」のことを、柳田は**常民**と呼んでいる。宣長が行ったのは、あくまで文献研究である。

2 民衆思想

これまでの時代の日本で「思想家」と言えそうな人物は、知識を独占してきた僧侶（そうりょ）がほとんどだった。しかし、江戸時代には生産力の上昇を背景に、医師（いし）など市井（しせい）の民（たみ）も学問の世界で業績を上げるようになり、**民衆的な立場に立脚した独自の思想**が台頭してくる。

まずは、当時の江戸を経済的に支えていた**町人**（ちょうにん）（≒商人）階級の心情を代表した思想家として、石田梅岩（いしだ ばいがん）を見てみよう。

> 石田梅岩（1685〜1744）　◆主著：『都鄙問答』（とひもんどう）
> ● 正直（せいちょく）・倹約（けんやく）を中心とした平易な町人道徳を説く
>
> **神道・儒教・仏教を融合した石門心学**（せきもんしんがく）
>
> ● 商人の営利活動を正当化（賤貨思想（せんか）を否定、利潤追求は「天理」（てんり））
> 　…「商人の買利は士の禄に同じ」（ばいり）（ろく）（商人の利潤は武士の給料と同じ）
> 　　▶身分秩序そのものは否定していない！（知足安分（ちそくあんぶん）を主張）

農民出身の石田梅岩は、京都の商家に奉公に出されていたが、勤勉に働きつつ学問を修めた。そして、45歳のときに聴講無料で女性も学ぶことのできる私塾を開き、体系的な学問を学んだことのない人でも理解できるよう**平易な町人道徳**を説いた。彼の学問は、**神道・儒教・仏教**を融合した折衷（せっちゅう）的なもので、石門心学と言われるよ。

> それだけ聞くと、思想としては凡庸（ぼんよう）な印象を受けますが。

いや、そうばかりにしたもんじゃないよ。梅岩の思想史的な意義は、何と言っても**商人の営利活動を正当化**した点にある。江戸時代には、商人の営利活動は卑（いや）しいものだとみなす賤貨思想が根強く残っていた。これに対して、梅岩は、物流を担（にな）う商業が社会の経済循環に不可欠な営みであることを熟知していたため、商人の職分は武士とくらべてもなんら卑下（ひげ）すべきものでないとして、商人が利潤を獲得することも天理であると説いた。これは、ウェーバーがカルヴァン主義に見いだした利潤肯定の考え方 ➡p.314 にも通じるね。

もっとも、彼は身分秩序そのものを否定したわけではなく、職分に満足することを覚えるべき（知足安分）だとも言っているので、この点は注意してほしい。

ちなみに、仏教者のなかからも、元武士の鈴木正三のように、各人が農業や商業など自己の職分に励むことが仏道の修行になると説く者も現れた。

⬆⬆ 町人文化

　上方（京都・大阪）や江戸では商品経済の発展にともない、町人の文化が興隆した。その代表が、『好色一代男』や『日本永代蔵』などの浮世草子（当時の小説の一種）で、庶民の文化や心情を飾らずに軽妙に描き、世間というものが無情な憂世ならぬ、享楽的な浮世であることを示した井原西鶴（1642～93）や、義理（公的規範）と人情（私的感情）とのあいだで葛藤する庶民の姿を人形浄瑠璃に描いた近松門左衛門（1653～1724）などである。

　また、大阪では商人たちが出資して懐徳堂という民間の学校がつくられ、ここでは身分を問わず教育を受けられ、おおいに栄えた。懐徳堂が輩出した思想家としては、大乗仏教が本来の仏教とは異なるという大乗仏教非仏論を唱えた富永仲基（1715～46）や、無鬼論（一種の無神論）を提唱した山片蟠桃（1748～1821）などがおり、伝統にとらわれない自由な思想が生まれた。

安藤昌益（1703～62）　◆主著：『自然真営道』

　◎身分秩序と封建思想を厳しく批判

- 自然世（理想社会）：万人直耕の平等社会、自給自足
- 法世（現実社会）：不耕貪食の徒がいる身分社会

　▶神道・儒教・仏教などが、自然世を法世へと堕落させた

　八戸（青森県）の医師として地域医療に従事していた安藤昌益は、当時も無名の存在だった。ところが、明治時代になってはじめて彼の膨大な著作が発見され、これが戦後にカナダ人外交官ノーマンによって「忘れられた思想家」として紹介され、大きな反響を呼んだ。

どんな点ですごいんですか？

　彼によると、だれもが耕し（万人直耕）自給自足する自然世が理想であって、他人の労働に寄生する不耕貪食の徒（武士や知識人）が威張り散らしている法世は間違っている。この問題意識は、ちょうど同時代人であったルソーの文明批判 ➡p.335 とも通じるものがある。

　安藤昌益は、本格的な学問的修行をしたことのない一介の地方医師にすぎなかったので、仏教や儒教などについて正確な理解があるわけではない。けれど

も、当時の日本で**身分秩序を正面から批判**し、**仏教・儒教・神道といった支配的な思想が体制を擁護するイデオロギーだという点まで見抜いた**のは、じつに驚くべきことだ。

　安藤昌益はまた、自然と人間の調和する社会を夢見たということからエコロジストとしても再評価されているよ。

二宮尊徳（にのみやそんとく）（1787〜1856）

◎農政家として農村復興に尽力、「**農は万業の大本**」（ばんぎょう・たいほん）

● 農業は**天道**（自然の働き）と**人道**（人の働き）により成立

➡天地や他人の恩に報いるべき（**報徳思想**）（ほうとくしそう）

その手段
- **分度**（ぶんど）：経済力に応じた生活（倹約、**合理的生活設計**）
- **推譲**（すいじょう）：余剰を社会に還元 or 自分の将来のために貯蓄

　最後は**二宮尊徳**だ。小学校によく銅像のある二宮金次郎（きんじろう）のことだね。この人は、戦前の「修身」（しゅうしん）の教科書に刻苦勉励（こっくべんれい）の見本として紹介されたものだから、今日（こんにち）でもそのイメージが非常に強い。でも、現実の二宮尊徳は、むしろ破綻寸前の企業や自治体を立て直す経営コンサルタントに近いかもしれない。現に、彼は故郷の小田原藩（おだわら）をはじめ、各地の財政健全化に辣腕（らつわん）をふるった。

へえ！　具体的にはどうやって？

　当時（幕末）、経済の中心を占めていたのは、言うまでもなく農業だった。ところが、多くの農村では収穫もふるわず荒廃し、藩財政は悪化の一途をたどる状況だった。そこで彼は、自然の働きとしての**天道**はコントロールできないが、人間の働きである**人道**はそうではないとして、徹底的な合理化を進めていく。

　まず彼は、収入の見込みを厳密に計算したうえで支出の計画をたてるべきだと説く。要するに、**身の丈**（たけ）**にあった経済設計**をすべしということだ（**分度**）。次に、こうした当たり前のことを徹底すれば、個人レベルでも藩レベルでも余力が生じるから、これを自分の将来、あるいは他者のために回すべしとされる（**推譲**）。

　そして尊徳は、こうした実際的な取り組みを先人（せんじん）や他者のために尽くすという思想（**報徳思想**）へと昇華（しょうか）したんだ。

チェック問題 2   易 1.5分

石田梅岩の思想を表す記述として最も適当なものを、次の①～④のうちから一つ選べ。

① 自分が現在このようにして存在するのは、天地や君、親などの大きな徳のおかげであり、その恩に徳をもって報いなければならない。

② すべての人間はみずから衣食住を自給すべきであるのに、武士や手工業者などは、自分で耕作を行わずに農民に寄生している。

③ 自分を偽らず他者をも偽らないという純粋な心情である誠が、人間相互の仁・愛の根底になければならない。

④ 人は身分やそれぞれの持ち分に満足し、日常生活の中で正直と倹約を心がけ、実践することが必要である。

(2000年・センター試験倫理追試)

解答・解説

④

知足と**正直・倹約**を旨とした商人道徳を説いたのが**石田梅岩**なので、④が正しい。商人の独自の意義を強調しつつも、人が「それぞれの持ち分」に満足すべきことを強調したことにも注意すること。

①：**二宮尊徳**の**報徳思想**についての記述。

②：万人がじかに耕す**自然世**を理想とし、農民に寄生する**不耕貪食の徒**を批判したのは**安藤昌益**。

③：古義学の祖である**伊藤仁斎**についての記述。仁斎は、論語の教えの核心に**仁（仁愛）**があるとし、その仁の根底には純粋な**誠**があると説いた。

3 洋学と幕末の思想

　江戸時代は鎖国体制という印象が強いけれども、実際には朝鮮や中国からさまざまな思想や文物が流入しているし、オランダとの交易は行われていたので、オランダを介する形で西洋の学問や科学技術も入ってきていた。

　それが蘭学（オランダの学問）というわけなんですね。

　そういうこと。**杉田玄白**らがオランダ語の医学書を翻訳して『**解体新書**』として発表したことなどはよく知られているよね。けれども、幕末に外国勢力からの開国要求が突きつけられるようになるとしだいに幕府は態度を硬化させるようになり、鎖国政策を批判した**渡辺崋山**や**高野長英**らの弾圧に乗り出す（**蛮社の獄**、1839年）。

　でも、ご存知のとおり、開国の流れを変えることはできず、開国後はオランダ以外の英・仏などからも文化が流入するようになり、まとめて洋学と言われるようになる。この時期には**緒方洪庵**が大阪に開いた**適塾**（福沢諭吉 ➡p.469 を輩出）や**シーボルト**が長崎に開いた**鳴滝塾**などの蘭学塾も繁盛したよ。

　幕末には西洋一辺倒になったの？

　もちろん、そんなことはない。幕末には、**科学技術**の面では西洋のものを受容する必要を説きつつ、**思想**面では日本ないし東洋のものを堅持するという**和魂洋才**の考え方が台頭していた。

　その典型が、儒学者・兵学者の**佐久間象山**（1811〜64）だ。

彼はもともと儒学を講じる知識人だったが、藩主の命を受けて西洋式の砲術を含む兵学を研究するようになると、たちまち西洋の科学技術の意義を見抜き、これを研究する重要性を訴えた。そのさいのスローガンが「**東洋道徳、西洋芸術**」だ（この場合の「芸術」は、「技術」を意味する）。彼は、**儒教的な道徳**の優位性を確信していたが、西洋列強からの侵略を防ぐためには**西洋式の技術**をモノにしなければならないと考えたんだ。

熊本藩士の横井小楠（1809〜69）も「堯舜孔子の道を明らかにし、西洋器械の術を尽くす」と述べ、象山と同様の和魂洋才の教えを説いている。

 幕末も、儒教道徳は依然として強力だったんだね。

そうだね。ただし、幕末の儒学は、幕藩体制を支える理論という側面だけではなく、むしろ天皇を国家の支柱に据える「国体」論という側面も帯びてくる。

その先駆となったのは、会沢正志斎や藤田東湖らによる水戸学で、彼らは儒教の**大義名分論**（「臣下は君主に忠実であれ」）を国体論と結びつけ、幕府よりも天皇への忠誠を説くようになる。

この流れを引き継いだのが、佐久間象山の弟子であった吉田松陰（1830〜59）で、**一君万民論**（藩と身分を超えて、だれもが天皇に忠誠を尽くすべき）を説いて尊王倒幕運動の理論的基礎がつくられた。彼はわずか29歳で死罪になるのだけど、山口県の**松下村塾**で教えた弟子たちが明治維新の功労者として育っていく（高杉晋作、伊藤博文、山県有朋ら）。

松陰の門下からは、明治維新で大活躍する重要人物が続々と輩出されたんだね！

スキルアップ6 神道の歴史

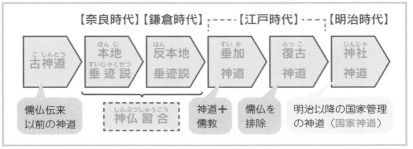

太古以来の日本の伝統的な神信仰を神道と言う。

このうち、儒教や仏教が大陸から伝来する以前の神道を古神道（原始神道）と言う。古神道がどのようなものであったかは不明な点が多いが、**自然信仰**や**祖先崇拝**などを基軸にして、地域や血縁共同体で行われていたと考えられる祭式や行事などが、のちに古神道と呼ばれるようになった。古神道には明確な教義がなく、共通の聖典なども存在しない。

この古神道に、大陸伝来の儒教や仏教の理論や世界観が付加されることで、日本の神道はしだいに体系化されていった。とくに、奈良時代ごろからは神道と仏教が融合する神仏習合が進んだ。このうち、本体が仏であって日本の神はその化身だとするのが本地垂迹説、逆に仏を日本の神の権現（仮の姿）とするものを反本地垂迹説と言う。本地垂迹説の典型としては真言宗 ➡p.427 で信仰された両部神道などが挙げられる。これに対して、反本地垂迹説の典型としては伊勢神道や吉田神道などがある。

江戸時代末期に現れた復古神道をへて明治期に確立される神社神道は、明治政府の管理下に置かれた神で、国家神道とも言う。民間の宗教として自律性を認められた**教派神道**以外の神道を指し、天照大神を祀る伊勢神宮を頂点にして全国の神社組織を階層化し、**現人神**（人として現れた神）である天皇を最高の祭祀者とする。

24 日本の近現代思想(1)

この項目のテーマ

1 啓蒙思想と民権思想
ふくざわゆきち　なかえちょうみん
福沢諭吉と中江 兆 民はどのような近代化を目指したのか？

2 内面の刷新──キリスト者と文学者
キリスト者と文学者は、時代とどのように格闘したのか？

3 近代化への対応──社会主義と国粋主義
近代化のひずみに、思想家たちはどう対応したのか？

1 啓蒙思想と民権思想

　ここからは、明治維新以降の近現代日本の思想を扱う。多くのグループと思想家が登場するから、知識をしっかりと整理してね。

　さて、維新後の日本にとって最大の課題は、いかにして**近代化**を進めるかということだった。19世紀後半の日本は、すでに**市民革命**と**産業革命**を済ませた欧米列強とくらべて明らかに立ち遅れていた。大国の中国さえもが半植民地化される危機的状況のなか、日本は一刻も早く近代化（≒**文明開化**）する必要に迫られていたんだ。

なるほど。それで思想家も近代化という課題に向きあったんだね。

　そう。そして、その役割を自覚的に担おうとしたのが、明治6年に結成された**明六社**の啓蒙的な知識人たちだ。彼らはおもに留学経験をもつ若手の元幕臣たちで、新政府に雇われ、強い使命感をもって**政府の近代化政策**を思想的に支える役割を果たした。

明六社にはどんな人がいるんですか？

圧倒的に有名なのは福沢諭吉だけど、彼はいったん後回しにして、まずそのほかの人物の簡単なプロフィールをチェックしておこう。

明六社のメンバーたち	
森 有礼 もり ありのり （1847〜89）	**明六社の発起人。初代文部大臣**。いち早く廃刀を訴え、**男女同権**や英語国語化論などを提唱したが、国粋主義者に襲われて死亡。
西 周 にし あまね （1829〜97）	オランダに留学して法学や哲学を学ぶ。軍人勅諭の起草にかかわるなど、新政府で要職を歴任。「**哲学**」「**理性**」などの**訳語を創案**。
中村正直 なかむらまさなお （1832〜91）	スマイルズ『**西国立志篇**』や J.S. ミル『**自由之理**』などの訳書を刊行。
加藤弘之 か とうひろゆき （1836〜1916）	東京大学初代学長。もともと**天賦人権説**の立場に立って立憲政体を擁護していたが、のちに**社会進化論**に転向して民権思想を批判。

　さて、では近代日本の思想家で最重要と言って間違いない福沢諭吉（1834〜1901）について見ていこう。この人は超有名人だよね。彼の仕事はじつに多岐にわたるけど、その核心は**封建制を徹底的に批判**し、**独立した個人**による社会をつくるよう説いたことにあると言える。

福沢諭吉（1834〜1901）　◆主著：『学問のすゝめ』『文明論之概略』

■ 封建制批判

　● 天賦人権論〜人間の貴賤は、**生まれ**ではなく**学問**の有無で決定
　　　：「天は人の上に人を造らず、人の下に人を造らずと云えり」
　● 独立自尊
　　　：「一身独立して一国独立す」（強い個人 ➡ 強い国家）
　● 実学の奨励
　　　：**数理学**（例 物理学、経済学）◀▶ **虚学**（例 儒学）

■ 国権論への傾斜（晩年）

　● **官民調和論**：民権論への批判（国の独立・発展がより重要）
　● 脱亜論　　：遅れたアジアとの連帯はあきらめよう

　福沢諭吉は、万人が平等につくられているという天賦人権論の立場に立っていた。これは、下級武士という家柄ゆえに出世できなかった父のことが念頭にあったようで、「**門閥制度は親の敵にござる**」と述べている。家柄や出身地で人の生涯が決められるのはおかしい、ということだ。

日本思想

では、人間は完全に平等だと？

いや、諭吉によると人間の価値は**学問**の有無によって決まる。才能にちがいはないし家柄も関係ないのだから、あとは努力あるのみ！　というわけだ。

ところで、彼は、西洋にあって東洋にないものが二つあると言う。それが、**独立心**と**数理学**（≒**実学**）だ。彼は明六社のほかのメンバーとちがい、最後まで新政府に仕えなかったんだけど、それは、彼が独立心ということを非常に重視していたからだ。彼はだれかに雇われ依存するということが人間にとってどれほどマイナスになるかをよく知っていたから、**独立自尊**の精神で事業を起こし、新聞社をつくり、私塾（**慶應義塾**）を開いたんだ。そして、学校では空理空論ではなく、実社会で役に立つ実学を教えたんだ。

福沢諭吉

でも、たしか諭吉って晩年には**転向**したんですよね。

たしかに、彼は**民権派を厳しく批判**し、アジアとの連帯を放棄する**脱亜論**を唱えている。だから、これを福沢諭吉の限界とする論者も少なくない。けれども、諭吉がアジア諸国に見切りをつけたのは、旧態依然たる封建思想と封建体制をいっこうに脱せられないことへの失望感ゆえであって、けっしてアジアの人々への差別意識ゆえではない。

福沢諭吉は驚くほど柔軟で自由な思想家であり、その文章はいま読んでも清新なことこのうえない。君たちにもぜひ味わってほしいな。諭吉の「限界」を語るのは、それからで十分だと思うよ。

ポイント　福沢諭吉の思想

- 封建制を徹底的に批判し、**独立心**をもち**実学**を身につけた個人からなる社会を構想した。
- 民権論に対して**官民調和**を説き、晩年には**国権論**に傾斜し、**脱亜論**を説いた。

啓蒙主義者って少し「上から目線」的な感じがするなあ。

　たしかにそうかもしれないね。近代化が最大の課題であった明治初期には、一方で政府の近代化と連動しようという思想動向があった。これこそが明六社の啓蒙思想だ。でも他方では、新政府の立場とは一線を画し、**自由民権運動**と連動して下からの近代化を進めようとする民権思想も起こっていた。自由民権運動というのは藩閥政治を批判し、「憲法をつくれ」「国会を開け」などと要求した運動のことだよ。

　啓蒙思想家たちは必ずしも**民権**を否定していないけれども、たしかに**国権論**（国家の独立を強調）に重きを置いていた。というわけで、明治初期には大きく分けて二つの思想潮流があったということになる。

啓蒙思想	民権思想
● **政府**の近代化と連動、上からの近代化 ● **イギリス**流の漸進的改革、明六社	● **自由民権運動**と連動、下からの近代化 ● **フランス**流の急進的改革

　このうち民権思想の代表者が、何と言っても「**東洋のルソー**」と呼ばれた中江兆民（1847〜1901）だ。

中江兆民（1847〜1901）　◆主著：『民約訳解』『三酔人経綸問答』

● 民権思想の代表〜「**東洋のルソー**」

● 二つの民権　　　　　　　　　　ルソー『社会契約論』の部分訳

　● 恩賜的民権：為政者から与えられた権利　例　日本

　　⬇ 育てていくべき　　　　権利の内容を豊富にしよう！

　● 恢（回）復的民権：人民が勝ち取った権利　例　英・仏

●「**日本に哲学なし**」〜日本人は自分の頭でものを考えない

● 無神無霊魂（独特の唯物論）

中江兆民は、自由民権運動の根拠地となった土佐の出身で、若き日にフランスに留学をしている。帰国後の兆民はルソーの『社会契約論』の部分訳として『民約訳解』を刊行し、また、衆議院議員にもなって民権派の思想的リーダーとして活躍する。

中江兆民

ただ、「民権」には二種類あると言う。それが、**恩賜的民権**と**恢(回)復的民権**だ。より望ましいのは、英・仏が市民革命で勝ち取ったような恢復的民権だ。この権利は、人民自身が勝ち取ったものだから、その内容も分量も自分たちで決定できる。では、恵み与えられただけの恩賜的民権は意味がないのかというと、そんなことはない。大日本帝国憲法のような与えられた権利であっても、その内容を実質化させられるかどうかは民衆しだいなのだから、これを充実するよう努めるべき、とされる。これが『三酔人経綸問答』の議論だ。三人の酔っぱらいが政治について話し合いました、という著作だよ。

「**日本に哲学なし**」ってのはどういう意味？
日本にも思想家はいたはずじゃないですか！

兆民の晩年の言葉「**日本に哲学なし**」とは、自分の頭でものを考える習慣がない、という嘆きの言葉だ。たしかに、日本にもさまざまな思想家がいたけど、兆民に言わせれば、彼らはみな過去の文献を研究していただけであって、そこには信念も主張もなかった。日本では、政治の論議なども確固たる自分の信念や主義・主張がないため、表面的で空疎なものとなってしまっている、と。今日の日本にもあてはまりそうな批判だね。

福沢諭吉を含めた多くの思想家が国権論に傾斜する時代にあって、兆民はあくまで「**民権これ至理なり、自由平等これ大義なり**」（『**一年有半**』）と言い続けた。筋金入りの民権派だったと言えるだろう。

↑↑ 植木枝盛の私擬憲法

植木枝盛（1857～92）は、中江兆民と同じく土佐出身の民権運動家で、上京して福沢諭吉に師事するなどして研鑽を積み、『**民権自由論**』などを著す。政府が憲法の制定を発表すると、各地で私的な憲法草案がつくられた。その代表が、彼のつくった**東洋大日本国国憲按**で、ここには**主権在民**や**抵抗権**といった先進的な内容が盛り込まれていた。

チェック問題 1

標準 2分

啓蒙思想家の一人である中江兆民に関する説明として適当でないものを、次の①〜④のうちから一つ選べ。

① 『三酔人経綸問答』を著し、恩賜的民権から、立憲君主制をへて恢復（回復）的民権に移行すべきだと説いた。

② ルソーの『社会契約論』を『民約訳解』として翻訳するなど、急進的なフランス啓蒙思想の移入に努めた。

③ 平民社を設立し、『平民新聞』で反戦平和の大切さを訴えるなど、自由民権運動を積極的に推進した。

④ 『一年有半』『続一年有半』を著し、神や霊魂の存在を否定するなど、独自の唯物論を述べた。

（2008年・センター試験倫理追試）

解答・解説

③

平民社 ➡p.478 は社会主義者たちの新聞社であり、その設立者は**幸徳 秋水**と**堺 利彦**である。幸徳は、中江兆民の弟子であったが、兆民は平民社設立（1903年）の2年前に死去している。

①：正しい。中江兆民は急進的な民権論者だったが、**恩賜的民権**や立憲君主制を否定はせず、それらをへて、将来的に真の民権（**恢復的民権**）を実現することを構想した。

②：正しい。中江兆民は「東洋のルソー」と呼ばれ、急進的な民主主義者として活躍した。

④：正しい。合理主義的な考え方をもっていた中江兆民は、一種の唯物論と言える「無神無霊魂」を説いている。

2 内面の刷新──キリスト者と文学者

　明治期には、**心の内面**も刷新して近代化すべきだという考え方が生まれ、知識人を中心に、西洋のすぐれた文明の根底にある**キリスト教**への関心が高まっていったんだ。その代表が内村鑑三だ。

内村鑑三（1861〜1930）
◆ 主著『余は如何にして基督教徒となりし乎』『代表的日本人』
● 「二つのＪ」（イエスと日本）への忠誠
　➡「**武士道に接木されたるキリスト教**」　▶**不敬事件**
● 無教会主義：信仰に教会堂は不要
● 非戦論　　：日露戦争に反対、絶対平和主義

教育勅語への敬礼拒否
➡ 失職

どんな戦争にも反対

　内村鑑三は札幌農学校に学んでキリスト者となり、さらにキリスト教の国アメリカに行って神学を学んだんだけど、そこで彼が見たのは、物質文明に毒されたアメリカだった。これに失望し、内村はかえって日本を見直すことになる。清廉な**武士道**精神の浸透した日本でこそ、キリスト教は根づくのではないか、と。こうして彼は Jesus と Japan という「**二つのＪ**」への忠誠を捧げることになる。

なかなかの愛国者なんですね。

　熱烈な愛国者だよ。彼は『**代表的日本人**』という本も書いていて、ここでは、日蓮や中江藤樹なども日本の心を代表する人物として好意的に紹介している。ただし、もちろんキリスト教の神以外を神として認めるわけにはいかなかった。そのため天皇を神格化した教育勅語の奉読式では最敬礼を行わず、これが原因で第一高等中学校の教員職を失う憂き目にも遭っている（**不敬事件**）。
　内村に関しては、そのほか、**無教会主義**の立場と**非戦論**を唱えたことをおさえよう。彼は、じつは日清戦争には賛成の立場だったんだけど、その悲惨なありさまを知り、あらゆる戦争に断固として反対する戦争廃止論に進んでいった。

そういや、以前の5000円札の肖像は、内村鑑三じゃなかったっけ？

　それは新渡戸稲造（1862〜1933）だよ。新渡戸は内村の親友だった人で、同じく札幌農学校で洗礼を受け、のちに**国際連盟事務次長**として大活躍した、い

わば日本初の本格的国際人だ。彼は、日本人の精神的基盤が武士道にあるとして、英語で『武士道』を著している。内村と似ている点が多いから混同しないようにね！

> ## ⬆️ その他のキリスト者たち
>
> 新島襄（1843〜90）は、若いころに脱藩し、アメリカに密航してキリスト教を学び、帰国後は京都に同志社を設立して、安部磯雄 ➡️p.478 や徳富蘇峰 ➡️p.479 などの著名な人物を育てる。植村正久（1857〜1925）は、キリスト教を日本人のものとすることに尽力し、東京神学社（今日の東京神学大学）をつくるなど、福音主義の普及に努めた。
> そのほか、明六社の森有礼や中村正直、文学者の北村透谷や有島武郎、社会主義者の片山潜など、明治・大正の知識人には多くのキリスト者が含まれていた。

さて、明治中期ごろからは**文学**、とりわけ**小説**の形をとって自我を探求する動きが強まる。時代の大きな転換点にさいして日本社会のあるべき姿が文学的に探求されたと言える。

> ふーん、どんな文学が登場するの？

最初に注目すべき潮流は、**浪漫主義**だ。これは、それまでの**封建的な束縛**に反発し、自我の解放を説く立場で、**身分**や**家柄**や**性別**にもとづく秩序を否定し、自分の**感性**に従って自由に生き方を探求しようというわけだ。具体的には、**北村透谷**と**与謝野晶子**がその典型だね。

北村透谷（1868〜94）は、青年期に自由民権運動に参加した理想主義者だったが、運動が過激化して挫折してしまう。こうした経験から、彼は**実世界**（社会や現実）の変革をあきらめ、内面的な**想世界**（宗教や文学の

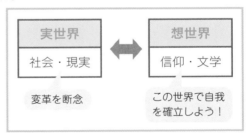

実世界		想世界
社会・現実	⬅️➡️	信仰・文学
変革を断念		この世界で自我を確立しよう！

世界）で自我を確立すべきことを説いた（『**内部生命論**』）。この「想世界」のなかでとくに重視されるのが**恋愛**で、彼は「恋愛は人世の秘鑰（＝鍵）なり」と述べている。

与謝野晶子（1878〜1942）は、歌集『みだれ髪』のなかで大胆に**官能**を肯定した歌を詠み、当時の世間に衝撃を与えた。彼女はまた、日露戦争に出征した弟の無事を祈る歌（「**君死にたまふこと勿れ**」）でも物議をかもし、封建道徳に縛られない自由な感情を表現している。

 既成の道徳に縛られない自由な立場が**浪漫派**というわけだね。

そういうこと。これに対して、**現実の厳しさ**を直視しようという自然主義も台頭してくる。その代表は、浪漫主義の詩人として出発した**島崎藤村**（1872〜1943）で、『破戒』などの小説で部落差別 →p.484 などの社会問題を含めた過酷な現実をありのままに描写した。

しかし、自然主義の主流は、しだいに俗悪な現実を無批判に描くものになってしまったため、これへの反発として**反自然主義**の立場が台頭した。その典型が、森鷗外と夏目漱石だ。

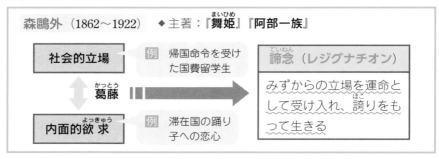

まず、森鷗外。彼が多く描いたのは、**社会的立場**と**内面的欲求**のあいだに葛藤が起こる状況だ。このようなときに、人は大きなジレンマに立たされる。でも、一方をすっかり捨てるのではなく、**自分の境遇をみずからの運命として引き受ける**ということもできるはずだ。これを、鷗外は諦念（レジグナチオン）と言う。

これは、現実に妥協する後ろ向きな生き方に見えるかもしれない。でも、たとえば親の介護のために自分の夢をあきらめる場合などを考えてほしい。このときには、自分の心がまえしだいで、前向きに生きることはできるはずだ。君たちもいずれ、鷗外の言いたかったことがわかる日が来るはずだよ。

> **夏目漱石** （1867〜1916）
> - 人間の**エゴイズム**（利己主義）を直視
>   - ➡ **自己本位**の個人主義を提唱（講演『**私の個人主義**』）
>
>   自己の内面的欲求に忠実＆他者を尊重
> - 近代化 {
>   - **内発的開化**：自発的な近代化（欧米）
>   - **外発的開化**：外圧による表層的な近代化（日本）
> - **則天去私**：小さな我を捨てて天（≒自然）に従う〜漱石晩年の境地

夏目漱石も、小説のなかで近代という時代と正面から格闘した作家だ。彼は、人間の**エゴイズム**（利己主義）に苦しむが、**自己本位**の生き方をすることでこれを克服できるという結論に至った。

 え？　身勝手な生き方をすべきだって言うんですか？

漱石の言う「自己本位」とは**自分の内面に忠実**な生き方という意味で、他者に迎合する「**他人本位**」と対をなす。だから、自己本位の生き方は身勝手どころか**他者を尊重**する生き方でもある。

もっとも、漱石は、晩年になるとこの主体的あり方も相対化させていき、小さな我にこだわるのではなく、天（≒自然）に従うという達観した境地（**則天去私**）に至っている。

⬆⬆ その他の文学者たち

武者小路実篤（1885〜1976）や**有島武郎**（1878〜1923）など、上流層出身の作家たちの**白樺派**は、理想的な人道主義を掲げた作品を描いた。実篤は、理想的共同体「新しき村」を建設するなど、その理想の実現にも情熱的に取り組んだ。「雨ニモマケズ」などの詩で知られる詩人・童話作家の**宮沢賢治**（1896〜1933）は、郷里の岩手で農業の指導をしつつ詩作を続け、自然との強い一体感による独自の文学世界をつくった。彼はまた、熱烈な法華経信仰をもち、「世界がぜんたい幸福にならないうちは個人の幸福はあり得ない」との言葉を残している。

③ 近代化への対応──社会主義と国粋主義

　明治維新ののち、日本は政府主導で急速な近代化を果たしていった。でも、その陰では、日清戦争後の資本主義の発展にともなう労働問題の激化や、日本の伝統的価値が損なわれることへの反発なども起こっていた。ここではこうした動き、具体的には社会主義と国粋主義の動向について見てみよう。まずは社会主義から。

社会主義の動向

共産党の世界組織

- **キリスト教的人道主義からの流れ**
  - **片山潜**：日本初の労働組合を組織、モスクワのコミンテルンで活躍
  - **安部磯雄**：日露戦争で非戦論を提唱、日本フェビアン協会を結成
- **自由民権運動からの流れ**

  天皇の暗殺未遂事件
  - **幸徳秋水**：**堺利彦**らと**平民社**を設立し、『**平民新聞**』を主宰、**大逆事件**で処刑
- **学問研究からの流れ**
  - **河上肇**：京都帝国大学教授。貧困問題の研究からマルクス経済学者に

　日本の初期社会主義者には、大きく二つの系統がある。一つは、**キリスト者としての人道主義から社会問題に関心を深めていった流れ**で、**片山潜**（1859〜1933）や**安部磯雄**（1865〜1949）らがこれにあたる。二人とも、アメリカで「キリスト教社会主義」と呼ばれる潮流と交わり、帰国後に日本初の社会主義政党である社会民主党の結成（1901年）に参加した（ただし、この党はただちに禁止命令を受けた）。

　一方で、**自由民権運動から身を起こし、この挫折後により急進的な社会主義運動に進んだ流れ**がある。**幸徳秋水**（1871〜1911）が典型だ（中江兆民の元弟子だよ）。彼も社会民主党の結成に参加している。彼は1901年に、世界的にも評価の高い『**廿世紀之怪物帝国主義**』を刊行するなどの活躍を見せるが、1911年に**大逆事件**で処刑された。これは、明治天皇の暗殺計画が発覚したという事件だが、幸徳秋水は事件と無関係であったことがわかっている。

　なお、そのほかの社会主義者としては、経済学者の河上肇（1879〜1946）がよく知られている。彼の『**貧乏物語**』（1916年）は、当時の大ベストセラーになった。

ポイント 日本の社会主義運動

資本主義の発展とともに登場した日本の社会主義運動は、**キリスト教的人道主義**と**自由民権運動**という二つの潮流から成長した。**大逆事件**で幸徳秋水が処刑されたことに示されるように、政府はこれらの運動を弾圧した。

日本の近代化の過程では、欧米諸国から一等国(いっとうこく)とみなしてもらいたいために行われた、安直かつ無理な欧化政策も見られた。**鹿鳴館**という西洋風の社交施設をつくって外交官を連日連夜接待したのはその象徴だし、日本語を廃止して英語を公用化しようといった声すら挙がっていた。こうした政府主導の極端な欧化主義に対して、**自国のアイデンティティを重視すべきだという反動**が起こった。これが国粋主義だ。

なんだか、江戸時代の国学(こくがく) ➡p.456 にも似ていますね。

いいところに気づいたね。国学は、中国風の思想・文化に反発して日本の伝統を回復しようという運動だったけど、明治期以降の国粋主義は西洋風の思想・文化に対する反動だ。いずれも**ナショナリズム**の動きであるという点で共通している。

明治以降の国粋主義

- **西村茂樹**(にしむらしげき):明六社(めいろくしゃ)の同人(どうじん)、『日本道徳論』
  ➡ 儒学(じゅがく)に**西洋哲学**を加味した**国民道徳**を涵養(かんよう)すべし
- **井上哲次郎**(いのうえてつじろう):ドイツ哲学研究者、キリスト教を排撃
- **岡倉天心**(おかくらてんしん):美術哲学者、『茶の本』などで日本文化を海外に紹介、「**アジアは一つ**」
- **三宅雪嶺**(みやけせつれい):政教社(せいきょうしゃ)を設立、雑誌『**日本人**』を主宰 ⎫
- **陸羯南**(くがかつなん):新聞『**日本**』を主宰、「**国民主義**」を標榜(ひょうぼう) ⎬ ジャーナリスト
- **徳富蘇峰**(とくとみそほう):民友社(みんゆうしゃ)を設立し、『**国民之友**』(のとも)を主宰。「平民主義」を標榜 ⎭

のちに排外的な国家主義に転向!

「国粋主義」という言葉を聞くと、ただちに**外国人の排斥**や**外国への侵略**を正当化する動きが思い浮かぶかもしれないけど、少なくとも明治後半に起こった当初の国粋主義は必ずしもそうした性格はもたなかった。むしろ、政府に対して民衆の立場を擁護するという**進歩的な性格**が強かったと言えるだろう。このことは、徳富蘇峰（1863〜1957）のスローガン「平民主義」に象徴的に示されているし、三宅雪嶺（1860〜1945）は社会主義者の堺 利彦 ➡p.473 と深く交流していた。なお、この時期の運動を担ったのはおもにジャーナリストだよ。

 昭和以後の国粋主義は、少し様子がちがうんですか？

そのとおり。ある程度対外的な地位を確立した強国で起こるナショナリズムは、どうしても排外的な国家主義に傾きがちで、これは軍国主義まであと一歩だ。昭和以降の日本の動向がまさにそうだった。

1936年には**二・二六事件**（青年将校たちによる軍事クーデター）が起こり、世相は一気に軍国主義へと向かっていく。そして、この事件を起こした青年将校たちに影響を与えたのが、『**日本改造法案大綱**』で憲法の停止や政党の解体を訴えて超国家主義的な体制の樹立を説いた北一輝（1883〜1937）だった（北は、事件の理論的指導者と目されて処刑されている）。

また、かつて平民主義を唱えていた徳富蘇峰も転向して、太平洋戦争にさいしては国策と戦争の鼓吹者となってしまう。なお徳富蘇峰は、「キリスト者 ➡ 開明的ジャーナリスト ➡ 軍国主義者」と、激動の日本近代史を一身に体現するような生涯を送っているよ。

チェック問題 2

幸徳 秋水についての説明として最も適当なものを、次の①～④のうちから一つ選べ。

① 国は人民によってできたものであると平易に民権思想を説き、主権在民をうたい抵抗権を認める私擬憲法を起草した。

② 国を支える農業と農民を大切に考え、農民が苦しむ公害問題を解決する運動に身を投じ、その解決の必要性を説いた。

③ 東洋の学問を実生活に役立たない虚学、西洋の学問を実生活に役立つ実学と呼び、後者を学ぶことの必要性を説いた。

④ 社会主義の立場から、当時の帝国主義を、愛国心を 経 とし軍国主義を 緯 とする20世紀の怪物と呼び、批判した。

(2009年・センター試験倫理追試)

解答・解説

④

幸徳秋水は近代日本を代表する社会主義者。レーニンの『帝国主義論』(1917年) ➡p.370 より早くに『**廿世紀之怪物帝国主義**』(1901年) を刊行し、帝国主義を「愛国心を経とし軍国主義を緯とする」と言い表した。

①：主権在民と抵抗権を認める**私擬憲法**を起草したのは**植木枝盛**である ➡p.472。

②：農民の立場に寄り添い、公害問題の解決に尽力したとあるので、**足尾銅山鉱毒事件**の解決に生涯を捧げた**田中正造**である (➡p.498)。

③：西洋的な**実学**を重視した思想家ということなので、代表的な啓蒙主義者・**福沢諭吉**についての記述である。

25 日本の近現代思想(2)

この項目のテーマ

1 大正期の思想──大正デモクラシーほか
新時代を支えた新しい思想の動向が登場
2 日本の独創的思想──哲学と民俗学
多彩な思想家たちの主張をていねいに追おう

1 大正期の思想──大正デモクラシーほか

　大正デモクラシーという言葉は聞いたことあるよね。その名のとおり、大正時代（1912〜26）はデモクラシーが開花した時代だった。これは憲法制定（1889年）から20年以上が経過して立憲政治が安定期を迎えたことと、急速な資本主義化も一段落したことなどが背景にあり、この時代の大正デモクラシーとは、**憲法の擁護**と**普通選挙制**を要求する民衆運動であったと言える。

　この時期には大逆事件 ➡ p.478 でいったん下火になった社会主義的な潮流も息を吹き返し、そのほか**女性解放運動**や**部落解放運動**など多彩な民衆運動が一挙に展開されるようになるんだ。

　　どんな人が運動を牽引したんですか？

　大正デモクラシーの理論的指導者となったのは、何と言っても東京大学の政治学教授だった**吉野作造**（1878〜1933）だ。

吉野作造（1878〜1933）　〜普通選挙制や政党内閣制などを要求

| デモクラシー | ・民主主義：人民による政治（主権在民）　　➡ 危険思想 |
| | ・民本主義：人民のための政治（主権の所在は問わない）➡ OK！ |

吉野がなぜ「**デモクラシー**」というカタカナ語を使ったかというと、「**民主主義**」という日本語は人民主権を意味してしまい、これは天皇主権をうたう憲法と矛盾してしまうからだ。だから、彼は「民衆本位」を縮めた「**民本主義**」を提唱した。

 民本主義は、民主主義とちがうの？

　民本主義の場合、だれが主権者かということは問われない。だから、天皇主権を維持しつつ**民衆のための福利**を実現することが可能になる。もともと、これは孟子などの儒教で説かれていた教えなので、日本でも受け入れられやすかったと言えるだろう。吉野は民本主義の立場から**普通選挙制**の要求などを行っていったんだ。
　それからもう一人、美濃部達吉についても触れておこう。

美濃部達吉（1873〜1948）

天皇機関説 {
● **国家は一種の法人**である（国家法人説）
● **天皇は国家という法人の最高機関**である
　➡ のちに**迫害**！
}

　美濃部達吉の唱えた天皇機関説とは、**国家が一種の法人である**という前提のもと、**天皇をその最高機関とみなす**という考え方だ。これは言ってみれば、天皇を会社の社長のようなものとみなすわけで、天皇の主権を否定するわけではないけれども、社長が会社のルールに縛られるのと同様に、天皇も国家のルールである憲法に縛られることになる。
　東京帝国大学教授だった美濃部の天皇機関説は、大正時代には通説となり、この時代の政党政治を支える理論ともなっていた。しかし、昭和に入って軍国主義的ムードが高まると、しだいにこの学説は批判を受けるようになり、著書は発禁処分、貴族院議員の職も追われ、果ては右翼から銃撃されるという大変な**迫害**を受けるに至った（**天皇機関説事件**）。大正から昭和への流れを象徴する事件だった。

女性解放運動　〜男女同権（**一夫一婦制、婦人参政権**など）を主張
◎平塚らいてう（1886〜1971）：雑誌『青鞜』を発刊

➡「元始、女性はじつに**太陽**であった。……いま、女性は**月**である」

　　みずから輝き、ほかの者を照らす　　　　男性に依存するだけの存在

　大正時代には人々の意識の高まりにつれて、女性の自覚も強まっていった（当時は「婦人解放」と言っていた）。この動きを代表するのが平塚らいてうだ。雑誌のタイトルになっている「青鞜」とは「青い靴下」という意味で、女性の自立を目指すイギリスの運動に由来する。「**良妻賢母**」のような男性に都合のいい伝統的な女性像ではなく、「**新しい女**」を目指すもので、日本初のフェミニズムの運動と言える。

　良妻賢母って、ダメなんですか？

　意見の大きく分かれるデリケートな問題だ。「良妻賢母」というのは、夫に仕えて子を育て、家庭を守るという女性のあり方だよね。現にこうした生き方をしている人を否定する権利はだれにもない。でも、この生き方は女性が主役であるべきではないという価値判断にもとづくものでもあり、女性解放運動の立場は、少なくともこうした生き方を強制すべきではないと考えるんだ。ともあれ、大正時代には**女性の自立**を目指す動きが登場してきたというわけだ。

⬆部落解放運動

　江戸時代までの身分社会（士農工商）に対し、明治政府は「四民平等」の方針をとったため、伝統的に差別を受けてきた**被差別部落**の人々は形式上は解放された。しかし、さまざまな差別は根強く残ったため部落解放運動が起こり、「**人の世に熱あれ、人間に光あれ**」を掲げる全国水平社が1922年に結成された。

チェック問題 1

やや難 2.5分

吉野作造は「民本主義」を提唱した。その記述として最も適当なものを、次の①〜④のうちから一つ選べ。

① 憲法の規定内で民本主義を貫徹させるには、国民の意思がより反映する普通選挙の実施と政党内閣制の実現が望ましいと主張した。

② 民本主義の具体化のため、まず主権者である天皇の権力を制限することが重要であるとし、国民の意向による民定憲法の制定を主張した。

③ 国民が政治的に中立の立場を貫くことが民本主義にとって重要であるとし、国民を主体とした中道勢力による政党政治の実現を主張した。

④ 民本主義をデモクラシーの訳語として把握するかぎり、国民主権の確立こそが最初に達成すべき政治的な目標であると主張した。

(2002年・センター試験倫理追試)

第**4**章

日本思想

解答・解説

①

吉野作造は大日本帝国憲法（明治憲法）の枠内で国民生活を向上させることを目指した。そのための手段として彼がとくに重視したのが**普通選挙制**と**政党内閣制**（藩閥ではなく、政党が中心の内閣による政治）なので、①が正しい。

②：吉野は明治憲法を否定する立場には立たなかったので、天皇の権力を制限することや民定憲法（国民が制定する憲法）の制定を主張したりはしていない。

③：たしかに、吉野は**政党政治**の実現を主張しているが、それは「国民を主体とした中道勢力による」ものではない。

④：**民本主義**は、天皇主権を前提としつつ国民の福利（幸福）を実現することを目指す立場であり、国民主権を主張するものではない ➡p.483 。

2 日本の独創的思想——哲学と民俗学

かつて中江兆民は「日本に哲学なし」と嘆いていた  けれど、明治後期ごろからは注目に値する独自の哲学が生まれるようになった。

西田幾多郎（1870〜1945）がその代表者で、彼は西洋近代哲学の前提に疑問をもち、青年時代からの参禅（禅の道に入って修行すること）経験をもとにした東洋思想を使って、より根源的な哲学的立場を構築すべく思索を重ねた。

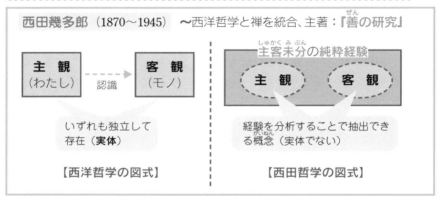

西田によると、デカルトを典型とする西洋哲学では、**主観**と**客観**というものが実体として独立しているということを前提とし、主観が客観を認識するという図式となっている。

それで何か問題でも？

主観と客観は本当に切り離すことができるのだろうか？ 目の前にある赤いリンゴは、僕ら人間の視覚によって「赤い」ととらえられているからこそ赤いのではないか。さらにリンゴを認識する主観とて、家族や周囲の無数のものに支えられてはじめて存立できているはずで、けっして真空から客観的世界をながめているわけではない。西洋哲学は、この**主観と客観の相互依存的な関係**をとらえ損ねている、というわけだ。

では、西田自身はどう考えるのですか？

主客未分の**純粋経験**こそが真の実在だと考える。無心で絵を描いているときや料理に夢中になっているとき、自分と対象とは完全に一体だ。これこそが、

根源的な純粋経験だ。

「私はいま、勉強をしている」という具合に、自分を第三者的にながめるならば、それはもはや分析された自己にすぎず、真の自己ではない。真の自己（**人格**）は卑小な自我を超えて**知・情・意**が一体となった純粋経験において完成するのであり、ここにおいて**善**が実現すると西田は説いた。

なお、晩年の西田は、こうした純粋経験において立ち現れる真の実在を、**絶対無**と呼んだ。これは有に対比される無（相対無）ではなく、有と無の両者を同時に成立させる根源的な**場所**のことだ。これは坐禅を通して得られる、自己と世界が一体であるような境地を漠然と表すと考えてもらうといいだろう。

↑↑ 鈴木大拙

鈴木大拙（1870〜1966）は、西田幾多郎と同郷・同い年の親友で、禅については先輩として、西田に大きな影響を与えた。英文で『禅と日本文化』『日本的霊性』などを著して仏教思想の紹介者として欧米でも広く知られる。

和辻哲郎（1889〜1960）
◆ 主著：『古寺巡礼』『風土』『人間の学としての倫理学』

| 人間の二重性 | ● 個人性 ● 社会性 | 弁証法的に統一 → | 人間のあり方 間柄的存在 |

和辻哲郎は、作家を志して漱石に弟子入りしたほどの文学青年だったが、ハイデッガーに深い影響を受け、また日本の仏教美術を独自の観点から評価する（『古寺巡礼』）など、多彩な思索を展開した。

和辻の議論で最も重要なのは、人間を**間柄的存在**としてとらえたことだ。西洋では一般に人間はまずもって**個人**であるという考え方が支配的だけど、完全に自立した個人などというのはあり得ない。他方で、東洋では人間が**社会的存在**であるということが重視されるが、これは逆に、人間が自分の意志をもっているという自立性の契機を無視している。ところで、「人間」は「人の間」と書くよね。和辻はこれに着目し、人間は**個人的存在という側面**と**社会的存在という側面**の二つを併わせもった**間柄的存在**であると言うんだ。

日本の民俗学

- 柳田国男（1875〜1962） ◆ 主著：『遠野物語』

  文化の本質は 常民の生活のうちにある ➡ 各地の民間伝承を収集

- 折口信夫（1887〜1953） 　無名の民衆のこと

  日本の神話を研究し、日本人の神観念を「まれびと」として説明

- 南方熊楠（1867〜1941） 　他界から来訪　　　国による神社
  　　　　　　　　　　　　　する神（客人）　　　の統廃合政策

  粘菌の研究など諸学に才能を発揮。神社合祀令に反対し、**鎮守の森**の保護を主張

　民俗学とは、**民族的な文化や伝統を文献以外の民間伝承などによって明らかにしようという学問**で、日本では柳田国男が明治末期に本格的な研究を始めた。

　柳田が目指したのは**日本文化の深層**を明らかにすることだ。この課題は江戸時代の国学者たちがやろうとしたこととも通じるので、柳田は自分の学問（＝民俗学）を**新国学**とも 称 している。

　しかし、国学と民俗学とでは、決定的にちがう点がある。それは、国学が記紀などの**古典文献**を頼りにした ➡p.456 のに対し、柳田民俗学は各地の **習俗**や**民間伝承**を頼りに研究するという点だ。

国 学	……古典文献を通して日本人の伝統を明らかにする
民俗学	……習俗や民間伝承を通して日本人の伝統を明らかにする

　知識人が書いた歴史書といったものにはどうしても為政者の政治支配を正当化するという不純な要素が入り込んでしまう。でも、地域に伝わる**河童**の伝説だとか、**先祖がお山に帰って神になる**といった人々の素朴な信仰など、常民（名もなき民衆）が紡いできた伝承や習俗には、日本人の伝統的な心のあり方

がより息づいていると考えられたのだろう。近代に入って大きく変わりゆく日本社会にあって、日本のアイデンティティを残すため、柳田は全国各地を隈（くま）なく歩いて伝承や習俗の収集と記録に努めたんだ。

 折口信夫の「まれびと」ってのは？

「まれびと」とは、その名のとおり「まれに来る人」という意味で、「客人」と書く。日本の神話を読むと、**常世の国**と呼ばれる異界（他界）から訪れる神が多く登場する。出雲（いずも）神話におけるスサノオ ➡p.419 などはその典型だし、「竹取（たけとり）物語」なども似た物語構造となっている。折口は「まれびと」「常世の国」などの概念（がいねん）を用いて日本人の精神風景を魅力的に描き出したんだ。

 南方熊楠ってのは、何をやった人なんですか？

第4章 日本思想

それに答えるのは難しいな。南方熊楠は和歌山出身の奇才（きさい）で、18カ国語を操（あやつ）れたという天才だ。学問的に正規の教育は受けていないが、英米を放浪し、**粘菌学**などで国際的に最も権威ある科学雑誌に何度も論文が掲載される（歴代最多！）などの実績を残した。

南方に関して必ず言及されるのは、神社合祀令への反対運動だ。神社合祀令とは、一町村の神社を原則として一つに統合すべしという明治政府の命令だ。国家神道（しんとう）➡p.467 を確立したかった政府としては、わけのわからない神社が各地に無数にあるという状況を改め、管理・統制しやすくしたかったんだ。

でも、知ってのとおり、神社というのは必ず森や林とセットでつくられ、地域を守っている（**鎮守の森**）。だから、神社を統廃合するということは地域の心臓部を破壊することであり、また多くの動植物から住処（すみか）を奪うことを意味するから**生態系の破壊**でもある。これに南方は断固として反対したんだ。このようなことから、南方は**環境保護**の先駆者（せんく）として再評価されているんだよ。

⬆⬆ 柳 宗悦の民芸運動

柳宗悦（1889～1961）は高校時代に武者小路実篤 ➡p.477 らと『白樺』を創刊した文学青年だったが、心理学を専攻したのちに美術評論家となった。彼は、**朝鮮の民族美術**を高く評価して、日本の占領政策を厳しく批判する。その後は日本の美術に関し、天才的な芸術家がつくる芸術作品よりも、名もなき平凡な職人が手仕事でつくる日用の工芸品のなかに真の美があるとして、こうした「用の美」を体現した民芸を全国各地から収集した。

⬆⬆ 戦後日本の思想

第二次世界大戦が終わると、それまでの言論弾圧への反動もあって、マルクス主義をはじめ、多彩な思想が競うようにして現れた。

なかでも、戦後民主主義の理論的指導者となったのが、東京大学の政治学教授・丸山眞男（1914～96）である。戦中には西洋近代思想の限界と「近代の超克」がしきりに論じられたが、丸山は終戦直後に発表した論文『超国家主義の論理と心理』などで、日本社会の問題はむしろ近代的自我がいまだ未成熟な点にあると指摘した。

そのほか、日本における本格的な近代批評の創始者とも言われる小林秀雄（1902～83）や、人間の堕落を人間本来の姿に戻ることとしてとらえた坂口安吾、日本の文化が多様な外来文化を重層的に受容した雑種文化であると指摘した評論家・加藤周一（1919～2008）、丸山眞男の近代志向を批判して学生運動に多大な影響を与えた吉本隆明（1924～2012）など、多彩な思想家たちが戦後の論壇を彩っている。

僕たちは、はたして丸山が言うところの近代的自我を確立できたのだろうか……。これは、絶えず問い返したい視点だね！

チェック問題 2

やや難 2分

近代への影響の一つの例として、みずからの参禅体験をふまえて独創的な思想を形成した西田幾多郎をあげることができる。彼の考えを説明した記述として最も適当なものを、次の①～④のうちから一つ選べ。

① 主観と客観、精神と物質の対立は、認識を成立させる最も基本的な条件であり、真の実在は純粋な認識主観の確立によって正しく把握される。

② 主観と客観、精神と物質の対立は、分析的・反省的意識によってもたらされたものであり、真の実在は主客未分の純粋経験そのものである。

③ 主観と客観、精神と物質の対立は、人間の有限な知性が設定した仮構であり、真の実在は坐禅の修行による神秘的啓示においてのみ知られる。

④ 主観と客観、精神と物質の対立は、純粋経験が成立するための基本的条件であり、真の実在は主観的心情の純粋化によって直接把握される。

(1998年・センター試験倫理追試)

解答・解説

②

西田幾多郎にとって真の実在は主客未分の純粋経験である。主観と客観はあらかじめ前提されるものではなく、事態を分析的・反省的に振り返ったときに事後的にもたらされるにすぎないので、②が正しい。

①：デカルトを典型とする西洋哲学の認識論に関する記述。西田は、主観と客観の分離を前提とする発想を批判した。

③：前半は正しい記述だが、後半が誤っている。たしかに、坐禅は純粋経験の境地を再認識するために有用だが、純粋経験は日常世界にありふれているものであって、神秘的な啓示がなければ体得できないものではない。

④：主客の対立を前提としている前半も、真の実在を心情の純粋化によって把握するという後半の記述も正しくない。

26 応用倫理学

この項目のテーマ

1 生命倫理
医療技術と生命工学の進歩は何をもたらしたのか？

2 環境問題と環境倫理
環境問題の現状と対策、それに、考え方をおさえよう

1 生命倫理

　今回のタイトルになっている「**応用倫理学**」とは、さまざまな具体的テーマに応用される倫理学という意味だ。具体的には、臓器移植など生命にかかわる問題を扱う生命倫理、環境問題を扱う環境倫理、情報社会における問題を扱う情報倫理などがその典型だ。まずは生命倫理から始めよう。

　妊娠することを「命を授かる」と言うよね。これは、生命というものが人知のおよばないものであるという考え方に由来する表現だ。ところが、**医療技術**と**バイオテクノロジー**（生命工学）の急速な進歩によって、生命は人間の手によって操作可能なものとなりつつあるんだ。そんな新たな状況に対し、人は生命を操作することが許されるのか、また許されるとしたらどこまでなのか、こういった問いが生じる。こうしたことを主題とするのが**生命倫理**だ。宗教など根本的な価値観とも関連する大きなテーマだね。

　バイオテクノロジーって何？

　バイオテクノロジーとは**生物学の知見を利用する技術**を広く指し、20世紀に登場した新しい技術のことだ。とくに、「生命体の設計図」である遺伝子についての研究が進んだ。この遺伝子を構成しているのが **DNA** で、そこに書き込まれている遺伝子情報（**ゲノム**）の解明は20世紀後半以降に急速に進み、さまざまな技術に応用されるようになったんだ。人間の遺伝子情報（**ヒトゲノム**）についても国際的に研究され、すでに2003年に解読完了が宣言されている。

遺伝子情報の解明

- 遺伝子診断・遺伝子治療
  遺伝子診断による差別・生の選別などの問題
- クローン技術
  - ヒツジなどで成功
  - 人間についてはクローン技術規制法で禁止
  - クローン技術の応用 ➡ ES 細胞や iPS 細胞などの万能細胞
- 遺伝子組み換え作物
  日本でも流通、ただし表示義務あり

　遺伝子のしくみがわかれば、遺伝病の診断が容易になる（遺伝子診断）し、正常な遺伝子を補うことで治療もできる（遺伝子治療）。でも、たとえば遺伝子診断の結果で就職差別が行われたり、生命保険の保険料が高くなるとしたら（アメリカではすでに起こっている）？　また、妊娠成立前の受精卵の段階で行う着床前診断や、妊娠段階で行う出生前診断で遺伝病が発見され、人工妊娠中絶が選択されるとしたら？　これって生まれるに値する人間と、そうでない人間を選別することだよね（生の選別）。技術の進歩の結果、僕たちはこれまで考える必要もなかった倫理的問題に直面しているんだ。

　クローン技術とは、遺伝的にまったく同一の構造をもつ生命体を複製する技術のことだ。すでにヒツジやサルなどでも生み出されているが、現在、ヒトのクローンは倫理的問題が大きすぎるとして世界的に規制されており、日本でもクローン技術規制法（2001年）によって禁止されている。

　ただし、細胞レベルでの複製は研究が進められており、神経細胞や心筋細胞など、何にでも分化できる万能細胞として ES 細胞（胚性幹細胞）が1990年代後半から注目を集め始めた。これは受精卵をもとにして作製されたもので、本来は人間の個体に成長するはずだった受精卵を破壊することになることから、倫理的な問題が指摘されている。これに対して2006年に京都大学の山中伸弥教授が発表した iPS 細胞は、ES 細胞とちがい、皮膚などの体細胞から作製可能だ。これが実用化されれば拒絶反応のない移植用臓器などを作製することも可能となるとして、再生医療の分野で大きな期待を集めている。

- ES 細胞…受精卵から作製
  ➡ 倫理的問題が大
- iPS 細胞…体細胞などから作製
  ➡ 倫理的問題は小

遺伝子組み換え作物とは、遺伝子組み換え技術によってつくられた作物のことで、日照りや多雨、害虫などに強い作物などが実際につくられている。しかし、これらはそれまで地球上に存在しなかった生命体であり、人体や生態系に与える影響が懸念されている。日本では、遺伝子組み換え食品はその旨<ruby>旨<rt>むね</rt></ruby>**表示する義務**が課されている。

> ### ポイント バイオテクノロジーの進歩がもたらしたもの
>
> - 生命の操作がどこまで許されるのかという問題（**生命倫理**）が浮上。
> - 遺伝子情報の解明は、再生医療などを進歩させた反面、**生の選別**などを深刻に。

 生殖革命って言葉を聞いたことがあるんだけど？

生殖革命とは、生殖技術が大きく進歩することを指す概念で、具体的には**人工授精**、**体外受精**、**代理出産**などの生殖補助医療を指す。

人工授精とは、自然妊娠ができない夫婦などを対象に、人為的に授精を行う技術のことだ。このうち、精子と卵子を取り出して受精卵をつくることを、とくに**体外受精**と言う。これらの技術を使えば、遺伝上の父と法律上の父のあいだで、あるいは遺伝上の母と法律上の母（産みの母）のあいだでズレが生じることがある。このように、**親子関係が複雑化**してしまうことが子どもや社会にとって望ましいことなのか、議論がなされている。

 代理出産ってのは？

代理出産には、夫の精子を妻以外の女性に人工授精してもらうのと、夫婦の受精卵を別の女性に移植するという二つのパターンがある。いずれにせよ、夫婦から見て第三者の女性が**代理母**として妊娠・出産するわけだ。

問題として、第一に、**家族関係がきわめて複雑**になってしまうことが挙げられる。母親が二人いることになっちゃうからね。第二の問題として、普通、代理母には謝礼が払われる。つまり、いわば**母胎がビジネスの対象となってしまう**んだ。これは、倫理的に問題が大きいので、日本では産科婦人科学会がガイドラインで代理出産を禁止している。ただし、こうした事態はそもそも想定されていなかったので、いまのところ法律上の規制はない。また国によっては代理出産契約が現に増えていて、これを規制すべきなのかどうなのか、なかなか

難しいところだ。

　そのほか、アメリカなどでは**精子バンク**（精子銀行）や**卵子バンク**が存在し、インターネットで精子や卵子が売買されている。また、**ゲノム編集**という方法で受精卵を操作し、親が望む外見や能力をもつ子（デザイナー・ベビー）を生み出す研究も進められている。生殖革命は、人間社会のあり方そのものをも揺るがしているんだ。

ポイント　生殖革命

- 人工授精・体外受精は日本でも可。親子関係を複雑化させる問題も。
- 代理出産は、日本では学会のガイドラインで禁止されている。

　次に、医療倫理について近年重視されている考え方を見ておこう。それは**QOL**（Quality of Life、生命の質）という考え方だ。

　伝統的な医療倫理では**SOL**（Sanctity of Life、生命の尊厳）という考え方が主流だった。これは、もともと命に絶対的価値を認めるという至極もっともな考え方を意味したんだけど、医療技術が高度化するなかで**延命治療**を絶対視すべきなのかという疑問が浮上してきた。回復の見込みもないのに耐えがたい苦痛にさいなまれ、何年間もベッドに縛りつけられるのが人間らしい生き方と言えるのか、という問題だ。

　そこで、近年では**ターミナル・ケア**（終末医療）が重視され始めた。これは、**苦痛の緩和**や**精神的ケア**を重視するものであって、**安らかな死**を目指す新しい医療と言える。なお、こうした末期患者を専門として受け入れる施設のことを**ホスピス**と言うよ。

　そのほか、近年では**インフォームド・コンセント**も重視されている。これは、費用やリスクについて医師が十分に**説明**し、患者が**同意**することを治療の条件とするという考え方だ。治療に関して医師が一方的に決めるのではなく、患者自身の意思（**自己決定権**）を大切にする、ということだね。なお、これとは反対に、（医師など）権威ある人が弱い立場の人の事柄について決定すべきだという考え方を、広く**パターナリズム**と言うよ。

　ターミナル・ケアに関しては、次の二つをしっかり区別してほしい。

- **尊厳死**（消極的安楽死）…延命治療を停止すること（➡ **自然死**）
- **安楽死**（積極的安楽死）…薬物投与などで人為的に死なせること
  - ▶**オランダ**など一部の国では安楽死が法的に認められているが、日本では尊厳死だけが認められている。

脳死問題もよく話題になるね。

そうだね、1997年に臓器移植法が制定され、2009年に大きな改正があった。それまでは死の定義により、心臓が動いている限り死者とはみなされなかったため、どうしても心臓移植ができなかった。これをやると臓器提供者（ドナー）が死に、殺人になっちゃうからね。そこで、脳死状態に陥った人を便宜的に死者として認め、生きた心臓を移植することを可能にする臓器移植法がつくられたんだ。

 なるほど、臓器移植法の制定で死の定義を変えたんだね。

そのとおり。でも、臓器移植法が制定・施行されたあとも、移植の条件が厳しいことなどから移植例はなかなか増えなかった。そこで、ドナーを待っている患者は海外に出て外国人からの移植を行うことが多かったんだけど、国際的にも臓器は足りないので、こうしたことに対してWHO（世界保健機関）などから国際的な批判がなされるようになってきた。そこで行われたのが、2009年の改正だ。

旧臓器移植法	2009年改正
・書面による**本人の意思表示**が必須	・**家族の同意**のみで可
・**15歳未満は不可**	・**15歳未満**も可
	▶親族への優先提供も可

従来も**家族の同意**は必要だった。でも、改正法では、家族の同意さえあれば、本人の意思表示がなくても臓器提供ができるようになった。本人が臓器提供を拒否する意思表示をしていた場合にはもちろんそれが優先されるけどね。いずれにせよ、これはリヴィング・ウィル（生前の意思）を軽視するものだとして批判する声も出されている。

それから、**15歳未満**の移植も解禁された。これまで15歳未満の子どもからの臓器移植が禁じられていたのは、子どもは法的に意思表示する能力がないとみなされ、またとくに身体的な可塑性が高いからだ（脳死判定を受けたあとに再び脳が動き始める事例がある）。でも、本人のリヴィング・ウィルが不要になり、子どもの臓器移植を望む声が強かったことから、この縛りもなくなったんだ。

また、臓器の提供者は**親族への優先提供**の意思表示を行うこともできるようになったよ。

チェック問題 1

標準 2分

　生徒Xは、人間は生まれながらにして自らの生命、自由、財産について所有権をもつという考え方を、現代社会で生じている諸問題に当てはめてよいのだろうかという疑問について考えるために、日本における法整備などの現状を調べた。その説明として最も適当なものを、次の①〜④のうちから一つ選べ。

① 身体は自分に固有なものであるから、本人の意思が確認できなければ、死後であっても移植のために臓器を摘出することは許されていない。

② 身体は自分に固有なものであるにもかかわらず、臓器の提供者といえども臓器の提供先について意思を表明しておくことはできない。

③ 身体がもたらす苦痛から逃れるために、医師による致死薬の投与など直接死に至らしめる処置を受ける権利は法制化されていない。

④ 身体の衰えた部分や損傷した部分の機能を回復させるために、幹細胞を用いた再生医療の技術を用いることは認められていない。

(2018年・共通テスト試行調査倫理改)

解答・解説

③

　回復の見込みのない患者に対して、医師が致死薬の投与などで人為的に患者を死に至らしめること（**安楽死**）は、日本では法的に認められていない。

①：1997年に制定された当初の**臓器移植法**では、脳死に至る前の段階で本人が臓器提供の意思表示（**リヴィング・ウィル**）をしておくことが必須であったが、2009年の同法改正により、本人の意思が不明の場合には家族の同意だけで脳死後の本人の臓器の摘出ができるようになった。

②：これも改正前の臓器移植法についての記述。2009年の同法改正により、臓器提供者（**ドナー**）は、**親族に対する優先提供の意思表示**を行うことができるようになった。

④：**ES細胞**や**iPS細胞**などの幹細胞（万能細胞）を用いて皮膚や臓器の修復を目指す再生医療は、まだ技術が確立したわけではないものの、研究と臨床実験が進められている。

② 環境問題と環境倫理

グローバル化が進む今日の世界では、一国だけではとうてい解決できない地球規模の問題がたくさんある。安全保障や経済をめぐる問題などはその代表例だが、環境問題もそうした問題の一つだ。

 公害と環境問題ってちがうの？

一般に、企業などの事業活動によって引き起こされる社会的災害を公害と呼ぶのに対し、人間の活動を原因とした自然環境の破壊を広く環境問題と呼ぶ。問題をとらえる視点がややちがうけど、問題そのものの多くはかぶっている。ただ、公害問題が地域的な問題であることが多いのに対し、環境問題はグローバルな規模で被害が拡大するケースが多い。

 公害は、いつごろに起こったの？

前にも触れたとおり ➡p.136 、公害問題はだいたいどこの国でも**産業革命**期に発生するから、日本の場合は明治中期だね。このころに起こった**足尾銅山鉱毒事件**では、衆議院議員だった**田中 正 造**が天皇に直訴したことが有名だね。
また、戦後には、作家・**石牟礼道子**が『**苦海 浄 土**』で告発した**水俣 病**をはじめとする**四大公害病**が高度経済成長期に問題となった。

 環境問題はいつごろから注目され始めたの？

アメリカの生物学者**レイチェル・カーソン**の書いた『**沈黙の春**』（1962年）が大きな転機になったと言われる。これは、農薬に含まれる化学物質が生態系に対してもつ破壊的影響について警告した著作で、**生体濃縮**（または生物濃縮。食物連鎖によって化学物質の濃度が上昇すること）の結果、動植物のみならず食物連鎖の頂点にいる人間にも害がおよぶと訴えた。この著作は大きな反響を呼び、1970年代以降に活発化する環境保護運動の呼び水となったんだ。
環境問題には次のような種類があるよ。

	原因と影響
オゾン層破壊	エアコンやスプレーなどに使われていたフロンガスがオゾン層を破壊し、南極上空にはオゾンホールが発生した。フロンガスそのものは人体に無害だが、オゾン層は太陽からの紫外線を吸収するので、これが地表に直射することで皮膚がんや白内障などが起こった。
砂漠化	過放牧や過耕作、過度の灌漑などによりサハラ砂漠南部などで急速な砂漠化が進行。農産物の減産を引き起こして途上国の飢餓問題を深刻化させるほか、森林の侵食により地球温暖化を加速させる。
酸性雨	工場や自動車などから排出される硫黄酸化物（SO_X）や窒素酸化物（NO_X）が雨に溶け込んで発生させる。この結果、河川や湖沼の生物が死滅したり、森林が枯死するなどの被害が起こっている。
熱帯林の減少	商業伐採や焼畑農業などによって発生。生物多様性が失われるほか、二酸化炭素 CO_2 吸収量が減ることにより地球温暖化を加速させるなどの影響が起こる。

環境問題とくれば、**地球温暖化**問題が重要ですよね。

そうだね。地球温暖化問題はほかの環境問題との関連という意味でも、影響の大きさという意味でも、環境問題のなかで最重要だ。

温暖化のメカニズム自体は非常にシンプルだ。**二酸化炭素**（CO_2）をはじめとした**温室効果ガス**濃度が高まると、大気はビニールハウスの内部と同様に暖められることになる。

個人的には少しくらい暖かくなってくれるほうがありがたいのですが。とくに受験シーズンとか。

温室効果ガス自体は人間にとって不可欠（温室効果ガスがなければ地表の平均気温はマイナス15度くらいになってしまう！）だけど、これが増えすぎると陸上の氷が溶け出すので、**海水面が上昇**する。その結果、島嶼国や低地国が水没の危機にさらされる。そのほか、**生態系への打撃**や乾燥化・**砂漠化**といったことを引き起こす、あるいは、すでに引き起こしているんだ。

なんで温暖化が起こっているの？

次のように考えられている。

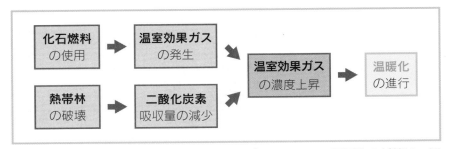

　温室効果ガスの濃度上昇が原因だとすれば、考えられる**温暖化の対策**は、温室効果ガスの**排出を抑制**することと、二酸化炭素を吸収する植物を増やすこと（**緑化**）の二通りしかない。そのための具体的方策は、1997年の**京都議定書**および2015年の**パリ協定**によって定められた。まずは京都議定書から見てみよう。

京都議定書（1997年）　◆実施期間2008〜12年

● 先進諸国の温室効果ガスの削減目標を数値化

　　　▶途上国には削減義務なし、アメリカは2001年に離脱

● **排出量取引**などによる融通も可

● ロシアの批准によって発効（2005年）

排出量取引って何？

　簡単に言って、割りあてられた排出削減目標を達成できなかった国が、超過達成した別の国から超過分の権利を買い取るというものだ。たとえば次のような具合だ。

排出量取引

┌─ A・B両国とも100万tの削減義務の場合 ─┐

A国
120万t削減　　　　　　　　　　　　　　　超過達成！

B国
80万t削減

未達成……

20万t分の排出権を売買
（B国がA国から購入）

前ページの B 国は実際には目標を達成していないのに、達成したかのように
みなせるというわけで、これをズルいと感じる人もいるかもしれない。ただ、
このしくみがあれば、A 国のように頑張って二酸化炭素を減らす国が増え、結
果的に排出削減が進むことが期待できるんだ。

京都議定書では**先進国しか削減義務を負わなかった**んですね。

　そのとおり。その理由は、これまでに地
球温暖化を引き起こした責任の大部分は先
進国にあるからだ。先進国でも国ごとに異
なる目標が割りあてられている。ただ、右
のグラフを見てもらえればわかるとおり、
今日（こんにち）では世界最大の二酸化炭素排出国が中
国で、インドの排出量も急増している。地
球温暖化を防止するためには、途上国の協
力が欠かせない。またその点に関連して、
途上国に義務がない点を不服として、京都議定書からは**アメリカが離脱**してし
まった（2001年）。

二酸化炭素の排出割合（2022 年）

その他 34%
中国 30.3%
合計 374億トン
米国 13.4%
日本 2.7%
ロシア 6.0%
インド 6.5%
EU27か国 7.1%

『日本国勢図会 2024／25 年版』より

　というわけで、二酸化炭素の排出量の上位 3 カ国（中国、アメリカ、インド）
が国際法上の削減義務を負わないという状況になっていたんだ。

それじゃあまり実効性がありませんね。

　そう。そこで京都議定書に代わる枠（わく）組みが求められた。そうして新たにつく
られたのが気候変動への国際的な取り組み、**パリ協定**だ。

> パリ協定（2015年）
> ● 目標：産業革命期からの気温上昇を 2 ℃未満に。温室効果ガス排出量
> 　を今世紀後半に実質ゼロに
> ● すべての国が参加　※アメリカは2017年に離脱を表明

　京都議定書とはちがい、中国などの途上国も二酸化炭素排出削減の取り組み
に参加するという点が重要だ。ただ、2017年にはアメリカのトランプ大統領が
離脱を表明し、2019年には正式に離脱を通告してしまった。

ところで先生、
そもそもなんで環境を守らなければいけないんでしょう？

　まさしくそれこそ環境倫理における根本的な問題だ。なぜ環境を守るべきなのか。それには、大きく分けて次の三通りの答えが提案されているよ。

環境倫理の代表的な考え方

❶ 地球有限主義（地球全体主義）

　　地球は閉じた世界だから資源利用や環境への配慮が必要

　　　例 「**宇宙船地球号**」…経済学者ボールディングが提唱

　　　　「**かけがえのない地球**」…国連人間環境会議（1972年）のス
　　　　　　　　　　　　　　　　　ローガン

　　　　「**共有地の悲劇**」…生物学者**ハーディン**が主張
　　　　　　　　　資源の乱獲は資源の枯渇を招く

❷ 世代間倫理

　　現在の世代は未来の世代に対して責任を負うべき

　　　※哲学者**ハンス・ヨナス**が提唱

　　　例 「**持続可能な開発**」…国連環境開発会議（1992年）のスロー
　　　　　　　　　　　　　　　　ガン

❸ 自然の生存権

　　生存権は人間だけでなく動物や自然そのものにも認めるべき

　　　※哲学者**ピーター・シンガー**の「**種差別**」批判

　　　レオポルドの「**土地倫理**」

---

　❸の自然の生存権は、権利の概念を動物などにも認めようというもので、ひと昔前ならあまり真剣に受け止められることもなかった。でも、そもそも人権だって、最初は特権階級だけのものだったのが、しだいに条約や法律などを通じてすべての階級、すべての人種、女性、障がい者などに拡充されてきたわけだから、いっそう拡充されても不思議ではない。現代の功利主義哲学者**ピーター・シンガー**は、人間の特権的地位を当然視する見方を「**種差別**」と呼んで批判している。近年では乳製品を含めて動物を食べることをいっさい拒否する「ビーガン（完全菜食主義者）」が欧米などで急増しているんだよ。それから**レオポルド**の「**土地倫理**」とは、人間は生態系の一構成員にすぎないとして、特権的な征服者としてのふるまいを批判するものだ。

　❷の世代間倫理は、今日の社会保障制度などにも深くかかわっているし、グ

ローバルな問題のほとんどに深く関係している。2015年に国連で採択された**持続可能な開発目標（SDGs）**➡p.191 では、環境問題だけでなく、貧困問題や性的マイノリティの問題なども、人類社会の存続に向けて喫緊の課題だと位置づけられている。SDGs では、「我々は、貧困を終わらせることに成功する最初の世代になりうる。同様に、地球を救う機会をもつ最後の世代にもなるかもしれない」とも宣言された。僕たち一人ひとりが真剣に考えなきゃいけないだろうね。

地球有限主義は、**資源の無駄遣い**への警告ですね。

　そうだね。江戸時代の日本は世界でもまれなリサイクル社会だったと言われる。

　ところが、高度経済成長をへて、日本社会は**大量生産・大量消費・大量廃棄**という悪循環に陥ってしまった。そこで、この現状を改めて、循環型社会を実現することが目指されている。

循環型社会形成推進基本法（2001年）

3R を推進しよう！

❶ リデュース（発生抑制）：まずごみの量を減らそう
　例　不要なものはできるだけ買わない

❷ リユース（再使用）：使ったものをもう1回使おう
　例　古本の流通、牛乳ビンの再利用

❸ リサイクル（再生利用）：使えないものは再生しよう
　例　古紙をトイレットペーパーにつくり変える

環境問題の解決には、僕ら一人ひとりの姿勢も大事ですよね。

　そうだ。一人ひとりの心がけだけで問題を解決できるほど甘くはないけど、これなしに解決しないというのも事実だ。「Think globally, act locally（地球規模で考え、足元から行動せよ）」の標語にあるとおり、まずは身近な問題でできることを探し、消費者としても企業に環境に配慮することを求めるグリーン・コンシューマーであるよう心がけることが必要だろう。

　未来世代に対する責任の自覚と取り組みを説明するものとして**適当でな**いものを、次の①～④のうちから一つ選べ。

① 「宇宙船地球号」という比喩(ひゆ)は、その乗組員として人類が一体であり、閉じた環境としての地球の未来について責任を共有しているという意識の表れである。

② リオ宣言を採択した地球サミットでは、地球環境保護と長期的な経済的発展は両立しないものではなく、むしろ相互に補完的な関係にあることが確認された。

③ 京都会議では、経済の発展状況にかかわらず、全参加国に対して一律に温室効果ガスの排出削減を求めることが定められ、排出量取引などのメカニズムが認められた。

④ 「地球規模で考え、足元から行動する」という標語は、地球環境への人間の影響力を意識するからこそ、身近なことから改善を始めようという決意を表している。

（2008年・センター試験倫理本試）

解答・解説

③

「全参加国に対して一律に」という部分が正しくない。**京都議定書**(ぎていしょ)では、途上国に温室効果ガスの削減義務は課せられなかった →p.500 。**排出量取引**（排出権取引）についての説明は正しい。

①：正しい。ボールディングが提唱した「**宇宙船地球号**」のスローガンは、地球が有限なものであり、人類が運命をともにしているという考え方にもとづく →p.502 。

②：正しい。1992年の国連環境開発会議（**地球サミット**）では、環境保護と経済発展の両立を目指して「**持続可能な開発**」が掲げられた →p.502 。

④：正しい。環境問題は特定の国や企業や政治家などに任(まか)せたり、責任を押し付けたりするのではなく、一人ひとりの意識と行動によってのみ解決されると考えられている。そのスローガンが「**地球規模で考え、足元から行動せよ**（Think globally, act locally）」である。

● **ラムサール条約**（1971年採択）

「とくに水鳥の生息地として国際的に重要な湿地に関する条約」が正式名。渡り鳥を保護するために湿地・湿原を保全することを定めた条約で、日本では釧路湿原や尾瀬などが登録されている。

● **ワシントン条約**（1973年採択）

「絶滅のおそれのある**野生動植物**の種の国際取引に関する条約」が正式名。ワニやゾウ、ゴリラをはじめとする動植物の商業取引を厳しく規制する条約。剝製や象牙なども規制対象となる。

● **バーゼル条約**（1989年採択）

「**有害廃棄物**の国境を越える移動及びその処分の規制に関するバーゼル条約」が正式名。医療廃棄物や汚染された土壌が海外に輸出されて処理されるといったことが相次いだためにつくられた。

● **砂漠化防止条約**（1996年採択）

砂漠化の防止と解決のために国際社会が支援することを定めた条約。

● **世界遺産条約**（1972年採択）

「世界の**文化遺産**及び**自然遺産**の保護に関する条約」が正式名。UNESCO（国連教育科学文化機関）の総会で採択された。日本では白神山地や屋久島などが自然遺産に、姫路城や原爆ドーム、富士山などが文化遺産に指定されている。

第**5**章 現代社会の課題

27 現代社会の特質と課題

1 大衆社会

　20世紀アメリカの社会学者**リースマン**（1909〜2002）は、『**孤独な群衆**』のなかで、現代社会における**根無し草的な大衆**の姿を描いている。伝統的社会における人々は、貴族や農民あるいは職人といった特定の職業・階層に属し、特定の共同体のなかで生活し、それぞれの社会に特徴的な外見や思考様式をもって生きていた。ところが、社会の**近代化**によって事情は一変し、人々は**均質で画一的な人間の集団**（塊 ＝マス）になってしまった。これが**大衆社会**（mass society）だ。

なんで、近代化すると人々が画一化するの？

　右の図を見てほしい。社会が近代化すると、政治・経済・文化のあらゆる面で人々のちがいが少なくなっていく。もちろん、政治的権利が一般民衆のものになり、人々の生活水準が向上すること自体は社会の進歩だ。でも、これがある段階以上に進むと、人々はしだいに自分の**自律性**や**主体性**といったものを感じられ

政治：市民革命、選挙権の拡大
　　➡ 政治的権利の平等化
経済：産業革命、技術革新
　　➡ 生活様式の平準化
文化：マスコミの発達
　　➡ 意識の均質化

なくなってしまうんだ。

　たとえば、普通選挙制の下では、自分の一票は何百万票か何千万票のうちの一票にすぎず、政治参加の意味を実感しにくい。こうした無力感ゆえに、人々は**政治的無関心**へと向かってしまうんだ。

　また、産業革命や技術革新の結果、大量生産が可能になり、人々は階層・居住地域を問わず、同型的な**消費者**へと均質化されていった。こうした社会ではライフスタイルも似通っていき、ファッションそのほかで**周囲に同調**する傾向がきわめて高くなる（リースマンはこうした現代人の社会的性格を他人指向型と呼んでいる）。

リースマンによる社会的性格の分類	
伝統指向型	慣習や伝統を尊重（中世以前に支配的）
内部指向型	自己の内面・良心に忠実（近代社会に支配的）
他人指向型	他者の評価が行動の基準（現代社会に支配的）

　なるほど。みんなだんだん**主体性**をなくしちゃうんだね。

　そう。フランクフルト学派 ➡p.400 のフロムやアドルノは、自己よりも上位の者には盲目的に従属しながら下位の者には抑圧的となるような人格を権威主義的パーソナリティと呼んでいるけど、これなども大衆社会の状況における人間の姿だろうね。

↑↑官僚制（ビューロクラシー）

　社会が複雑化すると**政党・企業・教会**などあらゆる組織が巨大化し、これらは官僚制的な性格を帯びてくる。官僚制を近代社会の必然として描き出したマックス・ウェーバー ➡p.314 は、官僚制の特徴として、規則による**職務権限の明確化**、組織における**上下関係**、**文書主義**などを挙げている。これらの特徴は、組織の合理性を追求した結果生まれたものだが、組織が巨大化しすぎると組織が自己目的化して成員を抑圧したり、個人の主体性や自律性の失われる管理社会となってしまう危険性がある。

2 情報社会

20世紀の前半までは、豊かな国というのは多くのモノを生産できる国のことだった。でも、情報の大量伝達（＝**マス・コミュニケーション**）が可能になった結果、経済活動の中心はしだいに**モノから情報へ**と移行し、今日では情報の生産と伝達技術こそが豊かさの基準となっている。その意味で、現代社会は**情報社会（脱工業化の社会）**と言われる。

 マスコミって、新聞社とかテレビ局のこと？

日常語では**マス・メディア**を「マスコミ」と表現するけど、マス・コミュニケーションとは「大量の情報伝達」というのが元来の意味だよ。

ともかく、新聞・ラジオ・テレビといったマス・メディアが普及した結果、情報は瞬時に多数の人々に伝達されるようになり、生活の利便性は大きく向上した。でも、**新たな問題**も生まれてしまった。

情報社会の問題点

● 大量の情報伝達　➡　ステレオタイプな見方の普及

● 商業主義　　　➡　文化の低俗化

● 恣意的な情報　➡　世論操作の危険性

現代社会においては人々の行動や考え方が画一化しやすい ➡p.506 。だから、圧倒的な量の情報が一方的に流されると、多くの人がその影響を強く受けてしまうんだ。

ステレオタイプというのは**紋切り型の固定観念**のことで、「日本人は勤勉だ」「大阪人は図々しい」などはその典型だね。いくらでも例外はあるはず（ちなみに僕は大阪出身だけど、図々しくはない！）なのに、ステレオタイプな見方が広まると、人々は先入観によって目を曇らせられてしまう。

また、マス・メディアのほとんどは営利企業なので、週刊誌であれば発行部数を、テレビ局であれば視聴率を争う（**商業主義**）。そして、現代人は、難しい政策論争などよりも芸能人の不倫騒動などに関心を寄せてしまう傾向がある。これが文化の低俗化を起こしてしまう。

さらに深刻な問題が**世論操作**だ。ヒトラーのカリスマ的演説は人々を熱狂させ、宣伝大臣であったゲッベルスは「うそも百回言えば真実となる」と言ったとされる。これは戦時中に限った話じゃなく、マス・メディアの姿勢しだいで世論は大きく揺れる。だから僕らは、圧倒的な量の情報のうち何が信頼できる

のかをつねに吟味し、さまざまなメディアを使いこなす**メディア・リテラシー**を身につけなければいけないんだ。

最近は、情報のあり方もずいぶん変わっているよね。

　そうだね。1990年代以降の **ICT**（情報通信技術）の進展、とくに**インターネット**などの**双方向（インタラクティブ）型メディア**の出現とその劇的な進歩は、社会に大変化をもたらした。新聞・テレビなど従来型メディアは基本的に一方向的に情報伝達するものだった。でも、現代型メディアでは普通の市民が**ブログ**や **X**（旧ツイッター）などの**ソーシャル・メディア**を介して全世界に情報を発信し、見知らぬ人々と情報を交換できるようになっている。国際的な**電子商取引**だって一市民にも容易にできるようになったし、政治を大きく変える影響力ももっている。

　このような劇的な変化に関して、ネットワークを介して情報が「いつでもどこでも」手に入れられる社会のことを**ユビキタス社会**と言う。いまでは**スマートフォン**（多機能電話）も普及しており、この流れはますます加速化していくことだろう。

ICT の問題点はないの？

　もちろん、いろいろと新しい問題が起こっている。

ICT による新たな問題

- ┌ 情報の双方向化・ ┐
  └ ユビキタス化　　┘ ➡ **コンピュータ犯罪の増加**

  例　ハッキング、コンピュータ・ウィルス、
  　　サイバーテロ、フィッシング詐欺

- 情報取得が容易に ➡ **個人情報**の流出
  ▶個人情報保護法（2003年）

- 情報のデジタル化 ➡ 知的財産権の侵害

　いまは、企業も政府も、多くの情報をコンピュータ・ネットワーク上に置いているので、つねに不正侵入（**ハッキング**）の危険にさらされている。とくに、国家機能への攻撃とみなされるほど本格的なものは**サイバーテロ**と言われ、近年では物理的なテロと並ぶ重要な安全保障上の課題だとされている。

フィッシングというのは、会員制ウェブサイトなどになりすまして、パスワードやクレジットカードの番号などを入力させてだまし取るというものだ。

　知的財産権とは著作権や特許権などの無形の知的創作物に関する権利のこと。とくにDVDやパソコン・ソフトなどのデジタル・データは複製がきわめて容易であり、途上国を中心に十分な保護が行われていないことが問題視されている。

　また、情報化によって利便性が高まった反面、情報を使いこなせる人とそうでない人との格差（**デジタル・デバイド**）が拡大していることは、大きな問題となっている。この格差は収入の格差にもつながってしまうからね。さらに、ネット上では虚偽の情報（**フェイクニュース**）が氾濫しており、これが階層間の分断や民族間の憎悪などを助長しているという。人は自分に都合のいい情報を選択しがちなので、そうした情報ばかりに触れ、極論になびいてしまうんだ。インターネットは**匿名性**を特徴とするため、攻撃的な発言が行われやすいとの問題も指摘できる。人々をつなぐはずのネットで分断が進むのは悲しいことだね。

　最後に、情報化にかかわる思想について見ておこう。

情報化にかかわる思想

❶　リップマン（1889〜1974）：人はじかに世界を見るわけではなく、メディアによってつくられる**ステレオタイプ**に強く影響されるため、世論は容易に操作される。

❷　マクルーハン（1911〜80）：メディアは、その形式によって人間の思考に大きな影響を与える。

　　　※活字メディア以前 ➡ 活字メディアの時代 ➡ 音声・映像メディアの時代

❸　ブーアスティン（1914〜2004）：人はメディアによって製造される疑似イベントを通して現実を見るようになる。

　いずれも近年出題頻度が高くなってきた思想家たちだ。

　まず**リップマン**は、20世紀アメリカのジャーナリストで、『**世論**』という本で「**ステレオタイプ**」の概念 ➡p.508 を有名にした。この概念は、**オルポート** ➡p.207 が「**過度の一般化**」と呼んだものともほぼ同じだ。次の**マクルーハン**はメディアの意味について新たな見方を提案した人だ。

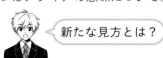 新たな見方とは？

メディアはもともと「媒体」という意味だから、ふつうは単に人から人へと情報を伝達する中立的なものと考える。ところがメディア学者のマクルーハンは、**メディアの形式**がもつ重要な意味に注意をうながした。すなわち、15世紀のドイツでグーテンベルクが活版印刷術を発明したことで、聖書をはじめとする活字情報が急速に普及した。そして活字メディアの普及は、それまで**音声**によって物語られることで伝達されていた情報が、個人が**文字**を黙読するという営みへと変わっていった。さらに20世紀に映画やテレビが普及すると、人々は活字ではなく**映像**による感覚的イメージによって情報を受容するように変わった。こうしたメディアの変化は、社会や人間関係をもおおいに変容させていくというわけだ。

　ブーアスティンも、メディアの果たしうる負の役割について指摘している。僕らは、たとえばイタリアの観光都市や国内のさまざまな政治勢力などについて、メディアを通じてかなり明瞭なイメージを与えられている。したがって、現実にそれに接するときであっても、そうしたイメージから離れてありのままを見るのは難しくなってしまう。こうしたメディアにつくられた本当らしさのことを「**疑似イベント**」と言う。

情報化はいいことばかりじゃないんだね。入試でも問題点のほうが出題されやすいよ。

チェック問題 1

 やや難 1分

ステレオタイプについての説明として適当でないものを、次の①〜④のうちから一つ選べ。

① ある集団についてのステレオタイプは、いったん作り出されると、メディアなどを通じてひとり歩きすることが多い。

② ある集団に対して投影されたステレオタイプは、投影する側が心理的にみずからのうちにもつ否定的なイメージであることが少なくない。

③ ある集団についての型にはまったイメージでも、まったく根拠のない恣意的な蔑称や呼称などはステレオタイプからは除外される。

④ ある集団の「われわれ」意識が形成される過程で、ステレオタイプが他者との差異を強調するために使われることもある。

(2005年・センター試験倫理本試)

解答・解説

③

ステレオタイプには根拠のない蔑称なども含まれる。たとえば、太平洋戦争中には日米両国とも相手国の人々を「鬼畜米英」「ジャップ/イエローモンキー」などと呼び、劣等イメージを拡大・固定化させようとしていた。

①：正しい。たとえば血液型を性格と関連づける発想は欧米にはほとんどないが、日本では昭和初期ごろから広く知られるようになり、メディアを介して非常に広範に広がって、定着した。

②：正しい。「低学歴」などの蔑称は自身の学歴コンプレックスが投影されている可能性がある。

④：正しい。たとえば国民的アイデンティティが形成されるさいにしばしばこうしたステレオタイプが利用される。日本でかつて用いられた「非国民」という表現も、「日本人にあるまじき振る舞い」を明確化することで「われわれ」意識を形成したものと考えられる。

3 現代の家族

　人間の集団は、突きつめると二種類しかない。自然発生的に形成された**基礎集団**と、明確な目的をもって人為的に形成された**機能集団**だ。前者の典型例が家族や**地域社会**（**コミュニティ**）で、後者の例としては企業や学校、政党などがある。社会の高度化とともに、現代では明らかに**基礎集団の機能低下**あるいは**衰退**が強まっている。

 家族の機能が低下しているの？

　まず、夫婦と未婚の子のみで構成される家族のことを核家族と言う（片親の親子や夫婦のみの家族も含む）。これに対して、直系3世代以上が同居するケースを拡大家族と言う。多くの兄弟がいた戦前には、核家族も多かった（長男以

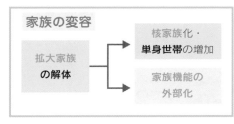

家族の変容

拡大家族
の解体

核家族化・
単身世帯の増加

家族機能の
外部化

外の兄弟は独立して核家族をつくるからね）が、拡大家族も多かった。ところが、戦後の高度経済成長期になると、農村人口の減少とあいまって、拡大家族はどんどん解体されていった。

　拡大家族の場合には、育児そのほかの家事も分担しやすいけれども、核家族の場合にはそれが難しい。しかも、都市部では若いお母さんにとって近所に頼れる知り合いがいないケースも多いので、**育児ノイローゼ**になってしまったり、悪くすると育児放棄（**ネグレクト**）や子どもへの**虐待**などにつながってしまったりする。さらに、**晩婚化**や**非婚化**が進んでいることから、少子化はますます加速している。

また、近年では核家族以上に**単身世帯（単独世帯）**の増加が目立っている。高齢者が子どもと同居していないケースが多いため、配偶者をなくすと単身になってしまうんだ。また、晩婚化と非婚化も単身世帯の増加に拍車をかけている。こんな状況だから、家族の機能は急速に低下し、従来なら家族で行われてきた育児・食事・看病・介護といったことが専門の施設や業者に委ねられるようになっているんだ（**家族機能の外部化**）。

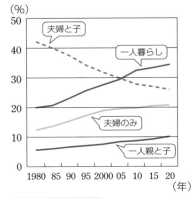

世帯構成の推移

出所：国立社会保障・人口問題研究所
「日本の世帯数の将来推計」（2024年）

家族の変化は、**女性の立場**が変わってきたことと関係が深そうだね。

そうだね。1985年に**男女雇用機会均等法**が制定されたことで女性の社会進出が急速に進んだし、1999年には**男女共同参画社会基本法**が制定されている。もはや「男は仕事、女は家庭」などという**性別役割分業**は通用しない時代だ。

ところで、生物学的な性差（オス／メス）は与えられたものだが、**社会的・文化的に形成された性差**（男らしさ／女らしさ）は時代や社会によって多かれ少なかれ異なっている。前者を**セックス**、後者を**ジェンダー**と言う。たとえば、日本でもひと昔前までは、手に職をもつ女性は「女のくせに」と陰口をたたかれた。でも、今日では、現実問題として夫婦が共働きしないと家計の維持が難しくなっているわけだから、そうも言っていられない。ジェンダー（男らしさ／女らしさ）が社会状況によっても変わるという一例だろう。

🔼🔼 男女間のその他の問題

　夫婦のあいだで生じる暴力（**ドメスティック・バイオレンス、DV**）は表面化しにくく、また法的な規制には慎重な意見が多かった。しかし、殺人など深刻な事件に発展するケースも多いことから、2001年に**DV防止法**が制定された。

　日本では民法上、婚姻（こんいん）において夫婦いずれかの姓（せい）にしなければならないが、90％以上の夫婦は女性が姓を変えている。これは、結婚によって「家庭に入る」という女性のあり方が変化している実状に合わないとして、別姓（べっせい）も選べるようにする**選択的夫婦別姓制度**の導入が長年議論されているが、まだ実現していない。

　多くの国で出産にかかわる決定権は男性（夫）が握るのが普通だった。しかし1994年の**国際人口・開発会議**以来、子どもの出産については女性自身の自己決定に委ねるべきという**リプロダクティブ・ヘルス／ライツ**の考え方が確立した。

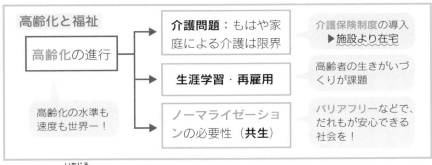

　日本では著（いちじる）しく**高齢化**が進行している。総人口のうち65歳以上の人口の割合を**老年人口比率**（老年＝ろうねん）（高齢化率）と言うが、日本は29.1％（2023年）と、すでに4人に1人以上が高齢者となっている。また、**高齢化の速度**も世界に類例（るいれい）のない速さだ。**少子化**（少子＝しょうし）がこれに拍車をかけているので、2060年ころには、なんと人口の40％が高齢者となると推計されている。

> マジっすか！　いろいろ問題が起こるんじゃないですか？

　そうだね。お年寄りが長生きできるようになることはいいことだけど、どうしても年金や医療費がかかるから**社会保障制度**の維持が難しくなってくる。

　それに、先ほど見た家族の変容もあいまって、高齢者の介護問題が深刻になる。そこで2000年には**介護保険制度**がスタートした。高齢者の介護を社会全体で引き受けようというわけだ。

そのさい、老人ホームのような**施設での介護**より**在宅での介護**が重視されているという点をおさえてほしい。このほうが低コストだという現実的な事情もあるが、お年寄りにとっても自宅で過ごしたいという願いがあるし、何より施設に隔離するというのは**共生**の考え方にそぐわないからだ。

今日（こんにち）では、**ノーマライゼーション**の考え方が重視されているんだ。これは高齢者も若者も、あるいは障がい者も健康な人も同じように生きることのできる社会をつくるべきだという考え方だ。もちろん、高齢者や障がい者にはハンディキャップがあるから、階段の段差のような障害（バリア）はできるだけなくしていくこと（バリアフリー）が求められている。

> ## ポイント ▶ 現代の家族
>
> - 現代では都市化と工業化により拡大家族の解体が進み、**家族機能の外部化**が進行している。
> - 女性の社会進出や晩婚（ばんこん）化が進んだ結果、現代では急速に**少子（しょうし）化**が進み、将来の社会保障制度の持続可能性への懸念が強まっている。
> - 戦後**高齢化**が急速に進行した結果、日本は世界一の高齢化大国となっている。

4 グローバル化と倫理

　ここまでさまざまな問題や課題を見てきたけど、最後に、グローバル化の進む現在の世界において、僕たちが考えなきゃいけない倫理についてまとめていこう。

国際化と**グローバル化**ってちがうんですか？

　同じ意味で使うことが多いけど、少しだけニュアンスがちがう。

　国際化は、国家と国家の結びつきや相互依存関係が深まることをいうのに対し、**グローバル化**（グローバリゼーション）は、主権国家という枠組みそのものが相対化され、人・モノ・カネ・情報のすべてが全地球規模で活発にやり取りされるようになる事態を指す。国境のもつ重要度が低下するという意味の**ボーダレス化**と言っても、ほぼ同じことを指している。

　なるほど。グローバル化の時代には、
外国人との付き合いもどんどん増えていくでしょうね。

　そうだね。だから、国際化とグローバル化が進む時代にあっては、**異文化理解**および他者との**共生**がきわめて重要となる。

　そのために必要な考え方が**文化相対主義**と**多文化主義**（マルチカルチュラリズム）だ。この二つはいずれも**エスノセントリズム**（自民族中心主義）の反対の考え方だけど、微妙に異なっている。

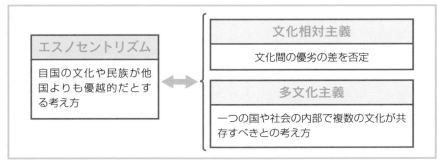

　多文化主義の典型としては、文化的なマイノリティを保護するために複数の言語を公用語と位置づけているスイスやカナダなどの政策を挙げることができる。

　少数派の文化を劣ったものとして多数派の文化を押しつけるようなやり方は

同化主義と呼ばれ、共生の時代にはふさわしくないものとして否定されている。日本がかつて行ったアイヌ民族に対する北海道旧土人保護法などはその典型例と言えるだろう。

　なお、多民族国家の典型であるアメリカ社会は「人種のるつぼ」としばしば言われてきたが、実際のアメリカ社会では人種が混ざり合って一つの文化を形成しているのではなく、各人種が独自の文化を保持しつつ共存している。そこで近年では、アメリカ社会はけっしてとけ合うことのない「人種のサラダボウル」だと言われることが多い。

↑↑ オリエンタリズム

　パレスチナ出身の文芸批評家として米国の名門コロンビア大学で教鞭を執ったエドワード・サイード（1935〜2003）は、主著『オリエンタリズム』のなかで、「東洋的（オリエンタル）」という概念が西洋人によって捏造されたものにすぎないと論じた。彼によると、「東洋」とは、西洋人が多様な非西洋世界を一般化して、自分たちの先進性を確認するとともに、これと異なる文明圏を後進的・受動的で西洋人によって支配されるべき対象であることを確認するためにつくり上げた概念だとされる。

 これからは、ますます国境が相対化されていくんでしょうね。

　そうだね。「国際化」だけでなく「民際化」が必要だという声もあるし、地球市民としての自覚をもつことが求められてくることだろう。

　その点で、国際社会でも主権国家や国際機関だけでなく、さまざまなNGO（非政府組織）の役割が高まっている。NGOとは一般に国際的な規模でさまざまな非営利的な活動に取り組む組織を指し、国連憲章のなかでは「国連と連携する民間組織」としてNGOが位置づけられている。だから、国際連合で議決権をもつのは主権をもつ加盟国だけだけど、多くのNGOがオブザーバーとしての参加権限を認められているんだ。

 へえ、NGOって大事なんですね。

　うん、NGOのなかには世界平和にも重要な役割を果たしたものもあるよ。たとえば、NGOの集合体である地雷禁止国際キャンペーンは、対人地雷禁止条約を策定する運動を主導して、1997年にノーベル平和賞を受賞した。核兵器

廃絶国際キャンペーン（ICAN）も、核兵器禁止条約において同様の役割を果たし、2017年のノーベル平和賞を受賞しているよ。

> ## 代表的な NGO（非政府組織）・NPO（非営利組織）
> ### ● 赤十字国際委員会
> 　1864年創設。赤十字は、紛争時の傷病者保護を目的にする国際赤十字の常設機関。アンリ・デュナンの提案にもとづいてつくられた。1917年、1944年、1963年にノーベル平和賞を受賞。
>
> ### ● オックスファム・インターナショナル
> 　1942年設立。途上国の飢餓・貧困と不正をなくすための募金と援助活動を行っている。
>
> ### ● アムネスティ・インターナショナル
> 　1961年創設。良心の囚人（非暴力的な政治犯）の釈放や死刑廃止運動などを行っている代表的な人権NGO。1977年にノーベル平和賞を受賞。
>
> ### ● 国境なき医師団
> 　1971年創設。天災や戦災にさいし、人道的見地から現地政府との対立をも辞さずに緊急医療援助を行っている。1999年にノーベル平和賞を受賞。

お疲れさまでした！ここまで読んでくれてありがとう！みなさんの共通テスト本番における高得点を、心の底から祈っています！

さくいん

本書の重要語句を中心に集めています。

＊項目は、アルファベットと（日本語の）五十音順に大別しています。
＊アルファベットと日本語の合成語は、日本語の項目に分類しています。
　　例　「ODA四原則」→「お」の項目に分類
＊ "ー"（音引き）は、実際の読みに置き換えたうえで五十音順に並べ替えています。
　　例　「モンテスキュー」→「モンテスキュウ」に置き換える

●おもな参考文献（順不同）

『日本国勢図会　2024/25年版』（矢野恒太記念会）
『世界国勢図会　2024/25年版』（矢野恒太記念会）
『憲法　第七版』（芦部信喜、岩波書店）
『憲法　第7版』（長谷部恭男、新世社）
『政治学　補訂版』（久米郁男ほか、有斐閣）
『現代政治学　第3版』（加茂利男ほか、有斐閣アルマ）
『現代の裁判　第2版』（市川正人ほか、有斐閣アルマ）
『政治過程論』（伊藤光利ほか、有斐閣アルマ）
『行政学［新版］』（西尾勝、有斐閣）
『日本の統治構造』（飯尾潤、中公新書）
『入門経済学　第4版』（伊藤元重、日本評論社）
『マンキュー経済学ミクロ編　第3版』（東洋経済新報社）
『マンキュー経済学マクロ編　第3版』（東洋経済新報社）
『新・日本経済入門』（三橋規宏ほか、日本経済新聞出版社）
『日本の経済』（伊藤修、中公新書）
『財政学　改訂版』（神野直彦、有斐閣）
『労働法　第6版』（浅倉むつ子ほか、有斐閣アルマ）
『社会保障法　第7版』（加藤智章ほか、有斐閣アルマ）
『国際法　第3版』（中谷和弘ほか、有斐閣アルマ）
『戦後世界経済史』（猪木武徳、中公新書）
『ゼミナール国際経済入門　改訂3版』（伊藤元重、日本経済新聞出版社）
『社会学』（長谷川公一ほか、有斐閣）

●参照した用語集（順不同）

『現代社会用語集』（山川出版社）
『政治・経済用語集』（山川出版社）
『倫理用語集』（山川出版社）

●写真提供

・アフロ
・AP
・Colbase
・永平寺

村中　和之（むらなか　かずゆき）

大阪府出身。一橋大学大学院博士課程単位修得。現在、駿台予備学校講師。

法学および文学の学士と社会学の修士をもつ「学位コレクター」。専門は社会哲学および政治思想史で、古今東西の古典を読破。哲学・思想の本質を説明させれば右に出るものはいないと言われる。また、受験生時代には「世界史職人」の異名をとっていたように、地歴公民科全般に関してオールラウンドな知識を有する。

教壇では、膨大な知識と雑学を駆使した授業により、基礎レベルから難関大志望者までの受講生を魅了し、体系的な板書にも定評がある。現在、駿台予備学校などで「倫理」「倫理、政治・経済」「政治・経済」を指導しているほか、「青本」の執筆や模擬試験の作成、教員向けのセミナーなどを多数担当。また、「駿台サテネット21」で「倫理、政治・経済共通テスト対策」「公共共通テスト対策」の講座を担当（2024年現在）。

趣味は「哲学」で、特に好きな思想家はハンナ・アーレントと丸山眞男。

主な著書に『改訂版　大学入学共通テスト　現代社会の点数が面白いほどとれる本』、『日本の大問題が見えてくる　ディープな政治・経済』、『経済のニュースが面白いほどスッキリわかる本』、『大人の教養　面白いほどわかる倫理』（以上、KADOKAWA）、『学びなおすと倫理はおもしろい』（ベレ出版）、『短期攻略大学入学共通テスト倫理』（駿台文庫）がある。

かいていばん　　だいがくにゅうがくきょうつう
改訂版　大学入学共通テスト

こうきょう　りんり　てんすう　おもしろ　　　　　ほん
公共、倫理の点数が面白いほどとれる本

0からはじめて100までねらえる

2020年 6月28日　初版　　第1刷発行
2024年 9月18日　改訂版　第1刷発行

著者／村中 和之
むらなか かずゆき

発行者／山下 直久

発行／株式会社KADOKAWA
〒102-8177　東京都千代田区富士見2-13-3
電話　0570-002-301（ナビダイヤル）

印刷所／TOPPANクロレ株式会社
製本所／TOPPANクロレ株式会社

●お問い合わせ
https://www.kadokawa.co.jp/（「お問い合わせ」へお進みください）
※内容によっては、お答えできない場合があります。
※サポートは日本国内のみとさせていただきます。
※Japanese text only

定価はカバーに表示してあります。